Using Surveys to Value Public Goods The Contingent Valuation Method

CVMによる環境質の経済評価

非市場財の価値計測

著 者　Robert Cameron Mitchell・Richard T. Carson
訳 者　環境経済評価研究会

山 海 堂

推薦の言葉

われわれを取り巻く環境は，われわれすべてが共有する貴重な財産です．その環境を次の世代へ残していくことはわれわれの大きな使命と言えましょう．そのため，新たなる21世紀では，社会資本整備においてさらなる環境への配慮が求められているとともに，限られた財政的制約の中で公平かつ効率的な社会資本整備を進める必要があります．また，生態系や景観・アニメニティといった環境の価値を計測し評価することが，上記の目標遂行のために，必要不可欠であると考えます．

しかしながら，これまでの我が国においては環境についての価値を十分に認めつつも，具体的な計測にはさまざまな課題があることから，社会資本整備による環境への影響を計測した事例が少ない状況にあります．本書で紹介しているCVMは，アメリカにおいては，1989年3月におきたアラスカ湾でのタンカー事故における環境被害の補償額算定に用いられるなど，環境の価値計測に有効な手法として確立しており，今後わが国でもその適用事例の拡大が期待されます．

本書は，CVMについて，その理論的基礎から実地調査における留意点までを，豊富な調査事例に基づいて網羅的に解説したものであります．本書が，CVM研究者から現場実務者までを対象とした分かり易い解説書であると確信し，本書の幅広い活用を希望します．

独立行政法人土木研究所
企画部長　北川　明

訳者まえがき

本訳書は Robert Cameron Mitchell and Richard T. Carson, Using Surveys to Value Public Goods : The Contingent Valuation Method, Resources for the Future, 1989, 463 pp を全訳したものである.「公共財の価値の計測—CVM」と題する原書名からも明らかなように,本書は公共財のように市場が存在しない財に対する価値の測定手法として開発された CVM について,著者らの研究および他の学者達の研究にもとづき,その理論や適用の有効性などを詳述したものである.

本書序文の中でもふれられているが,本書を出版するきっかけは,著者らが 1981 年に CVM を用い,米国内の淡水汚染にかかわる便益の実地研究の報告書をまとめたことによる.この報告書は,主として水質にかかわる便益の分析を行うことを目的としていたが,報告書の半分以上を CVM の基本的な方法論に費やす必要に迫られた.この経験から,著者らは CVM の理論の研究に着手し,より体系的な調査方法としてまとめていく重要性を痛感し,その後の研究の成果として 1989 年に本書が出版されたのである.現在も著者の Robert Cameron Mitchell 氏はクラーク大学地理学部教授として,Richard T. Carson 氏はカリフォルニア大学サンディエゴ校経済学部教授として CVM の発展的研究を続けられている.

現在,わが国においても CVM は環境の価値評価手法として注目を浴びており,さまざまな分野での研究が進みつつあり,CVM に関する著書もいくつか出版されている.これらの多くで本書が引用文献とされていることからもわかるように,本書は CVM の基本書として重要な役割を果たしているといえる.

本書の内容は,CVM の理論,調査の方法,データの収集など基本的な事項の紹介から始まり,CVM 懐疑論者が問題としている回答者の戦略的行動についての検証,有効な評価結果を得るために障害となるさまざまな要素を取り除き,CVM を政策目的で用いるに十分足るものとするための検討事項,今後の最優先研究課題および新しい適用の可能性などから構成されており,これから CVM の研究に着手しようとしている人だけでなく,現在研究を進めている研究者,CVM の評価結果を用いようとしている行政担当者まで,幅広く役立つものであると確信する.

訳者は,本書の出版により,数多くの人が CVM の基本的な事項をよりよく理解し,CVM を的確に用いていくことで,ますます国内での CVM 研究が発達することを期待し,今回の翻訳を企画した.

今回,翻訳版を出版するにあたって,CVM にあえて訳語を用いなかった.この CVM の訳語については,研究者による国内への紹介の途上において,「仮想評価法」「仮想的市場評価法」「仮想市場法」「仮想金銭化法」などのさまざまな訳語があてられたが,最近では CVM という言葉自体が一般に浸透しつつあることをふまえ,本文中では CVM と表記している.

なお環境経済評価研究会における翻訳活動において国土交通省河川局安田吾郎氏,東北大学大学院林山泰久氏,早稲田大学政治経済学部栗山浩一氏より多くの助言をいただきました.

最後に,出版事情のきわめて困難な折,本書の出版を可能にしていただいた(株)山海堂,とりわけ版元との交渉,翻訳原稿の編集とりまとめ作業で大変お世話になった山田正彦氏には深く謝意を表したい.

環境経済評価研究会

まえがき

　政策の決定に際しては，しばしば，社会的費用とそれに伴う便益のバランスが問題となる．政策が市場で取引きされるものやサービスに影響を及ぼす場合，社会的費用と便益は，価格と収入の変化に伴う消費者行動から決定される．多くの経験的事実から，価格と収入によって消費者行動が変化することがわかっている．その証拠に，社会的費用に伴う便益を算出するための合理的でわかりやすい方法として用いられている．一方で政策が，国立公園，野生保護地域，飲料水，他の多くの環境や天然の資源といった公共財の利用や特性に影響を与える場合には，価格と収入の変動によってその影響を見るのではなく，より間接的な方法を用いて消費者行動の変化を推測しなければならない．

　本書「CVM による環境質の経済評価—非市場財の価値計測—」は，行政，評論家，社会学者に対して，民間市場では取引されないものを評価するのための，新しい手法の詳細検討を提供するものである．経済理論から導かれる方法と，公共財に求める価値を消費者から直接引き出すための調査研究方法に基づくことから，CV（仮想評価）とした．この公共財評価のための手法は，50 年代後半から 60 年代前半に RFF（Resources for the Future）によって作成された初期の研究成果を，補足してまとめたものである．これらの初期の研究では，間接的にその公共財にかかわる観測を行うことにより，公共財の個別価値を推定している．たとえば，1959 年の Marison Clawson による発展的な研究では，アウトドア・レクリエーションの体験について，各個人がある特定の観光地へ旅行した距離を観測することによりその価値を推定した．

　これまでの間接的な手法と比べた CV の有効性は，評価される価値の性質に関係している．Clawson の旅行距離による方法で例示された間接的な手法は，公共財の利用にかかわる価値（利用価値）の計測に最もよく適用される．一方で仮想金銭化法（CVM）は，たとえば本来の自然環境を次世代へ残したいという個人の願望といったような，公共財を利用することとはまったく関係のない価値（非利用価値）を計測するために用いられる．

　CVM はいまだほんの初期の段階であり，適切な適用手順と信頼性の検証に関して，基礎的な研究が行われている．本書は最新の研究の概要と，公共財の経済評価手法としてのこの手法の批評的な評価を示しているところである．本手法の構築と適用における著者らの経験を通して，読者はこの手法の長所と制限を理解し，CV の成果に対する適切な解釈ができるものと確信する．

Raymond J. Kopp

Senior Fellow and Director

Quality of the Environment Division

1988 年 10 月　　　　　　　　　　　　　　　　　　　　　　Resources for the Future

序　文

　本書の動機づけとなったのは，われわれが 1981 年に書いた，公共財に対する人々の WTP を測定するために CVM を用いた最初の試みにおける調査結果報告書である．その企画は，米国環境保護局が便益測定の方法論を開発するための取組みの一環とした基金によるもので，国内の淡水汚染にかかわる便益の実地研究である．われわれの報告書は，主として水質にかかわる便益の分析を行うことを目的としていたが，報告書のほとんど半分を基本的な方法論的問題に費やすことが必要であることがわかった．その経験から，われわれは CVM 理論の研究に着手し，より体系的な徹底したやり方で実行しなければならないことを確信した．本書はその成果である．

　われわれは，本書を主として 2 種類の読者に向けて書いた．まずは，市場で取り引きされないものを評価することに関心はあるが，CVM に関して特別の経験のない経済学者や評論家である．本書はそれらの人々に CVM への手引きと，その評価手法としての妥当性の理論的かつ方法論的説明を与えるものである．2 番目の読者は，CV 研究を指導する（またはするであろう）人々と，その研究成果を実際に利用する（するであろう）人々である．これらの人々の多くは，調査研究において比較的小さな範囲を対象とする資源経済学者であり，その中には，経済理論や費用対効果分析について精通していないであろう社会学者も含んでいる．本書は，このような人々に基本的な手法の背景と，CV 研究の結果が妥当であるとする前に，対応すべきこの手法の方法論的問題の分析結果を示すものである．

　また，私達がここで考える問題は，より幅広い意味を持っている．CV 研究と，経験者誤差モデルを構築する取組みによって導かれた種々の方法論的実験の成果は，調査研究者の経験者行動理論を構築するための最新の取組みと関連がある．戦略的な行動，便益の性質，なぜ人々は一貫して快適さを手に入れるための WTP よりも，快適さを手放すとき受取補償額（WTA）を高く設定するのか，というようなことに関するわれわれの研究は，経済理論から引き出された多くの一般論の妥当性について疑問を投げかけた．また，調査が"既知の"住民投票をシミュレーションできる可能性は，民主主義の理論や経済学と関係している．最終的に，選好パターンの分析は，社会学者の行動に関する新しい理論の構築への取組みに関連している．（たとえば Coleman, 1986 を参照されたい）．

　なお，われわれの研究の過程において多くのことを参考としたことに異存はないが，ここで述べる意見については，のちに述べるいかなる機関および個人にも責任はない．

　われわれの研究に対しては 3 つの機関から経済的な援助がなされた．淡水の便益に関する追加の研究の指導，および飲料水のリスク削減便益を評価するための米国環境保護局との協調的な契約は，これらの企画に取り組んでいる間に，さらに進んだアイディアを構築することを可能にした．米国電力中央研究所からの RFF への CV 研究への補助金は，われわれの分析を広げる実験計画書の提出，および CVM と他の便益評価手法との関係に対応するために必要な支援と励みを与えてくれた．最後に，制度に関する情報の提供や，企画の最終段階において本書の出版を可能とした資金援助について，RFF にお世話になった．

　われわれが本書を執筆するにあたり，以下に記す他の組織の大勢の仲間との議論によって励ましを受けた．Icek Ajzen, William Balson, Richard Bishop, David Brookshire, Albert H. Cantril, Jr., Alan Carlin, Peter Caulkins, Kenneth Craik, Ronald Cummings, Robert Davis, William Desvousges, B. L. Driver, Larry Espel, Marvin Feldman, Baruch Fischhoff, Ann Fisher, A. Myrick FreemanIII, Theodore Graham–Tomasi, Robin Gregory, John Hoehn, Paul Kleindorfer, Howard Kunreuther, Edna Loehman, John Loomis, William O'Neill, Joe Oppenheimer, George Parsons, Kirk Pate, George Peterson, Stanley Presser, Paul Ruud, Robert Rowe, William Schulze, Paul Slovic, John Stoll, Mark Thayer, George Tolley, William Wade, Thomas Wegge, Ronald Wyzga, Elizabeth Wilman の各氏である.

　また RFF の仲間は, われわれが本書の執筆にあたった何年もの間, 協力的であり助けとなった. とくに John Ahearne, Alan Kneese, Alan Krupnick, Raymond Kopp, Paul Portney, Brian Norton, Walter Spofford, Thomas Tietenberg, William J. Vaughan の各氏に感謝の意を表する. Richard T. Carson が本書の準備期間中在籍した, カリフォルニア大学バークレー校およびサンディエゴ校における, Peter Berck, Leo Breiman, Gary Casterline, W. Michael Hanemann, William Foster, Mark Machina, Selma Monsky の各氏との議論は大変有意義であった. そして原稿のさまざまな時点で, 次の仲間たちは親切にも原稿のすべて, または一部を読み, 助言をしてくれた. Peter Bohm, Michael Hanemann, Thomas Heberlein, Alan Randall, Clifford Russell, V. Kerry Smith とその他数多くの人達である. Robert Cameron Mitchell は, 妻の Susan J. Pharr に対して, 彼女の編集に関する助言と精神的な支えとなったことへの特別な感謝の意を表したいとしている.

　貴重な編集・グラフィック・研究のアシスタントは, RFF, バークレー校, そしてサンディエゴ校の Diane Burton, James Conway, James Jasper, Christine Joiner, Katherine Wagner, Kim Weeks, Richard Weeks, Verna Wefald の各氏が務めてくれた. Kerry Martin は, 付録 A の材料のほとんどを準備してくれた. Betty Cawthorne は, 本書の長期間にわたる執筆において, 2つの異なったワードプロッセッシング・システムと奮闘するフラストレーションにもかかわらず, いつもの華々しさをもって秘書の仕事にあたってくれた. 編集者である Samuel Allen は, 大きなことにも小さなことにも, 重要な問題に細心の注意を配り, 彼のすばらしい能力をもって技術を発揮してくれた.

　また, 本書の着想以来徐々に発展してきたように, 私達の仲間意識が深まったことを記しておきたい. 表紙に記された名前の順序は, 本書の歴史を反映している. 最終的な成果品は, まさに共同の成果であり, 名声も非難も等しく分かち合うものである.

　最後に, われわれは Clifford S. Russell 氏にとくに恩義を受けており, 喜んで彼に本書を捧げるつもりである. 現在, バンダービルト（Vanderbilt）大学政策学会の代表である Cliff 氏は, われわれが本書の執筆を始めたときから 1985 年まで間, RFF における環境評価部門の長であった. 彼がわれわれに CVM を伝え, 我々が方法論の細分化や他の環境測定と奮闘している間, 彼のその衰えることない企画への関心と知的な援助をもって, われわれの本書への着想と執筆を可能にしてくれた.

目　　次

第1章

CVM を用いた
公共財の評価

　原油輸出禁止，スタグフレーション，経済競争力に関する懸念，および競い合いを旨とする予算措置請求という事態に直面して，米国ではよりきれいで，より安全な環境に対する国民の関心が高い．しかしよりきれいな環境という目的に近づけば近づくほど，また改善を重ねてゆけばゆくほど，より多大な費用を要するのが現状である．公共の資源は有限であり，納税者は税金のあり方に不安を覚えているため，次のような政策上の困難な問題点がいくつか持ち上がっている．

　大気はどの程度きれいにすべきなのか？

　ミシシッピ川下流をウィスコンシン州の湖と同水準まで清浄にすべきなのか？

　飲料水の不純物の許容限度水準はどの程度にすべきなのか？

　合法的な産業開発ニーズがある中で，州立公園のいっそうの拡充は正当化されるのか？

　米国はB1爆撃機をもう1機購入するのか？

　メディケア受給者は，健康医療組織に登録されるよりも，かかりつけの医師の利用のほうがより大切だと考える場合がどの程度あるのか？

　経済学者たちは，こうした疑問に対しては，費用便益分析（benefit–cost analysis）を用いた経験的な調査で対応できるとしている．公共財の便益と費用を比較評価することによって，政策立案者はより多くの情報にもとづいたうえで論理的に決定を下すことができる．ここ数年こうした考え方の筋道に対する需要が，連邦政府や地方政府の政策立案者の間で次第に高まってきている．

　しかし残念ながら，大気の透明度の上昇のような理解しにくいものにドル価値をつけたり，自然保護区域でカヌー漕ぎをするオプションを維持することは，きわめて難しい試みである．経済学者たちはかなり以前から，市場で日常的に売買されている財の価値を測度してきた．しかし国防，人間を月に送るアポロ計画，多くの環境アメニティといった「公共」財のための市場は通常は存在しない[1]．時には，これはレクリエーション用地の場合のように，公共政策においては，財やサービスに料金がかからないか，かかったとしても料金が任意に決定されるためである．サービス提供の全費用や真の市場価値を反映していない．また大気の透明度や水質の改善などの場合は，まさに言葉の真の意味の公共財であって，そのアメニティが一度提供されればそれを排除することができないため，料金が課せられることはない．

　何十年にもわたって，経済学者たちは公共財の評価に挑んできた．CVM（contingent valuation method）（訳注）は，この必要かつ重要な仕事を行うために彼らが開発した数多くの巧妙な手法の一つである．本書では，CVM は公共財に対する人々のWTP（willingness to pay）を決定するために開発された，現状において最も有望なアプローチであると考える．

　一般的にCVM は，他の利用可能な手法と同じくらい正確と見られ，CV 調査に従事する研究者は立てる仮定が少なくてすみ，他の手法ではたとえ測度できたとしても大きな困難を伴うタイプの便益を，この方法では測度することが可能である．われわれのメッセージは楽観的なものであり，現実はきびしい．すべての精巧な方法論と同様に現在のCV は挑戦中であり，本書のねらいはCVM を用いる落とし穴に焦点を当てることである．仮想状況に対する消費者の反応を探るCVM を用い

1）純粋公共財は，その財の利用を望む個人間の混雑が非排除性と非競合性によって特徴づけられる（Corners and Sandler, 1986）．それらは外部性の特殊型と見られるかもしれない．実際の世界では，こうした厳密な状況を満たす公共財はほとんどない．第3章において，CV のためにこの定義からの逸脱による影響を論じる．あるものが「よい」か「悪い」かは，人，の見方によって決まる．たとえば，環境の質を高めることは，消費者によっては「よい」ことであるが，汚染規制の当面の費用を負担することになる生産者にとっては「悪い」ことかもしれない．

（訳注）CVM の訳語については，既往の文献では，「擬制市場法」「価値意識法」「意識分析法」「仮想評価法」「仮想的市場評価法」「仮想市場法」「仮想金銭化法」などのさまざまな訳語があてられているが，最近ではCVM という言葉そのものが一般に用いられていることから，そのままCVM とする．

た調査は，さまざまな誤りが生じやすいものであるため，研究者が誤りを回避するための手段を講じ，政策立案者が自信を持って CVM の結果を評価し利用できるよう，われわれは詳細に検討する.

1. C V M

CVM は公共財の一定の改善に対し，いくら支払う意志があるかを明らかにして，人々の公共財に対する選好を聞き出すアンケート調査の質問に用いられる. このようにこの手法は，人々の WTP（willingness to pay 支払意志額）をドル金額で聞き出すことを目的としている[2]. 公共財の市場が存在しないので，公共財を購入する機会のある仮想的市場を消費者に提示する. この仮想的市場は，私的財市場または政策市場のいずれかをモデルにして作られることになる. 導き出される WTP は，回答者に示された特定の仮想的市場いかんによって決まるため，CVM と呼ばれるようになった（Brookshire and Eubanks, 1978；Brookshire and Randall, 1978；Schulze and d'Arge, 1978）[3]. 回答者には通常，対面式の面接調査において資料が提示される. 面接調査は以下の3部門からなる.

1. 評価される財と回答者に利用される仮想的環境の詳細な描写

調査者はかなり詳細にモデル市場を作成し，面接のときに質問者がシナリオを読むことで回答者に伝える. 市場はできる限り実際の市場に近いものになるよう設計される. 評価される財，基準の提供水準，財が提供される際の構造，利用可能な代替物の範囲，支払方法を示す. 財の需要曲線を描くため通常，回答者はいくつかの提供水準を評価することを求められる.

2. 評価される財に対する回答者の WTP を聞き出す質問

評価プロセスにおいて，回答者の WTP に不当な影響を及ぼさないように設計する

3. 回答者の特徴（年齢，所得など），評価される財に関する選好，および財の利用に関する質問

この情報はシナリオ朗読の前後に聞き出され，財の金銭評価関数を推定するための回帰方程式に用いられる. 理論的に予想される WTP の変数をうまく用いた推定を行えば，その推定は部分的には信頼性と有効性を持っているといえる.

よく設計され，注意深く予備テストが重ねられた調査であれば，その金銭評価の質問に対する回答者の回答は，WTP の有効な回答といえよう. 次のステップは，この WTP を用いて便益の推定値を明らかにすることである. 無作為抽出法によってサンプルが几帳面に収集され，回答率が十分高く，無回答者や無効データに対して適切な調整が施されている場合，得られた結果は，回答者がサンプルされた母集団に対し，許容範囲内で誤差が調整され，一般化することができる. 一般化できることは，サンプル調査方法の大きな特徴である. このようにして，たとえば800人の回答であっても川の流域，ある州や地方，または全米の国民に対してさえも，質問された場合の予想される回答として用いることができるのである.

2）CV 調査の回答者は，損失に対する WTA（willingness to accept 補償要求額）の水準も質問されるかもしれないが，とくに指示がない場合，WTP フォーマットと呼ばれるものの中で行われる. のちの章で詳細に説明される理由により，WTA フォーマットは有効なデータを聞き出さない場合が多いため，CV 調査では通常用いられない.

3）CVM は時と場所によっては，サーベイ法（survey method），面接法（interview method），直接面接法（direct interview method），仮想需要曲線推定法（hypothetical demand curve estimation method），相違マッピング法（difference mapping method），選好聞き出し法（preference elicitation method）と呼ばれる.

2．説明的シナリオ

CV 調査の独特の形態は，評価される財の特質，調査実行に伴う方法論上かつ理論上の制約，調査対象の母集団，研究者の想像力と工夫によってさまざまに変化する．以下に掲載した短い記述は，4 人の CV 調査の研究者がシナリオを設計するアプローチ法を記したものであって，CV 調査の多様性を示している．それらは調査者が次の 4 つの異なる便益を測度するために，いかにしてこの手法を用いるかをかいま見せている．すなわち① レクリエーション地域に影響を及ぼす大気汚染の改善，② 全米の水質改善，③ 自動車事故のリスク軽減，④ 地方高齢者プログラムによって提供されるサービスの水準（サービスの減少）である．

2.1　美 的 便 益

図 1.1 は，ユタ州のパウエル湖レクリエーション地域北岸に，建設が予定されている発電所が景観に与える影響を評価するための対面調査で用いられたシナリオである（Brookshire, Ives and Schulze, 1976）．

回答者が評価を求められたアメニティは，発電所やその煙突が視界に入るのを防止してパウエル湖の景観を維持するという美的便益であった．調査者は特別に作成された写真セットを用いて，基準景観および 2 つの景観を損った状態を示した．状況 A は発電所のない景色である．状況 B の写真は仮想発電所の煙をごくわずか示すだけで，発電所自体は見えていない（訳注：図 1.1 の問 5 では，発電所は見えるが煙は出ないとなっている）．状況 C の写真は大量の煙に加えて発電所も写っている．

回答者は状況 A を維持するために，どの程度金銭を支払う意志があるか尋ねられるが，最初は状況 B を回避した場合，次が状況 C を回避した場合である．図 1.1 の問 6 で説明されている反復技術は付け値ゲーム（bidding game）と呼ばれる聞き出し方法である．支払手段として用いたものは，レクリエーション地域への仮想入場料であった．

2.2　全米の淡水の水質

1972 年，Clean Water 法を議会が可決した際，全米のあらゆる淡水群を船遊び，釣り，水泳の目的に資するほど清浄にするという目標を達成することが義務づけられた．筆者自身が実施した全米水質調査では，このプログラムの全般的な便益を測度するために，CVM を用いている（Mitchell and Carson 1981, 1984；Carson and Mitchell 1986）（以降，水質調査と呼ぶ．この際の調査手段については付録 B 参照）．1980 年に予備調査が実施され，調査手段の草案と全米調査で用いる CVM の実行可能性がテストされた．1984 年に調査票を修正したうえで，専門的な面接調査者による調査が全米のサンプルに対して行われた．

水質調査のシナリオは，パウエル湖調査で用いたよりもはるかに長く，面接時間は平均 45 分間であった．設計上の中心的問題は，回答者に対してアメニティをどのように描くかということであった．記述は回答者が評価するものを容易に把握できるように，理解しやすく，しかも調査結果が政策立案者に役立つものであるように，政策に関連したものでなければならない．回答者が評価す

この調査は，パウエル湖地域における産業開発，レクリエーション，環境のトレードオフのいくつかを，より詳細に検討するためのものです．この目的に関して，この地域の環境の質と将来に関して，皆様がどのように感じているのかを知るための質問をいくつか行いたいと思います．

パウエル湖北岸に大型火力発電所の建設計画があります．この発電所の規模は最低でも同湖南岸のナバホ発電所に匹敵するものになると予想されます．

5．あなたはナバホ発電所またはその煙突に気づいていましたか？　＿はい　＿いいえ
新発電所の建設場所と建設方法次第によっては，環境の質に著しい影響を及ぼす可能性があります．発電所が湖の近くに建設されれば，湖のあちこちから見えることになります．大気汚染をきびしく取り締まられなければ，この地域の大気の透明度は著しい影響を受ける可能性があります．
これらの写真は，湖北岸の新火力発電所がどのようなものになるかを示しています．状況Ａは予想される発電所の位置を示していますが，発電所は湖岸地域から見えない内陸部に建設されると仮定します．状況Ｂでは発電所は湖から容易に見えますが，煙はほとんど出ないと仮定します．したがって，大気の透明度は実質的に影響を受けません．状況Ｃは同地域でレクリエーションを楽しむ人々の環境に最大級の影響を及ぼすものです．湖から容易に見え，煙のため大気の透明度は著しく低下します．
もちろん休暇を楽しんでいる人々は乗用車，ボート，キャンプ用品，釣り道具の手配や，目的地への移動にも多額の金銭と多くの時間と努力を費やします．あなたがレクリエーションに支払ってもかまわない金額は，とりわけ期待するレクリエーション体験の質によって決まると仮定するのが理にかなっています．レクレーション体験が改善されると，悪化するときよりも価値が高まると予想されます．環境を改善するためには費用がかかります．よりよい環境があなた方にとってどの程度の価値を持つのかの推定を行いたいと思います．
まずはじめにグレン・キャニオン・ナショナル・レクリエーション・エリア（GCNRA＝Glen Canyon National Recreation Area）への旅行者は，同レクリエーション地域への入場料を支払うことによって，環境改善のために出資すると仮定します．この方法が同地区における環境改善のための唯一の出資方法です．また同地区へのすべての旅行者は，あなたと同額の料金を毎日支払い，収集された資金はすべて写真に示された環境改善のために使われると仮定します．

6．あなたは状況Ｃが起こるのを回避し，状況Ａを維持するために，１家族１日当たり＄１の料金を支払う意志がありますか？１日当たり＄２ではどうですか？（１日当たり＄１ずつ上げてゆき，否定的回答を得たら，次に１日当たり25セントずつ下げてゆき肯定的回答を得たところで止め，その金額を記入する）　　１日当たり＄＿

7．あなたは状況Ｂが起こるのを回避し，状況Ａを維持するために，１日当たり＄１の料金を支払う意志がありますか？（6同様に，料金を変化させて質問する）

8．上記問6，7においてゼロと記入した場合にのみ，回答してください．その理由は，＿損害が大きくないと考えるため
＿損害を回避するための費用を支払わなければならないほどの大きな犠牲を予測するのは，不公正または不道徳と考えるため
＿その他（明記すること）

出典：Brookshire, Ives および Schulze（1976：334）；波線部は原文

図1-1　パウエル湖の大気の透明度調査に用いられた初期のCVシナリオの表現法

る変化を測度する際の基準は，全米の湖，河川，小川の水質の最低水準，すなわち“船遊びができる”水質以下の水準とされた[4]．船遊びができない水準から船遊びができる水準へ，船遊びができる水準から“釣りのできる”水準へ，釣りのできる水準から“水泳のできる”水準へ，という最低水準の３段階の改善が評定された[5]．これらの水準は言葉で記述され，シナリオ全編を通じての主要な視覚補助器具として用いられた水質段階に示された．支払手段は年払いの税金と製品の値上げであるが，市民が水質改善のために実際に支払う方法に一致するように選択された．

CV調査が解決しなければならない方法論上の問題点は，バイアスを生じさせずに回答者からWTPを聞き出すのが困難だという点である．われわれは当初パウエル湖の調査で用いたものに類似した付け値ゲーム法を用いようとしたが，予備調査の結果，回答者の答は，面接者が最初に示す

4）ボートを漕ぐことができる水準が，現在の最低水準と記述された．多くの水域の水質はこれよりも高く，ボートを漕ぐことができる水準を下回る水域はない．
5）このアンケートは，部分的な改善に対する回答者のWTPも測度した．面接において，回答者にはその金額を訂正する機会が３回与えられた．そのうちの２回は，回答者と等しい所得水準の家計が，水質プログラムに現在支払っている金額などの新たな情報を与えたあとに与えられた．

5

金額に左右されることがしばしばあることが判明した．これは，回答者が水質改善の価値を独自に決定するのではなく，面接者の示す金額をベースにして答える傾向があるためであった[6]．こうした"開始位置バイアス"に対するわれわれの解決策は，$0からスタートする多数のドル金額を示した支払カードを用いることであった．金銭評価を行う状況を有意義なものにするために，これらのドル金額のうち5つを（"ベンチマーク"として），を回答者の所得グループ別に家計が国防，警察，防火などの非環境公共財に対して，税金や価格上昇という形で支払っている金額として示した．

　水質調査はまた，回答者のWTPへのシナリオ構成要素の影響を調べるための分割サンプル（分割投票）テクニックの使用法をも説明している．CV調査に従事する研究者はこのような実験を定期的に行っている．調査サンプルが十分に大きい場合は，無作為抽出によって，財を異なる条件のもとで評価する等価副次サンプルに分けることが可能である．1980年の予備調査と1983年の大規模な予備テストでは，われわれが回答者に対して，彼らが他の公共財のために支払うと述べた金額が，水質改善に対するWTPをなんらかの形でゆがめたかどうかを見るために，副次サンプルに対して別の支払いカード法を用いた[7]．

2.3　輸送の安全性

　どのリスク軽減プログラムが最も価値があるか，という選択を行うニーズが高まっているため，安全性向上の評価に対して高い関心が集まっている．実際の市場にもとづく顕示選好テクニック（Blomquist, 1982参照）は，人々が物理的リスクに対して所得を実際にトレードオフする状況において，その選択のあり方を特定し，観測しようと試みるものである．多くの種類のリスクに対するこのアプローチの適応性が限定的であったことから，Jones-Lee, Hammerton and Philips（1985）はリスク軽減の価値を測度するためにCVMを用いた[8]．彼らはイングランド，スコットランド，ウェールズ地方の人々をサンプルとした長時間の対面式面接調査を行ったが，その中心となったものは，ある種の輸送リスク軽減に対するWTP推定値を示すよう設計された一連の質問であった[9]．

　彼らの主要課題は，回答者にリスク水準とリスク軽減を正確に伝えることであった．この"簡単にはすまない"問題に対してJones-Leeらが見つけた解決策は，"10万分のX"の確率というような言語表現と，10万のマス目のうちのX個が塗りつぶされた1枚のグラフ用紙などの視覚表現で，リスクを示すことであった．彼らは全部で3つの異なるリスク変化の状況に対するWTPを得た．そのうちの2つの状況は仮想的私的財市場を，残りの一つは，仮想的公共財市場を描いたものであった．以下の記述は，彼らの私的財市場のシナリオの一つである．

　外国で長期のバス旅行をしなければならないと想像してください．あなたはすでに旅費として200ポンドを受け取っており，またちょうど200ポンドかかるバス便の名称も知らされています．このバス会社の旅行で死亡事故に遭うリスクは，10万分の8です．あなたが望むのであれば，より安全なバス旅行を選択

6）この理由により，付け値ゲーム法は用いるべきではない（Cummingsら，1986；本書第11章も参照されたい）．
7）これらの実験は，回答者の回答が用いられたベンチマークに影響されていないことを示唆していた（Mitchell and Carson, 1981, 1984）．用いられた支払いカードについては，付録Bを参照されたい．
8）彼らの調査において，CVMがこの目的のためにはじめて大規模に用いられた．比較的大きなサンプルにもとづく最近のCVリスク調査には，このほかにSmith, Desvousges and Freeman（1985）とMitchell, Carson（1986 b）がある．
9）このほかにもこの調査は，他のトピックの中で，リスクと確率の概念に対する回答者の理解と，不確実性のもとでの合理的選択という標準的原則に従う度合いもテストした．

することもできますが，料金はこれよりも高く，その差額を自己負担しなければなりません．

（ａ）死亡事故に遭う確率が 10 万分の 4 という，200 ポンドの場合のリスクの半分であるバス旅行を選択するために，あなたはいくらの自己負担をする用意がありますか？

（ｂ）死亡事故に遭う確率が 10 万分の 1 という，200 ポンドの場合のリスクの 8 分の 1 であるバス旅行を選択するために，あなたはいくらの自己負担をする用意がありますか？（Jones-Lee, Hammerton and Philips, 1985；56）

Jones-Lee らはその調査において，別の種類の聞き出し法も利用した．すべての回答者にリスクを軽減するためにいくら支払うかと自由回答式で質問し，回答者が答えを躊躇した場合（面接の約 20〜30 パーセントがそうであった）は，質問者はゼロから始まって，回答者がそれ以上は支払わないであろうと思われる金額に達するまで，金額を読みあげていった．それ以降は，WTP を特定するためにさらに別のテストが用いられた．この調査では分割サンプルテクニックも用いて，いくつかの方法論的実験が行われた．

2.4　高齢者向けのシニア・コンパニオン・プログラム

われわれの CV シナリオの最後の例は，高齢者向けの社会プログラムの便益の調査からのものである．シニア・コンパニオン・プログラムというのは，低所得の高齢者が「シニア・コンパニオン」として地域内あるいは施設に住む一人暮らしで，介護を必要としている老人のために，連邦政府が資金を提供して，有給のボランティア・サービスを行うことを可能にしている試みである．コンパニオンが行っているサービスのうち，簡単な家事，交通手段の提供，交際[10]などのサービスは市場で購入することも可能であろう．ボランティアには，友情に発展する可能性のある交際という特徴も持っており，こうしたサービスの別の側面は，決して市場で取引きされることはない．

利用者便益を 100 パーセント捕捉するために，Garbacz and Thayer（1983）は，ミズーリ州フェルプス・カウンティで CV 調査を行い，このプログラムを利用している人々に対して面接調査を行った．この CV シナリオには，連邦政府の資金供与が削減された結果，回答者のコンパニオン・サービスが削減されるという仮想的状況が含まれていた．その際，WTP のフレームワークと WTA のフレームワークを対置させて，その効果を確定するために分割サンプルが用いられた．このため回答者に対して，（1）彼らの受けるサービスが 25 パーセントないし 75 パーセント削減されるのを回避するための，彼らの WTP（削減される社会保障の支給額で）はどの程度か，あるいは（2）この削減を受け入れる前に，彼らは社会保障の割当額の引上げをどのくらい要求するか，のいずれかを質問した．

3．CVM の発展

CVM が最初に用いられたのは，1960 年代初頭に経済学者 Robert K. Davis（1963 a, 1963 b, 1964）が，メーン州の未開発の森林地帯における屋外レクリエーションの便益を推定するためにアンケートを行った際であった．初期には，著名な資源経済学者 Ciriacy-Wantrup（1947）は，天然

---

10) Garbacz and Thayar（1983）は，交際を非市場財と見なす．しかし，裕福な病人は専門的な看護サービスのほかに，交際も提供してくれる実際的な看護婦を雇うことがしばしばあるため，常にそうであるとは限らない．

資源に関する価値を測度するための"直接面接方式"の利用を示唆し，彼の有力な著書『資源の保護：経済学と政策』（Resource Conservation : Economics and Policies, 1952 年）の中でそれを唱えた．

　しかし Ciriacy-Wantrup の示唆が注目されない時期に，重要な役割を果たしたのは Davis であった．彼はハーバード大学で経済学博士論文に手をつける前に，社会心理学と野生動物に対する農夫の態度に大いに関心を深めていた．ハーバード大学では，代表的な理論的調査研究の実践者の一人である Samuel Stouffer が，社会関係学部（Social Relations Department）において，調査方法の講座を受け持っていた．Davis は Stouffer の講座を受けたのち，一般市民が利用できるような地域や施設に取って変わるものを思い描きつつ，市場の付け値行動をシミュレートすれば，調査において"市場に似せる"ことは可能だと考えた[11]．

　のちの彼の記述によれば，この方法は「提供されるサービスに対して，その使用者が値をつけるとした場合，できる限り高い付け値を引き出す売り手の立場に面接者をおくものである」（Davis, 1963 a : 245）．こうして付け値ゲームが誕生した．この手法は質問者が任意に選択した開始位置から体系的に付け値を上下させて，回答者が肯定から否定へと（または否定から肯定へと）変更した時点まで続け，回答者の最大 WTP を明らかにするのである．

　Davis は博士論文をまとめるために，メーン州の森で 121 人のハンターとレクリエーションに訪れている人々のサンプルを個人的に面接した．彼の調査の目的は特定のレクリエーション地域の便益を測度することであった．彼の説明によると，回答者は真剣な対応をし，信頼できる価値を述べたということである．"回答者のコメントは，付け値ゲームの間中，つつましい買い物客が，さまざまな肉の切り身の価格と好みを考慮するのとよく似た方法で，彼らが心の中で代替物をあれこれ熟慮していたことを示唆している．また，他の選好に対するある種の所得関連の回答は，その中に経済的一貫性があることを示唆している"（Davis, 1964 : 397）．

　回答の"合理的構造"をテストするために，Davis は所得，その地域での滞在日数の長さ，その場所とのなじみの年数の関数としての WTP の変化の大きな割合（$R^2 = .59$）を説明する方程式を立てた．別のテストでは，CV の結果を，——これも彼が行った調査である，レクリエーション地域への旅費から価値を推論するという——別の手法で得た結果と比較した．彼は 2 つの測度結果がよく似ている点に気づいた（Knetsch and Davis, 1966 : 140-142）．Davis は彼の新手法に手を加える必要のある"若干の未完成部分"があることを承知していたが，それは，さらなる改良のための"大きな研究努力"に十分に値すると感じていた（Knetsch and Davis, 1966 : 142）．

　Davis に感化された Ronald Ridker（1967）は，大気汚染の便益調査のいくつかで CVM を用いた．彼の調査の力点は，ヘドニック価格アプローチ（Ridker, 1967 : Ridker and Henning, 1967）を用いて，家庭の下水汚物と物質の損害を評価することにあったけれども，その"精神的費用"のために，人々は大気汚染を評価する可能性があると彼は認識していた．そのため 1965 年にフィラデルフィアとシラキュースで実施した，異なる 2 つの調査において一対の WTP 質問を含めることにした．この質問は人々に大気汚染による"ほこり（埃）とすす（煤）"を回避するために，どのぐらい支払う意志があるかと尋ねるものであったが，仮想的市場に不可欠な要素の多くを欠いていた．WTP 質問を含む調査の質問での経験を踏まえて，Ridker は CV 調査の将来的な発展を予想する所見を述べた．

---

11) Davis の 1986 年 6 月 16 日付けの個人的書簡.

　清掃費用のさまざまな決定要素を測度し，解析するためには，より厳密で奥深い，心理学的に精巧なアンケート項目が必要なことは明らかであるように思われる．こうしたアンケートは，本質的に探究的なこの調査を行うよりも，3 倍から 4 倍もの時間と経費を必要とするであろう．しかし，そうしたプロジェクトにはいまだ解決されていない調査設計上の問題点が持ち上がってくるため，成功の可能性はあまり高くない（Ridker, 1967 : 84）．

　その後の数年間に，Davis に追随する経済学者が何人か現われて，CV アプローチを用いたさまざまなレクリエーション・アメニティの評価を行った．1969 年には Hammack と Brown が，西部地域の狩猟者という大きなサンプルに対して書面によるアンケートを郵送し，水鳥狩りの権利を放棄することに対する WTP と WTA を尋ねた[12]．次いで 1970 年には Cicchetti and Smith（1973, 1976 a, 1976 b）が，自然保護区域でハイキングしている人々に，区域内の混雑を緩和するための WTP を質問した．

　1972 年頃には，Darling（1973）が，カリフォルニアの 3 つの都市公園のアメニティを評価するための対面式の面接において CVM を用いた．Ridkar が 1972 年夏に汚染規制のアメニティを評価する最初の試みを行ったとき，Alan Randall とその同僚は南西部のフォー・コーナーズ地区の大気の透明度の便益を調査するために CV を用いた（Eastman, Randall and Hoffer, 1974, 1978 ; Randall, Ives および Eastman, 1974）．ほぼ同時期に，Acton（1973）は心臓発作による死亡のリスクを軽減させるプログラムを評価するために CVM を用いた[13]．代表的な初期の CV 調査の最後のものは，Hanemann が 1973 年，ボストン地区の海岸の水質を向上させるための WTP はいくらかを，サンプルの人々に尋ねたものである（Hanemann, 1978 ; Binkley and Hanemann, 1978）．

　CVM を正式な手法として認めようとの試みにおいて，初期の CV 調査のいくつかでは，レクリエーション用途の便益の評価を行うため，すでに広く受け入れられている他の手法を用いて同一アメニティを調査し，CV の調査結果と比較した．この目的のために Davis はトラベルコスト法モデルを，Darling は財産の価値モデルを用い，Hanemann は自分の調査結果を一般化トラベルコスト法モデルによる調査結果と比較した．

　初期の CV 調査の中で最も影響力があったのは，Randall, Ives および Eastman が行った調査（1974年）であった．その中でとりわけ高く評価されているのが次の点である．理論が厳格であること，代替手法（トラベルコスト法やヘドニック価格法など）では扱えない財を評価したこと，評価される透明度の水準を示すために写真を用いたこと，付け値ゲームのある側面（支払手段など）を体系的に変化させて，それが WTP に体系的になんらかの影響を及ぼすかを見るという実験的な設計を行ったことである．おそらくさらに重要なことは，新規刊行された『Journal of Environmental Economics and Management』の第 1 号に，この調査に関する論文がまさに絶好のタイミングで掲載され，より広い読者層の注目を集めることができた点にある．

　1970 年代初頭以降，CVM はレクリエーション（Walsh, Miller and Gilliam, 1983），狩猟（Cocheba and Langford, 1978），水質（Gramlich, 1977），原子力発電所の事故による死亡リスクの低下（Mul-

---

12) Miles（1967），LaPage（1968），Mathews and Brown（1970），Beardsley（1971），Berry（1974），Meyer（1974 a, 1974 b）は，レクリエーションを評価するために CV 調査のテクニックを用いたが，これは正式なものではなかった．内務省の Fish and Wildlife Survey of 1975 では，費用をどのぐらい増やしたあとであれば，アウトドア・レクリエーションを諦めるかを回答者に質問した．

13) リスク軽減を評価するためのサーベイの利用は，2 人の著明な経済学者（Schelling, 1968 ; Mishan, 1971）の書いた記事によって人気が高まった．その記事によれば，こうした状況における便益を評価するためのその他の手法は，利用不可能か，あるいは妥当性の低い数多くの仮定を立てなければならないかのどちらかである．彼らの結論は，人々に WTP を尋ねるサーベイアプローチを試みることは，得るものは多いが失うものはなにもない，というものであった．

ligan, 1978），有毒性廃棄物廃棄場（Smith, Desvousges and Freeman, 1985）といったさまざまな財の便益を測度するために使われてきた．また地熱力発電所の建設見送りによる美的便益（Thayer, 1981），大気の質の美的および健康の便益（Brookshire, d'Arge and Schulze, 1979），食料品店の価格情報の収集と流布の便益（Devine and Marion, 1979），芸術に対する政府支援の便益（Throsby, 1984）でも注目されている（CV調査，それが評価する公共財および，そのいくつかの特徴についての詳しいリストは，付論Aを参照されたい）．

　ここ数年までは，大半のCV調査は探究的なものであった．研究者たちは潜在的なバイアスを特定し，テストすることによってCVMを改良し，CV調査で測度される便益と，トラベルコスト法などすでに確立された手法で測度した便益とを比較することによって，CVMの信頼性を確立しようと力を注いできた．先駆的な方法論の研究は主に，Randallとその同僚（Randall, Ives and East-man, 1974；Randallら1978；Randall, Hoehn and Tolley, 1981），そしてニューメキシコ，ワイオミング両大学において Cummings, d'Arge, Brookshire, Rowe, Shulze, Thayer によって行われてきた（要約に関しては Shulze, d'Arge and Brookshire, 1981 を参照されたい）[14]．これらの研究者たちの多くによる平行した理論的な研究によって，CVデータは厚生変化測度の理論と合致する形で構築されてきている（Randall, Ives and Eastman, 1974；Freema, 1979 b；Brookshire, Randall and Stoll, 1980；Just, Hueth and Schmits, 1982；Hanesmann, 1986 a；Hoehn and Randall, 1987）．

　1979年に水資源審議会（Water Resources Council）は，『水資源と関連土地資源計画のための原理と基準』（Principles and Standards for Water and Related Land Resources Planning）の改訂版を連邦官報に掲載した．この重要なレポートは，連邦政府によるプロジェクト評価への参加のガイドラインになっており，プロジェクトの便益を決定するうえで利用可能な手法を特定している．推奨される3手法の一つにCVMが含まれたことは（他の2手法は，トラベルコスト法と単位日評価法），CVMが次第に評価を受けてきた表われである[15]．近年，米国陸軍工兵隊は，プロジェクトの便益を評価するためにCVMを用い始めた．1986年7月現在で，さまざまな工兵隊管轄区と部隊の水資源研究所（Institute of Water Resources）は15〜20のCV調査を実施しており[16]，隊員人事の方法に関するハンドブックを出版した（Moser and Dunning, 1986）．CVMは内務省が公布した最終規定に従って，1980年の Comprehensive Environmental Response, Compensation, and Liability 法（包括的環境対策・補償・責任法：Superfund法）においても，便益と損害を測度するための承認手法として認められた（1986）．

　米国環境保護局からの出資は，CVMによる金銭評価の発達上，とくに重要な役割を果たしている．同局の経済学者は早くから，トラベルコスト法などの従来の手法では，彼らに責任のある汚染規制の便益評価に用いるには限度があると認識していた（第3章参照）．1970年代半ばに，同局はCVMの有望な点と，問題点を特定するという公然たる方法論的目的で研究プログラムへの資金提供を始めた[17]．最初は，このプログラムの資金提供を受けたほとんどすべてのCV調査が，CVMのさまざまな側面をテストし，理論的な基礎を確立するためにもくろまれた．

　CVMがよく理解されるようになり，大統領命令第12291号のもとで，レーガン政権が規制案を

14）Randall の初期の研究は，ニューメキシコ大学でも行われた．

15）1983年に，若干の修正と拡充が加えられた『水資源と関連土地資源計画のための原理と基準』は，当時流行していたCV調査を，水資源計画の便益測度のための，正式なCV調査法と位置づけた．1986年には，契約事務官は調査者に対して，当時までにすたれていた付け値ゲームを用いるように要請した．これは『水資源と関連土地資源計画のための原理と基準』が，この手法をCV調査の「好ましい」聞き出しフォーマットと見なしたためであった．

16）C. Mark Dunning の1986年7月の個人的な書簡．

17）Electric Power Research Institute 社も，CVMを用いた初期の大気透明度調査のいくつかのスポンサーとなった．

費用便益分析を用いて検討する同局の義務に大きく注目するようになると（Smith, 1984），同局の関心は CVM が政策目的上，いかに効果的に用いられるかを確かめることにシフトした．

この努力の流れの中で，過去の実績，残された問題，将来の可能性を検討する手段として，1983年に CVM による最新評価が採用された．この大きな特徴は，ノーベル学者 Kenneth 氏と Arrow 氏をはじめとする著明な経済学者や，心理学者によるレビュー・パネルがあることである．1984年7月に，カリフォルニア州パロアルトで開かれたコンファレンスでは，積極的に CVM に携わる多くの学者が，環境財の評価手段としての CVM の有望さに関する持論を述べた．代表的研究者（Cummings ほか，1986）は，CVM は有望であるが，本当の挑戦はこれからだと結論づけた．彼らは仮説検証が可能となるような仮想的市場における個人の行動理論にもとづいて，全体のフレームワークの発展の将来の研究を最優先している．

4. 本　　　書

われわれが 1979 年にはじめて CV 調査に着手したとき，社会学（Mitchell）と政治学（Carson）のバックグラウンドと，世論調査（Mitchell）とマーケティング・リサーチ（Carson）の経験により，われわれはアンケートの言葉づかいによって"調査手段効果"（instrument effect），あるいはバイアスの影響を受けない公共財の価値を，CV 調査ではたして得られるのであろうかと懐疑的になった．CVM の経験を積むにつれて，理論的にも方法論的にも基礎がしっかりしているのであれば，有益な結果を得ることが可能であるとの自信を深めていった．経済理論との関係も，現在ではしっかりと確立されている（第 2 章参照）．初期の研究過程において，われわれはさまざまな基本的な方法論的問題と格闘したことから，CVM の信頼性と有効性により体系だった調査に取り組む決心をした．本書がその成果である．

最初の 5 つの章は CVM の紹介であり，CV の機能の仕方，厚生経済学におけるその理論的基礎，測度できる便益の性質，他の便益測度法との比較の仕方，CVM の基礎となるデータ収集，すなわちアンケート調査の仕方を論じている．

第 6 章から第 8 章までは懐疑論者に話しかけている．すべての社会科学の中で，経済学ほどアンケート調査に満足しない分野はない．事実，McCloskey（1983）によれば，経済学者はサーベイに「きわめて敵対的」である．代表的な経済誌の記事のうちほぼ 3 つに一つは，なんらかの形でサーベイ・データを用いている現実からすれば，これは驚くべき現象である（Presser, 1984）．しかし厳密には主に他人が収集したサーベイ・データ，とくに国勢調査局が作成したデータに依存するという点で，経済学はその範疇である社会科学と異なる．大半の経済学者は態度や行動の意図といった主観的な現象の測度は避け[18]，彼らがより信頼している雇用，収益，信用，鉱工業生産といった客観的な経済指標を好むのである（Presser, 1984）．

とくに CVM に関して，経済学者はいくつかの反論を提起している．経済学者の中には，回答者は政策立案者に影響を及ぼすよう，慎重に計算された回答を戦略的に行うと信じる者もいる．また調査される人は，有意義な回答をするよう十分な注意を払って選好を行うよう動機づけられているわけではないと考える者もいる．またある者は，仮想的質問に対する回答では行動を予知できないと感じている．これらの反論に対処している章では，CV 調査の回答者が正直に回答するのか，有

18）大きな例外は，ミシガン大学の Survey Research Center が，消費者の意図や消費者行動の決定要素に関して実施したプログラムである．Katona（1975）などを参照されたい．

意義な回答ができるのかという基本的な問題を検討するために，いくつかの分野からの広範な材料を利用する．われわれの行った分析と証拠から，われわれはこうした分野において，CVM を即座に放棄する有効な論拠がないという結論に達している．

　第 9 章から第 12 章までと付録 C において，CV 調査を行ったり，あるいはその結果を用いる，即座で手軽な方法があると信じることの危険性を検証する．CVM が次第に流行してくるにつれて，一部の経済学者や政策立案者の中には，CV が確実で簡単に実行できると期待したり，あるいは CV 調査の結果の質が一律であるという前提に立って，ある CV 調査の結果を別の CV 調査の結果と同じくらいよいものとして取り扱う，という傾向が見られる．

　われわれはここではっきりと述べておくが，政策目的で用いるために十分信頼性があり，有効なデータを CV 調査から得ることは依然としてかなり難しいことであり，構成が不十分であったり，実施方法がまずかった CV 調査から，結論を導こうとする危険性は大きいのである．CVM は経済学者が不得意とする技術（アンケート調査）にもとづいているけれども，この技術を最大限に利用する必要があるのである．同時に，CVM の基礎となっている経済理論は，社会学者やアンケート調査方法論者の間ではあまり知られておらず，彼らに受け入れられてもいない．どういう種類の市場構造をモデルにするべきなのか，どういう種類の誤りを回避するべきなのか，といった基本的な問題に関して，CV 実践者たちの間ではいまのところまだコンセンサスがない．これらの章では，信頼でき，有効な CV 推定値を得るための障害を理解し，取り除くための体系だったフレームワークを示す．

　最終章は，本書の主なテーマを簡単に振り返り，CV 調査の結果を用いる意向の政策立案者から出ると思われる質問のリストを掲載した．また，CVM の優先的研究課題および新しい適用の可能性に関するわれわれの見解を述べる．

　今回われわれは，それが CV 調査を行ううえで適切な方法論であると思われた場合には，われわれ自身の学派や，他の学派の経済学者の研究結果を利用した．マーケット・リサーチャーは，自分たちが生産した製品に対する消費者の関心を知るために，サーベイを利用してまだ市場に導入していない新商品の概念をテストしてきた．心理学者は，人々が利用可能な情報から決定を下す方法を研究してきた．いくつかの分野の経験にもとづいた社会科学者たちは，人々が実際に取った戦略的行動の総計を調査してきた．社会心理学者たちは態度が行動を予知する度合いに興味を持ち，政治科学者たちは住民投票の行動を調査し，統計学者は不完全な調査結果を補うための技術を考案することに関心を持っている．最後に，サーベイ・リサーチャーはかねてからサーベイ・データの有効性と信頼性について懸念してきたが，次第に回答者がある状況下で，そのような回答をする理由をよりよく理解することを目的とした方法論的研究を行うようになってきた．

　本書はこれらの文献，われわれ自身の研究，また他の学者たちが行っている増え続ける CV 調査にもとづいている．少なくとも CVM の発展途上の現段階では，厳格な規則に従えばよい CV 調査が実行できるわけではないというのがわれわれの見解である．CV 調査方法のマニュアル本を求めている読者は，本書に失望するであろう．われわれは実践者のために若干のガイダンスを掲載し，第 13 章では，CV 調査の結果を用いたいと望む人から出されると予想される質問の概要を掲載したが，われわれのガイダンスは様式よりも，むしろ基本的なもの，すなわち CVM が信頼できる有効な価値を生み出すことは可能か，またその場合は，その条件はどのようなものかという質問に対処している．われわれの結論の多くはいまだ仮説の域を出ておらず，今後の研究で改良，テストされるであろう．

CVM の理論的基礎

　CV（contingent　valuation）調査の究極の目標は，ある公共財[1]提供の水準が変化したときの便益（および時には費用）を正確に評価することにあり，これが費用便益分析に用いられる．このためには，CV 調査がアンケート調査の方法論上の必要条件と，経済理論の要求を同時に満たさなければならない．方法論上の必要条件を満たすためには，シナリオが回答者に理解されやすく有意義なものであり，回答にバイアスを生じさせる誘因がないようにしなければならない．また経済理論の要求を満たすためには，これが第 2 章，第 3 章のテーマであるが，CV 調査は仮想的市場設定の状況において，財の便益を正確に測度するものでなければならない．本章において，CVM の理論的基礎を展望する．

　まずはじめに，厚生経済学に不案内の読者に CV の基礎となる理論的フレームワークを理解させる方法として，消費者行動に関する従来からの理論の重要な要素を紹介したい．そのあとでより技術的観点から費用便益測度を論じ，CV 調査を計画する際に生じる主な論争の一つを分析する．つまり，ある種の金銭評価の質問を設計する場合，（代償として）WTP または WTA のいずれを用いるか．CV 調査において，WTA フォーマットで測度された価値が，WTP フォーマットで測度された価値よりもはるかに高くなる理由を説明し，WTP 測度は，かつて考えられていたよりも，ずっと広範囲の正確な便益測度であることを示唆する新しい財産権のフレームワークを提案する．

　そのあとで，私的財市場と政策（住民投票）市場の両方をモデルにするために，CVM がどのように用いられるかを示す．この節では費用便益分析がどのように解釈され，それぞれの市場でどのように利用されているのかも論じる．その後，便益の下位構成要素間（地理的範囲など），政策変化の異なる順序間，個人間における便益の合計と分解に関する理論上の問題点を検証する．また，CV の回答がどのようにして政策便益の分配を評価するために用いられるかも論じる．最後に，CV シナリオを設計する際に課す必要な経済理論を略述して，これまでの CVM の分析結果を要約する．

1．厚生経済学の基礎

　経済学は実証経済学と規範経済学に二大別できる（Stiglitz，1986）．実証経済学は，現実の経済がどのように機能しているかを叙述しようというものであるのに対して，しばしば厚生経済学と呼ばれる規範経済学は，政府が特定の政策を実施する好ましさを判断する，換言すれば，経済がどのようであるべきかを示すものである．

　厚生経済学の歴史のほとんどは，“社会的厚生関数”（social welfare function）の観念で占められてきた．そして経済の“最適”生産量は，社会的厚生関数と生産可能性フロンティア（ある財の生産が，技術的な意味において，別の財の生産といかにトレードオフされるかを描いた実証経済学の概念）の接触点で決定されると見られてきた．その最適生産量の接触点を図 2-1 に示した．これは私的財 x と公共財 q を生産することが可能な単純二財経済について，生産可能性フロンティア（PPF）と社会的厚生関数（SWF）を描いている．最適生産量は x^* と q^* で示されている．

　社会的厚生関数の初期の解釈は，まさにベンサムの功利主義のアプローチ，すなわち，最大多数の最大幸福であったため，社会的厚生関数は，財の異なる組み合せの生産に関して社会の構成員の効用の合計と単純に定義されていた．効用は基数的な意味において測度可能で，個々に比較可能と考えられた．1930 年代末までに，個人の基数的効用という概念は，個人間で比較不可能とする序数的効用を支持する経済学者によってほぼ完全に否定され，これが社会的厚生関数の理論的基礎を

1）公共財の水準，数量，質という言葉は，ここでは議論される財の特質によって，相互におきかえて使われることがある．

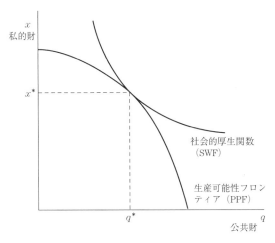

図 2-1　最適生産量の位置

著しく損ねたのである．Bergson（1938）と Samuelson（1947）は厳格な方法で，新しい序数的効用の基礎のうえに社会的厚生関数を再建しようと試みたが，Arrow（1951）とその後継者たちの業績で致命的な一撃を浴びたのである[2]．行動と選択について単純で明らかに好ましくないと思われる原則を仮定し，この原則を守りながら独裁者が生じないように，人々の選好を社会的厚生関数として集計する方法は存在しないことを Arrow は示した．社会的厚生関数は，現在でも経済学の教科書の中でひんぱんに解説されているが，応用厚生経済学においてはなんの役割も果たしていない．

　厚生の新しい基準を探す中で，経済学者たちはより弱い，しかしおそらく倫理的にはより中立的なパレート基準に注目した．この基準によれば，誰の経済状態も悪化させずに少なくとも一人の経済状態を改善することができる政策変更はパレート改善であり，着手されるべきであるとなっている[3]．パレート改善は生産可能性フロンティアの内部から，生産可能性フロンティア曲線に接するまでの領域で発生する．生産可能性フロンティア曲線上のいかなる点も，パレート最適なポジションであることが知られている[4]．生産可能性フロンティア上に経済の唯一の最適ポイントを特定する社会的厚生関数と比較すると，パレート基準は社会的厚生関数よりもかなり弱いガイドラインと容易に見て取れる．

　現代厚生経済学の応用面である費用便益分析は，公共財の提供水準の変化による影響に，利益と損失のドル価値を当てはめる方法を見つけようとして，パレート基準の変形操作を可能とする[5]．こうして政策変化によるネット・ゲインまたはネット・ロスを計算し，その政策変化が潜在的にパレート改善かどうかを決定することができる．パレート基準と，費用便益分析で行われる独特の方法をより詳細に吟味する前に，厚生経済学理論のもとになっている実証経済学の2つの主要な仮定を調査するのが有益であろう[6]．

　実証経済学理論のおそらく最も基本的な第1の仮定は，経済主体（個人，家計，消費者，企業）が，2つ（あるいはそれ以上）の財の束の間で選択を迫られたときには，ある一つの束を他よりも

2）Sen（1986）または Mueller（1979）を参照されたい．
3）潜在的な変化に対する拒否権を社会の各個人に与えているという点で，これはある程度は自由論者の考えである．
4）経済学者がパレートの最適化の概念に固執する一つの理由は，完全に競争力のある経済システムは，いかなる外部性もない場合には，常にパレート最適である均衡点を獲得することである（Varian, 1984）
5）厚生経済学と費用便益分析に関しては，Mishan（1976），Atkinson and Stiglitz（1980），Broadway and Bruce（1984），Freidman（1984），Just, Hueth and Schmitz（1982）など，標準的なテキストが多数出版されている．
6）関連経済理論の参考文献の中で，Deaton and Muellbauer（1980）と Varian（1984）を参考にした．

選好するということである．2 番目の主要な仮定は，その行動と選択を通じて，経済主体は満足あるいは効用の全体的な水準を最大限に高めようと試みるということである．両仮定とも議論の余地が残り，CVM に重要な暗示を持っている[7]．推移性や満足の非飽和性などの条件と合わせると，こうした仮定から，経済主体が異なる状況でどのような行動を取るかを予測することができる．

　経済主体が資源の初期賦与量を与えられ，売買を認められている場合，結果として生じる行動と選択は，価値の理論を明確に説明している（その理論は Debreu の 1959 年の同一タイトルの著書において，非常によく説明されている）．経済主体は，資源の初期賦与量全体を条件として，いかなる 2 つの経済主体の効用も高める売買がなくなるまで，売買を繰り返す．財の価値は，経済主体が所有する資源の中から財と交換に諦める意志のある最大量であり，または別の経済主体の見地からは，その財を所有する主体が財を諦めるのと引き換えに補償を要求する（WTA）最小量である．

　こうした価値のシステムを公共財の提供にあてはめることには，明確な規範的仮定が含まれている．これは，資源の初期（あるいは既存）賦与量（能力，所得，資産）が価値を決定するうえで重要な役割を果たしているためである．経済学上は，何もそれ自体に価値はない．経済システム全体との関係においてのみ価値は生じるのである[8]．それでも価値は，誰かが財のために支払う意志（WTP）の最大額であり，財の所有者が財と引き換えに受領する意志の最小額と定義される．

　厚生経済学に戻ると，この実証経済学の基礎から，費用便益分析の 2 つの基本的な特徴がおのずと出てくる．一つ目は消費者主権の容認である．これは，消費者は自分に効用を与えてくれるものを他の誰よりも的確に判断するという考え方である．2 つ目は分配の問題よりも経済効率を強調する費用便益分析の傾向である[9]．効率は経済学者の自然な関心事であるが，これは効率が基本となる実証経済学の理論から直接生じるためである．対照的に，分配の効果はデータの質が悪いため分析がより難しく，便益測度技術の多くは分配の結果を明らかにするという点では不適切である．CVM は消費者主権の仮定に合致し，詳細な分配情報を得る能力という点で，便益測度法の中ではユニークなものである．

　一定の政策を判断するために厚生経済学で用いられる基準は，その政策がパレート改善であるかどうかということである[10]．実際には誰の経済状態も悪化させない政策変化はあったとしてもきわめて少ないため，そうした基準を満たす唯一の方法は，政策変化で利益を受ける者が，損失を受ける者に対して補償することである．補償テストによれば，政策変化で利益を受ける者が損失を受ける者に補償を与えたあとでは，ある経済主体については改善され，どの経済主体も悪化しない場合に，パレート基準は満たされる．しかし実際には補償が支払われることはほとんどなく，補償テストはあまり実用的なものではない．

　John Hicks（1939）と Nicholas Kaldor（1939）は，選択的に潜在的パレート改善基準，または潜在的補償テストと呼ばれる厚生基準を提案した．潜在的パレート基準は議論の的になってきている（Just, Hueth and Schmitz, 1982）．その理由は，実際の補償の支払いがなく，多数の人々の生活を

---

7) 経済主体は選好を持ち，異なる財の中で選択を行うことができるという仮定は，一部の心理学者によって否定されている．2 番目の仮定は，打算的，合理的な経済主体を仮定するもので，とくに Herbert Simon（1982）が強く提唱した概念である．彼によれば，経済主体はその効用を高めようとするが，その効用を完全に最大化しようとするのではなく，"満足"によって効用を高めようとする．

8) 経済理論の倫理的な影響と，その他の哲学システムのそれとの比較に関しては，Kneese and schulze（1985）を参照されたい．

9) 経済効率とは，資源が最も生産性の高い使われ方をしていることを意味する．

10) パレート改善の政策変化は，パレート劣等（選好が低い）の状況からパレート優越（選好が高い）の状況へ，経済を移行させる政策変更である．こうした変化は，相対的効率の上昇と呼ばれることもある．

悪化させる一方で，ごくひと握りの人々の生活をきわめてよくすることもあり得るためである．経済学者の中には，実際に補償することは見かけほど難しくないため，潜在的補償テストではなく補償テストのみが考慮されるべきであると論じる者もいるが，潜在的補償テストは応用経済学者の間ではきわめて広く容認され，使用されている．

潜在的パレート改善基準はいくつかの理由で正当化されてきた．そのうち最も一般的なものは，政策当局は分配上の問題に対処するために，必要とあらば一括譲渡を利用することも可能であるため，プロジェクトは厳密な経済効率にもとづいて決定されるべきであるという議論である．またこれに関連して，潜在的パレート基準は政策担当者が利用可能な唯一の情報であるという議論もある．政策担当者は望むのであれば，分配上マイナスの結果をもたらす政策変化を拒否することができるのである．もう一つの一般的な弁明は（たとえば Freedman, 1984），いかなる一つの政策変化も，どこかの集団にマイナスの影響を及ぼす可能性があるが，政府は市民の厚生を向上させるための数多くのプロジェクトの義務を負っているというものである．こうしたプロジェクトのそれぞれが潜在的パレート改善基準を満たすのであれば，それらがすべて実行された場合，市民は全員，あるいはほぼ全員，暮らしがよくなるであろう．

費用便益分析においてパレート基準，あるいは潜在的パレート基準を容認するには，どの判断基準が暗黙のうちに拒否されているかを知る必要がある[11]．まず，パターナリズム（paternalism, 政府，科学者，その他のエリート集団が，個々の効用を高めるための最善の方法を知っているという概念）は拒絶されている．また動物や人類以外の種に権利があるという観念や，（初期賦与量が受け入れられていると解釈されているため）個人は最低限の生活水準の権利を持つという観念も否定されている．平等主義（egalitarianism），ロールズ派（Rawlsian）などの学派も同様に締め出されている．大抵の投票スキームも，少なくとも潜在的にはパレート基準と反目する（Zeckhauser, 1973；Mueller, 1979；Sen, 1986）．CV の利点の一つは，投票や潜在的パレート改善基準など，さまざまな基準によって便益を評価するうえで必要な情報を提供できる点にある．

2．便益測度の選択

19 世紀に Dupuit が提唱し，Marshall が擁護した消費者便益の伝統的な測度に消費者余剰（consumer surplus）があるが，これは通常（マーシャル）の需要曲線と価格を示す水平線で囲まれた部分と定義される[12]．図 2-2 において，典型的な純粋公共財の場合，通常の需要曲線は D と記された線，価格はゼロとする．公共財の提供を Q_0 から Q_1 に増やした結果の消費者余剰の変化は $a + b$ の部分である[13]．残念ながら，価格や数量の変化による消費者便益の測度手段としては，消費者余剰の概念は多くの問題を抱えている（Samuelson, 1947；Silverberg, 1978）．こうした問題の主因は，通常（マーシャル）の需要曲線が，効用あるいは満足を一定とするのではなく，所得を一定と

---

11) 倫理システムに関する哲学者の間の議論は確立されているが（Kneese and Schulze, 1985），価値という経済学者の概念に最も困惑していると思われるのは，社会学者でも，政治学者でも，マーケット・リサーチャー（消費者主権という概念を概ね固守する，あるいは少なくとも理解する）でもなく，美観，レクリエーションの経験，生命へのリスクの評価を行う環境学者，弁護士，心理学者である．経済学者の世界観に関して環境学者，弁護士，ルール・メーカーが抱く問題に対しては，Kelman（1981）を参照されたい．一部の資源心理学者が持つ経済学者の価値の概念に関する問題に対しては，Brown（1984），Randall and Peterson（1984），Peterson, Driver and Brown（1986），Harris, Tinsley and Donnelly（1986）を参照されたい．消費者主権の概念が示唆するものを，哲学的観点から検証するために，Penz（1986）を参照されたい．Baumol（1986）は，経済の公平さの異なる概念にもとづいてパレート基準の代替に関する概観を発表した．

12) Just, Hueth and Schmitz（1982）が，本節のトピックに関して詳細に論じている．

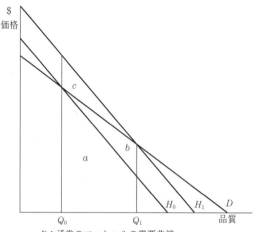

D：通常のマーシャルの需要曲線
$H(U_0)$：効用水準U_0に対するヒックスの需要曲線
$H(U_1)$：効用水準U_1に対するヒックスの需要曲線
$a+b$は通常の消費者余剰と等しい
aは補償余剰と等しい
$a+b+c$は等価余剰と等しい

図 2-2　数量変化に対する余剰測度

することにある．（これに対して）Hicks（1941, 1943, 1956）は，効用を初期水準に維持して利益や損失を評価する 2 つの測度（補償変分と補償余剰）と，効用を別の水準に固定する 2 つの測度（等価変分と等価余剰）を提案した．ヒックスの消費者余剰測度は，異なる特定水準で総効用が一定に維持されたときの需要曲線から計算されたマーシャルの消費者余剰測度と考えられるかもしれない[14]．消費者の財産権と当該財の関係によって，効用を一定の水準に維持するために 4 つの測度はそれぞれが，支払いまたは補償のいずれかを含むかもしれない．表 2-1 に示したように，財産の組み合せによって，八種類の厚生測度法がある．ヒックスの変分測度は，考察される財の量を消費者が自由に変化させることができる場合に用いられ，特定の財の購入量が固定されている場合には，余剰測度が用いられる（Randall and Stoll, 1980）[15]．

2.1　余剰測度

図 2-2 におけるヒックスの余剰測度の図解において，数量が Q_0 から Q_1 に増加する間（価格をゼロに維持すると），通常（マーシャル）の消費者余剰は D と記された需要曲線と，Q_0 と Q_1 に囲まれた部分（すなわち $a+b$）；補償余剰はヒックスの補償需要曲線 H_0 の下の部分（すなわち a）；等価余剰はヒックスの補償需要曲線 H_1 の下の部分（すなわち $a+b+c$）であることがわかる．数量が増加する場合は補償余剰は通常の消費者余剰と同じか，それ以下となる．そして通常の消費者余剰は，等価余剰と同じかそれ以下である，あるいは等しくなる．数量が減少する場合にはこの関係は逆転する．

政策立案者の興味は通常，消費者の効用の現行水準あるいは初期水準から測度した潜在的な便益

---

13) ここでは，消費者は評価される多くの公共財を，少ないものの中から多くのものを選好すると常に仮定することにする．公害など，好ましくない公共財に関しても同様の議論が可能である．

14) 所得に関する限界効用値が一定であるといったいくつかの特殊な場合には，ヒックスの余剰測度はすべてマーシャルの消費者余剰と一致する．

15) 経済主体が市場で他の財の購入量を固定されていないなど，部分均衡の意味においてのみヒックスの余剰測度を考えている．

表 2-1　CV 調査のためのヒックス流厚生測度法

	WTP	WTA
数　量　増　加	CS	ES
価　格　低　下	CS ; CV	ES ; EV
数　量　減　少	ES	CS
価　格　上　昇	ES ; EV	CS ; CV

定義：WTP-支払意志額　　CS-補償余剰　　ES-等価余剰
　　　WTA-補償要求額　　CV-補償変分　　EV-等価変分

　　WTP は経済主体が変化を獲得し，なおかつ以前の権利付与の場合と同様の状態を保つために諦める金額
　　WTA は変化が生じなかったが，変化が生じたときの状態を得るために，特定の権利付与とともに，経済
　主体に支払わなければならない金額
　　補償測度は経済主体が，現在の効用水準を受ける権利を与えられている，またはそのかわりに現在の財産
　権を付与されると仮定する
　　等価測度は，経済主体が効用のなんらかの代替水準，あるいはそのかわりに，現在保有するものとは異な
　る財産権のセットを付与されると仮定する
　　余剰測度は考慮される財の数量を，補償余剰（等価余剰）に対する補償がない場合に，新（旧）価格で購入
　される数量に制限する
　　変分測度は経済主体が購入する財の数量を制限しない

　にあるため，ヒックスの測度法の選択は 2 つの補償余剰測度にさらに狭ばめられることがある．都市の大気の透明度を高めるなどの数量の増加の場合は，補償余剰測度は数量の増加を獲得し，なおかつ効用の初期水準を維持するための消費者が支払う最大の WTP と解釈され得る．現在利用可能な水準から数量が減少する場合（大気の透明度の現行水準からの低下など）には，補償余剰測度は，消費者が低下した数量と引き換えに受け取る最低の WTA と見なされるかもしれない．

　McKenzie（1983）や Morey（1984）などの費用便益分析論者は，2 つ以上の政策オプションを比較するために，ヒックスの補償測度を用いると，政策による問題解決に複数の答えが見つかってしまうことがあるので，ヒックスの等価測度を用いることを勧めている[16]．数量の増加が見込まれる場合には，等価余剰は数量の増加なしですませ，なおかつ当該財の数量が増加した場合に生じる効用の水準を享受するための，消費者の最低の WTA と定義される．数量の減少が見込まれる場合には，等価余剰は減少を回避するための消費者の WTP と定義される．

2.2　2 つの支出関数の差としての厚生測度

　CVM による測度は，2 つの支出関数の差で表わすことができる．この表現は，CV 調査では，回答者は効用の水準を一定のもとで公共財の水準の変化に対応する所得の変化を特定することを求められるのであるから，とりわけ啓蒙的である．

　現代消費者理論（Deaton and Muellbauer, 1980；Varian, 1984）によれば，支出関数は制限つき効用最大化問題を説明する四種類の方法の一つである[17]．

　これは

$$e(p, q, U) = Y, \tag{2.1}$$

と表わされ，p は価格のベクトル，q は固定されたの公共財のベクトル，U は効用の水準，Y は価

16）ヒックスの等価測度は一意の貨幣計量を行うことができる．これはヒックスの補償測度にも，必ずではないが通常あてはまる．しかしヒックスの補償測度に問題がある状況は実際にはごくわずかと見られ，等価測度は直観的な魅力はほとんどない．さらに CV はおそらく，プロジェクトの順位づけがある場合，そのわずかの差（ある場合）を識別するほど精密な測度手段ではない．

格と公共財のベクトルを与えた効用水準 U を維持するために必要な所得の最低額である．p_0, q_0, U_0, Y_0 はそれぞれの独立変数の初期水準を表わし，p_1, q_1, U_1, Y_1 はその後の水準を表わすと，次の式によって補償余剰（CS）が得られる．

$$\mathrm{CS} = [e(p_0, q_0, U_0) = Y_0] - [e(p_0, q_1, U_0) = Y_1] \qquad (2.2)$$
$$\mathrm{CS} = Y_0 - Y_1$$

CS がプラスである場合は，q_0 よりも q_1 が選好され，消費者は，その効用の水準が初期水準と同じになるまで支払う意志があるだろう．

ヒックス流等価厚生測度へ簡単に拡張できる．等価余剰（ES）は次の式で求められる．

$$\mathrm{ES} = [e(p_0, q_0, U_1) = Y^*_0] - [e(p_0, q_1, U_1) = Y^*_1] \qquad (2.3)$$
$$\mathrm{ES} = Y^*_0 - Y^*_1,$$

ここでは Y^*_0 と Y^*_1 は，方程式（2.2）における Y_1 と Y_0 とは一般的に異なる．q_0 よりも q_1 が選好される場合は WTA，q_1 よりも q_0 が選好される場合は WTP となる[18]．価格ベクトル p_0 を変化させても，または価格と数量のベクトルの組み合せを変化させても，同様の結果が得られる[19]．多くの可能な数量の評価を得るために，式（2.2）や（2.3）において q_1 を変化させることが可能である．任意の q_i の関数として，CS または ES を与える評価関数が推定される場合もある．これに関しては次の節で取りあげる．式（2.2）の数量がマイナスである場合は，その額は WTA になる．

2.3　固定数量の変化または評価関数の推定

政策立案者が直面する政策選択は，現在提供されている水準とその水準から提案される変化の関係によって特徴づけられる．既存水準からの大幅で離散的な（また断続性の場合もある）変化から，小幅増加あるいは限界変化までさまざまな変化が考えられ，定式化された例題の中で，経済学者が用いることがしばしばある[20]．CVM の観点から，これらの両極端のケースを順に検証してゆく．

CV 調査はあらかじめ指定され得る離散的な数量変化に関しては，マーシャルの需要曲線もヒックスの補償需要曲線の一つのいずれも直接評価せずに，適切なヒックスの測度（すなわち式 2.2 または 2.3）を得ることができる[21]．こうした政策変化にとって，CVM はなんらかの需要曲線の推定に依存している間接的便益測度（たとえばヘドニック価格法〈HPM〉）よりも，少なくとも一つは利点を持つ[22]．便益（または費用）を考えたり，公共財 q の水準の任意の限界変化を考えるためには，CV 調査に従事する研究者は Q の関数としての WTP（または WTA）を与える式を推定しなければならない．とくに，応用可能な逆ヒックスの補償需要関数のパラメータを推定したい．

17）その他の手法は，直接効用関数 $U(x, q)$，間接効用関数 $V(p, q, Y)$，距離関数 $d(x, q, U)$ である．4 つの手法は，おたがいの二次関数または逆関数として表わすことができる（Blackorby, Primont and Russell, 1978）．消費者が公共財の水準 q^*，所得 Y^* の場合と同水準の効用を得るためには，公共財の水準 q でどのくらいの所得が必要かを示す支出関数の変形 $\mu(q|q^*, Y^*)$ は所得補償関数として知られ，Willig（1976）と Randall and Stoll（1989）によって用いられた．われわれは市場価格が存在することの少ない公共財を扱っているため，この分野の経済定理の多くは，数量の関数として価格を描く補償逆需要関数と非補償逆需要関数を用いている．Deaton and Muellbauer（1980），Anderson（1980），Hanemann（1986 a）を参照されたい．

18）WTP 測度は所得制約つきと呼ばれることがあるが，WTA 測度は所得制約つきではない．これは借入が不可能の場合にのみ，あてはまる．

19）公園の入場料の引上げや引下げなどの場合には，対象となる厚生測度は，初期の価格ベクトルとその後の価格ベクトルの間の変化を最もよく反映するものである．

20）適切な効用関数が q に関して微分可能ではなく，このために唯一の最適水準が識別できないかもしれず，標準的な経済理論にとって大規模で離散的な政策変化は問題である．経済学者たちが用いる標準的な一次近似式は，一般的にこの種の問題には不適切である．

21）これは，CV 調査で用いられる離散選択フォーマットのいくつかにはあてはまらない．第 4 章参照．

$$\Pi\,(p,q,T,U_i) \tag{2.4}$$

ここで p は私的財 X の価格のベクトル，q は公共財の水準，T は嗜好変数のベクトル，U_i は一定に保たれる効用の水準である．ヒックスの補償余剰測度は次のように定義される．

$$\int_{q_s}^{q_t} \Pi\,(p,q,T,U_0)\,dq \tag{2.5}$$

一方，ヒックス流等価余剰測度は

$$\int_{q_s}^{q_t} \Pi\,(p,q,T,U_1)\,dq \tag{2.6}$$

ここで q_t は q_s よりも選好される[23]．逆補償需要関数は支出関数（あるいは所得補償関数）の導関数として示される．したがって式（2.2）と（2.3）は，それぞれ方程式（2.5）と（2.6）に等しい．

変化が小幅増加の場合には，評価関数 $\int \Pi\,(p,q,T,U_i;\Theta)$ における未知のパラメータ Θ の評価は，一般的に容易ではない．これは適切な嗜好変数が一般的に未知であり，たとえ知られていても，T を包含すると思われるものとして利用可能な代理変数は質の悪い場合がしばしばあるためである[24]．Π の関数の形も未知であり，私的財に比べてその推定に関する経済理論からの知見は少ない．

こうした困難が克服できるのであれば，評価関数を評価するために CV 調査のデータを用いることは，政策面から見ると，きわめて好ましいことである．起こり得る少しの変化が潜在的にパレート改善かどうかを知ることに比べると，評価関数はさまざまな変化に対応して利用することが可能である．このため，CV 調査が特定の数量変化に留意して設計されているとしても，調査者が回答者に対して，重要な変化の前後に少なくとも一つだけ多く，数量変化を評価するように求めることは賢明である．この追加データは，そうすることが有益なのであれば，評価関数の推定が可能になることに加えて，便益の推定がその特定数量に対していかに反応的かを決定するために用いられる[25]．

2.4 不確実性と事前的展望対事後的展望

ここまでわれわれは確実性を仮定してきた．この条件のもとでは，経済主体は公共財の有効性からどのくらいの効用を得るかを知っており，ヒックスの厚生測度は適切である．しかしさまざまな

---

22) 間接評価法の一つを用いる際に起こり得る誤差の原因は，以下の 3 点があげられる．
　（1）マーシャルの消費者余剰を決定する通常の需要曲線の推定；この種の誤差はかなり大きく，通常の需要曲線の関数形式が未知の場合に通常起こる（Bockstael and McConnell, 1980 a, 1980 b；Vaughan and Russell, 1982）．
　（2）のちに論じられるようなマーシャルの消費者余剰から適切なヒックス流消費者余剰への移行．
　（3）市場財との弱補完性を持たない便益要素が消費者の効用関数に入り，したがってカウントされない（Freeman, 1979 b）．利用可能な間接的手法に関しては第 3 章で詳細に検証する．

23) 所得修正と価格効果を含む通常（マーシャル）の逆需要関数の変形が，
　　　$\Pi\,(p,q,T,Y)$
　で表わされ，ここでは U_i ではなく Y が一定に保たれる．q_s から q_t への数量変化に対するマーシャル型の消費者余剰は，
$$\int_{q_s}^{q_t} \Pi = (p,q,T,Y)\,dq$$
　で表わされ，q_s から q_t への逆通常需要曲線の下の領域で示される．異なる逆需要関数とそれに関連する厚生測度に関しては Hanemann（1986 b）を参照されたい．

24) $\int \Pi = (p,q,T,U_i;\Theta)\,dq$ の実際の価値がわかるのであれば，推定作業は容易であるが，$\int \Pi = (p,q,T,U_i;\Theta)\,dq$ の離散指標だけしかわからない場合でも，Θ のいくつかを推定することは可能である．こうした場合のヒックスの消費者余剰の定義法に関しては，Hanemann（1983 a, 1984 a）を参照されたい．

タイプの不確実性が導入されると，もはや必ずしもそうではなくなり，新しい厚生測度が定義されなければいけなくなる．これは，将来の状態を知る前（事前的展望）(ex ante perspective) に，経済主体が財から受け取ると期待する効用が，将来の状態を知ったのち（事後的展望）(ex post perspective) に経済主体が受け取ると期待する効用と，大きく異なるかもしれないためである[26]．大半の厚生経済学では，結果に関する不確実性がある状況では，事前的展望が一般的に最適と見なされている (Graham, 1981；Chavas, Bishop, Segerson, 1986)．こうした見方に関して異なる原理が数多く提案されてきた．消費者主権の原理は，政策立案者が一般市民の現行の要求を満たそうとしていることを示唆しているが，これがまさしく事前的展望に立っている[27]．

　Smith（発表予定）は計画的支出関数の概念を提唱した．これによって式 (2.2) と式 (2.3) に直接的に近似の方程式，あるいは式 (2.5) と式 (2.6) に等しい方程式を定義することが可能となる[28]．こうして定義された数量は，時にはオプション価格と呼ばれることもあり，不確実性が存在する場合の，厚生の変化の正しい測度と一般的に見なされている (Graham, 1981；Smith, 近く発表予定)．便益の測度に関する不確実性の問題の影響は，次章で検証する．

3．WTP と WTA の測度

　CV 調査において聞き出す質問が，WTP と WTA のどちらに関するものなのかは，どのヒックスの消費者余剰測度を得たいのかによって決まる．WTP 方式または WTA 方式の選択は，経済主体が当該財を売却する権利を有するのか，あるいはそれを享受したい場合は，それを購入しなければならないのか，という財産権の問題である[29]．われわれは権利が共有される公共財を取り扱っているため，この問題は容易には答えにくい．

　従来からの便益測度法は，マーシャルの消費者余剰が得られる通常の需要曲線のなんらかの形状の予測にもとづいている．マーシャルの消費者余剰を用いれば，適切な財産権の決定を行わなければならない問題を回避できるが，経済主体の厚生の変化を正確に測度しないという大きな欠点を持つ．このため，CV 調査者は一定の厚生の変化に対し，どのヒックスの消費者余剰測度を用いるかを決定しなければならない．それが WTP と WTA のどちらにもとづくべきものなのか？　CVM は WTP と WTA の両方を直接測度する唯一の手法である．過去 10 年間に CV 調査に重視する研究者が，同じアメニティに関して回答者から得た WTA は，一貫して WTP よりもかなり大きかった[30]．理論的予想に反するこの結果は，長期にわたる激しい議論を招いた．基本的問題点は，WTP と WTA のヒックスの消費者余剰測度は，どのぐらい異なるべきかという理論的問題と，WTP と WTA を

---

25) Randall, Ives and Eastman (1974) による初期の CV 研究が，3 つの異なる q に対する WTP を測度して評価関数を求めるために試みられたが，これは多くの CV 調査の規範となった．これ以上の q に対する WTP の測度が望まれるが，回答者の負担が大きすぎる可能性がある．

26) 例として，洪水の氾濫原に家を立てるかどうかの決定を考えてみよう．洪水が起こる可能性が 100 年に 1 度である場合，来年洪水が起こることがわかっていたら，事前的決定は事後的決定とは大きく異なるであろう．

27) 事前的展望の最も明白な問題は，政策立案者が一般市民の事前的価値と事後的価値が大きく異なると信じる場合や，政府が好ましくない事後的結果の中から彼らを救い出してくれると回答者集団が信じる場合に起こる (Kleindorfer and Kunreuther, 1986；Kunreuther, 1976)．

28) 計画された支出関数は，考え得る将来の世界情勢のそれぞれにおいて，期待効用ではなく，個々の経済主体の事前的期待効用を一定に保つ．

29) 法律と経済学の両面から見た財産権に関し，長く包括的な文献がある (Calabresi and Melamed, 1972；Coase, 1960；Furubotn and Pejorvich, 1972；Hirsch, 1979；Knetsch 1983, 1985；Polinsky, 1979；Posner, 1977)．一般的な経済厚生の観点から，そして，とくに CV の観点から理解されている財産権と権利付与は，実際の法律にもとづく財産権と権利付与に比べるとより重要である．

聞き出す質問がともに回答者に妥当なものであるかどうかという方法論的問題である．この節では明らかになった議論をたどり，Hanemann による最近の理論上の研究について説明する．

WTP と WTA の両方の推定値を報告した最初の代表的な CV 調査は，Hammack and Brown（1974）の水鳥の便益の調査であった．同一アメニティに対する回答者の WTA は，同一回答者のWTP の４倍強の大きさであった．Willig（1973，1976）は，厚生経済学の理論に関し独創的な著書を出版した．彼は，マーシャルの消費者余剰が WTP と WTA の間に存在することを示して，厚生測度として，マーシャルの消費者余剰を復活させた．彼の理論的分析によれば，最も妥当と思われる状況下では WTP と WTA の間の領域は比較的小さい[31]．Hammack と Brown による WTP＜WTAという大きな差異は，彼ら独自の調査手段による誤った結果と見なされた．

Willig の理論上の結果は，"おさまりのよい"効用関数を持つ消費者に対して*価格*を変化させる政策を行うためのものであったことがまもなく判明した．このため，Willig の領域が一般的な評価の場合には不適切な場合もあるが，公共財の提供が数量の変化を伴う場合や，提供される財の数量がゼロに向かう政策変化の場合は，とくに"振舞いの悪い"需要関数が適切であると思われる．Randall and Stoll（1980）は Willig 型の領域を一般的な数量変化に用いることに成功した[32]．Randall とStoll の結果は，Willig の基本的な結果（当該財への支出が総所得に比較して小さい場合は，WTPと WTA はかなり近似することと，マーシャルの消費者余剰が WTP と WTA の間に存在すること）が正しいことを示唆したが，その後の CV 調査は Hammack と Brown の結果と同様に，WTP と WTAの大きな差を引き続き認めている．またこれらの調査は，回答者の WTP と WTA の質問に対する反応の仕方の違いも示した．アメニティを受けるための支払意志額を質問される場合よりも，アメニティを捨てる見返りにどのくらいの補償を要求するかと質問された場合のほうが，抵抗回答や無限価値を示す回答者が多かった．こうした反応は，CV 調査で測度される巨額の WTA が方法論上の誤った結果であるとの概念を支持している．

WTA と WTP は近似しているという Randall と Stoll の調査結果は，CV 研究者のジレンマの解決策を示唆していた．WTA フォーマットの質問は，Randall と Stoll の回答者から有意義な回答を聞き出せなかったようだ．その一方では，WTA は彼らが評価したいと思うある種の変化の理論上の正しい測度法と見なされた．Randall and Stoll（1980）の境界によると，この手法による誤りはいずれも小さいため，理論上 WTA 質問フォーマットが必要な場合に WTA のかわりに WTP を用いればよい（Brookshire, Randall and Stoll, 1980；Mitchell and Carson, 1981；Desvousges, Smith andMcGivney, 1983；Cummings, Brookshire and Schulze, 1986）．

数量の変化に関する Randall と Stoll の境界は，価格の変化に関する Willig の境界よりも若干正確さに欠け，所得の価格伸縮性 ξ と呼ばれる未知のパラメータも含んでいた．彼らの分析結果によれば WTP と WTA の測度の差は，一般的な CV 調査の条件のもとでは５パーセント以内とすべきであるとしている．Brookshire, Randall and Stoll（1980）は，所得の価格伸縮性の評価が可能な場合に，どのようにして WTA の上限が WTP から計算されるかを示した．彼らはさらに当該財の WTPの対数を財，所得，その他の可能な説明的変数の対数で回帰分析することによって，ある意味で通常の所得弾力性に似た方法で ξ を近似と評価できることも示した（1980：484-495）．

---

30) 本書では "アメニティ" という用語は，便益測度調査で評価されている公共財の変化と同義語として用いられる．
31) Willig の境界はマーシャルの消費者余剰を正確なヒックス流 WTP また WTA の代替として用いると，誤差は２パーセントまたはそれ以下になることを示唆している．
32) Willig 型境界は多くの論文において明らかにされ，拡充された．代表的なものは，Bockstael and McConnell（1980 a, 1980b），Hanemann（1980），Takayama（1982），Just, Hueth and Schmitz（1982），Stoker（1985）である．

　Randall と Stoll の境界のもとでは，3 つの消費者余剰の測度の差がいかに小さいかを説明するため，Mitchell と Carson による全米水質便益の WTP の評価(1981)にもとづく例をあげよう．Mitchell と Carson は所得（Y）が＄18 000 の一世帯を選び，船遊びができない水準から水泳ができる水準への水質改善のための WTP を＄250 とし，回帰方程式から得られた財の所得の価格伸縮性 ξ の推定値 0.7 を用いた．Randall と Stoll (1980) の方程式 (11)　$(M-WTP)/M \simeq \xi M/2Y$ と式 (13) WTA$-WTP \simeq \xi M^2/Y$，および上記の情報を用いて，2 つの未知の数量 WTA と M およびマーシャルの消費者余剰の近似値を求めることができる．

　WTP 測度は補償余剰，WTA は等価余剰であるため，CS（＄250）＜M（＄251.22）＜ES（＄252.45）となる．したがって，WTP と WTA の消費者余剰の差は約 1 パーセント，＄2.50 である．ξ を 1.0 に増やすと，この差は約＄3.50 に拡大する．CV 調査における他の誤りやすい点を考慮すると，WTP フォーマットと WTA フォーマットのこの差はごくわずかといえる．

　通常の需要曲線のみからヒックスの測度を厳密に測度する方法が，価格の変化（Hausman, 1981；Vartia, 1983）と数量の変化（Langkford, 1983；Bergland, 1985）に関して，間もなく開発された．これらの方法は，知られている通常の需要曲線にもとづくもので，その需要曲線から導かれるヒックスの消費者余剰の推定値に，誤りがないという意味で厳密であった．厳密な測度に関する論文は，Willig-Randall-Stoll の境界の有効性を確認する傾向があった[33]．

　この方法論の研究が明らかになるにつれて，多くの CV 調査が WTA フォーマットと WTP フォーマットの両方を引き続き用いるようになった．こうした調査結果は WTA 方式に対していずれも同じ抵抗を示し，抵抗しなかったり，無限の回答をしなかった回答者にとっては，以前の調査結果と同様に，一般に妥当と認められる範囲を超えた WTP と WTA の大きな差が認められた[34]．

　一方で，WTP＜WTA という調査結果は，方法論上の誤った結果であるという結論を否定するような新たな証拠が増え始めた．CV 調査のフォーマットを用い，回答者に本物の財と実際のお金で準私的財を実際に売買させるという実験結果から，その証拠は得られた．こうした実験には，Bishop and Heberliein ら（1979，1980，1983，1984，1985，1986）が，一部の人々の要望の高い商品（特定のカモ，シカの狩猟許可）を評価するために実験室の外で行った大規模な擬似市場[35]や，さまざまな異なる種類の財を用いた革新的な実験室での実験（Knetsch and Sinden, 1984； Gregory, 1986）などがある．こうした研究でも WTA と WTP の大きな差が認められたため，CV 調査で判明した WTP＜WTA という大きな差異は，CV 調査の質問の仮想的性質のせいにはできなかった．なぜ CV 調査が不正確な WTA 価値を導き出すのかという説明から，なぜ一般的な理論に反して，WTP と WTA の間に大きな差があるのかということに関心が移った．

　WTP＜WTA の差異を論じた仮説が多く出された[36]．CV 調査に的を当てたものもあれば，実際の選択行動と仮想的な選択行動に関するより一般的な範囲を対象として考えるものもあった[37]．これらを大別すると次の四種類になる：（1）WTA の財産権の否定，（2）慎重な消費者の仮説，

33）税制の変更による重荷を計算する際，"厳密な" 手法はとくに利点がある．Willig の境界はあまり厳格ではない．これらには，きわめて大きな短所（双対理論［ロワの恒等式；varian 1984 を参照］から発生する）があるため，調査者は効用関数の関数式を知る（あるいは仮定として維持する）必要がある．

34）こうした調査の要旨に関しては，Cummings, Brookshire and Schulze（1986）と Fisher, McClelland and Schulze（1986）を参照されたい．

35）Bishop と Heberlein は，しばしば引用した 1979　American Journal of Agricultural Economics 紙において，Willig の理論にもとづき，WTA と WTP はほぼ等価であるべきであると仮定した．これによって彼らは，一仮想的市場における WTP（この実験において，彼らはがん（雁）狩猟許可の権利を実際に売ることはできなかった）と一模擬市場における WTA の相違は，CVM の方法論上の弱点であることを示唆していると解釈した．

（３）プロスペクト理論（prospect theory），（４）一般的な経済理論のその他の修正と再解釈．

　このうちの第 1 の仮説によれば，人々は WTA フォーマットで示唆された財産権を否定するため，より高い WTA の価値を答えるように動機づけられている．前述のとおり，WTA 質問を用いた CV 調査では，「私は得ることを拒否する」とか，「これに同意するには巨額の補償金を要求する」といった抵抗の回答が一貫して多く，抵抗率が 50 パーセントあるいはそれ以上ということがしばしばあった．WTA の財産権に関して，受け入れ難い，違法，あるいはその両者という抵抗の回答を寄せたのは，こうした回答者と見られる．しかし模擬市場の条件下で実際のお金を用いた場合，WTA フォーマットをあからさまに拒否することは，あまり一般的ではない（Bishop and Heberlein, 1979, 1980）．これは，異常値と見なされるほど高くはない WTA をあげる CV 調査の回答者をカバーするために，抵抗モデルを外挿することに疑問を投げかける調査結果である[38]．

　第 2 の仮説は，とくに CV 調査において消費者が慎重であるということである．Hoehn and Randall（1983, 1985 a, 1987）は，確信のない消費者，質問の財に関して決定を最適化する時間のない消費者，リスクを好まない消費者は，確信のある消費者，リスク・ニュートラルな消費者，最適化プラニングの時間が無制限にある消費者よりも，低い WTP と高い WTA を答える傾向がある[39]．Hoehn と Randall は，人々が WTP と WTA の価値判断をするのに慣れる機会を与えられれば，両者の差は収束するだろうと述べた．

　これを確かめるために，Coursey とその同僚（Brookshire, Coursey and Shulze, 1986；Brookshire, Coursey and Radosevich, 1986；Coursey, Hovis and Schulze, 1987）は，実際の財とお金を用いた実験室での実験を行った．彼らの実験結果によれば，被実験者が繰り返し試みて経験を積めば，WTP と WTA の差が縮まることが証明された．しかし，変化の大半は WTA の減少という形で現われ，WTP はトライアルの間かなり安定していることが多く，被実験者に示された初期の仮想 WTP に近い[40]．

　第 3 の仮定は，プロスペクト理論（Kahneman and Tversky, 1979）[41]にもとづき，最終資産地点を強調する効用理論を中立基準地点からのゲイン（獲得）や，ロス（損失）にもとづく選好分析のための説明的フレームワークにおきかえるものである．プロスペクト理論によると価値関数は，ゲインの場合よりもロスの場合のほうが急な曲線を描く．2 つの条件 a と b における効用の等しい変化を検討しよう．a はロスであり，b はゲインである．人々が a と b を等しく評価すると仮定する標準的な期待効用論（Schoemaker, 1982）とは対照的に，プロスペクト理論は a に対する人々の評

---

36) このテーマに関しては，Hammack and Brown（1974），Gordon and Knetsch（1979），Bishop and Heberlein（1979），Rowe, d'Arge and Brookshire（1980），Brookshire, Randall and Stoll（1980），Schulze, d'Arge and Brookshire（1981），Bishop, Heberlein and Kealy（1983），Knetsch and Sinden（1984），Brookshire, Coursey and Radosevich（1986），Fisher, McClelland and Schulze（1986），Gregory and Bishop（1986），Cummings, Brookshire and Schulze（1986），Gregory（1986），Coursey, Hovis and Schulze（1987），Hoehn and Randall（1983, 1985 a, 1987）を参照されたい．

37) 初期の推測のいくつかは，CV 調査において WTP と WTA の差異を生じさせるほど，所得効果が大きいかどうかということに集まったが，この仮説はまもなく否定された（Gordon and Kneetsch, 1979）．

38) WTA フォーマットの方法論上の問題（理論上の問題ではない）については，第 9 章でさらに詳しく論じる．

39) Hoehn と Randall が提案した行動モデルについては第 7 章で詳述し，CV 調査における戦略的行動に及ぼす影響を検証する．第 7 章においてわれわれは，戦略的行動は WTP 回答に大きな影響を及ぼすことはないと論じる．ただし WTA 回答にはあてはまらない．

40) Coursey, Hovis and Schulze（1987）の論文は，最終テストまでに，平均 WTP と平均 WTA は統計的には異ならないと結論づけた．Gregory and Furby（1985）は，若干異なる統計手法を用いて同一データを再分析し，これとは反対の結論に達した．Coursey, Hovis and Schulze の実験における大きな問題点は，N が小さすぎて，WTP と WTA の大きな差を看破する統計的な能力が不足しているということである．彼らは自信を持って，WTP に向かって収束しようとする WTA の傾向を説明したのであろうが，WTP と WTA の実際の収束の説明はいまだなされていない．

41) Kahneman and Tversky（1982），Tversky and Kahneman（1982），Machina（1982），Knetsch and Sinden（1984），Gregory（1986）も参照されたい．

価が，b に対する評価よりも大きいとするものである．したがって，WTA フォーマットが現在保有，または権利を有する財の放棄を示唆する場合は（Gregory, 1986），プロスペクト理論はより高額な補償金が要求されることを示唆する．公共財の提供は数量が固定化している特質があるため，同程度のロスまたはゲインの差の概念を強調する傾向があるだけでなく，回答者が当該財を取得するかに関する 1 回の離散選択をしばしば示唆する特性を持つ．

　第 4 の仮定は Hanemann の理論的研究（1982, 1983 b, 1984 b, 1984 c）にもとづくが，これは多くの CV 調査における 1 度の離散選択の特質が WTP と WTA の間に生じ得る差異に重大な影響を及ぼすというものである．Hanemann は 2, 3 の特殊な場合 WTP と WTA の差がかなり大きくなり得るが，それでも標準的な経済理論に合致することを説明することができた．その後，1986 年に，Hanemann は WTP と WTA の差が 2 つの未知のパラメータに依存し，Randall–Stoll の領域とは好対照を示す数量制約つき一般ケースの理論的論拠を示した．Hanemann は Randall and Stoll（1980）の問題の定式化が正しいことを示したが，彼らが所得の価格伸縮性と呼ぶ重要な未知のパラメータはきわめて特殊な用語であり，標準的な所得弾力性と比較してはいけないことを示した．したがって，このパラメータは，所得弾力性の通常のレンジで評価されてはいけない[42]．Hanemann は所得の価格伸縮性のパラメータ ξ は，2 つの他の弾性の比率で表わされることを説明した．

$$\xi = \frac{\eta}{\sigma_0} \tag{2.7}$$

ここで η は所得弾力性，σ_0 は評価される公共財と，経済システム全体のその他の財すべての代替の弾力性である[43]．比較的妥当な価値の例として，$\eta = 2$，$\sigma_0 = 0.1$ と仮定すると，ξ は 20 になる．前述の水質の例にあてはめてみると，CS（$ 250）＜M（$ 300）＜ES（$ 350）の 3 者の測度値にかなり大きな差が生じる．η がより大きな価値であれば妥当と思われないが，σ_0 がずっと小さくてもかなり妥当と思われる．

　Hanemann（1986 a）の調査結果の重要性は，多くの似た代替物のある公共財では，σ_0 が大きく，ξ が小さく，WTP と WTA の値が近くなることがある．σ_0 が η に比べて小さい代替の可能性のある公共財では，WTP と WTA の差はかなり大きく，$\sigma_0 = 0$ の場合は無限になることもある[44]．さらに，評価関数式（2.5）の回帰推定値から通常得られる所得の WTP の弾力性は ξ の推定値ではないため，CV 調査で利用可能なデータから ξ の大きさについて，信頼できる推論を導くことは困難である[45]．

　WTP＜WTA の差異は，こうした仮説で特定される要因の組み合せによって説明されるかもしれないとわれわれは考える．したがって，回答者はそれが妥当でないと思えば，WTA フォーマットに困惑するであろう．また同時に，調査結果にバイアスを生じさせずに，WTA を WTP におきか

---

42) いくつかのきわめて高価な財を除き，所得弾力性が 2 を超えることはめったになく，5 を上回ることは皆無である．Houthakker and Taylor（1970）は，多くの消費財の所得弾力性の推定値を提供している．

43) Hanemann は，σ_0 は q とヒックス流合成財 x_0 との間の集計された Allen–Uzawa の代替の弾力性値であるが，η は q の直接普通需要関数の所得弾力性であることを技術的に示した．

44) 当該公共財を得る機会がひんぱんにあり，一定期間それを提供することが，別の期間それを提供することのよい代替になるのであれば，σ_0 は大きくなる傾向がある．公共財の水準における大きな逆にできない変化は，とくにその財が数少ない密接な代替である場合は，とくに σ_0 が小さくなることを示唆する傾向がある．

45) パラメータ ξ は，$\delta \ln \Pi (p,q,Y) / \delta \ln (y)$ と等しく，それは評価関数で推定されるパラメータ，$\delta \ln \Pi (p,q,Ui) / \delta \ln (Y)$ とは一般的に異なる．2 つのパラメータの関係は若干複雑である．所得に関する評価関数の係数から ξ を導くためには，効用関数の数式がわかっているという前提が必要である．これはいわゆる厳密な手法（Hausman, 1981）における問題点でもある．効用関数式の明確化は暗に ξ を制限している．さらに WTP 関数の明確化は，通常の需要関数を特定する場合の問題をすべて受ける．

えることはできないと仮定する強い理論上の根拠がある．Hanemann は Randall–Stoll の領域にもとづく理論的解釈は，代替の弾力性が低い公共財（かなり一般的である）には有効ではないことを示した．そしてプロスペクト理論などの期待効用理論以外のものが，経済学者の間で支持を得ている．結果的に CV 調査者は引き続きジレンマに襲われている：公共財の数量や質の低下に対する補償に応じるよう人々に依頼する CV 調査は多くの場合，そのままではうまくいかないが，理論的には WTA フォーマットを用いるべきときに，かわりに，WTP フォーマットを用いれば，調査結果に大きくバイヤスが生じるかもしれない．調査者はアメニティ提供の現行水準の両者の数量を評価することを望むことが多いが，困ったことに，減少に対する正しい測度は，ヒックスの補償余剰の WTA 測度ということが一般的に合意されている．

ある状況において，とくにこれが住民投票型の CV フォーマットを使用している場合はなおさらであるが[46]，うまく WTA に関する CV 調査の質問を設計することは可能かもしれないが，一筋縄ではいかないだろう．公共財の提供水準の低下を評価するためには，かつては WTA 測度が必要と考えられていたが，正しいフォーマットは WTA 測度であると考える根拠がある（次にその問題に取り組む）．

4．新しい財産権のアプローチ

われわれは WTP と WTA のジレンマに対して，公共財を一定水準に維持するためには，年払いまたはそれに相当するものが必要であるという，財産権を再考することで，部分的な解決策を提案する[47]．多くの重要な公共財がこの特徴を持っている．たとえば，企業や政府が規制のための資金を投じなければ，大気の質は急速に悪化してゆくだろう．この種の公共財にとって，所有権や使用権はいずれもアメニティと消費者の適切な関係を本質的にとらえていない．

この観察結果の示唆することを**表2-2**に要約した．A 欄は正確な余剰測度の従来の理解を要約したものである．A 欄のモデルにあるように，私的所有権が想定される場合，財産権を定義する適切な次元は，個人が財を所有するかどうかと，それを使用するかどうかということである．このモデルにおいては，CS_{WTA} と CS_{WTP} はそれぞれ，減少と増加を示唆している．

一定の水準を維持するために，年払いが必要な公共財に対する財産権を定義するためには，別のセットの次元が必要である．B 欄に示したように，最初の次元は公共財の所有権が個人的なものか，あるいは共有かということである．適切な集団（都市，国家，コンドミニアム所有者協会など）の各構成員は，財に対して共有財産権を持つが，個々の構成員はその属する集団ごとに差別的なアクセス（しばしば手数料，あるいは同等のベースに対し）を持つ．一部の財では，アクセスが排他的な使用権を譲渡することもある．個人消費者の見地からすれば，公共財の広範な財産権を特定することは可能であるが，われわれの目的は，共有財産権と個人財産権という 2 つの基本的な次元を用いることによって果たされる．

共有財産権が発生するのは，集合の全構成員が財へアクセス（あるいは潜在的なアクセス）できるが，個々の構成員がそのアクセス権を売却できない場合である．大気の透明度と水質は，個々の消費者が共有の譲渡不可能な財産権を持つ好例である[48]．一定の質の水準で財を提供するためにコ

46) Mitchell and Carson（1986 c）は，ゴミ処理施設の建設地を決定するための WTA 住民投票の利用を唱えているが，コネチカット州のある町で行った住民投票は，これが成功した例である（Winerip, 1986）．
47) 費用便益分析者が尋ねる質問の 2 つに一つは，現在の利用を続けるための利用者の支払意志額（WTP）だったといったとき，Gordon and Knetsch（1979）が想定していたのは，この種の財産権であったようだ．

表 2-2　私的財と公共財に対するヒックスの余剰測度

	A.　私的財		B.　公共財[a]	
	所有	所有せず	個人的に所有	共同で所有
利　用	CS$_{WTA}$ （減少）[b]	ES$_{WTP}$	現在アクセシブル　CS$_{WTA}$ な水準	CS$_{WTP}$ （減少）[b]
利用せず	ES$_{WTA}$	CS$_{WTP}$ （増加）[b]	現在アクセシブル　CS$_{WTP}$ でない水準	CS$_{WTP}$ （増加）[b]

a 財の一定水準を維持するために，年払いまたはそれに相当する支払いが必要な公共財
b アメニティの現状からの低下（または上昇）の測度を示唆している

ストがかかる場合は，課税，値上げ，手数料などを複数組み合わせて，すべての消費者で負担するのが一般的である．支払いの水準を維持できない場合は，財の質は悪化することがしばしばあり，多くの環境アメニティでこうした状況が見られる．この問題は今後の議論で取りあげる．質の向上が望まれるのであれば，新たな質の水準を提供するコストを賄うために値上げが必要であろう．その財が排除できないものであればあるほど，企業家がそれを収益で賄い切れないため，共有されていることが多いようだ．

　この種の公共財に似ているものとしては，市場で取り引きされる財ではなく，コンドミニアムの所有者が支払う維持費などがあげられる．コンドミニアムの購入に伴い，私的財産権はそのアパート自体に移るが，コンドミニアムの所有者は，財産と地所を維持するための手数料を支払うことを法的に義務づけられている．その水準は共同で決定される．所有者たちはよりぜいたくな共同アメニティ提供のために，手数料の引上げに共同で合意するかもしれない．逆に，手数料を支払わなかったり，その水準を引き下げる場合は，共同アメニティの質が低下するであろう．すべての所有者はこうした分割不可能な共同の財を使用する平等の権利を持つのである．

　それが公共の利益に貢献すると見なされる場合は，個人はその集合から公共財の排他的な使用権を与えられることがある．通常，こうした個人的に所有される財は排除可能で，混雑の影響を受ける．さまざまな分配ルールが用いられるが，法的資格，早い者勝ち，その他の原理にもとづき，その範囲は入札から無料譲渡まで実にさまざまである．時には，公共の土地の採鉱権や放送の周波数の場合のように，譲渡可能な権利もある．

　このような場合には，政府が依然として財産権を保持しており，それを取り消せるため，公共財は私的財に完全に変化させることはできない．たとえば，既存の免許所有者から放送の周波数を購入したいと望んでいる人は，所有権を取得するためには政府の定める一定の基準を満たす必要がある．集団が譲渡不可能な権利を移譲するのは，ごく一般的である．こうした権利は自然保護区域の使用者に許可証の割当てを通じて無償で譲渡され，公共の土地での石炭採掘，石油掘り，樹木の収穫，家畜の放牧などを望む人には，入札や入場料の割当てを行う．

　公共財の適切な余剰測度の量を決定する第 2 の次元は，質の一定水準が利用可能かどうかということである．われわれは“実際の利用”のかわりに“アクセス可能性”という概念（Bohm, 1977；Gallagher and Smith, 1985；Smith, 1986 c）を用いたが，これは公共財がしばしば利用価値に加えてさまざまな存在価値を含むためである（第 3 章参照のこと）．現在全米の湖，河川，小川の水は，

48）企業に特定水準の汚染を出す許可の売買を認めるものなど，ある種の行政上の取決めのもとでは，大気や水の質でさえ譲渡が可能であるため，共有財産権の概念は理想のタイプと見なされなければならない．環境保護団体によるこうした取決めへの反対の動きは，こうした公共財に対する権利は譲渡されるべきではないという信念にもとづいている部分もある（Kelman, 1981；Bohm and Russell, 1985；Tietenberg, 1985）．

船遊びができる水質という最低水準を満たしている．達成されていない淡水の最低水準は，釣りのできる水準と，水泳のできる水準である．公共財の所有権を概念化するというこのフレームワークは，CV 調査のための正確なヒックスの余剰測度の選択に重要な意味を持っている．われわれの目的は消費者の効用の初期水準から，これらの財の便益を測度することにある．公共財の質の一定水準が現在利用可能でない場合には，個人が所有してもいないし，また使用もしていない私的財の消費者余剰を決定する場合と同様に，CS_{WTP} 測度が増加する提供の価値を決定することを示唆している．いずれの場合も，変化の前と変わらない状態に消費者を保つための改善に対する消費者の WTP が測度される[49]．

しかし公共財の場合，一定水準の質が利用可能である場合には，提供が減少するときには CS_{WTP} 測度となる．消費者が財への支払いをすでに定期的に行っているため，この場合のヒックスの補償余剰は，消費者が財の質の水準を低下させずに，以前と同様に快適にすごすための WTP である．

これは CV 調査において次の方法で測度される．回答者はまずはじめに，大気の透明度などの財の現在の質の提供のために，すでになんらかの適切な形（高い価格や税金など）で年払いをしているという情報を与えられる[50]．それから，質の低下を招くよりは現在の水準を維持するために支払う意志がある最大の額（現在の支払いと同額ということもあり得る）を述べるように求められる．住民投票の類推を用いるために，消費者は財の供給が来年度以降も引き続き現行と同水準となることを保証する特定のプログラムに対する WTP の最高額を，提示するように求められる．WTA フォーマットが，この財産権の譲渡不可能な特徴と明らかに矛盾することは，特筆すべきであろう．

5．集計の問題

CV 調査において，個人のサンプルの理論上の正確な測度を得たら，研究者は評価される財の総便益を得るために，これらの価値を集計する．こうしたプロセスには 2 つの問題点がある．

関連母集団の総便益を得るために，CV 調査で得た個人の WTP を加算することは可能であるのか？

そして関連した総便益を得るために，下位要素の WTP を集計することは可能なのか？

また，政策立案者にとって重要な情報であることの多い一般市民の WTP，または WTA に関す

---

49) われわれが提唱した財産権のフレームワークの理論上の基礎の概念的問題について，ここで言及する．前述のとおり，現状の財産権は，$U_0 = V(p, q_0, Y_0)$ である．また $U_0 = V(p, t_0, Y_0 | q_0)$ とも表現できる．t_0 は q_0 の現在の税価格であり，消費者は q_0 を消費しなければならない．任意の q_i に対して，

$$CS = (Y_0 + t_0) - e(p, q_i, U_0)$$

を測度できそうだ．ここまでは，おさまりのよい測度である．問題は q_0 を取り去り，t_0 を戻した場合の，回答者の効用水準はどのくらいかということである．t_0 のかわりに q_0 を購入することがいぜん可能である場合は，ル・シャトリエの原理（Samuelson, 1947；Silverburg, 1978）を用いて，

$$V(p, t_0, [Y_0 + t_0]) \geq V(p, [Y_0 + t_0] | q = q_0)$$

と表わされることは明白である．これは，他の財における t_0 の支払いが，q_0 の購入による場合よりも余計に回答者の効用水準を高めるのであれば，回答者はもはや q_0 を購入する必要がなくなるためである．関数 $V(p, Y_0 + t_0)$ は q_0 の価格に関係なく，ある意味では完全に特定されているため，t_0 が回答者に戻されて，q_0 が取り去られたあとで，効用の水準がどの程度になると回答者が考えているのかは不明である．われわれは回答者が $V(p, Y_0 + t_0)$ を U_0 とほぼ等価として評価し，$V(p, Y_0 + t_0)$ の曖昧さは実際にはやっかいなものではないと考える．

50) CV 調査の状況において，回答者が当該財に対して現在支払いをしていると気づかせたり，こうした支払いがもはや不必要になるかもしれないと示唆したりするのは，潜在的にやっかいである．これは，たとえその財に対する補償余剰がはるかに大きかったとしても，知らされた現在の支払額よりも大きい，現在の提供水準に対する WTP を答えるのは気の進まないことであると思われるためである．実際には回答者は，掛かった費用を戻すと単純に知らされた場合や，現在において実際に支払っている金額や，現在支払っていると思われる金額が，ともに所得と比較して小さい場合は，この問題はそれほど深刻なものではないだろう．

る集計されていない情報を，どのように示すかということも問題である．この情報は，当該財に対する一般市民の WTP を収集するメカニズムを設計するうえでも役立つ．こうした問題に関して以下の節で検証したい．

5.1 個人の便益の集計

Samuelson は，1954 年に発表した公共財に関する独創的な論文において，公共財の総需要を決定する正しい方法は，私有財の場合に行う個々の需要曲線の水平方向の合計ではなく，垂直方向の合計であることを示した．Bradford（1970）は，公共財が固定数量で提供されるという事実を考慮して，Samuelson の分析を発展させ，集計評価額曲線（an aggregate bid/valuation curve，総価値曲線と呼ばれることもある）の概念を提唱し，これを個々の評価額曲線の垂直方向の合計とし，その提供水準における適切な消費者余剰の測度と定義した．Bradford は適切な範囲において，集計評価額曲線とそれに対応する限界評価額曲線は，必ずしも連続あるいは下方の勾配ではないことを示した．こうした状況が保たれていないと，提供の最適パレート水準を特定することが不可能であるため，これはやっかいな調査結果である．

多くの公共財には，適切な経済関数に関するこうした潜在的問題に加えて，とくに環境の質に関して価値を測る尺度の多次元性の問題，あるいは指数化の問題が存在する[51]．すなわち，多くの人々に支持されるような数量尺度や指数の区間が調査される公共財においては利用不可能かもしれない．公共財提供の費用と便益は，それぞれ別の尺度で測度されることがしばしばある[52]．同一の数量と質を座標軸とする図表において，費用と便益の両方のドル金額を予測することは不可能ではないとしても，時にはきわめて困難な作業である．たとえば，硫黄排出物の変化を透明度改善の変化に転化するのは困難である．

集計費用関数がわかっており，そこから限界費用曲線が導かれ，適切な便益と費用の曲線のすべてが，適切な曲線特性を持ち，かつ連続であると仮定される場合[53]，Bradford のフレームワークは限界集計評価額曲線と限界集計費用曲線の交点（図2-3参照）で，公共財の最適生産が起こる従来の収益最大化フレームワークに似たものとなる．ここで最適化されるのは（一定の加重関数を仮定する）収益ではなく，社会厚生全体または効用である．この交点は財の代替率が技術的代替率と等しい点として示され，パレート最適の必要条件である．この水準において公共財を提供して達成される均衡は，リンダール均衡（Lindahl equilibrium）と呼ばれる[54]．これを Randall, Ives and Eastman（1974）が最初に Bradford のフレームワークを用いて発展させ，その後の大半の CV 研究の理論的基礎の一部分となっている．

---

51) こうした問題は CVM だけでなく，すべての便益測度法に見られる．水質の指数化問題については，Desvousges, Smith and McGivney（1983）の付論 E を参照されたい．環境計量学に関する一般論については，Evans（1984）を参照されたい．

52) たとえば，清浄な水を提供する費用は，ある水域の生物学的酸素要求量の水準によって決定されることが多いのに対して，清浄な水の便益は，ある水域が支えるレクリエーション活動によって決定されることが多い．

53) こうした仮定は，潜在的問題をすべて基本的に取り除いてくれる．Starrett（1972）は外部性が存在する場合は，ノンコンベクシティー（nonconvexities）が一般的かもしれないと論じた．Brookshire, Schulze and Thayer（1985）はグランド・キャニオンの CV 調査において，非凸限界評価関数（大気の透明度の"次元"を増加させるための WTP を増加させる）を発見した．

54) リンダール均衡は，選好が正確に明らかにされるとの仮定のもとでは，ある経済機構におけるすべての個人は，他のいかなる公共財の数量と，すべての経済主体が合意できる税価格のベクトルよりも，その経済機構の各経済主体のために提供される公共財の数量をより好むという特性を持つ．このリンダール均衡の概念は，私的財のみを売買する市場の市場潜在価格と数量に等しい．Johansen（1963），Milleron（1972），Cornes and Sandler（1986）参照のこと．

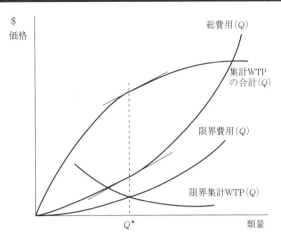

図 2–3　提供される公共財の数量の集合的最適化

費用便益分析において比較されるのは，上述の限界的関係ではなくて，総便益と総費用であることが多い．これは限界的な関係を計算するために必要な評価（および費用）関数の推定が前述のとおり，きわめて困難であることも影響している．総便益と総費用を比較すれば潜在的パレート改善が可能かどうかを決定することは可能であるが，その変化がパレート最適な点への移動かどうかを，政策立案者に示すことはない．

特定数量の公共財に対する個人の WTP の集計額，または集計評価関数のいずれかを正確に推定するために CV 調査の結果を用いるには，潜在的にやっかいな仮定をいくつか行わなければならない[55]．第 1 に，個人に対する加重スキームが選択されなければならない．WTP（WTA は当てはまらない）には所得制限があるため，標準的な加重スキームは，社会厚生の観点から見て，現在の所得の分配が容認できると仮定することである[56]．典型的な第 2 の仮定は，CV 調査の回答者が示唆した WTP を全額回収するために，適切な支払構造（現在の支払い構造と異なるかもしれない）を設計することである．たとえば，回答者が妥当と見なすレクリエーション用地の入場料には上限があるかもしれないが，この上限は，そのアメニティの真のヒックスの補償余剰よりも低いかもしれない．適切な支払構造であれば，完全な補償余剰を得ることは可能であろう．

5.2　下位要素の集計

CV 調査者はしばしば，別々に測度された便益の要素を結合させようとする．こうした要素は，グランド・キャニオン，ロッキー山脈地方，東部というように，別個の地方の異なる便益かもしれない．あるいは全米環境プログラム中の大気の質の成分と水質の成分というように，より大きなプログラムの中の異なる要素の便益かもしれない．

一連の重要な論文の中で，Hoehn, Randall, Tolley（Hoehn and Randall, 1982 ; Hoehn, 1983 ; Randall, Hoehn and Tolley, 1981 ; Tolley and Randall ら，1983 ; Randall ら，1985）は多くの条件のもとで，（CV によって）個々に測度された下位区分の便益を集計する際に過大評価されてしまう

55）WTP の集計に関するサンプル設計，調査の実施，回答の問題点などの方法論上の要件は，第 12 章で論じる．
56）この仮定は，ある人の WTP 1 ドルずつが社会厚生関数において同じウェイトを持つ（ドル金額が等しい）というのと同義である．他の加重づけ計画も，明らかに可能である．

理由を示した．彼らはまた，同じ調査の中で下位区分の便益が順番に測度される場合，下位区分が回答者に示される順番がその価値に影響を与え，他の条件が等しければ最初に評価される財は，のちに評価される財よりも高い価値を得ているという結果も示している．彼らはこの原因として，回答者がそれぞれの財を最初の増分として評価するのではなくて，彼らが享受する既存の環境アメニティの限界的な増分であるかのように，各財を連続的に評価しているという事実をあげている[57]．

　われわれはここで，この問題に関する Hoehn and Randall（1982）の理論的分析の要約を述べ，この問題の実際の影響は第 12 章で詳細に論じる[58]．

　（初期水準 q_1^0, q_2^0, q_3^0）と目標（q_1^1, q_2^1, q_3^1）を持つ 3 つの異なる要素（q_1, q_2, q_3）に影響を及ぼすように設計された最も単純な政策のケースを考えよう．支出関数を用い，他の要素を初期水準にとどめ，q_1^0 から q_1^1 への変化に対する WTP は，

$$e(q_1^1, q_2^0, q_3^0, p^0, U^0) = Y_1^1$$

によって与えられる．別々に評価された他の 2 つの構成要素でも同様の表示ができる．

$$e(q_1^0, q_2^0, q_3^0, p^0, U^0) = Y^0$$

の場合は，3 構成要素全部を同時に金銭評価する場合は，

$$Y^0 - e(q_1^1, q_2^1, q_3^0, p^0, U^0) \tag{2.8}$$

となる．例外を除いて，この表現は

$$3Y^0 - e(q_1^1, q_2^0, q_3^0, p^0, U^0) - e(q_1^0, q_2^1, q_3^0, p^0, U^0)$$
$$- e(q_1^0, q_2^0, q_3^1, p^0, U^0)^{[59]} \tag{2.9}$$

とは等しくない．しかし

$$Y^0 - e(q_1^1, q_2^1, q_3^1, p^0, U^0) \tag{2.10}$$

は次の方程式と等しい．

$$Y^0 - e(q_1^1, q_2^0, q_3^0, p^0, U^0)$$
$$+ e(q_1^1, q_2^0, q_3^0, p^0, U^0) - e(q_1^1, q_2^1, q_3^0, p^0, U^0)$$
$$+ e(q_1^1, q_2^1, q_3^0, p^0, U^0) - e(q_1^1, q_2^1, q_3^1, p^0, U^0) \tag{2.11}$$

ここでは q_i^1 の順番は任意である．これらの結果は，便益項目，地理的位置，政策要素の集計に対して適用できる．

　CVM において，この結果が基本的に示唆することは，一般的に，各 q_i に対する WTP の個々の推定値を合計しても，すべての変化が同時に起こった場合に対する正確な WTP と等しくはならないということである．式（2.11）は，（支出関数を用いた）順番に評価することで総 WTP を正確に測度することができる一方で，この順番の中の特定の要素または成分に対する WTP は，2 つの終端を除き順序が異なる場合があることを示唆している．

　総便益を得るために，異なる便益項目の独立推定値を集計することはできないこと，考慮中のより広い地域の予測値を得るために，異なる地域で行われた調査を集計することはできないこと，異なる政策要素の便益は独立して個々に推定されなければいけないことを，とくにこうした調査結果は示唆している．さらに，同一手法と同一サンプルを用いて行った個人の便益項目，空間，あるいは政策構成要素の同一推定値でも，異なる順序の要素として推定される場合は，異なることがある．

　Hoehn と Randall の結果は，補完財と代替財の概念を用いて直観的に説明できる．山と大気の高

57）経済理論によれば代替財の限界価値は低下することが予想されるので，この種の行動は期待されないものではない．

58）Hoehn と Randall の証明は，線積分を用いた非常に複雑なものである．この証明の完全な説明は Hoehn（1983）の学位論文にある．

59）同様に $3Y^0 - Y_1^1 - Y_2^1 - Y_3^1 \neq Y^0 - eq_1^1, q_2^1, q_3^1, q_1^1, U^0$ は特殊ケースである．

い透明度というような補完財の場合には，異なる便益区分または政策構成要素の独立推定値は総WTPを過少評価する傾向がある．HoehnとRandallは，たとえば山と海浜のレクリエーション地域のような代替財の場合が，より一般的であると主張している．ここでは，個々に導かれた異なる便益区分または政策要素の推定値を集計すると，WTPは過大評価されてしまうだろう．弱および強分離可能性という概念は，異なる要素の便益の集計を正当化することがしばしばある（Freeman, 1979 b）[60]．

回答者に総WTPを分解するように求めて測度した下位要素の便益は，この仮定のもとでは多少正当化されるが，最初に総WTPを求める際に二重計測が起こるため，この逆は成り立たない．一つの財に使われる金銭は別の財には使えない，また，すべての財はこの意味で代替財であるというヒックスの概念（Philips, 1974）が，この一見矛盾する結果の基本的な理由になっている．

Tolley and Randall（1983）によるグランド・キャニオンの大気の透明度の価値の調査は，順序と集計の問題が存在することを実証的に示した[61]．1980年にシカゴ地区の住人130人は，グランド・キャニオンの大気の質と透明度の現在の水準を維持するために，支払う意志のある毎月の電力料金の値上げ幅を質問された．透明度の水準は，住人にWTPを質問する前に，写真で住人に示された．グランド・キャニオンの大気の質が調査で評価された大気の質の唯一の要素である．1981年に同じ調査者によってグランド・キャニオンの金銭評価が再び行われたが，今回はまずはじめに（1）シカゴの大気の透明度を9～18マイル改善させる大気汚染の軽減，（2）より広範なミシシッピ川東岸地域の大気透明度を，9～18マイル改善させることに対するWTPがどのくらいかを回答者に質問し，次にグランド・キャニオンの質問をした．グランド・キャニオンの写真セットのほかに，シカゴの大気の透明度のさまざまな水準を説明した写真が回答者に示された．この2つの調査でグランド・キャニオンの大気の質に与えられた価値は，大きく異なった．

1980年に単独で評価された際は，グランド・キャニオン汚染規制プログラムの価値は，典型的なシカゴ市民にとって，1年当たり平均＄90であった．1981年にシカゴ市民59人からなる別のサンプルに対して連続する3つの評価対象のうちの3番目として評価された場合，同プログラムの価値はわずか＄16であった（Tolley and Randall, 1983：93-97）．

個々の要素から全体へ一般化すること，およびその逆の困難さは，決してCVMの特性ではなく他の便益測度法の特徴でもあるということに留意すべきである[62]．トラベルコスト法では空間的集計の問題が代替地問題として知られ，決定理論では（Keeney and Raiffa, 1976），多数の目標と順序のトレードオフとして知られる[63]．ヘドニック価格法（HPM）は，考慮中の土地の地代勾配を得るために，すべての代替地を一定にすると仮定する傾向がある．公共財評価の際のこの偏在的バイアスは，他の便益評価法よりもCVMのほうがうまく対処できると思われる．これはCVMが政策要素の順序を構築するうえで，柔軟性を持っているためである（第12章の順序集計バイアスを参照されたい）．

60）可分性は，2つの便益要素の代替の弾力性がゼロであることを示唆している．

61）これはSchulzeら（1983）が行った大規模調査のために行われた，グランド・キャニオンの大気の質のいくつかの地方調査の一つであった．後者のレポートは，グランド・キャニオンの評価手段と同じ評価手段を用いている．

62）全ケースに共通する本質的な問題は，代替の弾力性が未知であり，推定するのは決して不可能ではないが困難であるという点である．費用の集計と分解も，同様の問題を数多く抱えている（Young, 1985）．

5.3　個人の WTP 分布

　あるプロジェクトに着手するかどうかを決定する際に，政策立案者は費用と便益の実際の集計額の比較を行うよりも，政策変化による便益の分配により高い関心を持つかもしれない．予期されている変化が潜在的にパレート改善であることが明らかであり，望まれる分配の情報が CV 調査から直接入手可能である場合には，とくにそうである．この情報を要約する最も理解しやすい方法の一つは，当該公共財の水準に対する一般市民の WTP をパーセンテージで表示したグラフを用意することである．

　図 2-4 に示したように，これは単純に，WTP 回答における 1 マイナス累積分布関数のグラフである．このグラフは，Carson and Mitchell（1986）の水泳可能な水質の総 WTP に対する 1 マイナス累積分布関数の平滑化版にもとづいている．このグラフから明らかなことは，WTP の中央値（medium）と WTP の平均値（mean）の差が大きいことであり，その差は，公共財を提供する好ましさとそれをファイナンスする方法に大きな影響を与えている[64]．そのようなグラフ上に別の曲線を描くことによって，政策立案者により多くの情報を提供することが可能である．たとえば，異なる所得集団，財の利用者と非利用者，異なる地理的場所のために別個の WTP 分布曲線を描くことも可能である[65]．

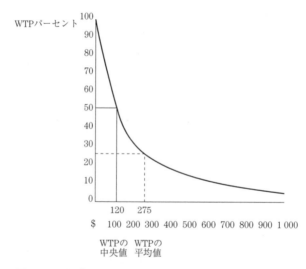

図 2-4　さまざまな公共財の数量と回答者の WTP パーセント

6．私的財市場モデルと政策市場モデル

　これまで示してきた経済理論は，疑似（公共財）市場に関するものである．この市場は個々の需要曲線の水平合計ではなくて，垂直合計にもとづく若干異なる（リンダールの）均衡概念を持つこ

63）モデルの特定化の段階で行わなければならない推定と多くの判断にとって，一般化されたトラベルコスト法モデルがいかに困難であるかに関しては，Smith and Desvousges（1985）を参照されたい．このモデルと CV 推定との比較に関しては，Smith, Desvousges and Fisher（1986）を参照されたい．順序の問題は費用便益の調査において，かねてから認識されている．Krutilla（1960）などを参照されたい．
64）最適課税計画の設計に関する一般論については，Atkinson and Stiglitz（1980）または Mirrlees（1986）を参照されたい．
65）適切な変数が CV 調査で測度されるならば，民主党員と共和党員のような異なる投票者集団ごとに別個の曲線を描くことさえできる．

とを除き，私的財市場の基本的特徴をすべて持っている．ある種の CV シナリオにとって，私的財市場モデルの魅力的な代替物は，政策市場モデルである．住民投票で投票する市民は，公共財の提供に関して義務的決定を行い，税金のメカニズムを通じて支払いをしなければならない．CV シナリオにおけるそうしたモデルの使用は，妥当性を高めるようだ．そうした住民投票のモデルは，本章で述べた評価のフレームワークにどのように合致するのであろうか？

　私的財市場と政策市場は，ともに経済主体同士の財とサービスの交換を調整するために存在する．非常に自己中心的な行動を仮定すると[66]，両タイプの市場はある財に対する同一個人需要曲線によって導かれるため，公共財に対する個人の WTP と WTA は同一の推定値が求められる．両市場は集計，均衡，提供されるべき公共財の数量に関する決定への異なるアプローチを示唆する．

　私的財市場の結果は，需要と供給が等しい均衡価格で起こる．こうした競争的均衡は，パレート最適という厚生経済学の基準を満たす．私的財市場のモデルの集計は，全消費者に関するものであるため，それぞれが市場精算価格になんらかの影響を及ぼす[67]．私的財市場モデルの平均的な消費者は，「平均」数量の財を購入したり，あるいは特定の「平均」数量の財に対して WTP または WTA を持つ消費者である．

　政策市場モデルの結果は，過半数ルール（通常は単純過半数，または 3 分の 2 以上の賛成を必要とする）よって決定される．投票者の多く（多数承認ルールでは半数まで）は，提供される公共財の数量に直接的な影響を及ぼさない．平均的な投票者は公共財の「中央値」数量を要求し，あるいは公共財の固定数量に対して「中央値」数量の WTP または WTA を持つ[68]．政府による提供が望まれる公共財の数量は，想定された費用配分スキームのもとで，適切な多数が賛成するような最大の数量である．

　この 2 つの理想的かつ典型的な市場モデルは，公共財の提供に関して，ほとんど正反対の欠点の傾向を持つ[69]．私的財市場モデルと結びつく潜在的パレート基準（潜在的な便益が費用を上回るところ）は，公共財に高い評価を持つ少数派に対して，多数派へ支払いをするよう求めることを認めている．これは少数派が公共財の提供のための実際の支払いをする必要がないためである．対照的に，多数決ルールがある政策市場モデルは，公共財を欲している多数派（しかしそれを提供する全費用を負担したくない）が，公共財を必ずしも欲していない少数派に，その提供のための支払いを求めることを認めている．多くの場合，政策立案者が両タイプの決定基準を満たすことを要求する場合には，より妥当な政策結果が生じるであろう[70]．

7．CV 調査のシナリオ設計のための理論的示唆

　ミクロ経済学における CVM の理論上の基礎を概観すると，理論は CV シナリオの設計のために

---

66) 人々は私的財の市場に参加する場合よりも選挙で投票する場合のほうが，利己主義の度合いが低く，社会に関心が高いかもしれないと，かねてより論じられてきた（たとえば，Wilson and Banfield, 1964, 1965 を参照されたい）．

67) 消費者の数が増加するにつれて，この影響は低下する．

68) 政策市場の中位投票者とその他の均衡概念に関しては，Downs (1957)，Black (1958)，Romer and Rosenthal (1978)，Denzau and Parks (1983)，Enelow and Hinich (1984) を参照されたい．

69) 私的財市場モデルと公共財市場モデルは常に対立しているわけではない．たとえば，Bowen (1943) によれば，選好が最高点が一つだけで，対称的に分布している場合で，単独多数の投票ルールが用いられる場合，要求される中央値数量の提供は（潜在的）パレート改善的な解決となる．パレート効率と異なるタイプの投票システムの適合の検証に関しては，Zeckhauser (1973) を参照されたい．

70) すべての納税者から等しい支払いが要求される場合には，あるプロジェクトに対する WTP の中央値がその平均費用よりも大きくなるという決定基準は，私的財市場モデルと公共財市場モデルの両方にとって十分である．

何を示唆しているかを，考えてみるのが適切である．式 (2.2) または式 (2.3) を推定するために用いることが可能なデータを得るために，CV シナリオは，回答者に対して以下のように定義され，伝達されねばならない．

1．効用の基準水準：回答者が利用可能な所得の水準を定義し，特定の公共財に関して財産権の状況を記述することによって，これを行う．

　A．財産権：共有財産権の財の場合は，回答者は一定水準の供給のために自分たちが現在支払いを行っていることを理解するべきである．評価される水準が現状よりも改善するのか，あるいは支払いが不十分なために潜在的に低下するのかを，シナリオは明確に示す必要がある．

　B．現在の可処分所得：回答者は財に対する WTP を答える際には，税金や長期債務を考慮するべきである．世帯が分析の次元である場合は，基準所得は回答者の所得ではなく，世帯の所得とすべきである．回答者がすでに財の提供に対して支払いをしている場合は（全額あるいは一部），回答者はこの支払いが可処分所得に戻されるべきものであることを理解する必要がある．

2．公共財の性質：回答者に対して“大気の質”を改善するために $x を支払う意志があるかどうかをときおり尋ねる通常のサーベイの質問とは異なり，評価される財と変化の性質は CV 調査において詳述されなければならない．変化は通常，公共財の数量の特定の変化として記されるが，その意図的な目的と成功の可能性や，よく定義された公共政策の変化もある．

また，回答者が一つあるいは 2 つ以上の関連する改善を，あてはまらない場合に不注意に変化に含めないように確認する必要がある．たとえば，大気の透明度のみを評価するように求められている場合に，回答者が健康に関連した改善を WTP に含めないように確かめる必要があるだろう．同様に，水質のみを質問されているのに，回答者が全般的な環境改善を考える傾向があれば，大気の質は一定であることを明確に指摘する必要があるだろう．逆に，大気汚染の規制による大気の透明度と健康の改善などのように，複数の公共財を評価する意図がある場合には，その意図を明確にするべきである．

3．その他の財の適切な価格：公共財の変化が他の財の価格に大きく影響する場合には，この変化の影響を回答者に知らせるべきである．通常 CV 調査は，こうした一般的な均衡の影響が小さいと仮定している．しかし私的財の価格が，たとえば水質汚染規制政策の影響を強く受け，相対的な価格変化が大きくなる可能性のある場合には，シナリオ上この点を明確に記述する必要があるだろう．たとえば水質汚染規制が，他の財の価格に比べて革靴の価格を大幅に上昇させることになるのであれば，購買パターンへのこの影響を考慮できるように，回答者にこの影響を知らせるべきである．

4．財提供の条件とその支払い：財がいつどのくらいの期間にわたって提供されるかが明らかでない場合は，それを明確にするべきである．回答者は要求される支払いの頻度（たとえば月払い，年払い，旅行ごと）を理解し，数量を維持するため，あるいは質の変化を維持するために，長期間にわたって支払いを要求されるのかどうかを理解しなければならない．また財が提供される場合，それにアクセスできるのは誰なのか，そのための支払いをするのはほかに誰がいるのかも理解すべきである．

5．望まれる WTP の特質：回答者が“適正価格”などの他の種類の価値を述べずに，財に対する消費者余剰を述べることを保証するように，シナリオは設計されるべきである．

8. 要約と結論

　CVM が最初に用いられて以来 20 年以上もの間に，その理論的基礎はよく理解されるようになった．本章において厚生を正確に測度する CVM の能力を検証した．この手法は，大体において厚生の変化による適切な補償および等価測度を評価することが十分可能である．しかし回答者が暗黙の財産権を不当として拒否する傾向があるため，公共財の水準の低下に対する WTA の正確な推定値を得るのが，実際にはきわめて困難であることが示された．さらにわれわれは Willig, Randall と Stoll の領域（代替が推定値に大きな影響を及ぼさないとの理由で，WTA フォーマットが示唆される場合に，WTP フォーマットの代替を正当化する）が，多くの CV 調査の適切な状況下において，測度値間の真の差異を過少評価しているとする理由があることも示した．このように，CV 調査における WTP と WTA の間に経験的に見られる大きな差の少なくとも一部は，誤った結果というよりは，実際の経済行動を反映している．われわれは，公共財の財産権を新しく解釈することで，現在の質の水準を維持するための定期的な支払いを要求する公共財に対して，WTA を測度する必要性を排除することを提案した．

　理論的に有効な CV 調査のための条件，および CV の調査結果を集計するための条件が記述され議論された．特定水準の公共財の総便益を推定するために，個々のデータを集計するのは技術的には比較的単純に見えたが，議論の余地のある倫理的な仮定を含んでいる．技術面でより問題となるのは，別個の地域の便益などのように，下位要素の集計と分解である．CV は政策担当者に望まれる分布に関する情報を容易に作り出すことが示された．また，シミュレートするために CV シナリオを用いた私的財市場と公共財市場の二種類の市場の理論的特性を比較，対照した．結論として，CV シナリオ設計のための理論の示唆を簡単に要約した．

　第 3 章では便益の特質を検証し，こうした便益の他の測定法と CVM を比較する．総合的に見て CVM は確固たる理論的基礎の上に立っているといえよう．

便益とその測定

　CVM は，現在用いられているいくつか公共財の便益測度手段の一つである．本章において，政策立案者が評価したいと考えるであろう便益の特質を概観し，既存のさまざまな便益測度法の能力を比較対照し，そのあとで，現在用いられている特定の CV フォーマットの特徴を論じる．

1．準私的財と純粋公共財の財産権

　公共財の便益を考える前に，もう一度公共財の概念を簡単に検証し，純粋公共財と純粋私的財の中間に位置する，新しいタイプの財を導入するのは有用である．Kopp and Portney（1985）は，個人の効用関数に入れる財を純粋私的財，準私的財，純粋公共財の 3 つのタイプに分類した．純粋私的財は，市場参加者が財に対して確認可能な個人の財産権を持つ組織化された市場において売買される．財を売買する過程において，消費者がその財を所有したならば，消費者の選好は少なくともある程度は表現される．

　Kopp と Portney が分類した準私的財は，組織化された市場で自由に売買されないという点を除けば，私的財に似ている[1]．たとえば，州が発行する狩猟許可証には購入価格はあるが，その価格は市場における売買によって完全に決定されるわけではなく，通常市場価格を下回る水準で任意に決定される．このように，準私的財の価値は競争価格にもとづいて決定されるわけではないが，個人によって消費される財の数量を観測することは多くの場合可能である．大気の透明度や国防プログラムといった純粋公共財は，消費者によるその享受を排除することができないため，明らかに確認可能な個人の財産権を持っていない．純粋公共財はいかなる市場でも直接売買されていないため競争的な市場価格も，消費者の関心を集めている数量も観察できない．Kopp と Portney による財の分類の要旨を表 3-1 にまとめた．

　純粋私的財と準私的財は，個人財産権か共有財産権かによって，主に区別される．関連集団（都市，国家，コンドミニアムの所有者協会など）の各メンバーは，一つまたは 2 つ以上の純粋公共財に対して，共有財産権を持つ．集団の個々のメンバーは，関連支配集団から，他の公共財に対する差別的アクセス（料金または相当ベースが多い）を与えられる場合もある．こうしたアクセスは，一部の財に対する独占的使用権を譲渡することもある．われわれは，こうした財も"準私的"財と

表 3-1　財のクラスと特徴

財のクラス	特　徴	例
純粋私的財	個人財産権 潜在的消費者を締め出すことは可能 競争的市場で自由に売買される	農産物 自動車 金融サービス
準私的財	個人財産権 潜在的消費者を締め出すことは可能 競争的な市場で自由に売買されない	公共の図書館 公園でのレクレーション 放送（TV）の周波数
純粋公共財	共有財産権 潜在的消費者を締め出すことは不可能 いかなる市場でも売買できない	大気の透明度 環境リスク 国　防

1）純粋公共財から準公共財（impure public goods）へ移行すると，それに伴って，混雑の存在/財の使用における競合，あるいは財からの排除の実際性と妥当制のどちらかを強調する傾向がある．"準公共"（quasi-public）という言葉は前者を強調する場合，また"クラブ財"（club goods）は後者を強調する場合（Corners and Sandler, 1986）に，しばしば用いられる．これは後者が任意の会員制組織によって提供されることがよくあるためである．われわれが準私的財と呼ぶ財は両方の特徴を持つ傾向がある．

呼ぶことにする．（個人消費者の観点から）公共財のかなり広範な財産権を特定することは可能であるが，共有財産権と，個人財産権という両極のタイプを検証することによって，われわれの目標は達成され得る．

共有財産権が発生するのは，集団の全メンバーが財に対する潜在的なアクセスを持ち，個々のメンバーがそのアクセス権を売却できない場合である[2]．一定の数量水準において財を提供する費用がかかる場合は，税金，価格引上げ，手数料などのなんらかの組み合せによって，すべての消費者が負担するのが一般的である．第2章で述べたように，この支払水準が維持されない場合には，多くの公共財の質は悪化するかもしれない．質の向上が望まれる場合は，新しい質の水準を提供するための費用を賄うために，支払いを増やす必要があるだろう．集団のメンバーを財から締め出す可能性が低ければ低いほど，その財を効果的に提供することが不可能であるため，その財産権はもっぱらその集団によって所有される可能性が高くなる．大気の透明度と水質は，個人消費者が譲渡不可能な共有財産権を持つ財の例である[3]．

純粋公共財の価格は，私的財の価格とは異なり，コンドミニアム所有者が支払う維持手数料に似ている．コンドミニアムの購入に伴い，私的財産権はアパート自体に譲渡される．しかしコンドミニアムの所有者は，資産とその地所を維持するために，手数料の支払いが法律によって義務づけられており，その水準は共同で決定される．所有者たちは，より豊かな共同アメニティを提供するために，その手数料引上げに共同で合意するかもしれないし，逆に，手数料を支払わなかったり，引き下げたりした場合には，共同アメニティの質の低下を招くことになるだろう．すべての所有者がこうした分割不可能な共同の財を"使用"する平等のアクセス権を持つ．

公共の利益にかなうと見なされる場合には，集団がある公共財の独占的な使用権を個人に与える場合もある．ある人の財の享受が，別の人のその財の享受に影響を及ぼすことがあるかもしれないという意味において，こうした個人的に所有される財は排除可能で，混雑の影響を受ける．法的権限や早い者勝ちなどの原理にもとづくさまざまな分配ルールが用いられ，その範囲は入札から無償譲渡まで実にさまざまである．公共の土地の採鉱権や放送の周波数の場合のように，時には譲渡可能な権利もある．このような場合には，政府がいぜんとして財産権を保持しており，これを取り消せるため，公共財を完全に私的財に変化させることはできない．たとえば，既存の免許所有者から放送（TV）の周波数を購入したいと望む人は，所有権を取得するためには政府の定める一定の基準を満たさなければならない．集団が譲渡不可能な権利を譲渡するのは，ごく一般的である．こうした権利は自然保護区域のユーザーに許可証の割当てを通じて無償で譲渡され，公共の土地での石炭採鉱，石油掘り，樹木の収穫，家畜放牧などを望む人には，入札や入場料の割当てを行う．

CV調査の利点の一つは，準私的財と純粋公共財の両方の便益測度にとくに適している点である[4]．このほかの確立した便益測度法は，のちに考察するように私的財クラスのみに適しているという傾向が見られる．次の節では便益の概念を定義し，さまざまな便益の種類を説明するために，

2）純粋公共財にとって適切な概念は，それが使用されるかということでもなければ，個々の経済主体によって利用されるか否かではなく，特定水準の質にアクセスできるかどうかということである（Bohm, 1977；Gallagher and Smith, 1985；Smith, 1987）．

3）大気の透明度や水質といった純粋公共財に関しても，共有財産権は理想的なものと見なされなければならない．その理由は，企業に特定水準の汚染を発する許可を売買することを認めるものなどの特定の行政上の取決めのもとでは，権利は譲渡可能であるためである（Bohm and Russell, 1985；Tietenberg, 1985）．環境保護団体がこうした取決めに反対している理由の一つは，このような公共財の権利は譲渡可能であるべきではないという意見である（Kelman, 1981）．

4）マーケティング・リサーチャーは，市場データが利用不可能な新商品などを中心に，私的財の需要曲線を描くためにCVに似た手法を用いている．Pessemier（1960）またはJones（1975）などを参照されたい．

純粋公共財の例である全米の淡水水質調査を用いて，便益がどのようにして生じるかをより詳細に示す．われわれが提唱する概念は，大半の純粋公共財と準私的財に適用されるもの，あるいは適用可能なものである[5]．

2. 便益の特質

　汚染規制などの公共財の提供によって得られる便益は，個々人が大気の透明度や水質などの改善が図られると考える価値から生じる（Brown, 1984）．汚染規制の不備によって生じる損失は，損害と考えられよう．その財のなんらかの基準となる水準にもとづいて便益と損害は区別されるが，これは財産権の概念と密接に関連する概念である．本書では"便益"という言葉を，便益と損害の軽減という両方の意味で用いることにする．費用便益均衡のもう一方の側面である"費用"も，多くの意味を持つかもしれないが，本書では汚染規制などの公共財を生産するために用いられる資源の価値に限定して定義し，混乱を回避したい[6]．

　各タイプの財は，経済主体（個人または家計）に独自の形態の利益を与える．別の表現をすれば，財が経済主体に提供された場合，その経済主体の満足または効用の水準が上昇する理由はユニークである．消費者主権（Penz, 1986）という経済原理によれば，市場におけるある経済主体の消費行動は，さまざまな財に対する彼の選好の十分なシグナルであり，彼がこうした価値を持つ理由は経済的にはなんの重要性もない．しかし非市場性の公共財の提供の変化を評価しようという理由は，便益測度を望む研究者に関心を抱かせる以上の何かがある．

　その母集団を分析のサンプルとするためには，研究者は一定の変化から便益を受ける可能性のある経済主体をすべて特定する必要がある．これは概念上はかなり単純そうであるが，実際に行おうとすると，予想外に困難であることがしばしばある[7]．費用などのほかの要件がすべて等しければ，こうした便益を最も確実に測度する手法が選択されるためには，考え得る便益をすべて特定することも重要である[8]．本章の後半で示すように，考え得るさまざまな便益を推定するための種々の手法の有用性は，実にさまざまである．あるカテゴリーの便益が測度できない場合には，しっかりと識別し，政策立案者にその便益評価の限界を理解させなければならない．最後に，公共財の変化から経済主体が便益を得る理由と方法を認識することは，実際の私的財市場における売買の需要の形跡を調べるときや，あるいは CV 調査の場合には，回答者が財に対する WTP を決定する際に，どのようなカテゴリーの便益を思い起こすのかを知るうえにおいて役立つであろう[9]．

5）純粋公共財と準私的財を区別したくない場合に，しばしば公共財という言葉を用いる．

6）費用という言葉で意味するものは，Just, Hueth and Schmitz（1982 : 278）が定義する "管理費用関数" という言葉によって明確化される．これは，規制政策が行われなかった場合に放任市場で発生する水準から汚染を軽減するために（直接的な汚染抑制費用に加えて，生産低下とその他の機会費用によって）汚染源によって被った費用のことである．この言葉は，費用便益分析における費用の計算が見かけほど単純ではないことを示唆している．

7）便益調査における適切な母集団の定義上の問題に関しては，第 12 章を参照されたい．

8）新商品の潜在的市場を研究している市場調査の実践者は，便益の徹底的概要が必要であることをよく認識している（Myers and Tauber, 1977 などを参照されたい）．

9）経済主体は，実際の技術変化よりも公共財の知覚される変化から便益を得る．実際の状況が知覚された状況よりも好ましい場合には，信頼性の問題が起こる．この場合に公務員が採る最も費用効率のよい行動は，技術変化の追加ではなく，教育上の努力によって効用を高めることである（Pauly, Kunreuther and Vaupal, 1984）．水質規制行動の効果と反応の連鎖に関しては，Desvousges, Smith and McGivney（1983）を参照されたい．

2.1 便益の分類

　公共財の水準の変化による便益を包括的に評価するときには，その財を供給する際の特定の変化から合理的に生じるすべての便益を含めるべきである．この概念は"総価値"アプローチ（Randall and Stoll, 1982 ; Boyle and Bishop, 1985）と呼ばれることがある．便益の中には他よりも測度しやすいものがあり，経済学者が不使用の環境アメニティの非利用価値を評価していないことは経済学者以外からかねてより批判されてきた．便益測度の歴史の大半は，公共財提供の総便益の断片的な測度を，次第に拡充してゆく方法を研究者が工夫してきた歴史といえよう（Smith, 1986 a）[10]．CVMはこの歴史の中でひときわ異彩を放っているが，それは CV に従事する研究者は，さまざまなタイプの非利用の便益を直接測度できるという利点があるためである．しかし便益測度の最前線は，消費に対する従来の経済学の解釈を越えており，すなわちなんらかの市場行動による確認の可能性の先を行っているため，このように広範な便益を含めれば，公共財の価値を誇張してしまうかもしれないという懸念が表明されているのである（Goldsmith and Company 1986：38）．

　図 3-1 に示した淡水水質の便益の分類表は，公共財の水準の変化の考え得る便益がどのように分類されるかを説明している[11]．Carson and Mitchell（1986）によるこの分類は，淡水水質向上による考え得る便益を徹底的に論述することが意図されている．二重計測を回避するために，特定アメニティのすべての便益が確認され，区別される．以下で説明する理由と，第 12 章でより詳細に論じる理由から，便益区分もしくは便益下位区分は，任意の制限を追加しなければ，加法的に分離することはできない．これは異なる便益区分と便益下位区分における唯一の推定値は一般に存在しないし，あるいは存在することもできないためである．

　現在の分類の形は，過去の分類といくつかの点で大きな変化がある（Mitchell and Carson, 1981, 1984 ; Desvousges, Smith and McGivney, 1983）．それは便益の存在クラスの再組織化，直接的な利用者便益と間接的な利用者便益の差を強調しないことなどである．また，われわれは"本質的"価

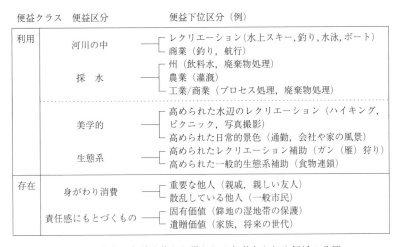

図 3-1　淡水の水質改善から得られると考えられる便益の分類

---

10) 測度されない便益は，経済学ではしばしば"無形資産"と呼ばれる（Wyckoff, 1971 : Bishop and Cicchetti, 1975 ; Haveman and Weisbrod, 1975）．この言葉は，観察可能な市場行動をもとに現実を定義する応用経済学の分析の傾向を反映している．測度されない便益については，Ciriacy-Wantrup（1952）の"特別市場便益"（extra-market benefits）の概念がより適切である．

11) "便益"という言葉によって，われわれは経済主体の効用関数で示唆される満足の水準の変化が起こる経路を意味する．

値（オプション価値と存在価値を加えたものと同義と見なす）という言葉を用いないことにした．これはその言葉がそれ自体に価値を有するものという哲学的な意味を持ち（Frankena, 1973； Edwards, 1985； Randall, 1986 a），ある経済主体が何かのために，乏しい資源を諦める意志がある場合にのみ，そのものは価値を有するという経済概念と矛盾するためである．

　最後に，大半の CV 調査がそうであるように，回答者がアメニティの確実な提供を購入すると仮定して不確実性を排除し，いかなるオプション価値（Schmalensee, 1972； Bishop, 1982）や準オプション価値（Arrow and Fisher, 1974；Hanemann, 発表予定）の可能性も排除する[12]．不確実性が一度導入されれば，総便益はヒックスの補償余剰または等価余剰で定義されずに，オプション価格の類似タイプで定義されるようになる．われわれは最近の研究（Chavas, Bishop and Segerson, 1986； Plummer and Hartman, 1986； Smith, 1986 a, 1987 b； Smith and Desvousges, 1986 b；Fisher and Hanemann, 1986）に注目し，CV の観点から，オプション価値と準オプション価値は便益の別々の区分ではなく，総便益の計算を修正する要素として見るべきであることを論じる．

2.1.1　便益の利用クラス

　便益の利用クラスは，ある経済主体がある公共財の物理的利用を期待するすべての現在の直接的および間接的方法からなる[13]．図 3.1 の点線は便益の直接利用と間接利用の区分を示している．淡水水質の場合，直接利用便益が生じるのは，水上でのレクリエーション活動や商業活動の結果，または農業用灌漑用水，工業用冷却水・洗浄水，あるいは（処理後）飲料水としての利用の結果である．この便益クラスには間接利用区分もあり，水域の特徴が近隣地域の活動を拡充した場合に生ずる．図には間接利用便益を二種類掲載した．一つは，水質が生態系または狩猟やバードウォッチングなどのレクリエーションを支える生息地の重要な要素であるために生じるものである．もう一つは，水質が小川のほとりのピクニックや窓からの景観を眺めるなどの，美的に快適な背景を提供するために生じるものである．

　商業用の釣りや灌漑，工業用水利用は，市場価格の変化を観察することによって測度可能であるため，当初経済学者たちの大きな関心であった．Krutilla（1967）が発表した重要な論文は，便益評価を拡充して，公共のレクリエーション活動を支えるうえで，資源（たとえば，淡水の質）によって表わされる関数を含めた点で重要な役割を果たした．トラベルコスト法（Clawson and Knetsch, 1966）として知られる新しい便益測度法は，それまでは"無形の"レクリエーション便益と見なされていたものを測度するうえで優れているとして，急速に人気が高まっていった．

　その後 Freeman（1979 a, 1982）がレビューを行った水質汚染の便益調査によって，直接的なレクリエーション便益は，いかなる商業便益よりもはるかに大きいことが示された．さらに最近では経済学者たちは実証的便益評価の範囲を拡大して，間接利用便益区分も含めようとしている．水質に関する研究で注目に値するものに，Hay and McConnell（1979）による，資源を破壊しない野生生物の利用便益のトラベルコスト法による調査がある[14]．

---

12) Hanemann（1984 d）は，オプション価値と準オプション価値の関係，およびオプション価値が準オプション価値のフレームワークにおいて発生する仕組みを示した．

13) 純粋公共財にとって，"利用"という言葉は多少誤称である．これは，家計が利用権ではなくて，アクセス権を実際に購入（そしてそこから無条件に便益を獲得している）しているためである．また，CV 調査は回答者の将来の予想利用に対するWTP（政策立案者の得たい測度値である）を得る．一方，観察行動測度法（トラベルコスト法など）は事前行動にもとづいている．CV 手法の前提条件は，回答者がおかれた仮想的な状況が現実になった場合，回答者は回答どおりの行動を行うというものであるのに対して，行動にもとづく測度法の前提になっている仮定は，過去に測度された関係は将来も続くというものである．

2.1.2　便益の存在（非利用）クラス

　資源経済学者たちはしばしば，非利用便益について"存在"という言葉を使う．人々はあるアメニティから，予想される個人的な利用以外のさまざまな理由で効用を獲得する．人々が，アメニティから物理的になんらかの影響を受ける場合に生じる利用価値とは対照的に，存在価値は，人々がその維持や改善から効用を得るためにレクリエーション地へ行く必要がないという概念を持つ（Krutilla and Fisher, 1975）．一般に受け入れられている経済学では，人々が本当に存在価値から効用を獲得しているとすれば，その行動に存在価値が現われるであろうと考え，こうした概念を否定する傾向がある．事実，人々は私的財市場において存在価値を表現する方法を知っている．何百万ドルもの手数料や環境保護団体のメンバーが支払った寄付金の大部分，そして Alaska Wilderness Bill といった，法案成立のためのロビー活動を行う環境保護の活動家の積極的姿勢が，現実の自然保護区域のアメニティの存在価値の証拠として引用できよう．環境プログラムの住民投票では，自分の住むコミュニティがその改善の影響を受けない投票者の間でも，きわめて強い支持を集めることがしばしばある．

　こうした行動は存在価値が現実にあることを示唆しているが，人々がその存在価値をドル価格で表現できる完全な市場が欠落しているのである．シエラ・クラブ（Sierra Club）は，米国の全世帯の10分の1未満の世帯にダイレクト・メールを送付するが，それを受け取った人に特定の環境アメニティの金額の提供を保証できない．投票には至らない公共財が多種あるのが現実である．特定の財の提供を求める投票をするよう，議員に圧力をかけるには，最も関心を寄せている一般市民でさえも通常持っていないような，個々の法案の法律上の地位とその内容の知識が必要である．

　経済学の他の分野（たとえば労働経済学）においては，存在価値に似た概念に対して，"心理所得/費用"（"psychic income/cost"）（Maddox, 1960；Thurow, 1978）という言葉がしばしば用いられる．地位（役職）の満足感，あるいはやりがいの持てる満足感と交換に，低賃金（あるいはその他の金銭上の便益）に甘んじる人がいると説明されてきた（Lucas, 1977）．人々を離農させるには心理費用がかかり（Maddox, 1960），多くの都市労働者は生計費の差を考慮しても，はるかに低い地方の賃金に戻ることを厭わないということも，かねてより認識されてきた（Deaton, Morgan and Anschel, 1982）．存在価値と心理所得の両方があるケースでは，人々は労働者に支払われる給与や，水域のレクリエーション利用といった価値の主要な源と思われる特性だけではなく，二次的な状況または財の特質の選好の影響も一部受ける．いずれの場合も，便益は商品が枯渇，あるいは使い果たされる経済モデルで描かれるような消費のプロセスから生じるのではない（Smith 1986 a）．

　存在便益に関する初期の有力な議論は，Krutilla（1967）と Krutilla and Fisher（1975）によって示された．CV 手法が受け入れられ，便益推定で存在という要素が重要であることを反映していると見られたため，多くのエコノミストがこうした便益の特質を明らかにしようとし[15]，CV 調査を用いてさまざまな存在便益（第12章参照）の一つ，またはそれ以上の別個の測度値を得ようとした．この文献を特徴づける活発な議論と豊富な用語にもかかわらず，この問題はすでに十分理解さ

14）　間接的利用便益を測度する最も経験的な努力は，ヘドニック価格法と CVM の両者による大気の透明度の測度に向けられてきた（たとえば，Randall, Ives and Eastman, 1974；Tolley and Randall, 1985）．

15）　最近の議論に関しては，以下を参照されたい：Bishop 1982；McConnell, 1983；Brookshire, Eubanks and Randall, 1983；Randall and a Stoll, 1983；Smith, 1983；Freeman, 1984 a；Edwards, 1985；Madariaga and McConnell, 1985；Brookshire, Schulze and Thayer, 1985；Brookshire, Eubanks and Sorg, 1986；Smith, 1986 a, 1986 b；Hanemann, 発表予定．Driver, Brown and Burch（1986）は，自然保護区の保護に対する存在価値の背景にある動機の範囲を論じている．

れており，CV 調査者は回答者が非利用的な要素を含む財から受け取る総便益を，測定できると確信している．

　財の個人的利用とは別に，公共財の提供から人々が得るのは，どのような種類の便益であろうか．図 3-1 において，四種類の便益を特定したが，これは身がわり消費（vicarious consumption）と，社会的責任感（stewardship）にもとづく価値という 2 つの区分に分けられる．身がわり消費の場合，効用は他人の消費を知ることによって得られる．この"他人"は一般的他人かもしれないし，あるいは回答者が知っている特定の個人かもしれない．身がわり消費価値の動機は，財を提供しなければいけないという義務感，あるいは真に共有される相互依存の効用の意識のいずれかであろう．実際には，こうした動機を回答者に区別させるのは難しいことが多いが[16]，経済分析（CV 調査の設計を含む）の目的では，そうする必要はあまりない．

　社会的責任感にもとづく価値には，公共資源が責任感を持って使用され，将来の世代のために保存されるという願望が含まれる（Pigou, 1952；Ciriacy–Wantrup, 1952）．われわれは社会的責任感にもとづく価値を二種類に分ける．遺贈価値（bequest value）が存在するのは，現在のアメニティの提供を，他人（家族あるいは将来の世代）が将来享受し得ることを何者かが知る場合である．もう一つは固有価値（inherent value）であるが，これはアメニティ自体（たとえば自然保護区域）が，何者かによって利用されるかどうかにかかわらず，保存されるという回答者の満足感から発生するものである．カナダでタテゴトアザラシを見るという意志や期待がないのに，子タテゴトアザラシを毛皮用に捕獲するのを禁止するための寄付を行う場合，人々はその財に，こうした存在価値に似た何かを明示しているのである[17]．

　異なるタイプの存在便益は相互に存在し，そして利用価値とともに共存する．たとえば，社会的責任感にもとづく価値は現在の人間の利用からは発生しないが，利用によって刺激され，利用と同時に発生するかもしれない．自然保護区域の湖に対する誰かの社会的責任感にもとづく価値は，自然保護区域への探索のときの釣りの経験によって高められるであろう．このように，いくつかの種類の存在価値は分析上区別することが可能であり，すべて消費者の効用関数に入るが，別々に分解し測度するのはきわめて困難であろう．大気の質の改善から得られる美的便益と，健康便益などのようなある種の利用価値についても，同様のことがいえよう．

　便益の存在クラスに関するわれわれの定義には固有価値も含むが，Brookshire, Eubanks and Sorg（1986）が最近主張しているのは，この種の動機が，彼らが費用便益分析の基礎としている"効率の倫理"（"efficiency ethic"）に合致しないため，こうした価値は便益測度から排除されるべきだというものである．彼らは人間の厚生に着目して，効率倫理を管理倫理として描いている．彼らにとって，身がわり消費と遺贈価値は人類のために資源を効率的に使用するため，効率に関しては及第点をつけるが，固有価値には当てはまらないとしている．

　その存在を脅かす人間の行動から，湿地帯の野生動物を保護すべきだという単純な理由で，人はなんらかの支払意志を持つかもしれないが，それは人間の厚生には貢献しないため，便益の誘因とは見なせない（Brookshire, Eubanks and Sorg, 1986：1515）．倫理的動機，すなわち正しいことをしたいという願望にもとづく行動は効用を高めないため，"選好理論に反したもの"（"counterpref-

---

16) 贈答，利他心，博愛，相互依存の効用は，Winter (1969), Krebbs (1970), Schall (1972), Becker (1976), Goldman (1978), Mitchell (1979 a), Margolis (1982), Sugden (1982, 1986), Edwards (1985) によって，さまざまな観点から論じられている．

17) たとえばある利益集団が，写真を購入できる販路を提供し，タテゴトアザラシ保護のロビー活動を行う場合などは，この種の存在価値と利用価値の境界線は不明瞭になる．

erences"）である．Brookshire, Eubanks and Sorg は CV 調査に従事する研究者に対して，効率に関する価値と倫理的な価値を混同しないように，WTP の発言の基礎になっている動機を試験するようにアドバイスしている．

Brookshire, Eubanks and Sorg の分析は，多くの不完全な仮定にもとづいていると考える．第 1 に，便益をアメニティの人類の使用に制限する厚生理論の根拠はないと仮定するべきではない[18]．第 2 に，倫理的動機は固有価値に特有のものであると仮定すべきではない．"正しいことをする義務"（"commitment to do what is right"）が Brookshire, Eubanks and Sorg が是認する身がわり消費価値と遺贈価値の基礎になっている．人々は物質的報酬を期待することなく，人助けをすることによって効用を獲得するが，これは人々がこうした行動を尊重することを学んでいるためである．第 3 に，最も重要なことであるが，倫理的信念にもとづく選択を行うことは，必然的に自己犠牲を伴うと仮定するのは誤りである．事実，こうした選択を行う人々は，内在化された社会規範を満たすことから効用を得る[19]．ある人々にとって，自然保護区域を保存したり友人や親戚に囲まれて小さな町で暮らしたりすることは，その提供が純粋に彼らの効用を高めてくれるアメニティである．こうした選好にもとづく選択は，適宜実施された CV 調査においては選好理論と大きくかけ離れてはおらず，利己的でエゴイスティックな理由に動機づけられている．

一部の経済学者は，存在価値（固有価値を含む）の経済的重要性を容認しているが，こうした便益区分を測度するために CVM を用いても，必然的に無効な結果に終わると考えている．彼らがとくに危惧する点は，この区分の便益が実験で得られない特質であるため，この区分が関連する WTP を膨張させるかもしれないということである．例をあげると，Mendelsohn（1986）は，人々はアメニティとの大きな関連がないため，「資源の評価の潜在的部分として存在価値を容認することは，潜在的な評価推定のパンドラの箱を開けることになる」として，CV を用いてスーパーファンド訴訟における存在価値の損害を評価することに反論している．

CVM が，存在価値の要素を含むアメニティの有効な便益測度を得ることができるかどうかは，いうまでもなく本書の基本的問題である．潜在的な問題が認識され，克服されるのであれば，われわれはそれが可能だと考える．たとえば言葉づかいに注意を払わなければ，存在価値を聞き出すシナリオが，その財をもっと大きなクラスの財の代表と見なされ，シンボリックな回答を導くことになるかもしれない．回答者はシナリオに描かれた特定の公園，または複数の公園の保存の価値に制限するのではなく，公園の保存全般に対して持つ価値の一部またはすべてを含めるかもしれない．

シンボリックバイアスの可能性および，公共財の責任感にもとづく価値と身がわり消費価値が，米国社会において "よいこと" であるとしばしば見なされ，これが "追従バイアス"（"compliance bias"）の問題を提起しているという事実は，一つあるいは数種類のバイアスを軽率に用いて存在価値を膨張させることを回避するため，とくに警戒が必要であることを示唆している（測度バイアスに関しては，第 11 章を参照されたい）．バイアスがない場合には，アメニティの変化が小さければ小さいほど，変化はより小域的となり，評価される財のユニークさが小さければ小さいほど，総価値に占める存在価値の割合はより小さくなる．一方，広い支持を得ており，責任感にもとづく動

18）経済理論は「木は権利を持つ」という概念を否定する．経済理論に合致する表現法は，「人間が木の権利に対して支払意志を持つ範囲で，木は権利を持つ」である．

19）社会規範は，社会集団の構成員で分かち合う期待の一形態である（Bredemeier and Stephenson, 1962）．それが内在化される結果，集団圧力や圧政の直接的恐怖がない場合でも，人々は規範にそって行動する傾向がある．規範と義務に関しては Parsons（1951），社会学に関しては Etzioni（1968），一般市民の選択に関しては Mueller（1986），哲学に関しては Callicott（1986）を参照されたい．

機が表わされる傾向のある全米の環境改善などのプログラムは（Mitchell, 1979 b, 1980 b；Bloom-garden, 1982），大きな存在価値を含むだろう.

　CV 調査は，非利用の次元を含む便益を測度することが可能であると考えるが，別個の要素の価値を妥当に推計する能力に関しては，あまり楽観的にはなれない. CV 調査において，あるスーパーファンドの危険廃棄物処理場の浄化などのアメニティの評価を質問されると，回答者は全体論的な判断をする. 関連便益カテゴリーと下位カテゴリーの一つ一つを評価し，それらの価値を自分の中で結合させ，全体的な価値を評価するという精神的なプロセスを経ずに，CV シナリオで描かれた条件にもとづいて，浄化が自分にとってどのような価値を持つかについて，包括的な判断を下すのであろう. この判断は，アメニティによって，自分に生じると思う便益の相対的配置を反映するだろう. この意志決定モデルから，CV 調査の回答者は，便益要素を一つずつ考えるように指示されると，それを別々に分けて評価することが困難になる傾向があることがわかる（この問題は第12章で再び取りあげ，存在価値を推定する別のアプローチを評価する）. 幸いにも，総 WTP は大半の費用便益分析において妥当なものである.

2.2　便益の利用クラスと存在クラスの関係

　ここでは便益の 2 つの大きなクラスである利用便益クラスと，存在便益クラスの関係に戻ろう[20]. 解説を容易にするため，いかなる不確実性も存在しない世界を引き続き想定する. また，q_0 から q_1 への q の望ましい増加が考慮され，政策立案者からヒックスの補償余剰測度が要求されているということも仮定する. この場合の q_0 から q_1 への変化の総価値は，

$$\text{TOTVAL} = e(p_0, q_1, U_0) - e(p_0, q_0, U_0) \tag{3.1}$$

で表わされ，これは第 2 章の方程式（2.2）と等しい.

$$\text{TOTVAL} = \text{USEVAL} + \text{EXVAL} \tag{3.2}$$

という関係が意味するものは何か，あるいは USEVAL と EXVAL の関係を妥当かつ唯一になるようにするにはどのように定義されるのか？　この質問に対し，アクセスの概念にもとづく解答と，弱補完性の概念にもとづく解答の 2 つが出されている.

　一つ目の解答は，われわれが最大 WTP を聞き出そうとしている経済主体が，提供される q_1 を利用するアクセスを否定した場合にどうなるかと質問することによって得られる. この状況下における q_1 に対する経済主体の WTP が，いくらかという質問に対する回答は，その財に対する経済主体の存在価値を否定する一つの可能な方法であり，

$$\text{EXVAL}^* = e(p_0, q_1, U_0 | A = 0) - e(p_0, q_0, U_0 | A = 1) \tag{3.3}$$

と表わされる. 2 番目の支出関数で指定される q の水準に，経済主体が個人的アクセスを持たない場合（しかし基準水準 q_0 へのアクセスをいぜん持つ）は，A は 0 であり，経済主体が q_1 にアクセスを持つ場合は，A は 1 になる. こうなると使用価値は残りの区分と見なされ，

$$\text{USEBVAL}^* = \text{TOTVAL} - \text{EXVAL}^* \tag{3.4}$$

と表わされ，アクセス価値と呼ぶのがより妥当になる[21].

　2 つ目の解答は，弱補完性の概念にもとづき（Maler, 1974, 1986；Freeman, 1979 b；Hanemann,

---

20）本節は V. Kerry Smith の最近の 3 つの論文（1986 a, 1987 a, 1987 b）を大幅に引用した.
21）こうした一般的状況における "アクセス価値" という言葉は，Bohm（1977）と Gallagher and Smith（1985）によってはじめて用いられたようだ.

1986 c），問題の公共財となんらかの私的財 X がともに消費され，私的財が消費されないとき，公共財の"利用"需要がゼロであることを示唆している[22]．このアプローチにおける q_1 の効用は，

$$U(q_1, x) = H[f(q_1, X), g(q_1)] \tag{3.5}$$

と表わされ，利用者便益は関数 $f(q_1, X)$ と関連する便益である．関数 $g(q_1)$ は存在価値を具体的に示すといわれている．TOTVAL は $U(q)$ と関連し，上述の方程式（3.2）と同様に定義される．使用と関連した便益 USEVAL** は，トラベルコスト法などの，観察／間接の市場にもとづく便益測度法[23]によって測度可能と考えられ，したがって，EXVAL** は残りの区分として，

$$\text{EXVAL**} = \text{TOTVAL} - \text{USEVAL**} \tag{3.6}$$

と表わされる．アクセスは利用の必要条件だが，利用を包含する必要はなく，したがって一般的に USEVAL** ≠ USEVAL*，また，EXVAL** ≠ EXVAL* である[25]．

　利用価値と存在価値を区別するためのアクセス・アプローチは，潜在的に CV 調査において行われるが，存在価値の別個の測度値を得るための弱補完性アプローチは使用しにくく，方法論上問題がある．弱補完性アプローチを行うためには，CV 調査で TOTVAL の推定値を得ること，トラベルコスト法で USEVAL** を測度することが必要である．また，CV 調査の回答者に対して，USEVAL** の背景にある弱補完性の概念を十分に伝えるのはきわめて難しい．USEVAL* と USEVAL** は多くの点で似ており，両者の収束度合いは，身がわり消費価値の重要な他人の要素と，社会的責任感にもとづく価値の固有財産の要素が，アクセスの概念と弱補完性の概念のもとで，どのように明白になるかに大きく左右されるだろう[26]．

3. 不確実性の導入

　ここまでは，われわれは便宜上将来提供される一定のアメニティを持ちたいのか，あるいは一定のプログラムが望ましい水準の質を実際に提供することができるのかといった，不確実性を回答者が抱かないと仮定してきた．明らかに不確実性は多くの公共財，とりわけ環境財の重要な側面である．たとえば需要面では，人々は現在使用されておらず，汚染されていない帯水層を利用したいのかどうか，確信が持てないかもしれない．供給面では，汚水処理プログラムは河川の生態系の回復能力の予測が正しいか，そうでないかによって，その目標を達成できるかもしれないし，できないかもしれない．

　Weisbrod（1964）が不確実性に関して独創的な研究を発表し，国立公園破壊によって起こり得る重大な影響について独特な言及を行って以来，学者たちは 2 つの見地から費用便益分析において不確実性を考えるようになった．その一つは，"時間軸のない"（timeless）あるいはオプション価値アプローチと呼ばれるものである（Cicchetti and Freeman, 1971；Krutilla ら，1972；Schmalensee, 1972；Bohm, 1975；Anderson, 1981；Graham, 1981；Bishop, 1982；V. K. Smith, 1983, 1984, 1987 b；Mendelsohn and Strang, 1984；Freeman, 1984 b；Plummer and Hartman, 1986）．このア

---

22) このアプローチを用いた論文は，Maler（n.d.），Freeman（1981），McConnell（1983）を参照されたい．

23) 観察／間接便益測度法は，ある公共財の価値に関する何かを推測するために，私的市場の財の観察購入を用いる手法である．本章の後半で詳細に論じる．

24) USEVAL** がすべての利用便益を含まない場合は（弱い補完性にもとづく手法では間接的利用便益はとくに引き続き計上されそうもない），EXVAL** に含まれるであろう．

25) X の価格に関してアクセスが定義される場合は，存在価値を定義する 2 つのアプローチは，等しく見えるかもしれない．

26) 2 つの制約のもとで，便益が主に友人とのレクリエーションによって得られる場合には，身がわり消費の重要な他人に関する動機は，USEVAL に反映されると見られる．

プローチは，オプション価値は，将来のある時点において，特定の価格である財を購入する機会を保証する契約に対して支払う金額であり，将来の好み，所得，あるいは供給に関する不確実性を補償するリスク・プレミアムと考えられるかもしれない[27]．

2つ目のアプローチは，"時系列"（time-sequenced）あるいは準オプション価値アプローチと呼ばれるものである（Arrow and Fisher, 1974；Henry, 1974；Krutilla and Fisher, 1975；Conrad, 1980；Freeman, 1984 a；Miller and Lad, 1984；Hanemann，発表予定；Fisher and Hanemann, 1985 a, 1985 b, 1986, 1987；Graham-Tomasi, 1986）．このアプローチにおいて，準オプション価値は，のちに多くの情報にもとづいて決定するのを妨げる行動を遅らせるために支払うリスク・プレミアムと見なされる．準オプション価値は，消費者が自分の欲しいものを知っており，一定の行動の結果が不確実であり，あとになればより多くの情報が得られ，よりよい決定を行うことができる見込みがある場合を仮定する．準オプション価値も，特定の行動を行う制限つきの情報の価値と見なすことができよう．

3.1　オプション価値，オプション価格と期待消費者余剰

時間軸のないアプローチにおけるオプション価値の特質は，資源経済学者の間で引き続き議論の的になっている．最近の研究によれば，この概念を考えるうえでは，事前的見方と事後的見方を区別することが重要であるようだ．タイム・ピリオド2における世界情勢が，タイム・ピリオド1において未知である場合を考えよう．オプション価格（OP）は，問題の公共財の水準の特定の変化に対する事前的情勢（ピリオド1）の独立WTPと定義する[28]．政府がピリオド1において実行すべき行動を決定しなければならず，変化に対する市民の支払いは，ピリオド2において実際に具体化する世界情勢にほとんど左右されないため，オプション価格は通常，費用便益分析に関連した厚生測度と考えられる．

市民の支払いは計画された支出関数にもとづいて決定される（第2章参照）．対照的に，期待マーシャルの消費者余剰（EMCS，トラベルコスト法の調査で測度しようという概念）は，事後的測度法である[29]．これはその情勢がピリオド2において発生すると知られていたかのように，その情勢における期待消費者余剰は，各情勢の可能性に関して時間を合計することによって発見される[30]．オプション価値，オプション価格，期待消費者余剰の関係は，

$$OV(f(X)) = OP(f(X)) - EMCS(f(X)) \tag{3.7}$$

で表わされる．$f(X)$ は異なる情勢 X の確率分布である[31]．オプション価値は，厚生の概念の事後（EMCS）と事前（OP）の組み合せである（Chavas, Bishop and Segerson, 1986；Plummmer and

---

27）オプション価値はアクセス権の購入と混同されることがときどきある．オプション価値は，将来何かを購入することができる権利に対して，現在比較的少額の支払いを行うことであるのに対して，アクセス権の購入は，将来何かを行うことを許可してもらう（必ずしなければいけないわけではない）ために，現在全額を支払うことである．

28）この概念における"オプション価格"という言葉の使用は，オプション価値の複雑さに関与していない人の間では，大きな混乱の原因である．これはその言葉がオプションの価格を示唆しているように思われ，ウォール・ストリート・ジャーナル紙はまさにそのように用いているためである．微細な区別を無視して，オプション価格は，現在の状況においては財を獲得するために消費者が現在支払う金額と見られるかもしれない．

29）われわれは，一方で事前的状態と事後的状態をしっかりと区別したいが（雨が降りそうですか？/雨が降っています），また他方で行動から得られる事前的期待効用と行動から得られた実際の事後的効用がある．情勢の使用のみが，われわれの議論とオプション価値に適切である．予想される効用と実際の効用のアプローチの差はかなり大きいであろうが，すべて実現した情勢の結果でなければ，このような差に対して不確定契約を提供することは不可能であるため，経済学ではほとんど考えない．

30）期待消費者余剰は，実際には起こった世界情勢においてのみ測度される．

Hartman, 1986；Smith, 1987 b）．Smith はさらに，事後の行動に反映される選好を見て単純に測度されるものであるため，EMCS は厚生の変化を測度するための基準点としてのメリットはとくにないと論じた[32]．式（3.7）はオプション価値が，いかにして事後の厚生測度を望ましい事前のオプション価格の厚生測度に変化させることのできる修正要素として見られるかもしれないことを示している[33]．Freeman（1984 b）と Smith（1984）は，理論的根拠にもとづき，この修正要素は珍しくない資源にとっては小さいと論じている[34]．

CV 調査において，時間軸のない意味でオプション価値を測度する際の問題は，将来特定水準の公共財を購入することができるオプションを購入するという概念を，回答者がはっきりと理解できないということである[35]．こうした財を利用するかどうかという人々の不確実性を，公共財の提供者である政府がコントロールできないため，政策の見地から不確定契約は意味をなさない．対照的に，これまでの経験によれば，CV 調査がほとんどいつも売却を試みているもの，すなわち，特定の価格で将来起こり得る利用のためのアメニティの特定の提供は，公共財がいかにして提供されるかという人々の理解と，かなりよく調和している．Smith（1987 b）がいうように，CV 調査では人は公共財へのアクセス権を売っているのであり，利用権を売っているのではない．

CV 調査において，政策の適切さと測度しやすさという点で見ると，需要面から供給面へと目を転じると異なった状況が現われる．政府はその政策がどの程度の確実性を引き起こすかをコントロールすることができるため，供給の不確実性を減少させる便益を測度することが望ましい．Graham–Tomasi and Wen（1987）は，CV 調査において容易に利用できるこの種の測度を提案した[36]．われわれがヒックスの不確実性バイアス補正項（HUBC）と呼ぶ彼らの概念は，

$$\mathrm{HUBC}(f(X)) = \mathrm{OP}(f(X)) - \mathrm{HCS}(\overline{X}) \tag{3.8}$$

という方程式で定義される．HCS は $f(X)$ に対する期待価値で評価されたヒックスの消費者余剰測度であり，後者は政策結果の分布と考えられるかもしれない．用いられている消費者余剰がマーシャルの消費者余剰であり，異なる情勢全体の平均として評価されている式（3.7）とは対照的に，この場合は一つの情勢において評価されるヒックスの消費者余剰を用いている[37]．こうした特性により，CV 調査を用いて HCS を測度することが可能である．同一の回答者，または2つの等価下位サンプルのいずれかを用いた CV 調査によって測度された OP と HCS の差は，ヒックスの不確実性

31）オプション価値，オプション価格，期待消費者余剰の関係を示す例として，チケットが公演の直前にゲートのみで販売され，価格は需要で決定される屋外イベントの一度限りの上演を考えよう．チケットは天候に恵まれれば $20 で，雨天の場合は $10 で販売されよう．晴天の確率が40パーセント，雨天の確率が60パーセント，この2つの状況に対する需要曲線が水平であると仮定すると，チケットに対する期待消費者余剰は $14（0.6*$10+0.4*$20）．次に，チケットを公演の前日に販売してよいことにし，チケットは $12 で販売できるという需要を仮定する．この数字がオプション価格である．オプション価値は $-2（$12-$14）である．オプション価値の別の表現方法は，証書を持参する人は晴天の場合に（オプションである）$12 でチケットを購入できるという証書は，公演の前日にいくらで販売できるかと質問することである．答え（今度は売り手の視点から）は $2（$14-$12）である．オプションは株式，農産物，外国為替，そして時には不動産で販売されている．

32）有害廃棄物のリスクの CV 調査に関し，この問題の徹底した議論は，Smith, Desvousges and Freeman（1985）を参照されたい．

33）Smith and Desvousges（1986：30）が指摘するように，「オプション価値は不確実な状況下において，資源の変化または資源へのアクセスのいずれかを評価するために用いる，事前的または事後的な見方の重要さの指標である．」

34）Chavas, Bishop and Segerson（1986）の研究は，この修正要素を開発するための事前的アプローチは，オプション価値アプローチよりも効果的であるかもしれないことを示唆している．

35）将来ある特定の金額で公共財を購入する権利を持つ人々の共同出資に参加するために，いくらかを支払う準私的財を含むケースを想像できる．Brookshire, Eubanks and Randall（1983）は，グリズリーやオオツノヒツジに対するハンターの WTP の CV 調査において，特定の金額を支払って将来の特定の時期に，こうした危険な動物の狩猟を行う免許の抽選に参加する権利を与える状況を求めた．

36）たとえば，Wen, Easter and Graham–Tomasi（1967）を参照されたい．

37）不確実性が存在しない場合は，両者は等しい．

バイアス修正の測度値を提供するだろう．原則としていくつかの異なる $f_i(X)$ に対するオプション価格が得られ，HUBC の曲線は，不確実性の水準の関数として描かれる．

3.2　準オプション価値

　準オプション価値の本質は，アメニティを評価するときによりよい決定をするために，役立つ情報を将来得られるかどうかという可能性に存在する．準オプション価値は，現在の特定の行動を行うことを条件とした情報の価値であるため，常に正の値となる．知識は意識的に求められることもあれば，受動的に獲得されることもある．特定の政策は，知識を作り出せそうであったり（Freeman, 1984 a），あるいは受動的な学習を可能にしたり（Arrow and Fisher, 1974），あるいはその両方であれば準オプション価値を持つであろう．その場合には，そうした政策の CV 調査は，回答者がそのアメニティの WTP を決定する際にそのことを考慮できるように，こうした可能性を知らせるべきであろう．評価する財が，絶滅の危機に瀕した生物[38]，汚染に弱い帯水層，原生自然の残された川へのダム建設など重大な変化を受ける場合は，追加情報の価値がきわめて重要になるであろう．

　将来の情報を評価することの複雑さは，酸性雨の原因と考えられている大気汚染物質を減らすために，発電所や工場へのスクラバー（scrubber，集塵器）設置の提案がなされている政策によって説明されよう．私たちはそれがどのように作用するかを学び，知識を増やす一方で，湖や木への取り返しのできない損害を遅らせることによって，酸性雨の原因と影響についてより多く学ぶため，スクラバーの設置は準オプション価値を作り出す（Fisher and Hanemann, 1985 a）．その一方で，スクラバーの設置は大規模で本質的に変更できない投資を含む（スクラバーの寿命は 20 年）．スクラバーが必要かどうかの情報が近い将来得られる見込みがあるため，その設置を繰り延べることは準オプション価値を生む（Graham–Tomasi, 1986）．準オプション価値は，回答者が評価を依頼される代替シナリオの適切な将来の情報の流れ（現状に対し提案されたシナリオ）を回答者に伝えることが，CV 調査にとっていかに重要なことかを強調している．

4．便益を測度する手法

　公共財の便益を測度するために用いることが可能なさまざまな手法は，そのデータ・ニーズや経済主体と物理的な環境に関する仮定において，大きく異なっている．また，測度できる便益の種類も異なっている．Smith and Krutilla（1982）は，便益測度法を物理的リンケージ法と行動リンケージ法の 2 区分に大別している．

4.1　物理的リンケージ法

　厚生経済学の物理的リンケージ法は実際にしばしば用いられているが，その利用についての理論

38）生存の危機に瀕している動物に関しては（Fisher and Hanemann, 1985 b, 1986），利用便益がリスクになっている直接的準オプション価値と，アメニティの損失が，その他の貴重なアメニティを潜在的に脅かしている間接的準オプション価値とをさらに区別するかもしれない．こうした動物に関するいっそうの知識は，たとえば薬に対するその価値を明らかにするために，あるいはその後の知識はその動物がその他の貴重な生態系の側面を支えるうえで，重要な役割を果たしていることを示すために，こうした動物を評価する者がいるかもしれない（Norton, 1986）．

的基礎はほとんどない．当該公共財と消費者の間には，なんらかの技術的関係（たとえば，工学の関係や生物学の関係）が存在するという仮定にもとづいている．マス釣りをする人やその他の経済主体の行動の動機について推論するかわりに，このアプローチはマス釣りを可能にする温度など，特定の水質の特徴に焦点を当てる．物理的リンケージ法はしばしば損害関数アプローチ[39]と呼ばれ，また生物学の関係では投与反応アプローチと呼ばれる．損害関数アプローチは市場価格を用いて[40]予想される効果を評価する．効果が観察できる（それが統計上だけの場合も）という事実もあって，この特性により，多くの経済学者がこのアプローチを好むようになった．

しかし損害関数アプローチの不備は，広く認識されている．その批判者たち（Maler, 1974；Freeman, 1979 b）は，回避行動や価格変化も設計されていないのであれば，損害関数は消費者の効用関数に直接的に関連していないと指摘している[41]．さらに，損害関数は存在便益や間接利用便益をも評価できない．Freeman と Maler が論じるように，損害関数の利用は，せいぜい便益測度の最初の概算にとどめるべきであろう．評価される財の総便益が，直接利用便益の区分を包含するものよりもはるかに大きい場合は，損害関数アプローチはひどくゆがめられた便益の推定に帰することになるだろう．

4.2 　行動リンケージ法

CVM とその代替手法はすべて，アメニティの変化とその影響の間のなんらかの行動のリンケージの形にもとづいている．表 3-2 は行動にもとづく便益測度法の 4 つのクラスを区別するために，選好の現われ方と行動リンケージのタイプという 2 つの次元を用いた．

手法の各クラスを評価する前に，便益測度の代表的手法である観察/間接アプローチと，仮想/直接アプローチの間の主な問題点に焦点を当てたい．観察/間接アプローチは，間接的ではあるが実際の市場行動にもとづいているため，経済学者にとって魅力的である．このクラスの手法は通常 2 段階プロセスを経る．たとえば，家計生産アプローチ（Bockstael and McConnell, 1983）を用いる場合，まず観察された市場性の財の購入の需要曲線を推定し，それから，公共財の需要曲線を推測

表 3-2 　行動にもとづく公共財評価法

	直　接	間　接
観察市場行動	**観察/直接** 住民投票（referenda） 模擬市場 平行する私的財市場	**観察/間接** 家計生産 ヘドニック価格（HP） 官僚や政治家の行動
仮想市場への反応	**仮想/直接** CV 税還付のある分配ゲーム 増・減・現状維持の三者 　択一問題	**仮想/間接** 仮想ランキング（CR） （行動への）積極姿勢 分配ゲーム 優先度評価法 コンジョイント分析 無差別曲線マッピング法

---

39) 水質調査への損害関数アプローチの適用に関しては，Heintz, Hershaft and Horak（1976）を参照されたい．

40) 市場価格が存在しない人の死亡率などの効果に関しては，人間の生命に価値を持たせるために，行動連結便益測度法の一つが，まず用いられなければならない．

41) 消費者が会社である場合は，その会社の効用関数は生産関数を具体化する利益関数である．

するために市場性の財と公共財の間の技術的または行動的な関係を用いる．観察/間接アプローチは，研究者が評価しようとする公共財の水準が過去に経験されない水準の場合は，必ず証明できない仮定を用いることになる．このクラスのテクニックは観察行動にもとづくため，不確実性が存在する場合の正確な厚生測度法であるオプション価格ではなく，事後的な期待消費者余剰を測度する[42]．

　対照的に，仮想/直接アプローチはCV手法において実証されているように，研究者に厚生の変化の正確な事前的測度の直接的推定値，すなわちオプション価格を与え，評価に用いることのできる便益の範囲と，財のタイプに大きな柔軟性を持たせることが可能である．仮想/直接アプローチは，人々が関連する現実の市場において，仮想的市場におけるのと同様の行動を取るという前提にもとづいている．2つの仮想クラスにおける全手法は，回答者がよく熟慮したうえでの回答を行い，決して戦略的に振る舞わず，調査手段や面接プロセスの異質の特徴によって，不当に影響されることはないと仮定する．

4.2.1　観察/直接法

　観察/直接法を用いれば，観察市場において選好が判明し，便益測度は人々の選好と直接的に結びつけられる．こうした特徴が財評価の最適条件となり，公共財や準私的財においてめったに実現されることはない．たとえば住民投票では，投票者は特定の提案に対する投票を行うことによって公共財の提供についての義務的な決定を行う．便益の情報が望まれる公共財のうち，立法担当者や規制担当者が，完成度の高い費用便益分析における住民投票の結果を用いることができる場合はほとんどない．それでもこのクラスの手法は，市場モデルの特徴を定義したり，他の3つのクラスの手法で得られた価値を有効にするうえで役立つ．

　観察/直接法の一つ目である実際の住民投票は，きわめて望ましい特質をいくつか持つ便益測度のアプローチを提供する．たとえば，水質汚染規制のための債券発行に関する住民投票において，投票者は特定の支払い計画に従った公共財提供を増加させるプログラムに賛成かどうかの意志表示をする．情報を得ている投票者であれば，どのような投票を行うかの決定は，プログラムの限界効用が支払わなければならない金額の限界効用よりも大きいかどうかの評価に左右される．公共財市場は本質的に，選挙の背景と住民投票の表現法によって作られる．仮想的市場に依存する仮想/直接法とは異なり，支払いの金額と方法が明確化され，政策上強制される．

　公共財の評価に実際の住民投票の結果を経験的に用いるためには，次の3つの状況のうち一つが必要である．

　1．同一の投票者が，固定税価格で財の異なる水準に対して，あるいは異なる税価格である一つの財の水準に対して，独立した住民投票に投票しなければならない．これはある特定の住民投票が失敗し，その支持者がその後の投票において修正案を提出する場合に起こるかもしれない．

　2．異なる管轄区域が，財の固定水準に関して投票しなければならない．一つの住民投票の投票データが，投票者の下位セグメント（たとえば区域，群）で利用可能である場合に起こる．

　3．学校債券の投票が異なる学区で行われるなど，財の異なる水準に関して，異なる管轄区域で投票しなければならない．

　提供の異なる水準に対する容認率にもとづいて財の需要曲線を描くことができるため，1番目の

42）世界情勢がわかっているという意味で事後的である．消費者の予想効用が，特定の財の実現された効用と異なるかもしれないという意味において，それらは事前的である．

状況が便益を分析する研究者にとっては最も好ましい状況である．しかし住民投票が連続して行われることはめったにない．2番目と3番目の状況では，財の需要曲線を推定するために用いられる一つまたは2つ以上の独立変数の測度可能な変分が必要である（Deacon and Shapiro, 1975；Borcherding and Deacon, 1972；Portney, 1975；Freeman, 1979 b；102-104）．3番目のタイプの住民投票がかなり一般的であるが，政策上便益の推定が必要な財はあまり含まれない．意志決定プロセスとしての住民投票の有効性（availability）が，しばしば他の手法でこうした便益を測度する必要性を阻んでいるため，これは偶然ではない．市民が住民投票の投票において義務的な選好を表現できる，新しい学校設置に対するWTPを調べるCV調査を行う必要はない．2番目のタイプの住民投票は，過去10年間にカリフォルニア州でいくつか行なわれた．そのテーマは淡水の水質，飲料水の水質，土地利用問題，原子力発電，公園，刑務所建設，太陽エネルギーへの支持であった（Deacon and Shapiro, 1975；Conway and Carson, 1984）．

住民投票は，公共財に対する人々の選好を表現するよう依頼するための規格化されたモデルを提供するため，CV調査に従事する実務家にとってとくに興味深いものである．次章において，CVシナリオが仮想的な住民投票として有益に考えられていることを論じる（第8章も参照されたい）．モデルとしての役割に加えて，住民投票はCVMを有効にするための行動規範として潜在的に有益である．問題は，仮想的な住民投票（たとえば，住民投票のフォーマットを用いたCVシナリオ）が，実際の住民投票を予測することができるかどうかということである．第9章では，こうした目的で実際の住民投票を用いる例を示し，CV手法の有効性の証拠を論じよう．

観察/直接法の2番目である模擬市場（simulated markets）は，研究者が作成した実験的な市場であり，ここで人々が規制された条件下で財を実際に売買する．Bishop and Heberlein（1979, 1986）はこうした模擬市場をいくつか作り，州保護区で狩猟をする許可証を売買する機会をハンターたちに与えた．通常こうした許可証は，応募者の中から抽選で選ばれた人への無償提供のみである．規制された条件下で実際の金銭と引き換えに回答者に許可証を売却することによって，調査者はそのアメニティに対する（模擬の）市場価格を確立することが可能になった．模擬市場は準私的財のみに制限されており（市場を設立するために排除が必要であるため），実施が困難かつコスト高であることから，便益測度法としてはいくぶん限定的な妥当性がある．Bishop and Heberleinの研究における場合のように，模擬市場が設立されると，同一の財に対する仮想市場で得たCV調査による価値の有効性をテストするための有益な基準が提供される．第9章ではこの目的のために，Bishop and Heberleinによる模擬市場を概観する．

釣り用地など，準私的財市場と平行して固有な私的財市場が存在するため，公共によって提供される商品の価値を推定するために，こうした市場を利用することが可能であろう．平行私的市場アプローチは，初等・中等教育（Sonstelie, 1982）および釣りの機会（Vaughan, Russell and Carson, 1981；Vaughan and Russell, 1982）を評価するために用いられてきた．

4.2.2　観察/間接法

観察/間接法は，旅行や家購入を決定する際に行うように，消費者が実際の市場選択を行う状況のデータに依存する．非市場性のアメニティの価値は，関連性があると知られている，あるいは予想されている他の財の市場データから推論しなければならず，そのために，研究者は膨大な仮定を行なわなければならない．Freeman（1979 b：4）はこのクラスの手法によって便益を決定するプロセスを，「人々が他の経済シグナルに反応する際に残す手掛かりを結びつける探偵の仕事」と

述べている．この手法は，オプション価格ではなく，期待消費者余剰を測度する．

　Becker（1965）と Lancaster（1966）によって提唱され，Hori（1975），Bockstael and McConnell（1983）によって現在の形に発展させられた家計生産関数は，いくつかの観察/間接法の基礎になっている．それは，消費者が市場性の財（それ自体は効用を持たない）を購入し，それが相互に，非市場財と，そして最終的に家計の効用を生む財と，サービスを生産するための家計のインプットとリンクされると仮定する．家計生産関数の変形であるトラベルコスト法（Clawson, 1959；Clawson and Knetsch, 1966）は，サイトを特定したレクリエーションの便益を評価するために広範囲で用いられてきた．最も単純なトラベルコスト法モデルを推定するために，特定の用地のまわりに異なる半径の同心円を描き，各距離ゾーン（すなわち，2つの円の間の地域）の住人による用地への平均訪問回数を計算する．旅行の情報は面接調査で与える．こうしたデータは，距離の関数として用地の需要曲線を引くために用いられるかもしれない．用地から1マイルごとに金銭価値が与えられる場合は，需要曲線の下と，その特定ゾーンの住人の"旅費"の上の領域を測度することによって，各ゾーンごとの消費者余剰が容易に計算される[43]．

　トラベルコスト法が問題である理由はいくつかある．第1に，この手法はサイトを特定した手法としての色彩が強く，消費者があるサイトを別のサイトと代替する可能性を無視する傾向がある．第2に，環境の質をトラベルコスト法モデルにはっきりと入れることは通常不可能である．人々はさまざまな理由で湖へ旅行し，それが湖の水質とさまざまな関連を持つ．水質を独立変数として第1段階の関与予測を加えた最近一般化されたトラベルコスト法モデルでは，この2つの問題を克服するうえで若干の進歩が見られる（Binkley and Hanemann, 1978；Vaughan and Russell, 1982；Desvousges, Smith and McGivney, 1983；Bockstael, Hanemann and Strand, 1985；Caulkins, Bishop and Bouwes, 1986）[44]．3番目の問題は，トラベルコスト法の調査における時間の扱い方である．時間のどの要素をレクリエーション活動の費用と解釈し，こうした要素にどのような金銭的価値を与えるのか（Freeman, 1979 b : 204）．Wilman（1980）と McConnell and Strand（1981）はこの困難な問題に取り組み，若干の進歩はあったが，いぜん解決にはほど遠い[45]．しかし4番目，5番目の問題はもっと解決が難しそうだ．Bockstael and McConnell（1980 a, 1980 b）は，推定で用いる関数式がきわめて敏感であることを示し，Vaughan and Russell（1982）の研究がこれを確認している[46]．より根本的な問題は，トラベルコスト法が測度するのは，ごく一部の便益区分だけということである．それは直接的なレクリエーション便益と，美的便益および生態系の利用便益区分の一部である（Hay and McConnell, 1979）．トラベルコスト法は，商業目的の直接的利用の評価するうえではあまり役立たないようであり，存在便益の評価には用いることが不可能である．

　一般的に用いられている他の主な観察/間接法は，ヘドニック価格法（HPM）である（Adelman and Griliches, 1961；Ridker and Hennig, 1967；Griliches, 1971；Rosen, 1974）．この手法は，市場性の財の価格がその異なる指標の関数と仮定する．X を商品のクラスとし，指標 Q_j を持つ商品ク

---

43) このプロセスの基本的な記述は，Freeman（1979 b）を参照されたい．トラベルコスト法の現代版は，さまざまな追加要素を考慮している；McConnell（1985）を参照されたい．

44) Mendelsohn and Brown（1983）が提案したヘドニックトラベルコストモデルも参照されたい．

45) Harris and Meister（1981），Sutherland（1983），Walsh, Sanders and Loomis（1985）は，レクリエーションに訪れる人々が，どのように旅行時間を評価するかを調査するためにサーベイ・アプローチを用いた．興味深いことに，人々は旅行時間が長いことを好み，そのために支払いをするのを厭わないという調査結果が出ている．もちろん彼らの調査が，ニュージーランドとコロラドという風光明媚な場所で行われたことに留意しなければならないが，個人の賃金率の2分の1，あるいは3分の1を旅行時間の測度として主張，あるいは使用している者（たとえば Cesario, 1976）にとっては，警告になるだろう．

46) Vaughan ら（1985）は，個人レベルのデータ（よく用いられている）ではなく，全体レベルのデータを用いたトラベルコスト法の推定により，別の問題が生じることも示した．

ラス X のある財の価格を P_i とすると，

$$P_i = P(Q_1 \cdots Q_j \cdots Q_n) \tag{3.9}$$

と表わされる．特定の指標 Q_j の暗黙の価格（implicit price）は，その Q_j に関する P_i を変更することによって得られる．分析の第2段階において，これが対象指標の需要と供給に対する他の制限と結びつけられ，その需要関数を用いて消費者余剰が計算される．ヘドニック価格法が最も一般的に用いられるのは，資産の価格は地方の海岸線や，大気の質といったなんらかの環境サービスの価値を含むと考える財産価値の調査（Brown and Pollakowski, 1977；Harrison and Rubinfeld, 1978；Freeman, 1979 b；Brookshire ら，1982）と，異なるリスク水準は異なる仕事の賃金に反映されていると考えるヘドニック賃金調査（Thaler and Rosen, 1976）においてである．

　ヘドニック価格法は，原則的にすべての利用カテゴリーを評価するために用いられるが，実際にはこれも深刻な問題にさらされている．第1に，有効なヘドニック価格法の調査を行うためにはデータは緻密でなければならない．構造，近隣，環境といったすべての関係指標を管理することは可能に違いないが，多くの資源，あるいは希少な資源がすでに提供されている場合はこれは不可能かもしれない．第2に，信頼性の高い推定を行うために必要な市場データを十分得るのが難しい（Just, Hueth and Schmitz, 1982：294）．たとえば，住宅回転率が比較的低くければ，本当に比較可能な家を近隣で見つけるのは容易ではない．第3に，真に基本となるヘドニック価格方程式の関数式が未知であり，研究者はかなり異なる影響を持つ競合する推定可能な多くの式を対比しなければならない（Freeman, 1979 b；Halvorsen and Pollakowski, 1981）．第4に，人々は評価される指標の水準の実際の物理的な差を認識しなければならない．このような認識を仮定することは，化学薬品によるリスク・レベルまたは無色無臭の大気汚染物質を扱う場合は，不当かもしれない．第5に，評価される財と他の関係指標の変化に関する予測は，一般的には注目に値しないが，おそらく資産価値などの価格の決定に入れられる．たとえば，ある特定の地域の大気の質が改善あるいは悪化すると仮定し，この仮定をその WTP または一定の購入価格に対する WTA に反映させる．第6に，代替サイトの同時変化を評価することは，決して不可能ではないが難しい．

　最後に，最近 Brown and Rosen（1982）が示したように，ヘドニック価格法（HPM）の需要と供給の方程式を特定するために用いられる標準的な仮定は，特別な場合や起こりそうもない場合を除いて，同語反復的かつ不正確なものである．

　観察／間接法のクラスの最後の手法は，公共財提供を決定する政治家の行動に関するものである．候補者に投票することは，公共財に対する帰属価値（imputed value）の有益な源と論じる者もある（Barr and Davis, 1966）．この場合の仮定は，議員は有権者，とくに"中央投票者"の選好を特定し，実行することによって，再選の可能性を最大限に高めることができるというものである（Downs, 1957；Black, 1958；Romer and Rosenthal, 1979）．異なるプログラム水準に対する代議士の投票結果を十分に観察し，特定の公共財に対する有権者の WTP の分布と，予想される課税の分布に関する仮定を行うことによって，この財に対する需要が導かれる．しかし残念ながら，提供と課税に関する不確実性，および大半の代議士は特定の法案に投票する際，複数の目的を持つと思われることから，暗黙の価値を得るために必要な込み入った仮定は脆弱で，有効な便益推定を行えないと見られる．たとえば政治指導者たちは，環境公共財に対する支持者の選好を，正確に認識していないかもしれないという研究報告もある（Kamieniecki, 1980)[47]．

4.2.3　仮想/間接法

　仮想/間接法の場合は，人々は仮想的市場に対して回答するよう要求されるが，対象の財の評価に関しては，彼らの回答は間接的なものにとどまっている．このクラスの手法には，仮想ランキング（contingent ranking＝CR），無差別曲線マッピング法（ICM），分配ゲーム（AG），優先度評価（PVT），特定の行動の型を取る意志があるかどうかを回答者に尋ねる方法などがある．この最後のグループは上述の観察/間接法の仮想版といえる．観察/間接法も，仮想/間接法も，2段階の手法と見なされよう．

　表3-3は，仮想ランキング法（CRM）と仮想トラベルコスト法（Hypothetical travel cost method＝HTCM）が，提案されたレクリエーション用地を評価するためにどのように用いられるかを説明している．仮想的なレクリエーション用地（A-C）の提供に，ドル価値をつけるよう直接求められるのではなく，仮想トラベルコスト法では回答者は，レクリエーション用地を利用するために，どのくらい遠くまでドライブするかを質問されるであろう．一方仮想ランキング法（CRM）では，回答者は異なる記述のレクリエーション用地のセットを順序づけするよう求められるかもしれない．こうした行動上の意図を用地の経済的価値に変えるために，研究者はどのようにしてドルで表現できる効用の変化に変えることができるかを仮定しなければならないだろう．こうした2段階の金銭評価プロセスを行うことを正当化するのは，回答者は直接的な金銭評価の質問に対するよりも，関連した行動の質問に対するほうが，有意義な回答をすることができるという考えである．

　分配ゲームと，密接に関連した優先度評価法は，特定の予算項目の中で一定の予算を配置するよう回答者に要求する[48]．これらの手法では総予算が決められており，回答者は全範囲の可能な配置を考えるように明確に要求されているため，戦略的バイアスも，部分全体バイアスも少しの可能性すら認めない（こうしたバイアスに関しては，第11章を参照されたい）．分配ゲームが選好を明らかにする最も有益な手法である場合は少ない．その有益性を示す例は，ある政府機関の予算が決定され，社会厚生を最大限に高めるべく，いくつかの機能的分野へ予算が分配される場合である[49]．

　正式な便益測度のために，分配ゲームを用いる場合の方法論上の問題点の一つは，特定のアメニティ変化が評価できるように，十分詳細に多くの予算項目の一つ一つを記述することが難しいという点である．たとえばCV調査では，ある公共財の特定水準の提供（南西部の大気の透明度30マイルと60マイルなど）に対するWTPを測度するのに対して，分配ゲームは一定の予算の枠内で，さまざまな政策分野（教育，健康，環境，国防など）へ提供する公共財の相対的なWTPを測度し

表3-3　仮想/間接法の例

手　法	A　　　　　→	B　　　　　→	C
	刺　　激	関連した行動の意志	意図で示唆されるドル価値
仮想トラベルコスト法（HTCM）	特定の特徴を持つ新しいレクリエーション用地の建設	どのくらい遠くまで，そのようなサイトへドライブするか	その距離をドライブする費用で示唆される価値
仮想ランキング法（CRM）	2つ（またはそれ以上）の特徴を持つ用地の記述．そのうちの一つは回答者の家からの距離	説明されたサイトをどのように順序づけるのか	距離が他の特徴とトレードオフされる方法によって示唆される価値

47）これはむしろ矛盾しない結果である；Mueller（1963），Hedland and Friesema（1972），Fields and Schuman（1976）も参照されたい．しかし，Lemert（1986）は，政治家が突出した問題に関する州全体の住民投票の結果を予測することに関しては，個人の投票者よりも一貫してより正確であるとしている．
48）分配ゲームと優先度評価法に関するより包括的な議論については，Sinden and Worrell（1979）を参照されたい．
49）メリーランド州立公園サービスの資本予算へのこの手法の適用については，Hardie and Strand（1979）を参照されたい．

なければならない．またより重大な問題点は，分配ゲームは当該アメニティを受け取るために，一定額の金銭を諦める意志があることを明確に宣言するよう，回答者に要求していないということである[50]．異なる項目に固定予算を分配するためという理由で，特定の項目に分配された金額を支払う意志があることを扱うのではない[51]．

仮想ランキング法（CRM）（Rae, 1983）は，異なる組み合せの財（および/またはその特質）と関連する支払い要求からなる結果のセットを順序づけるよう回答者に要求する[52]．この手法が用いられているのは，電気自動車の潜在的市場の調査（Beggs, Cardell and Hausman, 1981）[53]，メサバード国立公園（Rae, 1981 a），グレート・スモーキー・マウンテン国立公園（Rae, 1981 b），シンシナティーの大気の透明度の評価（Rae, 1982），自動車が排出するディーゼルの臭いの軽減の評価（Lareau and Rae, 1985），ペンシルベニア州のモノンガヘラ川の水質改善によるレクリエーション便益，および関連便益の評価（Desvousges, Smith and McGivney, 1983）[54]である．モノンガヘラ川の調査では回答者に4枚のカードが与えられた．それぞれのカードには，水質の水準とその水準に対する回答者のWTPの予想額の一つの組み合せが記された（たとえば，船遊びのできる水準で年間＄50の支払い，釣りのできる水準で＄100），そのあとで回答者は選好の最も高いものから最も低いものまで，そのカードをランキングするように求めた．こうして得られた順序づけされたデータは，異なる水質変化に対する間接的効用関数を推定するために用いられた．

Desvousges, Smith and McGivney（1983）によれば，CVよりも仮想ランキング（CR）が潜在的に優れている点は，カードの少ないセットを順序づけする作業は，提案されたアメニティの変化に対するWTPの質問に答えるよりも回答者の負担が少なく，CRのほうがより正確な答えを得られるということである．これは正しいかもしれないし，あるいは誤りかもしれない．少なくともモノンガヘラ川の調査においては，CRで測度された便益とCVで測度された便益の間にはほとんど矛盾がなく（Desvousges, Smith and McGivney, 1983：8-20）[55]，CRの質問に対する回答率が，CVのそれを上回ったという証拠もなかった．

調査実施の簡潔さにおけるメリットに，決して負担がないわけではない．WTPの推定と同程度の正確さを得るために，一般的にCRは，連続回答のCVの調査が行うよりも多くの観察を必要とする[56]．CRはまた，結果の価値を推定するために，CVで用いられるものよりもより精巧で，あまり直接的でない統計手法を必要とする．回答者がCRを行う際に用いる決定ルールを特定するのは，困難であることが多い．CRフォーマットでは，たとえば水質の変化に関連する効用の変化を直接評価できないため，間接的な評価を行う必要がある．これは関数を効用関数と見なし，所得と水質に関して推定されたランダム効用関数の全微分を行い，いかなる水質の変化とも等価となる所得の

---

50) これも無差別曲線マッピング法を用いたケースである（Sinden, 1974；Sinden and Wyckoff, 1976；Findlater and Sinden, 1982）．ここでは回答者は公園Aですごす日のような財を，公園Bですごす日のような別の財とトレードオフするように求められる．この手法を用いると，研究者は無差別曲線の集合をおくことができるが，回答者がどちらの公園でもレクリエーションを行うことに興味があるかどうかは示唆していない．

51) これは，われわれがこれを仮想/直接法の一つと見なす税の還付を認める分配ゲームのケースではない（たとえば，Strauss and Hughes, 1976 を参照されたい）．

52) マーケット・リサーチャーが用いる密接に関連した手法は，コンジョイント分析である（Green and Srinivasan, 1978）．

53) 電気自動車の市場の合同分析に関しては，Hargreaves, Claxton and Siller（1976）を参照されたい．

54) Desvousges, Smith および McGivney の調査は，CRM，CVM，TRM で得られた結果を比較するという明確な目的で設計された．以下の議論は，彼らによる仮想ランキング法の記述と分析を参考にした．

55) しかしモノンガヘラ川の比較においては，CV，CR の両調査の結果には，同じ回答者集団に対して行われたという事実の影響が現われているかもしれない．

56) CR が CV の WTP の序数的近似値を得るのがせいぜいで，情報が少ないのに対して，CV は区間水準と比率水準の WTP の回答を聞き出すという事実からこういえる．

変化に対して解を出して達成される（Desvousges, Smith and McGivney, 1983：chap. 6；Hanemann, 1984 c）．CRM のもう一つの短所は，この手法の基礎になっている行動モデルと，理論上の特質が現在のところ十分理解されていないということである[57]．

　最後に，CRM は分配ゲームと同様に，研究者が行動の意志ではなくて，態度の形で選好を聞き出すという問題を抱えている（第 8 章参照）．CRM は当該財を受け取るために，一定額の金銭を諦める意志があることを明確に宣言するように回答者に要求することはせず，代替選択肢のセットに対する選好を順に示すよう要求する．Desvousges, Smith and McGivney（1983）による，モノンガヘラ川の水質便益の模範的 CR 調査は，金銭と水質の明快な組み合せによる仮想的な例といえるかもしれない．

　その回答者のうちの一部は，4 枚のカードのセットを用いて，船遊びができる水質を下回る水質の川を得るために＄5，船遊びができる水質に＄50，釣りができる水質に＄100，水泳ができる水質に＄175，それぞれ支払うことに対する選好をランクづけするよう求められた．回答者のうちの一人がこの 4 つの水準に対する最大 WTP を，それぞれ＄1，＄40，＄60，＄90 にしたと仮定する．彼はそうした選択を強いられることの不効用を最小限にするために，カードを最適にランキングすることができる：研究者はこの行動を期待しているのである[58]．しかし回答者に効用の初期水準を自発的に下げないという選択を強要し，ヒックスの補償余剰の基礎となる仮定を破っている[59]．このため，望まれる唯一の逆ヒックスの需要関数は特定できず，せいぜい特定の湾曲特質を持つ無差別曲線群を描けるだけである．

4.2.4　仮想/直接法

　仮想/直接法は，アメニティの質と量の特定の仮想的変化に対する人々の金銭評価を直接的に測度することによって，間接的リンケージ法で必要とされる多量の仮定を行わなくてすむ．仮想/直接法は CVM を含んでおり，Smith and Krutilla（1982）が名づけたアメニティの水準と，個人の行動の間の"規格化された"（institutional）リンクを仮定する．規格化された仮定は，仮想的市場に対する個人の反応は，実際の市場に対する個人の市場と完全に比較可能であるというもので，この仮定の影響に関しては次章で詳細に検証することにする．しかしこの前提が一度認められれば，その簡潔さ，理論的正当性，便益の項目をくまなく評価する能力において，ユニークな手法が利用可能になる．

　すでに CVM を記述したので，ここでの仮想/直接法の論議は，支出の増・減・現状維持を問う三肢選択質問（more–same–less type of survey question）と，税還付の可能性のある分配ゲームに限定することにする．この三者択一質問は回答者に対して，米国の支出が多すぎるか，少なすぎるかに関して，あるいはある種の政府支出プログラムの妥当な支出規模に関して，質問する通常の調査法にもとづいている（National Opinion Research Center, 1983）[60]．この質問に対する回答を「支出が多すぎるという回答は，財の支出を減らし，支払いを少なくしたい」という意味であると解釈し，研究者は一つ，あるいはそれ以上の公共財の需要曲線を推定するための基礎として，こうした

57）Rae（1982）による大気の透明度の便益調査に関するこの問題の鋭い分析については，Ruud（1986）を参照されたい．

58）提供された選択肢が自分の選好とかけ離れたものであり，さまざまな代替の不効用を最適にランクづけしようという意志を持てない場合は，回答者の順位づけは無意味なものになるだろう．

59）これは任意の選択にもとづくものであるため，観察データ（たとえば，一つの選択と可能な代替のセット）にもとづく CR にはこの問題がない．

60）支出の増・減・現状維持を問う三者択一質問は，"需要関数のミクロ・ベースの推定"アプローチと呼ばれることがある．

不完全なシナリオを利用しているのである．

　こうした三肢選択質問による経済的分析の初期のいくぶん簡単な例は，Akin, Fields and Neenan（1973）である．最近では次第に精巧な離散選択の統計テクニックを用いたタイプが増えている（Gibson, 1980；Bergstrom, Rubinfeld and Shapiro, 1982；Gramlich and Rubinfeld, 1982；Ferris, 1983；Langkford, 1985）．

　典型的な三肢選択質問の明白なリスクは，選好の分析が，情報を知らされていないうわべだけの回答にもとづいているということである．CV調査のシナリオと比較すると，財の記述が乏しい．たとえば，National Opinion Research Center の General Social Survey（1983）においてよく用いられるのは，回答者に「大都市の問題を解決すること」や，「環境を改善し，保護すること」についての考えを述べるよう求めることである．市場を作成するとか，支払義務を明確にするといった努力はほとんどなされていない．回答者には，これらのプログラムへの現在の支出額や，支出状況に関する情報はほとんど与えられない．とくに問題なのは，回答者がその支払義務の目的を知っているという仮定である．Langkford の研究（1985）はこの仮定の有効性に疑問を投げかけている．

　われわれは回答者に税還付の可能性を与える分配ゲームを，仮想/直接法に含める．その理由はこのタイプの分配ゲームが回答者に対して，単に一定の予算を異なる公共財に分配することを要求するのではなく，考慮されている公共財に対する税還付に有利な支払いを拒否することを認めているためである．このタイプの分配ゲームの長所は，回答者が一つずつ別々に評価する（通常CV調査がそうである）のではなく，多くの財を同時に評価することにある．短所は，異なる区分の公共財の記述が曖昧で実体を伴わないことと，税還付を行わないことが望ましい場合は，得られたWTP推定値は最大WTP推定値ではないかもしれないという事実である．税還付のある最も代表的な分配ゲームの例は，Strauss and Hughes（1976）と Hockley and Harbour（1983）である．

5．CVMの利点

　便益研究者にとっての仮説法全般，およびとくに仮想/直接法の利点を表3.3にまとめた．表3-4はオプション価格測度能力，過去になかった財の評価能力，すべての存在クラスの便益の推定能力，関連する通常の需要曲線およびヒックスの逆需要曲線の直接的な推定能力という5つの基準に従って，4クラスの便益測度法を比較したものである．

　仮説法の柔軟性が最も重要である．Sen（1977：339–340）が述べているように「注意深い選択が厚生に関する唯一のデータ源であるという仮定を一度捨てると，まったく新しい世界が開け，情報でがんじがらめだった従来のアプローチから，われわれを解放してくれる」．シナリオは，回答者にとって妥当性を持たなければならないという大きな制約の中で，CV研究者は評価される財のさまざまな状態や，提供の条件を容易に明らかにできる．さらに，これらは現在の制度的取り決めや提供の水準に限定される必要はない．Brookshire and Crocker は，観察行動にもとづく手法の不可変性に言及して，次のように指摘している．

　特定の財産権の再構成の純便益が，プラスかどうかを推定するための唯一の本当にたしかな方法は，毎日の観察行動に固執するのであれば，その再構成を実行し，その結果を観察することである．一部のサークルでは，これはトライ・アンド・エラーとして知られている．ここでのエラーは仮想的なものではなく現実であるため，この手法は研究上，きわめて高い費用がかかる方法である（Brookshire and Crocker,

表3-4 便益測度法の主な特質

好ましい特質	手 法			
	観察/直接[a]	観察/間接	仮想/間接	仮想/直接
不確実性が存在する場合にオプション価格の推定値を得られる	いいえ	いいえ	はい	はい
以前利用不可能であった財を評価できる	はい	いいえ	はい	はい
すべての存在クラスの便益を推定できる	はい	いいえ	はい	はい
関連する需要曲線（または逆需要曲線）を直接推定できる	はい	いいえ	いいえ	はい
関連するヒックスの補償需要（または逆需要）曲線を直接推定できる	いいえ	いいえ	いいえ	はい

a 住民投票のみが好ましい特質を持つケースもある.

1981：246）

　仮想的特徴のために，CV調査は事前的判断を行うことが可能であり，また存在価値を含むWTPを得ることができる．ちなみに，観察行動にもとづく手法では存在価値を得られたとしてもきわめて困難である．メサバード国立公園の大気の透明度の現在の水準を維持することに，2人が持つ異なる価値を考えてみよう．Aという人は，公園を訪れている間の現在の透明度の水準のみを評価する．彼は訪問の間にこの特質を享受したことに対して，なにがしかの金額を支払う意志がある．Bという人は公園の大気の透明度に対して現在の使用価値を持っていないが，彼は国立公園が米国の大切な遺産であり，支払いをするのは国民の義務と見なしている．メサバード国立公園の大気の透明度の調査においてトラベルコスト法が用いられていたら，旅行行動にはその現地サービスに対する回答者の価格が現われるという仮定と，大気の透明度は現地のその他の特質とともに提供されるという仮定がなされるであろう．

　このようにこうしたトラベルコスト法の調査を行えば，Aという人が公園の大気の透明度に対する利用価値を間接的に推定することはできるだろうが，Bという人が持つ社会的責任感にもとづく価値は測度できないであろう．対照的に，CV調査はこうした制約を受けない．CV調査の回答者は，示される厚生の全体的な変化を評価したあとで，アメニティの価格を答える．回答者は留意すべき関連便益区分を気づかされれば[61]，そのWTPは回答者の選好をそのまま反映するだろう．このようにCV調査では，Aという人とBという人のWTPには，利用便益と存在便益（存在する範囲内で）の両方を含んでしまうであろう．

　仮想/直接法（CVも含む）はまた，個人の補償需要曲線上の特定の位置を直接測度することもできる．これによって，他の手法を悩ましている個人の効用関数の形に関する誤った仮定から生じる潜在的なバイアスの問題を回避することができる．たとえば，個人の行動に分離可能性（separability）の条件を課すかわりに，消費者のトレードオフに関する研究者の仮定にもとづいて，CV調査では回答者に金銭に関するトレードオフを認めることができる（Brookshire and Crocker, 1981：246）.

---

61) これは，金銭評価の状況についての回答者の概念化の画一性を確実にするために必要である．これにふれておかないと，その状況において非利用価値を考えない，または面接者が要求しているのは利用価値だけであると誤解するかのどちらかの理由で，非利用価値を考えない回答者も中にはいるかもしれない．Desvousges, Smith and McGivney（1983）は，回答者に潜在的な便益項目を気づかせるために，面接において視覚補助器具としてはじめて"価値カード"を用いた．そのカードは"使用"，"利用するかもしれない""ただそこにあったから"という見出しのもとに，回答者がモノンガヘラ川の清浄な水を評価する理由を掲載した．

6. 要約と結論

　本章において便益の特質と，経済学者たちがそれらを測度するために用いるさまざまな手法を検証した．公共財は準私的財（個人的財産権の公共財）と純粋公共財（共有財産権の公共財）に大きく分けられる．この区別は CV 調査を設計する際に，適切な市場モデルの型があることを示唆している．両公共財の便益は個人が持つ価値から生じる．これらの価値は主観的，かつ多次元的である．正確な便益評価は，一定の改善に対して正当に生じるすべての便益を含む．利用便益と存在便益，およびそのいくつかの下位区分を含む代表的な便益のタイプを説明するために，淡水の質の便益のリストが用いられた．オプション価値は，事前的厚生測度にとっては意味のある便益項目ではないため，このリストにはオプション価値を含めなかった．

　便益測度手法に関して，行動にもとづくさまざまな手法の関係に主に焦点を当てた．手法が観察市場または仮想的市場で明らかにされた選好に依存しているのか，手法と WTP の直接リンケージなのか間接リンケージなのかという基準に従って，十六種類の便益測度法を 4 タイプに分類した．仮想/直接法は CV を含み，不確実性が存在する場合にオプション価格の推定値を得て，かつては利用できなかったり市場に存在しなかった財を評価し，すべての存在便益を推定し，関連するヒックス流需要曲線を直接獲得することが同時にできる唯一のクラスである．CV 調査の開拓者達が（訓練を積んだ経済学者にとっては）あまりなじみのない仮想的市場の領域に入り込もうとしたのは，これらの利点が実現できるかもしれないと考えたからであった．

第 4 章

CV 調査の
シナリオ設計における変化

　ここまでは CVM と，非市場財の便益のその他の測度法の関係を述べてきたが，今度は，CV 調査に従事する研究者たちの間で，現在のところ意見が分かれている CV シナリオ設計の際の，3つの大きな問題を検証したいと思う．それぞれが，研究者が行わなければならない設計の選択の問題を含んでおり，これが CV 調査の結果の質と政策立案者による使用に適合するかどうかに，大きな影響を及ぼすことになるのである．

　第1の問題は，CV 調査が私的財市場と政策市場のどちらにもとづくべきなのかということである．第2の問題は，回答者から WTP を聞き出す方法のうち，CV 調査に最も適しているのはどれか，そしてそれがどのように実行されるべきかということである．この2つの問題を本章で取りあげる．第3番目の問題は，研究者が面接において回答者に示す資料の中で，アメニティと仮想的市場に関する情報はどの程度，そしてどのような種類のものを含めるのかということである．

　こうした決定には，研究者側が回答者に仮想的市場の適切な特徴を知らせる必要性と，情報を過剰に与えることを回避する必要性のトレードオフと，政策立案者が調査結果を用いる場合に，最大限の柔軟性を持てるような便益測度を行いたいという願望と，抽象的すぎるシナリオ（それが提供される場合のアメニティと，条件に関して具体的情報が不足しているという意味）に回答者が困難を感じるトレードオフがある．情報に関する問題は本章においてはじめて取りあげ，本書全編を通じて論じる．

1．私的財市場と政策市場

　CV 調査は，非市場財の市場をシミュレートする．最近まで研究者たちは，私的財市場が CV シナリオの適切モデルと見なしていた．よく発達した競争的な市場では，財産権が保全され，財とサービスは競争して供給され，妨げられない自発的な交換が行われ，パレート効率の均衡へと向かう．このモデルは実現された嗜好を持ち，その購入決定は市場での長い経験の結果，利用可能な代替物を完全に理解している消費者の概念を具体化するものである．現金の支払いを行う見通しから，消費者は金銭の代替的使用先を考慮に入れる必要があるため，選好はそうした市場における実際の行動を通じての最もたしかな表現である．Bishop と Heberlein が指摘するように，CV シナリオがガン（雁）の狩猟許可証などの準公共財を評価する場合でさえも，この消費者行動のモデルは，CV 調査における回答者の行動様式とはまったく異なる．

　人々が市場で買い物をする場合，数週間あるいは数カ月にもわたってその代替物を考えるかもしれない．その場合，友人に相談したり，あるいは弁護士や銀行員などの専門的な相談を受けることもあるかもしれない．また，当該製品を一番よい条件で購入しようとさまざまな店を歩き回るかもしれない．そして消費者の予算項目の多くは，決定の根拠を市場での過去の経験におくという長い歴史がある．名目手数料以上の支払いを実際に行ったことのない商品に対して，人が市場でどのように行動するかをはっきりと見きわめるための郵便による調査や，個人面接でせいぜい1，2時間費やすのとは，これは大きく異なる（Bishop and Heberlein, 1979：927）．

　この問題に対処しようと，1986 年の最新レポートの著者は，CV 手法の使用を消費者市場に最もシミュレートする条件に限定することを提案した（Cummings, Brookshire and Schulze, 1986）．彼らのオリジナルの有効な CV シナリオのための“基準操作条件”（reference operating conditions）のうちの2つは，明らかに消費財市場モデルにもとづいている[1]．

1．被験者は評価される商品を理解し，よくなじんでいなければならない．

2．被験者は商品の消費水準に関して，過去に評価と選択の経験を持って（あるいは得ることを許可されて）いなければならない（Cummings, Brookshire and Schulze, 1986：104）．

文字どおりに取ると，こうした条件は，CV 手法の使用を狩猟許可証などなんらかの形で，現在市場に出ている財に限定するものであろう．

経済学者に理論的に強くアピールするにもかかわらず，このタイプの消費財市場モデルを CV 調査に用いる適切さについて疑問視するのにも，もっともな理由がある．まず第 1 に，Bishop と Heberlein の作る私的財市場は理想化された市場であり，現実の消費者行動の世界では，高価な財の購入を含めた場合でも常に達成できるわけではない．マーケット・リサーチャーは，多くの購入がたまにしか行われないこと，購入の状況，財の種類および消費者の過去の経験によって，購入決定を行う前に収集する情報が大きく異なることを，以前から認識していた（Bettman, 1979）．

第 2 に，市場行動は常に人々の選好を的確に示す優れた指標であるとは限らない．喫煙する人やギャンブルなどの衝動的行動を行う人の多くは，その行動は本当の願望を表現したものではないと思っている（Rhoades, 1985：166）．公共のプログラムの場合は，私的財市場の行動はさらに不適切になる．人々は私的財市場に参加している場合よりも，選挙で投票する場合のほうが利己心が少なく，公共心に富んでいるということが，かねてよりいわれてきた（Buchanan, 1954；Wilson and Banfield, 1964, 1965）．

私的財市場モデルの厳格な適用は，利己心にもとづく消費行動以外の消費行動を無視し，存在価値の背後にある「公共財を尊重すること」（public–regardingness）を軽視することになる[2]．こうした価値は政策行動に影響を及ぼすであろう[3]．たとえば Crenson（1971）は，1960 年代の大気汚染プログラムに対するコミュニティの政策支持を比較し，「私的なものに関心の高い気風」のコミュニティの政党は公害問題を無視する傾向があり，「公的なものに関心の高い気風」のコミュニティではこうした問題が議題に上る見込みがあるということを突きとめた．

Mitchell and Carson（1986 b）は，飲料水のリスクを軽減する便益を測度するための調査において，個人レベルの同様の行動を観察した．予備テストにおいて，同じ回答者は，同じリスク軽減を達成する街の水処理施設と新設備の維持のために，水道料金をどのぐらい余計に支払うかと尋ねられるよりも，市の水道業者による家庭内での汚染規制装置の設置と維持のために，どのぐらい支払うかと質問された場合のほうが低い金額を答えた．これらの回答者は前者のプログラムのほうを高く評価した．これはそのプログラムが自分たち以外の人たちを保護すると理解したためである．より広範な公共の関心を考慮したとき，彼らの私的な願望を軽視したことを示唆してはいなかった（Wildavsky, 1964 を参照されたい）．

こうした考えは，公共財を評価する CV 調査にとっては，政策市場が私的財市場よりもより適切な類似物であることを示唆している[4]．経済学者や政治学者が，政策市場に関する論文をかなり発表している（Deacon and Shapiro, 1975；Bergstrom, Rubinfeld and Shapiro, 1982；Enelow and

---

1）Cummings, Brookshire and Schulze（1986）監修のこの著書には，数多くの学者が正式に論評したレポートと，著者がもとの結論を改定・修正した回答が掲載されている．ここで言及されている基準操作条件は，監修者の結論で修正された．

2）"公共財の尊重 "仮説のテストに関しては，Attiyeh and Engle（1979）と Martinez–Vazquez（1981）を参照されたい．

3）Lane（1986）は，政策市場と私的財市場の公正さについての一般市民の認識を論じている．Kahneman, Knetsch and Thaler（1986）も参照されたい．

4）この代替モデルに賛成しているのは，Ridker（1967），Cummings, Cox and Freeman（1984），Lareau and Ray（1985），Carson, Hanemann and Mitchell（1986），Mitchell and Carson（1986 c），Randall（1986 b），Cummings, Brookshire and Schultze（1986）．

Hinich, 1984；Langkford, 1985 などを参照されたい）．検証してきたように，CVM には住民投票が最適であり，投票者はあらかじめ決定された政策パッケージに対して，1 度だけ（あるいはごくわずかだけ）イエス，ノーで回答する[5]．CV 調査で予測される行動は，アメニティ提供の提案が実際に投票用紙に記載されていた場合，情報を知らされている投票者が，実際にはどのような行動をするかということである．投票の決定は，理想化された私的財市場モデルを用いて示唆された結果よりも複雑な，そしてより現実的という者（たとえば Morgan, 1978）もいる意志決定モデルであることを示唆している．住民投票モデルは先在するよく実現された選好を人々が表現すると仮定するのではなく，複数の動機や背景にある要因や，不完全な情報によって影響される選択を行うと仮定するのである．

1.1　CV 調査にとっての住民投票モデルの利点

　住民投票が CV 調査にとっての魅力的なモデルであることには，いくつかの理由がある．第 1 は，公共財は一度その供給が決定されるとまとめて支払われることである．過去の CV 調査が提案されている規制プログラムが実行される場合に，値上げや課税を行うなど強制的な支払手段を用いる傾向があったのはこのためである．

　住民投票によって聞き出す質問を行うのは，こうした支払計画を明らかに示唆している．また前述のとおり，債券発行で資金調達される学校の新設や水質汚染規制プログラムなどの公共財の提供に関して，市民に強制的に意志決定させるメカニズムとして，住民投票が実際に用いられることが多い．したがって，回答者はその実施方法や，政策システム上での利用法をよく知っていると見られる．そのうえ住民投票における投票者の決定は，その提案が可決された場合に，家計にかかってくる費用の負担という経済的な影響を明らかに示唆している．第 3 章において，この特徴が住民投票で提供された財の需要曲線を推定するために，実際の住民投票の行動を用いることを可能にしていることを示した．最後に，住民投票モデルは調査の調節に適している．結局，投票は複数選択のアンケートに似ており，選挙結果を予測する世論調査は一般市民にもよく認識されている．

　このことは，CV 調査において回答者に提供できる情報が，住民投票をシミュレートするうえで十分かどうかという問題を提起する．理想的な政策市場は完全な情報が与えられると想定する．この想定を Hayes（1981：157）は政策市場全般に関して，「最も重要な必要条件であり，………そしてほぼまちがいなく最も非現実的である」と述べた．Magleby（1984）の直接立法に関する最近の研究は，情報を与えられた意志決定メカニズムとして，実際の住民投票が多くの弱点にさらされている様子を立証している．投票者に示される問題の一覧表は，公共に関する問題を示していないことがしばしばあり，その示し方も厳格で硬直化していると思われることがひんぱんにある．

　投票の前に，州が投票者に配布する情報パンフレットを理解するのは高校卒業者でも難しく，投票用紙に用いられている言葉づかいはさらにいっそう複雑である．投票率が低く，投票した者の中でも，候補よりも提案された計画のほうが参加率が低いことから，住民投票による決定は，高学歴で裕福な白人市民達の考えを大きく反映するものになっている．さらに，個々の提案への投票は，直接民主主義の支持者によって予見された熟考のうえでの判断ではなく，「通常，テレビで放送されるうわべだけの感情的なアピールにもとづく即断の結果である」（Magleby, 1984：188）[6]．こう

5）ほとんどすべての州において，投票者は州議会による義務的な提案に関して投票し，勧告的な住民投票を行う州もある（Maglebly, 1984：1）．

した考えから，Magleby は「多くの投票者にとって，直接立法［すなわち，住民投票］は，自分の意見をきわめて不正確に示すバロメーターである」（1984：144）と示唆している．

住民投票が現実世界において，一般市民の選好を聞き出すための方法としては扱いにくく，不完全なものであるということは，疑いの余地がない．しかし，CV 調査は現実世界には CV 調査に対応するものが存在しないが，それを消費者市場と比較すると，CV 調査にはこうした問題を克服するための特徴がいくつかそなわっている．一つの利点は，CV 調査は現実世界の住民投票の写しよりも代表物となれることである．たとえば貧しい人々は，収入の多い人々よりも投票などのさまざまな形の政治参加を行わないと見られる（Beeghley, 1986）．CV の面接者は，登録して投票にやってくる投票者に依存するのではなく，回答者の家庭を訪れ，面接に答えるように熱心に勧誘する．無作為抽出と，不在者への再度の訪問によって，回答者は関連母集団の本当の代表といえるようになる．低学歴あるいは低所得の人々を見つけるのが困難であるとか，有効な WTP を回答できないという理由で，回答者の中に占める割合が低いため，これを少なくとも一部修正するために，統計上の手法を用いてデータを加重する．

投票者が投票する候補や，問題に関する知識を制限している大きな要因は，情報を取得する費用である（Hayes, 1981）．CV 調査は情報取得費用をいくつかの方法で低くする．CV の回答者に示される選択肢は，評価される財の特質と，提供の条件に関して，投票用紙に示される通常の住民投票の場合よりも，はるかに明確に規定される．また CV 調査は，とくに一人の面接者によって実施されるものは，実際の住民投票の場合よりも，アメニティに関する情報伝達がうまくいっているようだ．CV 調査の情報伝達は通常口頭で行われ，回答者の興味を引き参加を促す．CV 調査の設計者は一般的に，その調査手段を明確にするためのプロジェクトと，意志決定上必要な情報を提供するためのプロジェクトの予備テストをきわめて重視する．CV 調査は必要とあれば視覚補助器具を用いることも可能であり，選択を行う状況に関連した背景の資料を提供したり，比較することもできる．これは，投票者へパンフレットを配布する州でも得られない貴重なメリットである．最後に CV 調査の面接者は，頻繁に受ける質問に対して，特別に明確な回答をするように訓練される[7]．

CV の住民投票のこうした特徴は，人々が“決断”——Lindblom（1977）によれば，政策選択の本質である——を表現するための適切な状況を作り出すうえで役立つ．Lindblom は投票を，投票者の心または意志が，かつては存在しなかった状態に到達する過程と表現している（1977：136）．CV シナリオは比較的最適な状況において，そうした判断を下す機会を回答者に提供している．こうしたことから CV 調査は，個人が価格のない財に意味のある価値を与える“スーパー・リファレンダム”（super–referendum）の形である．

住民投票のモデルによって示唆される CV 調査のための基準はなんだろうか．CV 調査が住民投票を十分にシミュレートするためには，回答者はアメニティおよび，その提供方法と支払方法を理解する必要がある．住民投票への参加は任意であることから，CV 調査は答えたくない回答者に対しては，WTP の質問に答えることを勧めることはしても，決して強制してはいけない．住民投票のモデルは，意志決定を行うための投票基準も示唆している．住民投票では公共財供給の決定には，多数決または 3 分の 2 のルールを用いるため，総価値に不当に影響を及ぼさないように，いくつかの異常値は除かれなければならない[8]．

6）投票者が決定を行うときに，情報をあまり与えられないことがしばしば“合理的“である理由に関しては，Oppenheimer（1985）を参照されたい．

7）こうして伝えられるすべての情報は，各面接の共通性を維持するために，あらかじめ決定されたものに限定されなければならない．

われわれは CV 調査において，住民投票モデルを唯一のモデルとして利用することを提唱しているわけではない．私的財市場モデルにも，住民投票モデルにもそれぞれのメリットがある．どちらを用いるかの選択は，その CV 調査が測度しようとする財の特質と，便益のタイプによって左右される．私的財市場モデルは，レクリエーションの目的による風致地区や狩猟対象の野生動物へのアクセスなど，価格があって消費者に潜在的に有料で提供されるタイプの準私的財に適している．こうした状況では，利用者の価値が優勢であり，許可手数料やアクセス手数料を課すことが妥当である．しかし公共財の場合には，正確な支払状況と公共財に適した価値の全範囲を求めるため，住民投票モデルが好ましい．

2．聞き出し方法（Elicitation Methods）

CV 調査に従事する研究者の目的は，アメニティに対する回答者の消費者余剰——すなわち，回答者がそれなしですませる前の，回答者にとっての財の最大価値——を得ることである．このための最善の方法は，記述されている財に対して支払う意志がある最大価格を回答者に尋ねて，その回答を記録することと考えられるだろう．しかし回答者はなんらかの助力がなければ，無から価値を取り出すのは困難であろう[9]．それはちょうどガレージセールで，値札のついていない品物に支払おうという最高の値段を決定しかねているのと同じである．その結果，自由回答式のフォーマットは WTP の質問に対して，無効回答（nonresponses）や抵抗ゼロ回答（protest zero responses）が，膨大な数にのぼる傾向がある（Desvousges, Smith and McGivney, 1983）[10]．こうした問題を受けて，研究者たちは選択プロセスの簡素化や，財評価の状況の提供によって，回答者の金銭評価プロセスを容易にする聞き出すテクニックを用いて実験するようになった．これらのテクニックによって無効回答の数が減少し，面接者にもよるが，回答者が金銭評価プロセスをうまくこなすのが容易になった．

CV 研究者は回答者にとって意味のある，しかもバイアスのない仮想市場を構築するときに困難なトレードオフに直面するが，回答者の親しみやすさ，WTP をバイアスさせる可能性，最適の情報量を得る能力において，これらの聞き出し方法の様子から見ると，優れた手がかりが得られる．一つまたはそれ以上の聞き出し方法の特質をテストしたり[11]，手法同士を体系的に比較した[12]数多くの研究によって，こうしたトレードオフの理解は深められた．

表 4-1 は 9 種類の聞き出し手法を掲載し，次の 2 つの次元によって分類されている．すなわち（1）当該財に対する実際の最大 WTP が得られているかどうか，（2）（評価される公共財 1 水準に対して）WTP の質問は 1 問だけか，あるいは繰り返して質問されるのかである．異なる聞き出し方法の特質の直接的原因は，この 2 つの次元の分類にある[13]．

第 1 の次元は，回答者の選好について回答者から収集した情報の量に関するものである．回答者

---

8) 固定数量と税価格の組み合せに対して一つの離散的なイエス／ノー回答を求める調査であれば，極端な回答は不可能である．
9) 飲料水のリスクの調査（Mitchell and Carson, 1986 c）のように，自由回答式の質問が順調にゆく場合もある．この場合回答者（イリノイ州南部の小さな町の住人）は，水道料金の支払いを通じて，飲料水の質に対する支払いの概念になじんでいた．
10) 抵抗ゼロ回答では，その財が回答者になんらかの価値を持つにもかかわらず，WTP を＄0 と回答している．
11) Thayer（1981）；Mitchell and Carson（1981）；Roberts, Thompson and Pawlyk（1985）；Boyle, Bishop and Welsh（1985）などを参照されたい．
12) Randall, Hoehn and Tolley（1981）；Desvousges, Smith and McGivney（1983）；Sellar, Stoll and Chavas（1985）；Bishop and Heberlein（1986）；Johnson, Shelby and Bregenzer（1986）などを参照されたい．

表 4-1　CV 聞き出し方法の分類

	実際の WTP	WTP の離散指標
一つの質問	自由回答/直接質問 支払カード 非公開付け値（Sealed Bid）オークション	二肢選択のオファー 支払い質問のオファー 区分表からの選択
反復質問	付け値ゲーム 公開付け値（Oral）オークション	二肢選択のオファー （フォローアップつき）

の実際の WTP を得るのか，あるいは，研究者が示した一つの金額を支払う意志があるのかないのかといった，WTP の離散指標を得るのか．離散選択フォーマットを用いれば，回答者は財に対する意味のある価値を容易に回答できるとして，離散選択フォーマットの使用を提唱する研究者もいる．この方法論的考慮がなければ，CV 研究者は，回答者のアメニティに対する価値に関する多くの情報を提供してくれるとして，回答者の最大 WTP を得ることを常に好み，したがって，比較的簡単な統計技術を用いることを認める．離散選択データから WTP を推定するために用いるロジット（logit）法やプロビット（probit）法は，立証するのが難しい金銭評価関数の数式に関して強い仮定を行うことを研究者に求める．

　第 2 の次元に関して，CV 調査に従事する研究者の間では，1 回の質問あるいは繰返しの質問（付け値ゲームなど，ここでは初期値が与えられており，これに対して回答者が受諾か拒否かによって，値を上げていったり，下げていったりする）のどちらが CV シナリオに最適かという点で意見が分かれている．回答者に徹底して自分の選好を探させるためには，一連の聞き出す質問を行うプロセスが必要であるとして，繰返しの質問の使用を好む研究者もいる（たとえば，Hoehn and Randall, 1983 を参照されたい）．われわれを含む他の研究者たちは（Mitchell and Carson, 1981）は，繰返しの質問には反対の立場を取っている．それは，このタイプの試験はさまざまな形の承諾バイアスを誘発する傾向があるためである．回答者はあるアメニティに対して高い価値を答えるが，この価値は回答者の真の WTP を表わしているのではなく，次々の質問に本当に支払う意志のある金額よりも，高い金額を答えなければいけないのではないかというプレッシャーを感じるためである．

　特定の聞き出し方法を利用する際の問題は，CV 研究者が実地に使用している四種類の主な手法を調査すれば判明するだろう．その手法は付け値ゲーム，支払いカード，買うか買わないかの二肢選択のオファー（take–it–or leave–it offer），それにフォローアップ・アプローチによる買うか買わないかの二肢選択のオファーである．また，CV 調査のための聞き出しフォーマットを選択する際に生じる問題は，手法と理論の間に複雑な相互作用を導入し，回答者が CV 環境においてどのように選好を作り，表現するかというわれわれの知識の部分的特徴を浮き彫りにさせる．

2.1　付け値ゲーム

　比較的最近まで CV 調査において最も古く，最も広く用いられている聞き出し方法は，付け値ゲ

13）さまざまな方法の例は，以下の資料を参照されたい：直接質問は Desvousges, Smith and McGivney（1983）；公開付け値（Sealed Bid）オークションは Bishop and Heberlein（1986）；支払いカードは Mitchell and Carson（1984）；付け値ゲームは Randall, Ives and Eastman（1974）；公開付け値（Oral）オークションは Bohm（1972）；区分表からの選択は Loehman and De（1982）；二肢選択法は Sellar, Stoll and Chavas（1985）；フォロー・アップつきの二肢選択法は Carson, Hanemann and Mitchell（1986）；支払い質問のオファー（支出の増・減・現状維持を問う三者択一質問）は Bergstrom, Rubinfeld and Shapiro（1982）．

ームであった（Davis, 1964）．付け値ゲームは，個人が価格を述べるよう求められる現実の状況，すなわちオークションをモデルにしている（その適用の記述は，Brookshire, Ives and Shulze ［1976］CV survey in capter 1 を参照されたい）．付け値ゲームはオークションを模倣しており，このために回答者にはなじみがあるが，Davis が最も重要と考える特徴は，回答者が行う選択が単純であることである．すなわち回答者は財に対して特定価格を支払う意志があるのか，ないのか？である．また他の研究者によれば，これ以外の長所は，付け値プロセスによって消費者が支払う意志のある最も高い価格が判明し，完全な消費者余剰を測度することが可能と見られる点（Cummings, Brookshire and Schulze, 1986），および繰り返して行うプロセスによって，回答者がアメニティの価値を十分考えることができると見られる点（Hoehn and Randall, 1983）である．

　これらの好ましい特徴は，多くの CV 研究者による筆舌につくし難い労力によって達成された（Cummings, Brookshire and Schulze, 1986）．スタートの付け値は財の価値を示唆する傾向がある．調査によれば，たとえ回答者が初期付け値を拒否したとしても，回答者の真の WTP よりもはるかに高い開始位置は，WTP の回答値を高くする傾向があり，逆に真の WTP よりはるかに低い開始位置は，WTP の回答値を下げる傾向がある（Roberts, Thompson and Pawlyk, 1985）．（開始位置バイアスに関しては，第11章を参照されたい）．

2.2　支払いカード

　支払いカード法は，付け値ゲームの代替として筆者（Mitchell and Carson, 1981, 1984）が開発した．われわれは回答者に，$0からある特定の金額までの範囲の潜在的 WTP の大きな配列を持つ視覚補助器具を回答者に提供することによって，WTP の質問に対する回答率を高める一方で，直接的質問アプローチの特質を維持することを追求した[14]．このプロセスを用いれば，一つの開始位置を示す必要がなくなるうえに，回答者に対して直接的質問法が提供するよりも多くの背景を提供できる．支払いカードの基準版において（Michel and Carson, 1981, 1984），支払いカードのドル価格のいくつかを，他の公共財に対して回答者の所得区分の家計が現在支払っている平均金額として確認することによって，背景がいっそうよく明瞭にされている[15]．

　回答者に対する質問は，提案されている財の水準に対して「あなたが最も支払いたいと思う金額は，このカードのどの金額ですか．あるいはその中間のどんな金額ですか」である．Randall, Hoehn and Tolley（1981）が行ったいくつかの聞き出し方法の実験的な比較によると，無関係の公共財を基準として用いると，回答者の金銭評価プロセスは容易になる[16]．支払いカードは付け値ゲームよりも"意識の固定"（anchoring）問題が少ないように見えるが，カードに用いる範囲や参照位置によって，潜在的にバイアスが生じやすい．第11章で再びこの問題を取りあげ，なんらかの手がか

14）支払いカードに似た，区分表からの選択法は，回答者が WTP を含む支払いの範囲のリストを示す．Hammack and Brown（1974）はこの方法を郵便による調査で，また Binkley and Hanemann（1978）は，個人面接調査で，それぞれ用いた．チェックリストからのデータを，ロジスティック回帰のフレームワークにおける離散選択として扱うことに関しては，Loehman and De（1982），また分類区間回答としての支払いカードのデータの取扱いに関しては，Cameron and Huppert（1987）を参照されたい．

15）回答者は5つの所得項目に分類された；この調査で用いられた支払いカードは，付論 A において再現された（支払いカードに関する完全な記述は，Mitchell and Carson［1984］，Desvousges, Smith and McGivney［1983］を参照されたい）．バイアスを回避するために，調査で評価しようとする財と，その他の財が直接関係しないようにすべきである．そうでなければ，回答者は当該財が持つ価値を十分に考えずに，関連する財に価値の基礎をおくかもしれないためである．

16）しかしこれは歯みがきのような"ささいな"私的財のケースには見えない．これは回答者に暗黙の道徳的圧力をかけることによって，WTP を膨張させると思われる．

りによって誘発されるバイアスと，それを最小限にする方法に関して論じたい．

2.3　二肢選択アプローチ

　もう一つ重要な CV 聞き出し法が，Bishop and Heberlein（1979，1980）によって開発された．二肢選択法と呼ばれるこの手法は，あらかじめ決定された多くの価格 t_j を用い，アメニティに対する大半の回答者の予想最大 WTP を一括して扱う．各回答者はアメニティに対するこれらの価格の一つについて，支払意志があるかどうかを，オール・オア・ナッシング（all-or-nothing）のベースで尋ねられ反復質問はない．価格は無作為に回答者に示され，各価格が等価の下位サンプルに与えられる．

　二肢選択法の利点をいくつかあげよう．付け値ゲームとは異なり反復質問は行わないが，同様の方法で回答者の仕事を簡素化する．回答者は与えられた一つの価格について判断を下すだけでよく，こうした判断は消費者と住民投票の投票者によってひんぱんに行われるものと同様である．この点において，この手法は郵便によるインタビューにとくに適しており，シナリオが視覚補助器具を用いない場合は，電話によるインタビューにも適している．回答者の WTP が，質問された価格より大きかったり等しかった場合は「イエス」と回答し，そうでない場合は「ノー」と回答するのが回答者の戦略的利益のためである点で，このアプローチは誘因両立的でもある（Zeckhauser, 1973；Hoehn and Randall, 1987）．

　その他の聞き出し法は，回答者が WTP を誇張して答えて，好ましい政策結果を成立させる機会がシナリオによって提供されるため，より戦略的行動を受けやすい（幸い，多くの CV 調査にはない）（第 6，7 章を参照されたい）．回答者に与えられた選択肢が 3 つあるいはそれ以上であったり前の選択を条件とする場合には，多数決ルールにおける一つの二肢選択に固有の誘因両立の特質は低下する．回答者に最大 WTP を尋ねる自由回答形式の聞き出し方法には，誘因両立の特質はない．

　しかし二肢選択法にはいくつかの欠点がある．他の聞き出し法に比べて非効率的であり，サンプルの WTP 推定値において統計上，同じ正確さの水準を達成するためには，より多くの観測値が必要である．これは，実際の最大 WTP ではなくて最大 WTP の離散指標が得られるだけであるためである．また二肢選択法は，何に対しても「イエス」という人の割合をバックグラウンド値とした影響を受けるおそれもある．

　この問題は第 11 章で論じるが，開始位置バイアスの離散選択類似形であり，検出するのが若干難しい．しかしこの方法の最も重大な欠点は，平均 WTP を得るために金銭評価関数と間接効用関数のどちらを用いるかを，パラメータからどのように特定するかという仮定を行わなければならないことである．この方法は次第に人気が出てきているため，この重大な問題に関する最近の研究をさらに検証しておこう．

　Bishop and Heberlein（1979，1980）は二肢選択法による回答から，平均 WTP（および平均 WTA）のオリジナルの推定値を作成した．彼らによれば，ロジスティック曲線あるいはプロビット回帰曲線が，無作為抽出された各価格の回答者の WTP（あるいは WTA）の割合に適する．調査で用いられる t_j の範囲以外の行動に関して質問をすることは少々やっかいである．

　Cameron and James（1987）は最近，プロビット方程式のパラメータから，平均 WTP を直接得る方法を示した[17]．二肢選択法の特別な構造であることからこれは可能である．刺激変数 t_j は，基本的な潜在変数 WTP と同じ単位，すなわちドルで測度される．これをさらに明確にするために，

金銭評価関数を次のように仮定しよう.

$$\text{WTP} = X\beta + u, \tag{4.1}$$

WTP は $nx1$ ベクトル, X は一つの定数と, 所得や嗜好の特質などのその他の考え得る変数を持つ nxk マトリックス, β は未知のパラメータの $kx1$ ベクトル, m は誤差項で $N(0, \sigma^2 I)$ に分布する無作為条件の $nx1$ ベクトルである. I を, WTP が t_j より大きいまたは等しい場合は, i 番目の要素が1となり, WTP が t_j より小さい場合はゼロとなる $nx1$ 指標ベクトルにしよう. プロビット回帰を,

$$\text{Prob}(I=1) = 1 - \phi(-[tX][\alpha\gamma]) \tag{4.2}$$

のように定義すると, t はその要素が各 i の回答者に割り当てられた t_j からなる $nx1$ ベクトルであり, β と γ は推定されるパラメータである. Cameron and James (1987) は, $\alpha = -1/\sigma$ かつ $\gamma = \beta/\sigma$, したがって, $\beta = -\gamma/\alpha$ であることを示した. X が単純に1ベクトルである場合は, β は中央 WTP と等しく, 通常の分布の対称の特質により, β は平均 WTP とも等しい[18]. X が一つの定数とその他の変数からなっている場合は, WTP_i は $X_i\hat{\beta}$ によって推定される. Cameron and James (1987) は β の正確な標準誤差を得るための式を導いた.

このアプローチは直観的で, 実行するのが容易である一方で, u (および WTP) に関する正規性の仮定の重要性を覆い隠す傾向がある. この仮定は通常のプロビット回帰のケースよりもはるかに重要である. とくに X が定数のみからなる場合はなおさらである. たとえば, しばしばそうであるように, WTP が対数正規分布である場合, t_j ではなくて, $\log(t_j)$ を回帰分析するものとして用いる. $\log(t_j)$ が用いられる場合, σ (平均 WTP はこの関数である) が大きくなるにつれて, WTP の平均値と中央値はかなり大幅に異なるかもしれない.

Hanemann (1984 c), は評価関数ではなくて間接効用関数の観点から, 二肢選択法の質問を検証した. それによると, 誤差項に関する仮定が平均 WTP の推定値を導くことは明らかである. 最大提示額 t_j を支払う意志のある数人の回答者が, ほぼ完全に平均 WTP を決定するかもしれない[19].

中央 WTP は, 分布の仮定にそれほど敏感ではない. サンプルの規模が大きく, t_j が正しく選択された場合はリスポンス・サーフェース・アプローチを用いて WTP を正確に計算することが可能であり, あらゆる実際的な目的で, 評価関数または間接効用関数の特質に関する仮定を行う必要はない.

2.4　フォローアップつきの二肢選択法

4番目の聞き出し法は, 標準的な二肢選択法の非効率的な特質を克服する方法として, 最近 Carson, Hanemann and Mitchell (1986) が提案したフォローアップ・アプローチつきの二肢選択法である. この方法において回答者は, ある特定の価格を支払うかどうかという質問に「イエス」, または「ノー」で答えるように求められる. 回答者が「イエス」と答える場合は, あらかじめ指定されたリストの中から無作為抽出されたより高い価格を用いて, 別の WTP の質問がされる. 答えが

---

17) ロジスティック回帰のケースに関しては, Cameron (発表予定) を参照されたい.

18) β が $\text{Prob}(I_i/t_j) = 0.5$ を解く t_j の価値であることを示すのは簡単である.

19) WTA の質問と一緒に扱うと, この問題が一段と顕著になる傾向が見られる. この場合, 特定の規定のもとで平均 WTA は無限になることがしばしばある. Bishop and Heberlein (1979, 1980) は, ロジスティック回帰曲線より上の領域に関して積分の上限を最大提示額 t_j に設定し, この問題にはじめて対処した. この最初のアプローチからの拡張・発展に関しては, Sellar, Chavas and Stoll (1986) を参照されたい.

「ノー」の場合は，無作為抽出されたより低い価格を用いた別の WTP の質問がされる．

　この方法を用いれば効率はかなり高くなることが予想されるが，二肢選択法の抱えるその他の問題は，すべて依然としてそのままである．Neyman の二重抽出法と組み合わせて，明らかにされる選好の仮定を利用することによって効率は高まる．本質的に，t_{ij} の設計位置のそれぞれで承認する回答者の暗黙の割合が計算され，ロジスティック回帰が用いられる．Carson, Hanemann and Mitchell（1986）が推奨したのは，一つのみ，あるいはせいぜい 2 つのフォローアップ質問にとどめること，フォローアップ価格はもとの価格から大きく変化させること，回答者が税価格と提供される公共財の数量が自分の選択とは関係なく決まると考えた場合には，誘因両立性が失われてしまうので，「もし～なら」という形式を用いるべきことであった．

　Carson and Mitchell（1987）は，不規則な区間検査における時間死亡データに対して開発された生存分析の統計手法を用いると，評価される財のさまざまな水準間の選好関係を示すために，t_{ij} をより複雑に設計することができることを示した．

　ある条件下では，真のゼロ回答が多数予想される場合は，とくに離散型のフォローアップ質問をするよりも連続のフォローアップ質問を行うほうが有益かもしれない．この方法は飲料水汚染のリスク軽減を評価するために用いられた（Mitchell and Carson, 1986 c）が，まず特定のリスク軽減のために，少なくとも小額の金銭を支払うことに賛成する投票を行うかどうかが質問された．「イエス」と答えた回答者はその後，最大いくらまでなら賛成の投票を行うかを質問された．

3. 要旨と結論

　有意義な金銭評価の情報を提供するアンケート調査能力に批判的な人は，消費者がよく知っている財を情報を得たうえで購入する私的財市場モデルと，CV 調査における仮想的市場とをしばしば否定的な目で比較する．本章においてわれわれは，この理想化された市場が大半の状況における，実際の消費者行動の正確な描写ではないことを示唆する市場調査結果に着目した．そして政策市場モデルに特有な住民投票が，私的財市場モデルの場合よりも，純粋公共財を評価する際にはより適切な手段であると論じた．住民投票と自由回答形式の聞き出し法を用いた CV 調査では回答者に対して，その財が政府によって提供されるべきかどうかについての拘束力のある住民投票において「ノー」と回答する前に，特定アメニティへの最高額を質問する．CV シナリオと住民投票がよく調和し，CV 調査は，実際の住民投票の場合よりも，より多くの代表と情報を得た状況において，選好の表現を得ることが可能である．

　CV 調査に従事する研究者は，回答者から WTP を聞き出すためにさまざまな方法を用いる．われわれは自由回答方式の質問，付け値ゲーム，支払いカード，二種類の二肢選択法について簡単に検証した．付け値ゲームは開始位置バイアスがかかるという傾向があるため，推奨しかねる場合が多い．その他の方法はいずれも潜在的な欠点に対して，研究者が細心の注意を払う必要がある．

　二肢選択法は，回答者の評価の選択肢を簡素化し，郵便による調査や電話による調査で利用できることから，近年人気が高まっている．この方法は住民投票モデルと調和しているが（実際の住民投票は投票者の家計にかかる二肢選択法の費用を示唆する），二肢選択法は，住民投票モデルから独立している．自由回答方式などの他の方法は，CV 調査で用いる住民投票において WTP を聞き出すために用いられ，私的財市場モデルにもとづく調査では二肢選択法を用いている．

第5章

方法論的チャレンジ

　前章までで，CVM を厚生経済学と便益評価の枠組みの中でとらえてみた．そして結論として，真の選好傾向が得られる状態ならば，便益性を測度するために調査を利用することには，理論的にかなりの妥当性があるということがわかった．これを踏まえて，この目的を達成するためにサンプル調査を利用することの方法論的チャレンジを行ってみたい．はたしてこのような調査によって，信頼性と妥当性のある WTP を無作為抽出法を使って，聞き出すことができるであろうか．

　本章では，調査の特質を概観したあと，方法論的問題点をあげ，以後の各章でこれらを論じることとする．このような調査研究方法は多くの読者にとってはなじみの薄いものであろうと思われるので，ここではこの方法論にはじめてふれるものとして，話を進めてゆきたい．

1．調査リサーチ

　Rossi, Wright and Anderson（1983）らは，サンプル調査を「系統的に抽出された個人個人に対する質問によって，……情報を収集するための比較的系統化，標準化された方法」と定義している．30 年前 Rensis Likert（1951）は，当時まだ比較的新奇なものとされていたこの調査方法が，社会科学の分野で将来広く応用されるようになるだろうと予言したが，その先見性は現在，社会心理学，政治学，社会学，経済学関連の学術雑誌を見れば明らかであり，分野によっていくぶんかの違いはあるにせよ，それらの記事の 20 パーセントから 56 パーセントは調査データを利用しているのである（Presser, 1984）．

　現代的な調査は，2 つのキーとなる方法論的な展開によって生まれたものである．その一つは確率抽出（サンプリング）の考え方であり，これによって調査の結果がより大きな母集団に正確に反映されるようになった．抽出法自体はすでに何百年も前から行われてきたものだが，厳密な確率の原則によるサンプリングが行われるようになったのは，ごく最近のことである．これがアメリカで最初に調査リサーチに利用されたのは 1930 年代であり，1948 年の大統領選挙においてほぼ確立されたといってよい．

　ほとんどの世論調査がトルーマンではなく，デューイの勝利を予想したが，結果は逆となった．調査する側が不十分なクオータ・サンプリング（割当抽出）法を使ったことがその失敗の一要因にすぎなかったが，これを機に全国的な調査機関では，国勢調査局によって開発された地域確率法（area probability methods）を採用するようになった（Rossi, Wright and Anderson, 1983）．

　この方法は，母集団のそれぞれの要素に対して，既知でゼロ以外の確率でサンプルが選ばれるとして，その調査結果を該当の母集団に反映するという統計的推論が活用できるようになった[1]．厳密に実施されれば，600 から 1 500 人ほどのサンプルサイズで得られた結果であっても，かなりの精度でアメリカ（あるいは他のどの国であっても）の全人口を反映するものとして使うことができる[2]．

　現代的な調査を可能ならしめた，2 つ目の展開として，"質問の技法"（Payne, 1951）があげられる．この表現自体がその成果の本質をよく表わしているが，これは膨大な経験則と比較的少数の対照実験によって可能となったものである．これに関する実験は，最近になって行われたものがほとんどであるが（たとえば Schuman and Presser, 1981），質問をさまざまないい回しで表現してそ

1）サンプリングの理論と実践の概観を知るためには Kish（1965），Sudman（1976），Cochran（1977），Yates（1980），Frankel（1983）が有益．
2）ある一つのサンプルサイズにおいて，母集団が大きなものでも小さなものでも有効である．

の効果を判定するものである．その結果明らかになったことは，アンケートには唯一の“正しい”表現というものは存在しないということであった．

　しかし，そのような多様性があり得るからといって，なんでもよいということにはならない．調査に使われる質問文を作るのは一見容易に見えるが，現実にはさまざまな履歴，教育水準を有し，面接というような状況に慣れていないこともあり得る回答者にとって，ごく単純な考えでもあっても，一様にまた正確に理解するのは非常に困難なことである．調査者にとっては自明の言葉も，回答者にはあいまいに響くこともしばしば起こる．一見したところ，わずかな言葉の変化であっても，思いもしないような意味に取られることもある[3]．Fee（1979）の報告によると，“エネルギー危機”という言葉に対して，回答者は少なくとも9つの異なった理解を示したという．Sudman と Bradburn がおかしな逸話を紹介していて，2人の司祭が喫煙と祈りを同時に行うことは，罪か否かという問題を議論している．この件に関して2人がそれぞれ上位の者に伺いをたて，2人が再会したときにその結果を報告した．

　ドミニコ会修道士がいう，「それで，君の上司はなんといったのかね」．イエズス会修道士が答えた，「問題ないとおしゃっておられた」．「おかしいな．私の上司は罪だとおっしゃられたが」ドミニコ会士は答えた．「どう伺ったんだね」と聞くと，ドミニコ会士は「お祈りの最中に喫煙するのはよろしいでしょうかと申し上げたんだ」と答えた．「そうか」イエズス会士は言葉を引き取って，さらにこう続けた．「私は，喫煙中にお祈りしてもよろしいものでしょうかと伺ったんだ」と（1982：1）．

　質問の技法に関するもう一つの側面は，質問を提示する最適な順番を決めるということである．たとえば，回答者の個人的な事柄についての質問や背景状況に関する質問は，アンケートの終わりに回したほうがよいということは，経験からもいえる．そのほうが回答者もリラックスしており，質問者が個人的な事柄に入り込んでも，それで気を害するということが比較的少ないといえるだろう．アンケートで“成功する”質問の流れとは，一つのトピックあるいは質問から次への移行がスムーズで，各部分相互の関係が回答者に論理的に感じられ，移行のペースが回答者の注意をそらさない程度に変化に富んでいるものであろう．

1.1　面接・電話・郵便による調査

　調査用の文書は，回答者に直接読み上げる場合，電話で読み上げる場合，また郵送して記入後返送してもらう場合が考えられる．Bradburn（1983：294）は，調査リサーチ分野でのコンセンサスを次のように表明している．「一般には面接調査を重視する向きがあるが，あらゆる種類の質問に対して一様によい結果を出す方法というものは存在しない」．

　最近では面接調査の費用の面での問題や，電話による調査方法の進展を考慮して，主だった学術調査リサーチセンターでは電話による調査を試み，成功を収めている．この電話による調査方法は，かなり以前から民間の調査機関では利用されていたものである（Groves and Kahn, 1979）．電話帳に掲載されていない番号によるサンプリングの問題は，コンピュータによる無作為ダイヤル方式を使うことで解決されてきている[4]．これよりも低コストなのは郵便による調査であるが，電話調査と違って，視覚的補助手段を利用することができる．そしてこの方法においても進展が見られ，以

3）きわめて明瞭な例が，Payne の古典的著作『質問の技法』（1951）に多く掲載されている．
4）無作為ダイヤル方式とその他の電話調査方法に関しては，Frey（1983）を参照．

前は郵便による調査では，回答率の低さはやむを得ないものとされていたが，現在では，場合によってはかなりの回答率（70 パーセント以上）を示すような方法も存在している[5]．

　調査方法の選択に関して，CVM の質問の場合，その特質がどのように影響してくるだろうか．少なくとも 3 つ考えられるだろう．まず第 1 に，CV の質問には複雑なシナリオが織り込まれており，注意深く説明する必要があること．このため，視覚的補助手段が使え，インタビューの速度や順序を微妙にコントロールができる面接方法がよいといえるだろう．第 2 には，金銭的評価を得るためには，回答者に通常以上の努力が要請できるような方法が必要となる．第 3 には，サンプルから，便益の推定を母集団に外挿（extrapolate）するためには，データ補完技術をそなえた方法が必要となる[6]．

　以上のような判断基準を踏まえたうえで，CV 研究においてはほとんどの場合，回答者の住まいで行われる面接調査が利用されている．面接者が実際に目の前にいるということで，回答者は複雑で多岐にわたる内容であっても，全面的に協力しようという気になるし，不明瞭な回答があった場合には確認することができ，また回答者の観察データを得ることもできる（Schuman and Kalton, 1985）．また面接調査であれば，視覚的補助，カードの使用も可能であり，複雑な事柄や情報を伝えるのに役立てることができ，さらにデータ補完技術もそなえている．

　しかし，電話あるいは郵便による調査が大きな費用削減につながるということは，仮想評価法（CVM）を行う調査者も気づいており，郵便による調査（Bishop and Heberlein, 1979；Schulze ら，1983；Walsh, Loomis and Gillman, 1984；Bishop, Heberlein, Walsh and Baumgarter, 1984；Bishopand Boyle, 1985）や，電話を使った CV 調査（Oster, 1977；Roberts, Thompson and Pawlyk, 1985；Carson, Hanemann and Mitchell, 1986；Sorg and coauthors, 1985；Mitchell and Carson, 1986 b；Sorg and Nelson, 1986）も行われている．それでは費用を別にした場合，郵便あるいは電話法式と費用のかさむ面接方式とを比べたとき，何が決定要因となり得るだろうか．

　電話調査の場合，面接調査に比べて人間的要素が介在することが抑えられるため，調査者は回答者の動機づけを高めることが難しくなる．電話調査の場合には視覚的判断材料がないため，回答者の状況に合せて調査を行うことが困難であり，また調査のシナリオを理解してもらうための視覚的補助手段も使うことができない[7]．その結果，記述された調査用質問に対する回答者の注意持続時間は，面接者が目の前にいて，記述されていることが視覚的補助手段によって補強され得る状況に比べて，かなり限定されてくる．このように電話による調査は，やや長めの CV シナリオを理解してもらうに際しても，回答者の興味，関心を維持していくことが不可能ではないにしても，かなり難しいものであることがわかるであろう．

　郵便による調査は，視覚的補助手段が使える点で電話による調査に優っており，調査者によるバイアスが未然に防げるという点で，電話あるいは直接面接による調査よりも優れてはいるが，CV の観点からすると，郵便による調査にもかなりの難点が見受けられる．

　まず第 1 に，シナリオとして提示された記述を回答者に読んで理解してもらわなければならないのだが，アメリカ人の識字率がかなり低いことが問題となってくる．全国の 21 歳から 25 歳までの若者 3 600 人を対象とした識字率を調べた全米教育普及調査（National Assessment of Educational Progress）によれば，新聞の短いスポーツ記事を読めない者が 6 パーセント，平均的 8 年生のレ

5）Dillman（1978, 1983）と Tull and Hawkins（1984）では，郵便と電話による調査方法に関して，有益かついくぶん毛色の変わった考察が伺える．
6）サンプリング問題と調査方法の関係については第 12 章を参照．
7）電話による調査を行う前に，調査用質問を送付しておくことは可能である．例としては Sorg ら（1985）を参照．

ベルに達していない者が20パーセント，新聞の論評欄の内容を要約できない者が37パーセント，街路地図を使える者がわずか43パーセントという結果になっている（Kirsch and Jungeblut, 1986）．実はこのデータでも読解力の問題を過小に評価しすぎているきらいがある．というのは，同程度の年齢が上のグループに比べて，このサンプルは教育水準が高いという事実があるからである．それゆえに，郵送されるアンケートのシナリオが非常に短く，かつ単純で，回答者の教育水準が適切であり，かつ調査に協力的でなければ，回答者がその内容の重要な細部を見落としたり，シナリオの一部を誤解したりするような事態は避け難いように思われる．

　第2の問題は，郵便による調査が自己管理を前提としていることに起因するものである．これによって，質問事項をスキップ（前の質問に対する答えによって，次の質問が何通りかに分かれているもの）したり，個々の回答者の要請に合わせて内容を変えていったりすることが困難になっていく．熟練した面接調査担当者は，状況に合わせて調査のスピードを変えたり，回答者が困難を感じたり不確かであるようなときには，質問を繰り返したり，（面接調査で決められた範囲を逸脱しない程度に）回答者の質問に答えたりすることができるものなのである[8]．さらに郵便による調査が自己管理を前提としているということは，回答者が記入する前に，アンケートにざっと目を通すことを妨げることができないとういうことである．つまり，回答者が一定の順序で一つひとつの質問に答え，あとのシナリオがどうなっているのかわからないという，複数のシナリオの形式を使うことができない．

　最後に，サンプリングの観点からすると，郵便による調査は，無回答によるバイアスが大きな問題となり得るということがあげられる．これは現在の加重による方法では容易には是正されるものではない．この問題は，質問事項に答えない，あるいは返送しないサンプルは，往々にして，評価対象となっているアメニティにまったく関心がないとういうことから生じている（サンプリングと無回答によるバイアスについては第12章を参照）．

　CV調査に関しては，明らかに面接による調査が他の方法に比べて有効であるが[9]，電話および郵便によるCV調査を行った経験からすると，郵送調査の無回答によるバイアスの問題を除けば，回答者が該当のアメニティをよく知っている場合，あるいはシナリオが比較的単純な場合には，そのさまざまな問題は克服され得る[10]．たとえばRoberts, Thompson and Pawlyk（1985）が，趣味で海洋ダイビングを行う者に対して電話で調査を行ったが，彼らは皆，その評価対象となったダイビングに関するアメニティに精通しており，またBishop and Heberlein（1979）が郵便で調査した，ガン（雁）の猟を行う者は，その調査対象である猟期には詳しい者たちであった．このBishopとHeberleinの場合には，フォローアップが十分になされたということと，＄5の報奨がついていたこともあって，無回答率をとくに低く抑えることができた（アンケートを返送しなかったのは，わずか6パーセント）．だが，調査質問が複雑化し，回答者にとってなじみのないものとなるにつれて，結果は思わしくなくなってくる．サンフランシスコの水道でジアルジア症に感染する危険性を

8）一般に面接調査を行う場合には，その場で説明したり，回答者の質問に答えたりしてはいけないことになっている．面接調査担当者は，与えられた資料のみを回答者に読み上げるよう指示されるが，予備調査の段階で回答者によっては問題となることが判明している場合には，その資料の中に回答があらかじめ調査者の側で用意されている場合もある．この追加部分は，回答者による問題提起があったときのみ使用される．

9）大気および水質汚染防止による全国的総合便益の研究を行った結果，郵便による調査と面接調査との結果が類似したものとなったことを踏まえて，Randallら（1985）は，面接調査は郵便による調査に優るものではないという結論を下した．ただし，それぞれの回答率はあまりにも低く（面接調査：44パーセント，郵便調査：36パーセント），この問題について決定的な判断を下すことはできない．さらに，上記のそして第12章で論じられる，サンプルの無回答によるバイアスという大きな問題を考慮していない．

10）これが，郵便と電話による調査がレクリエーション利用者に対して，最も有効であることの理由である．

減少させることについて，どの程度の価値を認めるかということについての調査で，比較的単純な住民投票の投票形式の電話調査を行った際に（Mitchell and Carson, 1986），電話の使用によって，費用を取るかあるいは正確性を取るか，というはっきりとした二律背反が現われた．というのは，困難な電話調査に関してさまざまな経験を有する学術的調査研究団体によって，調査手段は飛躍的な進展を見せたが，面接調査ならば容易に利用できる仮想的状況の重要な部分を，シナリオを提示する際に省略せざるを得なかったということがあったのである．

1.2 データの比較対照性

実施方法にかかわりなく，調査の必要用件として，得られたデータが比較対照できるということがあげられる．つまり，ある人の回答が他の人の回答と比較できるように，標準化された形で情報が得られなければならないということである．このために，調査機関では，質問事項をあらかじめ予備テストし，調査者を訓練するためにかなりの配慮をし，さまざまな資源を投入しているのである．予備テストは，調査におけるテスト飛行のようなものであり，航空機会社が開発中のモデルを厳密なテストなしに生産ラインに乗せないように，調査質問の作成者は，新たなトピックに関する質問，とくに質問が複雑な場合には，実際と同じ条件で十分な試験的トライアルを行うことなしに使用することはないといってよい．熟練した調査者であっても，ある種の質問が予想外にうまくいったり，当然成功すると思っていたものがどうしようもなくあいまいであることが判明して，驚かされることがしばしばある．

予備テストは一般に，質問文のドラフトを使って，長期間試行錯誤を行うもので，それによっていい回しをどのようにしたらよいか，順番をどうしたら最も有効であるかが判定される．扱う内容がいままでにないものであれば，予備テストには綿密な研究調査が含まれ，フォーカスグループを使って，その内容について人々がどのようなイメージを抱き，どのように語るかというようなことが調べられる（Desvousges, Smith, Brown and Pate, 1984；Randall ら 1985；Mitchell and Carson, 1986 b を参照）．比較対照をする必要から，調査者にはおのずと求められる行動規範というものが存在する．David Riesman（1958）がかつて述べたように，調査者の基本的な仕事とは「標準化された質問を，標準化されていない回答者に合わせていくことである」．郵便による調査以外では，質問調査は社会的なプロセスであるといってよい．調査担当者と回答者との一つひとつのやり取りが，調査が行われる特定の状況や当事者二人の人格もあいまって，それぞれに独自の意味を有するものである．質問をゆがめたり，改変したりせずに適合させてゆくには，調査担当者は回答者をある特殊な人間関係へと誘わなければらない．調査が普通の会話といかに異なるかについて，Sudman and Bradburn は次のように述べている．

面接調査は……特殊な規範によって定められた 2 人の人間の相互交流であるといえる．調査担当者は回答者の答えに関してはなんらの価値判断も下すことなく，その秘密を守る義務を負い，回答者のほうも同様に，一つひとつの質問に対して，よく考え，真なる答えを出す義務を負う．普通の会話では，たとえば都合の悪い質問は無視したり，どっちつかずの，また関係のない答えをしたり，逆にこちらから質問したりすることがあるが，面接調査の状況では，そのような回避行動は困難である．熟練した調査担当者は質問を繰り返したり，あいまいなあるいは不適切な回答の場合には，さらに突っ込んで調べ，提示された質問に対する適切な回答を得ようとするものである（1982：5）．

　まさに，この突っ込んだ調査そして回答者の質問に対する対処において，もし調査担当者が，調査マニュアルに記述されている以外の情報や説明を与えることのないよう，厳格に指示に従わなければ，比較検討が不可能となってしまうのである[11].

1.3　調査の問題的特質

　アンケート調査の研究は50年の歴史を有するものであるが，回答者が質問にどのように答えるかについての知識は，まだごく初歩的な段階にとどまっているというのが，研究者の一致した意見である（Bishop, 1981；Schuman and Presser, 1981；Dijkstra and van der Zouwen, 1982；Bradburn, 1983；Jabine ら，1984；Turner and Martin, 1984）．調査がどのようにして問題を起こすようになるのかについては，かなり詳しくわかっているが，ではどのようにしてそれを防ぐかについては明確な答えのない状態である．

　ただし最近になって，この後者の問題についての関心が高まってきている[12].　その結果，回答効果についての理解が近年，ことに急速な高まりを見せてきている．ただし現場はまだかなり問題を含んでおり，Kalton and Schuman（1982）という，学術的調査方法論において指導的立場にある2人の研究者は，事実以外のことに関する質問に対する答えの周辺分布は"あまり真剣に"とらえないほうがよいとしている．そのかわりに，調査者はなんらかの相関分析に注意を向けたほうがよいとアドバイスしている．WTP の分布が，CV 調査の中心的な考察対象であることから，Kalton とSchuman の意見は，方法論に対する過信に陥らないための警告として，傾聴に値するであろう．

　回答効果（response effect）とは，一種のサンプル誤差であり，調査結果をゆがめてしまう可能性がある．これは質問，回答者，調査担当者，調査の行われる状況などによって，回答行為が，不適切な影響を受けることによって生じるものである．さまざまな時限の問題がかかわってそのような影響が生ずる．たとえば質問をされたとき，回答者はそれを誤解する可能性もあり，その質問がなされた順序，あるいは質問者の態度によって回答が影響されることもあるであろう．

　ある大胆な研究者チーム（van der Zouwen and Dijkstra, 1982）は，調査結果のさまざまなタイプによってその原因と思われるものを整理し，適切な非サンプル誤差のモデルでは，考慮すべき重要と思われる相互作用による影響は少なくとも300以上あるとしている．回答効果の理論の現状は，彼らの著書「Response Behavior in the Survey–Interview（『アンケート調査における回答行動』）」（1982）の索引欄には"理論"という言葉が現われてこないという事実に如実に，表われているといってよいだろう．この著書では，彼らが回答行動に関して開発した104の二変数命題が，精密に検討されている．

　ではなぜ，調査は回答効果に影響されるのだろうか．その答えは，人間の社会的な特質，動機づけの不思議，そして認知能力に見い出される．面接あるいは電話による調査というものは，社会的な状況であり，人間はこのような状況に対して複雑に反応するものなのだ．たとえばその特性に応じて，また獲得された行動規則，規範に応じて，さらには一般的に受け入れられている規範に応じ

---

11) 調査担当者の役割とその訓練に関しては，The Research Triangle Institute（1979）の『Field Interview's General Manual』が概要を把握するのに有効である．

12) たとえば，学術研究会議の後援で行われた，「主観的現象の調査計測に関するパネル調査報告」（Panel on Survey Measurement of Subjective Phenomena）〈Turner and Martin, 1984〉や，「調査方法論の認知的側面に関する先進調査セミナー報告」（Advanced Research Seminar on Cognitive Aspects of Survey Methodology）〈Jabine ら，1984〉，さらには Roger Tourangean と彼の同僚〈Roger Tourangeau ら，1985〉が現在実施している研究などを参照）．

て人間は反応する．理想的な回答者は，調査に対して必要な時間と労力をかけ，すべての質問に誠実に答えようとするものであろうが，実際の回答者はこの理想像からは離れがちであり，現在回答者がしなければならないこと，質問者が期待していると回答者が思う内容，回答者の現在の自己信頼の程度，自己像，質問者に対する反応などによって，さまざまに揺れ動くものなのである．

　認知能力に関して，調査は人間の弱さに適応したものでなければならないということは，研究者はかなり以前から気づいていた．この人間の弱さとは，一見簡単な質問あるいは指示も理解することが困難な場合があるということや，多くの回答者が経験することだが，ごく最近の身近な出来事（たとえば 1 週間前に医者に行ったというようなこと）でも正確に思い出すことが困難であるというような場合である．

　近年調査研究者の間で，認知心理学者の成果に対する関心が高まりつつある（たとえば　Kahneman, Slovic and Tversky, 1982 ; Nisbett and Ross, 1980）．これは研究室での実験の結果，人間というものは，（発見的）経験則というものを使う傾向があり，それによって，調査の質問に対する反応が影響されるというものである．たとえば，発見的"利用可能性"（Tversky and Kahneman, 1974）によれば，なんらかの言語による対応を要請されていたとき，人間は記憶の中で最も手直に利用できる答えを出す傾向があるということがある．これを調査に適用してみると，この反応は，"質問に答えるという行為自体が，一種"入門書"として働き，ある種の認識を他のものよりも"理解しやすく"，また顕著にする"（Bishop, 1981）．認知心理学者によって確認された，これとはまた別の傾向である（発見的）"意識の固定"では，人は，問題の形成によって暗示された当初の価値を土台にして評価を下すもので，その後でその価値を調整して最終的な答えを出すという（Tversky and Kahneman, 1974）．たとえば，被験者が異なった 40 の死亡原因の頻度を推測するよう求められたとき，その推測は，被験者がまず自動車事故による死亡は年間約 5 万人であるということを知らされた場合と，感電死は年間約 1 千人いるという事実を知らされた場合とでは，上下する傾向がある（Slovic, Fischhoff and Lichtenstein, 1982）．

　このような認知理論の研究を，回答効果の理論の基礎づくりのための考察としてとらえる場合もあるが（Bishop, 1981 ; Jabine ら，1984），このような研究による成果に懐疑的な者もいる．調査方法論を研究する Schuman and Presser（1981）は，認知理論の研究によって得られる成果は，彼らが分割サンプル調査実験で研究の対象とした質問文の作り方や，文脈効果の問題を解決のための理論的な支えとは，意外なことに，ほとんど役立たなかったとしている．このように適用できなかった理由として，彼らは，研究室でのコントロールされた実験と，調査の特徴である"一般の人々との出会い"（1981 : 313）との違いとして指摘している．これは明敏なコメントであり，これを補強するものとして，認知理論の研究は回答者の結果の違いを生じさせる要因を究明しようとするものであり，調査方法の研究はそのような要因によって生み出される違いを回避，あるいは最小限にとどめる方法を見つけ出そうとするものであるという見解があげられる．

　研究事項の違いによって，認知心理学の成果の有効性は，他の場合に比べて CV の研究者にとってはやや劣るようである．たとえば，2 枚の支払カードを使う間隔がある程度広がると，この 2 枚の支払カードを使った実験には，たしかに回答効果が現われる．十分に検討されなかった支払カード方式が，"範囲のバイアス"（第 11 章参照）を起こしやすいということを示す以外，にそのようなバイアスが起こり得るということが十分に認識されていれば，CV の研究にとっては，この発見はあまり重要なものとはいえない．実際に調査を行う者としては，最も有用な実験とは，どのような条件化でそのような違いが発生するのか，あるいは発生しないのかということを提示してくれる

ようなものである．われわれとしては，上記の発見的なものは，バイアスが起こり得る領域に関する仮説を与えるソースとして非常に有益なものであり，第 11 章で，CV 調査が陥りやすいバイアスを考察する際に，これを参考とする．

2．CV 調査と従来の調査の比較

　アンケート調査は，その測度対象とその用途によって多様なものとなる．他の調査の用途に比べて，CV 調査の測度条件とそのめざすものには，とくにきびしさが要求される．これは CV 調査の求める情報が，表 5-1 に示されているとおり，他の調査で求めようとするものと異なっているからではない．CV 調査の存在理由ともいうべきもの，すなわち WTP に関するデータの構築であっても，政治世論調査団体による選挙結果の予測であるとか，マーケットリサーチ専門家による消費者の行動の予測に，同様な試みが見られるのである．また回答者に仮想的な状況を提示するのも，CV 調査に独自のものというわけでもない．予想される候補者の結果を予測したり，今後の製品においては，どのような特徴が消費者に対する好感度がよいかなどということを探るために，「もし……ならば」という形式の質問はさまざまに使われている．「もし 1988 年の大統領選挙で，Ted Kennedy が民主党候補，George　Bush が共和党候補であったとしたら，あなたはどちらに投票しますか？」，「ご説明した歯磨きの色が緑であったとしたら，それによってさらに使ってみたいと思いますか，その逆ですか，またはどちらにも影響はありませんか？」

　CV 研究と，将来の行動を測度するその他の方法との違いとして，(1) ほとんどの CV 調査では，いままでになかったような状況が回答者に提示される，(2) CV 調査では，財が購買される市場を創出する必要がある，(3) CV 調査では，多くの WTP に関する質問に対して，回答者は意味のある答えを出す努力が求められる，という諸点があげられる．

　CV 調査は新奇なものである．一般に回答者は，住民投票形式の命題に関して判断を求められたり，今年中に車を買うかどうかについて考えを述べることには慣れているが，公共財または準私有財の仮想的なある種の変化のために，どの程度の支払意志があるか，その金額を提示せよというような要請は，ほとんどの人にとってなじみのないものである．この新奇な感覚は，回答者がその対象となっている財についての直接的経験がない場合（たとえば，一度も訪れたことのない公園のような場合）にはさらに強調されることとなる．われわれの経験では，はじめて CV の質問を見たプロのリサーチ専門家は，このような判断を要求するということは，その新奇さのゆえに，アンケー

表 5-1　アンケート調査によって得られる情報例の比較

情報の種類	一般的調査	CV 調査
自己報告行動	現在の雇用状態；投票傾向	レクリエーションへの参加；びん入り飲料水の使用
人口統計上の情報	性別；教育；収入	性別；教育；収入
個人的知識	回答者の上院議員；スリーマイル島事故についての意識	PCB による飲料水の水質に対する危険性についての意識
意見・態度	仕事に対する満足度；「わが国は教育に費やす金額は多すぎる，少なすぎる，適切である，のうちどれでしょうか」	大気汚染についての関心；政府に対する信頼
予想される将来の行動	投票意図；消費財の購入予定	ある種のアメニティーに対する WTP；仮想的住民投票での投票意図

ト調査という状況では多くの回答者の回答能力を超えたものだろうと考えるが，周到に作られた質問から得られる評価データの質を見て，驚きを禁じ得ないようである．

　CV 調査の回答者は，特定の状況における財を評価する．一般的な質問に対する回答者の答えは特定の命題が与えられた場合に，彼らがどう反応するかを忠実に示すものではないということは，アンケート調査研究者にはかなり以前から共通の認識となっていた．第二次世界大戦後ほどなく行われたアンケート調査（Cottrell and Eberhart, 1948：8）では，国民の大多数が，合衆国政府は世界の貿易を振興させるためには可能なあらゆることをすべきであるという考えを示したが，このために英国に大規模な借款を供与する計画には反対した．

　CV 調査は，財に対する仮想的市場を創出するため，この例よりもさらに特定化されたものでなければならない．Randall, Hoehn and Brookshire（1983：637）の言葉を借りれば，「回答者に明確な状況を提示し，その仮定された状況が生じたということを条件として，選択をしてもらう」必要がある．この仮定された状況にはよく，アメニティの現在の供給レベルであるとか，回答者が評価するその供給量の増減幅であるとか，またどのようにして供給されるべきであるのか，回答者はそれに対してどのように支払うのか，ほかには誰が支払うのかといった要因が含まれる．ときには信憑性のある市場を作り，対象となる財を適切に細部にまでわたって明示するために，かなりの描写が必要になることがある．

　それとはきわめて対照的に，従来のアンケート調査では，回答者が評価するよう求められた状況に関して，それほど詳細な描写がなされることはない．たとえば次のような世論調査の質問事項を見てみよう．

　それではこれから述べるいくつかの問題について，あなたがどの程度（かなり〈a great deal〉，まあまあ〈a fair amount〉，あまり〈not very much〉，ぜんぜん〈not at all〉）心配，懸念しているかを調べたいと思います．

　……環境における殺虫剤や，PCB といった有毒化学物質の存在についてどの程度心配，懸念されていますか？

　水路の浄化や水質汚染の減少についてはいかがですか？

　有害な産業化学廃棄物の処理についてはいかがですか？（Mitchell, 1980 b）

　質問は 3 つの環境アメニティに対するものであるが，それぞれの描写は非常に短く，命題の異なったレベルを表示するものはなく，回答者に要求されている唯一の回答は，ごく一般的な回答パターンである懸念度を表わす 4 つのレベルから選択するという簡単なものである．これに対して CV シナリオでは，上記の財のうちのたった一つに関してでさえも，たとえば有害な化学物質の危険性を減ずるということでいえば，その化学物質が何であるのか，その用途は何であるのか，使用した結果どうなるのか，そして現在の環境でのレベルはどの程度であるのかといったことを，明確化しなければならない．さらに化学物質による汚染のさまざまなレベルを記述し，回答者が，金銭的に評価をするよう要請されているその変化を十分理解できるようにし，その変化がどのようにして起こるのか，回答者はそれに対してどのように支払うのかといったことについて，情報を提示することになる．この問題について，従来の面接調査ならば 1 分から 2 分ですんだ質問が，CVM では，10 分から 30 分はかかることになる．

　従来の面接調査方式に比べ，CV による面接調査は，回答者に多大の努力を要請するものであるといえるだろう．CV では，なじみのないアメニティに対して，正当に評価された価値を導き出す

回答者はまれである．それでも回答者は，ときにかなりの長さになる市場の描写に注意を向けるよう要請され，自らの選好を見きわめ，所得による制限を考慮し，面接調査によって測られる財のそれぞれのレベルに対して，いくらまでなら支払う意志があるかを決定するように求められるのである．

二酸化炭素による気候の変化や，遺伝子工学といった極端なケースに関連して，Fischhoff, Slovic and Lichtenstein（1980）が指摘しているように，このようなトピックに対する人々の意見は不安定な変わりやすいものとなりがちである．というのは自分の考えの意味する事柄を十分につめることなく，その状況に対して矛盾するような価値を提示するようなこと，あるいは相入れないものではあるが，非常に強く支持された立場の間を揺れ動くようなことになるかもしれないからである．このような状況では，回答者は決定しなければならないという重荷を軽減することによって，努力を最小限に抑えたいと思いがちである．それはたとえば，その場しのぎの答えを出したり，価値を伝えることにはなっていないようなシナリオの，ある一部によって暗示されている答えをするようなことである．

CV 調査がどのように活用されるのかを考えたとき，その直面する測度法の問題がとくに大きなものとなってくる．市場調査や候補者選出のための投票は別として，ほとんどの世論調査は，直接的に意志決定に使われることはない．そのような使われ方をする場合でも，高い正確性は期待されていない[13]．ところが，CV 調査の目的とするところは，費用・便益にかかわる意志決定のために便益性を評価することであり，資源を最も価値の高い使用に供するために有効性の判断基準が用いられる．このために，特定の研究の結果により得られた WTP が一般に総計されて，当該母集団に援用され，その財の便益性を正式に表わすものとして提示される．このようなプロセスにおいて，データの質，その妥当性，評価の正確性が，政策決定者によって問題とされ，またしばしば法律家や裁判官によっても問題とされる[14]．このようなことから，CV 研究には，可能な限り最高の方法を使わなければならないという，特別な重荷が課せられているといえる．

2.1 CV 研究者に対するチャレンジ

準私的財あるいは公共財の便益性を測度するための個々の方法は，それぞれに特有の方法論的チャレンジを有している．これは，それを使用するものが対処してゆかなければならない．とくに繰り返し述べておかなければならないことは，「CV 調査を行う研究者にとっての最大のチャレンジは，回答者にわかりやすく，妥当かつ意味のあるシナリオを作り，シナリオの構成要素に直接的な経験がなかったとしても，回答者が妥当かつ信頼できる価値を提示できるようにすること」である．

教育レベル，人生経験，該当の内容に対する興味関心もさまざまな回答者に，意図した意味を正確に伝える CV シナリオを制作する難しさは，調査リサーチにあまり経験のない研究者が，しばし

---

13) このような一般的傾向の例外はたしかに存在する（たとえば，国勢調査局の雇用および生活費調査の結果は，重要な意志決定につながるものであろう）．しかしこれらは，比較的明瞭でかつ自己報告された行動を測度する，大規模で日常的な情報収集活動である．ただし，Smith（1986 a）の指摘するところでは，このような質問であっても，回答者はかなりの判断をしなければならないとしている．

14) 1986 年 CV 調査にもとづいた便益の評価が，ノーザン・ステイツ電力会社（Northern States Power Co.）とミネソタ州公害防止局（Minnesota Pollution Control Agency）との間の行政公聴会で取りあげられた（Welle, 1985；Carson, Graham-Tomasi, Rund and Wade, 1986）．また 1980 年に制定された環境問題に対する包括的環境対処・補償・責任法（通称 CERCLA，スーパーファンド法）にもとづいて，コロラド州法務局（Colorado Department of Law）がいくつかの企業に対して提訴した裁判においても用いられた（1986 年内務省報告）．

ば過小に評価するところである．回答者が，シナリオの構成要素すべてを調査者が意図したように理解しない限り，調査対象者が財を適切に評価するという保証はない．個々の質問が理解できたとしても，その描写する市場が荒唐無稽なものであってはどうにもならない．たとえば電気料金の支払手段を有害廃棄物の投棄場における危険緩和の研究に使うというような，あまり説得力のない相互関係あるいは状況というものに対して，回答者が真剣に対応するということは考えにくい．そして最後に，当該市場が回答者にとって現実的な意味を持つような形で，回答者がシナリオを個人的な知識や経験に関連づけることができなければ，その問題となっている財に対する個人的な価値観を決定するために努力しようという気は起きないであろう．CVによる評価を行ううえでのチャレンジとなることの一つに，同一レベルの効用を維持するための公共財と金銭とのトレードオフを，回答者に受け入れてもらわねばならないということがあげられる．

　経済学者はよく，このようなトレードオフを一般の人々に実行してもらうということは，それほど大きな問題ではないと考えるが，社会心理学者の調査によれば，人々はトレードオフを困難なものと見ていることが示されている（Abelson and Levi, 1985：287）．

3．CV調査における誤差の原因：概観

　観察された回答の信頼性と妥当性，WTPを考慮することなく，CVMを評価することはできない．ここでいう信頼性と妥当性を測度する枠組みは，測度理論（measurement theory）にもとづいている[15]．測度理論が問題とする基本的なポイントは，観測された回答と，その基礎にあってそれを生じさせた，観測されない"真の"価値との関係である．この2つの相違が"測度誤差"といわれるものである．CVによる調査におけるこの関係を理解しようとしても，WTPを比較対照する外部の判断基準がないため，問題が複雑化してしまう[16]．"真実"は本質的に観測できないものなのかもしれない．消費者がトヨタ車を購入する意志を調べる市場調査は，その後のトヨタ車の売上げ額と対照することができるであろうが，酸性雨を抑えるために，亜硫酸ガスの排出を制限するために人々がどの程度の支払意志を持っているかという調査には，その正確性を判断するための市場における結果が存在しない．

　妥当性と信頼性の考え方は，社会科学ではよく言及されるものであるが，非心理学的なデータには，驚くほどまれにしか適用されることがない．Bohrnstedt（1983：69）がいみじくもいっているように，「歴史的に見て，面接調査の研究に携わる者は，測度結果の信頼性や妥当性を検査することに対して，ごくまれにしか注意を払ってこなかった」おそらくこういった理由から，この考え方が，測度理論にあった形で，CV研究には取り入れられなかったのであろう．ここでは，CV調査において予想される誤差の原因を，測度理論の観点から概観してみる．

　まず，ある特定レベルの公共財に対する，第j番目の人の有する真のWTP（true willingness to pay）TWTP_jは次のように表わすことができる．

$$\mathrm{TWTP}_j = f(X, \alpha) \tag{5.1}$$

ここでXは，所得や環境に対する態度などの，第j番目の人の属性行列を表わし，αは未知のパラメータのベクトルを表わす[17]．しかしこのTWTP_jを観察することは不可能である．そのかわ

---

15) Bohrnstedt（1983）の見解による．
16) ただし，CVによるWTPと同等の，市場における外部の支払基準とを比較した研究がいくつかあり，第9章で概要が紹介されている．

りに研究者が利用することができるのは，個人の明示したWTP（revealed willingness to pay）RWTP_jである．RWTP_jは次のように表わすことができる．

$$\text{RWTP}_j = r\left[f(X, \alpha),\ g_1(W, \beta),\ g_2(R, \psi),\ g_3(Z, \delta)\right] \tag{5.2}$$

ここで，$f(X, \alpha)$は単にTWTP_jを表わす．$g_1(W, \beta)$は確率誤差のプロセスであり，変数W（Y，Zと同様にXの下位または上位の集合であろう）の行列と観察されないパラメータであるβの関数として表わされる．$g_2(R, \psi)$は系統的誤差のプロセスであり変数Rの行列と，未知のパラメータであるψベクトルとの関数として表わされる．$g_3(Z, \delta)$は，RWTP_jがどの程度実際に観察され得るものであるかを示す関数である．

$h[\cdot]$は未知の属性を持った集合関数である．$g_1(\cdot)$で表わされる関数は，以下にまた第10章でも論ぜられている信頼性の問題と密接にかかわっており，関数$g_2(\cdot)$は妥当性の問題と関連しており，以下そして第9章と第11章で論ぜられている．関数$g_3(\cdot)$は，第12章で論じられている無回答と，サンプル選択の問題とに深くかかわるもので，全回答者のWTPの集計に影響するものである．次に誤差の原因を一つひとつ簡単に検証してみよう．

3.1　信　頼　性

　信頼性とは一般に，回答あるいは推定値の分散がランダムな原因，"ノイズ"（noise）に起因する程度を表わす．測度の信頼性は古典的テスト理論（すなわち，再テスト）か，あるいはサンプリング理論かのいずれかの形で表わすことができる．どちらの考えもCV調査に関連するものである．CVで一般に推定される量は$\overline{\text{RWTP}}$で表わされる．$\overline{\text{RWTP}}$の信頼性の一般的な尺度は，平均値の標準誤差で，これは以下のように表わされる．

$$\sigma\overline{\text{RWTP}} = \hat{\sigma}/\sqrt{n} \tag{5.3}$$

$$\hat{\sigma}^2\ \frac{1}{n-1}\sum_{J=1}^{n}(\text{RWTP}_j - \overline{\text{RWTP}})^2 \tag{5.4}$$

$\text{E}(\overline{\text{RWTP}}) = \text{TWTP}$であれば，平均値の標準誤差はバイアスの要素を含まず，nと関連して，どのようなサンプルから得られたものであっても，$\overline{\text{RWTP}}$と$\overline{\text{TWTP}}$との相違の信頼区間を表わすために使われる[18]．式（5.3）から直ちにサンプルサイズを大きくすれば，他の条件が同じであれば，WTPの推定の信頼性は高まることになる．サンプルサイズにかかわらず，$\overline{\text{TWTP}}$の推定値は信頼区間として表わされる．信頼区間は尺度の信頼性をも示すものであるため，これは標準的に行われる点推定（standard point estimate）だけで行うよりは好ましい．

　RWTP_jの分散は2つの要因によるものである．TWTP_jの背後にある（そして時にはかなり大きな）分散のみを表わすと期待される決定要素（deterministic component）と，確率的誤差要素（random error component）である．この確率的誤差要素はサンプリングの分散の関数で，サンプルサイズやその方式，あるいは調査手段や，いつでも起こり得る面接者効果などを，調査者が選定することで調整される．調査においてサンプリングの分散を調整する手続は広く理解されているので（必ずしも常に実践されているとは限らないが），以下のいくつかの章で，支払意志に関する質問

---

17) "真の価値"（true value）とは，調査の測度誤差を論ずる際のよく使われる有用な抽象概念である．このような真の価値という考え方に関しては，TurnerとMartinの研究を参照（Turner and Martin, 1985：104）.

18) たしかに，正規性（normality）が想定されるか，他の分布に関しては漸近的に，すなわち$\overline{\text{TWTP}}$は，t（スチューデントt変量〈the Student's t variate〉）で表わされた確率で，$\overline{\text{RWTP}} \pm t^* \sigma/\sqrt{n}$の間隔に入るといえる．

への回答を得る過程で起きる確率誤差の調整の問題は詳しく取りあげてみたい.

　回答者の財に対する評価が適切さを欠いていればいるほど, また支払意志に対する質問がわかりずらく, 意味のないものであればあるほど, 回答者の答えが, 熟慮の結果得られたものではなく, 単なる推測である確率は高くなる. それゆえ, 質問文のいい回しが曖昧であること, また回答者にとってあまりにも非現実的なシナリオは, CV 研究においては, 確率誤差を生み出す大きな要因であるといえる.

3.2 妥 当 性

　妥当性とは, 調査手段が調査対象の概念を測度していること（統計学者あるいは経済学者の用語を使えば, バイアスがない）である（Bohrnstedt, 1983）. 系統的誤差がないということは, 次のように表わされる.

$$E(RWTP_j - TWTP_j) = 0, \ \forall_j \tag{5.5}$$

　他の確率的誤差に比べて, 系統的誤差のほうがおそらく, 回答者の WTP を正確に測度するうえでのより重大な障害であり, これを査定し調整するのがより困難であろう[19]. サンプリングやテスト理論による査定が容易な確率的誤差とは違って, 回答者の言葉による自己申告の奥に潜む認知プロセスを説明するモデルがないため（Bishop, 1981 : 591）, 妥当性を査定する適切な理論体系は存在しない（Carmines and Zeller, 1979 ; Bradburn, 1982）. このような状況で面接調査の研究者は, 経験と増加しつつある調査実験とにもとづいて, バイアスを最小限にとどめる経験則を開発してきているが, 系統的誤差の防止は, どうしても暫定的な性格を帯びることとなる.

　バイアスの問題は, CV 調査においては, 特定な調査の妥当性を査定するために, 公共財に対する測度可能で真の WTP の価値が一般に存在しないために, 複雑なものとなっている. それゆえバイアスを推定するには, 回答者の行動を不完全ながら理解すること（たとえば, その質問をそのように尋ねた場合, 人々は回答をゆがめる可能性があるというような）, あるいは, 調査の中に現われた証拠からなされなければならない. それは, WTP に影響を与えないだろうということでシナリオのいい回しを変えたところ, 実際にはそのような影響が生じたというようなことを示すものである. ここでは,「……しないだろう」というのがキーになっている. というのはそのような違いは, ある条件で起こり得る効果であるからだ.

　このような観測には少し説明が必要だろう. なぜなら, この点に関しては最近まで, CV の文献でいくぶんかの混乱が見受けられたからである. 以前は, 評価の対象となるアメニティの質と量のみが WTP に影響を与えると考えられていた. 支払手段, 提供方法といったシナリオ内のその他の要素は, 効果においては中立的なものであるはずである（Rowe, d'Arge and Brookshire, 1980 : 6）. それゆえ, この見解に従うとすると, ある調査に対する WTP が, 公共料金支払いの形で行われるか, 売上税の支払手段を使って行われるかで異なってくるという実験的所見は, "情報バイアス" を示すものとされる.

　最近になって, Arrow（1986）, Kahneman（1986）, Randall（1986 b）らがこの見解を批判するようになった. 彼らは, 支払手段というようなシナリオの重要な条件は, WTP に影響を及ぼすものと "されなければならない" と主張する. われわれは彼らの考えに賛成するものであるが, CV

19）最近の一般的調査リサーチ方法に関する文献レビューの中で, George Bishop は, 系統的誤差は「確率的誤差や非サンプリング誤差よりも, はるかに重大な問題となっている」としている（1981 : 591）.

調査の回答者は，アメニティの提供レベルを抽象的に評価するのではなく，"政策"を評価するのであり，その中にはアメニティが提供される条件や，どのような形で国民が支払いを要請されるかというようなことも含まれるのである．公共財がその資金供給方法とまったく無関係に価値を有するものではないという考えは，少なくとも Wicksell にまでさかのぼるものであり，経済理論とも完全に合致するものである[20]

3.3 バイアスと分散との関係

バイアスと分散のどちらも，観察された価値が真の価値から平均してどの程度離れているかということを表わすものであるから，調査研究者は当然のことながら，バイアスと分散を両方ともできるだけ低く抑えようとするものである．CV 調査では，この二者を抑えるための設計上の工夫はいろいろと存在する．しかし時として，バイアスは下がるが同時に分散は上昇させる危険性がある，あるいはその逆といった設計上の選択を迫られることがある．Toro–Vizcarrondo and Wallace（1968）は統計学的に，バイアスと分散はおたがいにトレードオフとなり得ることを示した．ただしこれを行うためには，調査者がそのトレードオフをどのように行うかを表明するために，なんらかの判定基準あるいは損失関数〈loss function〉といったものが必要である．平均2乗誤差（MSE ＝mean square error）基準，つまり2次損失関数はその判定基準の一例である．MSE 基準は以下のような極小化を行う．

$$\frac{1}{n}\sum_{J=1}^{n}(\mathrm{RWTP}_J-\mathrm{TWTP}_J)^2 \tag{5.6}$$

これは分散にバイアスの2乗を加えた合計を極小化することに等しく，また計量経済学の文献では最も一般的に用いられる判定基準であり，CV 研究においても有用なものである[21]．CV 調査手段を設計する際には，CV シナリオの現実性が高まり，回答における確率誤差（すなわち，分散）が減少するならば，バイアスをいくぶん増加させるような内容を，ときには強調することもよいであろう（とくにバイアスの方向がわかっている場合）．

4．要約と結論

本章では，面接調査手法としてのサンプル調査の問題を論じた．これを本章で扱ったのは，この方法に不慣れな社会科学研究者が，その一見した簡明さに目を奪われてしまうことがあるからである．しかし面接調査の研究者は，さまざまな経験を通して，質問の技法を体得し，多くの微妙な問題点を明らかにするだけでなく，適切な解決方法も提示している．CV による調査はまだ比較的探索されていない領域であり，その内容の性質ゆえに，また面接が適用される方法のゆえに，最も解決策が必要なときにそれが得られない傾向がある．

どのような便益性の評価方法であっても，実際の市場価格にもとづくものを含めて，誤差から免

---

20) この見解で一つ重要なことは，反証があげられない限り，CV 調査の結果がシナリオに明示された条件を超えて一般化されるということはないということである．

21) MSE は対称性を有する損失関数であり，過大評価に対しても過小評価に対しても等しく不利に働くものである．この対称性の状態が理にそぐわないものものであれば，別の損失関数を使う必要がある．また，絶対偏差の合計を極小化するような，外れ値にあまり加重をかけないような対称性の損失関数を使用するのが望ましい．中央値は一般に，位置を評価するのには，平均値よりも確実である．トリム平均値の数々，これには平均値，中央値を特殊ケースとして含むものであるが，これらは第 10 章で扱う．

れることはない．われわれが，便益性を測度するための調査リサーチがいかに困難なものであるかを指摘するのは，絶望せよと勧めるためではなく，健全な懐疑を持ち，方法論をさらに洗練するよう呼びかけているのである．問題点とおぼしきものが特定されれば，それを克服することが可能となる．あるいは少なくとも，その影響を最小限に抑えることはできる．それでも問題点が残る場合であっても，それがわかっていれば，調査者は得られた結果を適切に調整することができる．

　測度の問題を論じることは，CV 関連の文献にはよく見受けられることであり，CV の実践者は数々の興味深い方法論的実験を行ってきたが，信頼性と妥当性の議論を，測度理論やサンプリング理論と系統的に関連づけようとする努力は比較的まれであった．その結果生ずる概念上の混乱を避けるために，また CV 測度の信頼性と妥当性を分析する基礎をととのえるために，本章の最後の部分で，測度理論を簡単に概観してみた．

　特定のアメニティに応用された場合，測度理論は背後にある，観察されない（真の）WTP を仮定するものであるが，これは，調査者の測度した観測結果では十分にとらえることのできないものである．観測された変数と観測されない変数が相違する原因は，ランダムであることもあるが，中には系統的なものもあり，測度結果に一定のバイアスを生じさせる．前者は評価の信頼性に影響し，後者は妥当性（すなわち調査手段が測度しようとする概念が実際に測度される程度）に関係する．WTP の評価の妥当性を査定することは本質的に困難なことである．なぜならほとんどの CV 研究は，市場測度値のないアメニティの便益を測度するものだからである．

　CV 調査で消費者が出した WTP を無効にしてしまうと，多くの経済学者が考える誤差の原因の一つに，戦略的行動があげられる．これは，回答者が支払う意志があるという金額を故意にゆがめて，アメニティの提供に故意に影響を与えようとするものである．次の 2 つの章では，経験的に得られた戦略的行動の証拠を検討することにしよう．その中には，仮想的な支払意志方法の妥当性を査定するために，実験的な方式と擬似市場を使った調査によって得られたものが含まれている．

第 6 章

回答者は正直に答えるか

　市場の存在しない財の便益を測度する方法として，公共財の価値を直接人に尋ねるのことには利点が多い．しかしながら経済学者は人間の行動に関してある種の考えを持っていて，CV技術によって集められたデータに対しては，彼らは深い疑念を抱いている．この態度は，間接的評価法を用いた研究（このような方法で集められたデータと，それが測度しようとする便益との間には，さまざまな仮説が介在するのだが）を彼らが尊重するのとはきわだった対照をなしている（Mendelsohn and Brown, 1983；Smith, 1986 b）．周知のとおり，間接的な方法と直接的な方法との決定的な違いは，間接的な方法は実際の行動にもとづいているのに対して，直接的な方法は当然のことながら，回答者がどの程度自分の本当の選好を表明しようとするかということにもとづいている．

　直接的な質問が，なぜ疑わしいものとしてとらえられているかを説明したものとしては，Paul-Samuelson が 1954 年に発表した論文（1955 年，1958 年，1969 年にも同じ主旨で繰返し述べている）が非常に大きな影響力を持っている．「利己的な利害を計算する心によって，人は本心とは違う表明をしたり，ある種の集団的な行動に関して，実際よりも関心がないような振舞いを見せるのである」[1]．この論文の最後から 2 番目のパラグラフで，Samuelson はとくにアンケートに言及してこの点を論じている[2]．

　いろいろな人が，価格のパラメータやラグランジェ乗数にそった形でアンケートなどに答えて，"地方に分権化された官僚"のような行動を取るよう洗脳されていると想像されるかもしれない．ところが，どの人もその洗脳された規範から離れて，自己規制作用にもとづいた私的財の競合的な価格決定原理では不可能な形で，自分だけの利益をかすめ取ろうとするのである（1954：389）．

　人が公共財に対する自分の選好を，意図的に偽って表明するという戦略的行動を取るものだという考えは，Musgrave（1959）の初版から始まって，ほとんどあらゆる財政学のテキストに現われてくるものである．そしてこれは，ミクロ経済学のテキストでは公共財の問題を論じるときにほとんど必ずといってよいほど，ふれられるものである[3]．それゆえに，経済学者が回答者の戦略的行動を理由に，CVM を支持しないのも無理からぬことかもしれない（たとえば，Seneca and Taussig, 1974：95；Tietenberg, 1984：73）．そして他の資源経済学者がこの方法を受け入れるのに，いま一つ積極的でない（たとえば Freeman, 1979 b；Fisher, 1981；Just, Hueth and Schmits, 1982）ことの理由が，どうもそのあたりに見え隠れしているというのも，驚くに値しないかもしれない．

　関連文献で，とくに注目されている戦略的行動パターンは，"フリーライド"（free riding：ただ乗り）と呼ばれるものである．これは，他の人がどうせ払ってくれて，公共財の供給はされるだろうから，自分は相応の価値以下しか支払わないというものである[4]．これが CV 調査に使われると，フリーライドをする回答者は，表明した額を実際に支払わなければならないと考えたときには安い値をつけ，それでも，真の WTP を過少に表明をしても，財はおそらく供給されるだろうと期待するということである．この考えを逆にすると，あまり議論の対象とはなっていないが，"過大な表

1）狭隘な利己心にそうものであれば，人は嘘をつくという考えは，David Hume や Knut Wicksell の著作に見られるように，経済理論の揺籃期から現われてきているようである．現在の経済理論の中でのこの考えを概観するには，McMillan（1979 a）を参照されたい．

2）歴史的に見て興味深いことは，Ciriacy-Wantrup（1947, 1952）が，1954 年 Samuelson の著作のかなりの部分を予兆するかのように，さまざまな公共財に対する WTP を決定するため，対象となる人々に「直接的な質問」を行うことを強く支持しているのである．

3）虚言の条件，動機，そしてその影響にかかわる問題は，政治学（Hardin, 1982）や哲学（Bok, 1978）といった他の学問分野にまで波及している．

4）"フリーライド"という表現はよく曖昧な意味合いで使われ（Cornes and Sandler, 1986），時には，あらゆる戦略的行動をも意味することがある．

明"（overpledging）と呼ばれる戦略的行動となって現われる．回答者は，実際に表明した金額を支払う必要はないと考えるが，その表示額がアメニティの供給に影響すると思える場合には，過大な表明をするものと考えられる．

　回答者が正直に答えるかどうかという問題を探るために，CV 以外の文献（理論的，経験論的）を検討してみることとしよう．これは，戦略的行動は人々の公共財に対する選好を測度する調査能力を妨げるものであるという仮説に関連する文献である．そして戦略的行動に対して，不利に影響するような重要な要因（情報コストまたは利他主義や正直さといった社会的規範）が存在するということを確認することとする．そして，これらが顕示選好（preference revelation）のプロセスで大きな役割を果たすことが明らかとなる．このような文献や CV 研究そのものから明らかにされた事柄（第7章で扱う）をもとに，Samuelson の悲観論は正当なものとは考えられないという結論が導き出される．戦略的行動の可能性は，解決不可能な問題が提示されたということではなく，CV 研究が考慮の対象とすべきバイアスの一つと捉えることができる．

1. 理論的展開

　顕示選好の問題を論ずる際に，Samuelson は，人が公共財に対する需要について嘘をつく誘因を持たないような状況を予見しなかった．また人が自ら進んで協力し真実を語るという逆の誘因をまったく想定しなかったのである[5]．フリーライドの問題に関して Samuelson が行った戦略的行動の議論は，要するに単純静態的な囚人のジレンマの支配的戦略（dominant strategy）と同じものなのである[6]．この議論の最も根本的な問題点は，ある人が公共財に対して，他の人々が支払うという条件のもとで自らも支払うことができるならば，Samuelson の囚人のジレンマのゲームからは支配戦略としてフリーライドは発生しない．さらに弱い安定的ナッシュ均衡（stable Nash equilibrium）は，当然問題にならないということである[7]．

1.1 誘因両立的需要顕示理論

　誘因両立的需要顕示（Incentive-Compatible Demand Revelation=ICDR）に関する膨大な文献は，フリーライドを防止して公共財の最適な分権的供給をもたらすために，公共財に対する顕示選好のメカニズムを構築しようとするところから，一部生み出されたものであるといえるだろう．研究者によって提起された，誘因両立的需要顕示手段（incentive-compatible demand revelation devices =ICDRDs）は，財に対する真の選好を顕示することが，その人の利己的な利害に合致するような状況を作り出す．このような調査手段には，虚偽の表明に懲罰を，正直な表明には報奨を与えるような投票，オークション[8]，あるいは実際の市場などが含まれる．10年来の理論的研究の結果，フリーライドが常にどのような質問形式であっても，最良の戦略であるという Samuelson の仮説がゆらぐ事態となった．

5）政府の介入のない自発的な公共財の提供についての考察には，Coase（1974），Stingler（1974），Bolnick（1976），Sudgen（1982, 1986）を参照．

6）標準的な例では，2×2 のゲームマトリックスが使われ，消費者は2つの異なったタイプに分けられるとされる．さらに複雑な形式でも，基本的には同じようだと見てよい．

7）ナッシュ均衡は，行為者がおたがいの行為を所与のものと見なすときに発生する．安定的ナッシュ均衡は，最後の行為者がその決定を行ったときに，他の行為者が前の戦略を変える必要を認めないときに発生する．

8）Vckrey（1961）の提起した第2価格の非公開付け値による競りには ICDRD の特質が多く見受けられる．

　誘因両立的理論の最初の突破口は，Malinvaud（1971），Dreze and Vallee Poussin（1971）の論文によってもたらされたが，そこで，善意なる計画者（benevolent planner）という概念が提示された．これは継続的，漸増的な動態ワルラス的（dynamic Walrasian）模索プロセスにおいて，消費者の限界 WTP（marginal willingness to pay）を使って，リンダール・パレート効率的均衡（Lindahl−Pareto efficient equilibrium）をもたらそうとするものである．彼らが示したことは，たとえ消費者が最初は真実なる答えをしなかったとしても，最低利益を最大化する戦略（最終的に本当の回答が導き出されるという戦略）を取る限り，このプロセスは公共財の最適な供給へと収束してゆくということであった．Clarke（1971），Groves（1973），Groves and Loeb（1975），また Groves and Ledyard（1977）が最初に提唱したある種の ICDRD では，その手段の条件下では，消費者が本当のWTP を表明することが自分の利己的な利害に合致するのである．この種の方法は，税金や補助金（あるいは手付け）を使って，公共財の提供レベルを変えることになる[9]．

　ちょうど同じころ，Hurwics（1972）が真の選好を示すことは私的財市場においては，支配的戦略ではないことを証明した．この結果は 2 つの異なった証明へと拡張してゆき（Gibbard, 1973；Satterwaite, 1975），個人の言明された選好になんらの制約も加えられなければ，私的財および公共財のためのパレート最適で非専制的（nondictatorial）な社会的決定規則を設定することは不可能であることが示された．このようにして，アローの不可能性定理（Arrow's impossibility theorem）と同等のものが形作られた．そして，Roberts（1976）が示すように，Gibbard Satterwaite の定理から，消費者の数が増えれば，私的財の場合にはフリーライドの効果が減少し，公共財の場合には，人々が自分たちの貢献が公共財の供給に対してごくわずかしか影響を及ぼさないと思えば，フリーライドへの誘因は増加する傾向にあるといえる．

　Roberts の結論は，人数の多い状況ではフリーライドの問題はまだ存在するものの，Samuelsonのフリーライドの仮説がかなり弱まることを示唆しており，また公共財を生み出すうえでの，同業組合や慈善団体といった小さな組織の能力をかなりよく説明している．

　研究者の提示したさまざまな ICDRD は，一般に実験室の外で実施するには，あまりにも複雑であるため，ICDRD の文献のほとんどは直接的には CV 調査には適応できるものではない．しかし，これらの文献が戦略的行動に反するとしている需要顕示状況の特質は，適応可能なものである．なぜなら，これによって戦略的なバイアスを避けたいと願う CV 実施者にアイディアが提示されるからである．その特質とは，次のようなものである[10]．

1.　少数または小さなサイズ（一人一人が識別できる程度が理想的だが，そのグループ全体のための財の提供や支払いに，個人が影響を及ぼすほどには少なくない）[11]．

2.　その他の経済主体を固定したものとして扱わない反応関数（それゆえ，誰もが変化を欲しないときには，安定的ナッシュ均衡が存在する．これは問題の経済主体が公正なる支払いを行わなければ，他の者も支払わないだろうということが誰にもわかっているからである）．

3.　受容可能な回答領域の制限（予想される戦略的行動による利益を制限する）．

9）徴収されるべき税（または交付されるべき補助金）による収入と支出との帳尻が合わないことにより，この種の ICDRD でパレート最適を生み出すものはない．ただし，きわめて一般的な条件化でパレート最適に任意に接近，収束してゆく．

10）これらはまだ完全な合意が見られたものではない．誘因両立的需要顕示（ICDR）に関する研究のほとんどは，Green and Laffont（1979），また Laffont（1979），『経済学研究レビュー』誌のシンポジウム（a symposium in the Review of Economic Studies, April, 1979）や，Groves and Ledyard（1986）の評論に収められている．もう少し一般的な内容であれば，Clarke（1980）や Cornes and Sandler（1986）がよい．

11）調査者は個人に無作為抽出である旨を告げ，調査の結果は母集団全体にかかわる状況を決定するのに使われるということを知らせてかまわない．Green and Laffont（1978）は，そのような抽出方法による ICDRD 方式の実際の使用を示唆している．

4. 公共財の供給と支払いのための動態的な状況.

5. 他の経済主体者の行為が全体的に, また理想的には個別に観察できること.

6. 経済主体者がフリーライドした場合には利益が少なく, かつ/また協力的な (フリーライドでない) 行動を取ったときには利益が多いということが予想される状況.

1.2 その他の理論

誘因両立的需要顕示手段 (ICDRD) の研究者は, Samuelson のフリーライドに関する見解には賛同してはいない. しかし, もし非協力的に振る舞ったり, 顕示選好を行う状況で不誠実な回答を行うことによって利益がもたらされるなら, 回答者はそのような行動を取るであろうという考えには同意している. それゆえに彼らは, 戦略的行動を克服する唯一の方法は, 支払いや上記の特質をそなえたよくできた誘因両立的手段を使うことだと考えるのである. しかし中には, 非協力と誠実な行動とに関する Samuelson の基本的な考えに異議を唱える研究者もいる. McMillan (1979 b) や Evans and Harris (1982) は動態的な状況で, 非協力的な行動の仮説を検証している[12]. Luce and Raiffa (1957) が展開したメタ (またはスーパー) ゲーム理論の上に立脚して, 非協力的な行動, さらにはフリーライドは, たとえ ICDRD がなかったとしても, せいぜい部分最適な戦略にしかすぎないということを示している.

公共財を供給するための協力的行動を引き出す際のフィードバック機能の役割を検証して, McMillan はフリーライドによる静的利益に比例して, 動的原則における協力的行為からの利益が大きければ大きいほど, 協力的行動への誘因が増大することを発見した. 行為者が将来の効用の価値を過度に割引かない限り, この協力的解決法は, 安定的ナッシュ均衡として現われてくる. これと対照的に, 非協力的解決は, 行為者が将来の効用の価値を完全に割引いた場合のみ, 安定的ナッシュ均衡として現われてくるのである. McMillan は, 行動が一定期間を通じて反復されるとき, 協力的行動への誘因が存在するとしているが, どのようにして非協力的行動から協力的行動へと経過していくのかという問題は取りあげなかった.

この問題は Evans and Harris (1982) によって考察され, 協力的解決法がベイズ流 (Bayesian) の学習過程を通して, どのように非協力的行動から出てくるものであるかが示されたのである. 協力的行動を導き出すには, ゲームが実際に行われる必要はなく, 公共財を消費するものが, そのゲームを現実感をもって予期しさえすればよいと論じている. この行動は, よく知られたゲーム理論の結論とも合致しており (Shubik, 1982), これによると, 確率論的な数 (stochastic number) のプレーヤーが行う囚人のジレンマ・ゲームでの最適な戦略は協力的なものである[13]. こうしてみると, 独断的なフリーライド行動は, 囚人のジレンマの状況でも合理的ではないことになる. Evans と Harris は, 参加者が公正な機会を奪われていると感じるまでに, 公共財の供給が低下する前に

---

12) 単純な1ピリオド静的期待効用モデルでは, どんな種類の行動であっても予測するのにはふさわしくなく, とくに動態的要素を含んだものには不適切であるというコンセンサスが, 経済理論研究者 (たとえば Kreps ら, 1982) の間で一般的になりつつある.

13) Evans and Harris は McMillan に言及していないので, おそらくこの論文はたがいに独立して書かれたものであろう. しかしながら, Evans and Harris が, ベイズの流れの中で McMillan の結果を継承, 拡充をさせたことはたしかである. Evans と Harris の方法論の起源は, Taylor (1976) の政治学的見地からのフリーライド仮説に対する攻撃, また Rapoport (1971) と Shubik (1970) の静的囚人のジレンマの考え方の皮相さに対する攻撃にあるといえる. Hardin (1982) と Axelrod (1984) は, この分野における政治学に関する文献をうまくまとめている. とくに Axelrod は, 長期的にはしっぺ返しの戦略(tit-for-tat strategy) がどのような "戦略的行動" にも優るようであるということを提示し, 有名になった.

は，学習遅延が起こるとしている．そして，その長さを決定する要素について興味深い仮説をいくつか提起している．数が非常に多い場合には，学習遅延は長くなり，多くはないにしてもいくぶんかの行為者によるフリーライドが見受けられる．彼らの分析は本質的に不均衡理論であり，公共財の供給が低下するにつれて，行為者のうちの何割かは再学習する前に（フリーライド）を忘れるという継続的なプロセスを想定した．初期の学習プロセスを終えたあとは，協力的な行動が一般的となる．

　正直で協力的な行動に関する仮説に対するまた別の攻撃が，Akerlof（Akerlof, 1983；Akerlof and Dickens, 1982）の最近の著作で行われている．これは認知論的不協和（cognitive dissonance）その他の心理学的概念を使って，経済行動における変化がなぜコストなしにすまされないかということを示している[14]．Akerlof は，正直で協力的な行動のモデルを作り，正直な行動が長期的には正の*経済的*利益を生み出し，もし不誠実な非協力的な行為が現われると，これが損なわれるということを明らかにした[15]．この結論は，不誠実な行動が，直接的な選択状況以外ではコストなしですみ，偽った表明に対する正味で正の直接的誘因が存在するときには，いつでも現われるものであるという，ほとんどの ICDRD 研究者たちが暗黙のうちに認めている仮説に対立するものである．その結論ではまた，人は虚偽の表明に関する（選択状況以外での）*コスト*，選択状況に直接的にかかわる利益と比べて考えるものであるとしている．

　ここでは簡単に Samuelson 以降の，戦略的行動についての理論を検討してみた．まず最初にフリーライドが合理的で支配的な戦略であるという仮説から出発したが，その後フリーライドは非合理的で，部分最適な行動であるという見解に達した[16]．公共財に対する選好を表明する際に真実を語ろうとする動機と，公正さあるいは正直さという社会的規範が，いまやたがいに補強し合っていると考えられているのである．このような考え方を支持する重要な経験論的議論が実験経済学の成果の中に伺えるので，次にこれを検討してみよう．

2.　実　験　結　果

　実験経済学者の実験室は，顕示選好での協力的行動と回答の誠実さの程度を調べるには格好の場所となる．実験室で研究者は支払金額を提示，また要求したり，試験を繰り返したり，複雑なシナリオを使ったり，さまざまな条件で刺激をいろいろと変えることができる．そしてこのようなことは，CV 調査あるいは現実にはなかなかできることではない．これまでのところ，CVM に関係する実験のほとんどは，戦略的行動のフリーライドの形に制限されている．だが，研究結果は戦略的行動一般を明らかにするものであり，多くの実験では，ある意味で CV のシナリオに比べられるよう

14）認知論的不協和は，マーケティング関連の文献（Holloway, 1967）では長い間，消費行動に影響を与える強力な力であると考えられている．道徳感の発展とその後の人生におけるその影響については膨大な心理学的文献が存在する．この問題の考察には，Carrol and Nest（1982）を参照．

15）同様な結論を導くいくつかの別の理論的アプローチがあるがここではふれない．そのような4つのアプローチ（合理的利他主義，ベイス流決定理論，功利主義的倫理，自然淘汰）は Kurz, Hasaryi および Schelling の米国経済学会の『American Economic Review』発行の "Economicsand Ethics：Altruism, Trust and Powe"（1978）の中に見られる．"数多くの人々には，真実を言うという本能を持っており，完全な嘘をつくことよりもむしろ役に立たない嘘や，矛盾あるいは困惑の身振りを無意識に出すことなどをしばしばためらわずに行う．それは，なぜそのような自然的抑制が社会一般的に行なわれているのか，そして自然淘汰の結果であるのかもしれないということからも容易にわかる．"として，Harsanyi は，人々は自身の種を殺すことに逆らう抑制を持っていると解説している．

16）近年 Scitovsky（1976），Becker（1976, 1981），Sen（1977），Simon（1982），Margolis（1982）といった経済理論研究者たちは，フリーライドの仮説を超えて，"利己的な"便益極大化の根本的考え方に異議を唱えている．

な処置を行っている.

2.1 誘因両立的需要顕示手段（ICDRD）実験

まず最初の興味深い実験は，フリーライドを減少させるメカニズムについてのICDRD研究者の考えを検証するものである．ここで注目すべき意外な見解が提示された．ICDRD方式は，人にただ単にいくらぐらい支払う意志があるか自己申告してもらうのと，変わらない結果になるということである.

公共財を評価するためのICDRD方式の実験的試みを最初に報告したのは，Scherr and Babb（1975）で，彼らは3つの手法を使って——クラーク税（Clarke, 1980），別のICDRD，自発的需原顕示要——一連のコンサートと大学図書館の蔵書増加に対する個人の需要度を見ようとした．ICDRD方式の一つひとつによってなされた，真のWTPの表明における，予想される改善を測度するための照査基準として，自発的需要条件がつけ加えられた．被験者には実験参加費として$10が支払われ，それを自分のものにすることもできるし，その一部あるいは全部をコンサートまたは蔵書基金に収めることもできる．参加者は，それぞれの財に対して提示した額を支払わなければならず，グループの寄付で購入された財は，個人の支払額にかかわらず，参加者すべてが平等に共有するものとする．予想に反して，自発的需要顕示措置は，どちらのICDRD方式に比べても，公共財に対する多額の支払いを引き出すことができることが判明した．Sherr and Babb は次のように述べている.

この価格設定システム（ICDRD）は，防止すべき行動があまりなかったためにフリーライド行動を防止したのではないようだ．実験後の調査によると，完全にフリーライドしようとした被験者はほとんどいないことが判明した．75パーセントの被験者が$10のうち少なくとも$4はキープしておきたいと思ったが，残り$6をキープしない理由を次のようにあげている．（1）ケチだと思われたくない，（2）基金は有意義なものである，（3）利他的な理由（1975：42）

ICDRD の研究者は，Sherr and Babb の実験を無視したり，実験が新奇なものであったことや，利他的な態度を示すように誘導が行われた，誘因が不十分であった，あるいはまた回答者がICDRDのルールを使うことに慣れていなかったといったことをあげて，実験結果を過小に評価する傾向がある[17].

Johansen が「公共経済学ジャーナル」（Journal of Public Economics）で忠告（Johansen, 1977）したにもかかわらず，このような反応は一般的なものとなったが，その中で Johansen は，文献にはフリーライドが実際に行われたという証拠はほとんど見られず，フリーライド行為を支持する，一貫性のある論理的議論というものを構築するのは困難であるとしている．経済学を専門とする者に対して，"フリーライドの問題をあまりにも強調しすぎる"と警告している.

1970年代，ICDRD 関連の文献に，Vernon Smith の行った一連の実験が取りあげられたが，これはよりいっそう現実的なもので，あまりなじみのない ICDRD の特質にかかわる，学習の問題を是正するものであった．だが，Smith の実験結果が発表されると，初期の実験で明らかにされたことは，決して偶然でも，特殊な条件の産物でもないということが示されたのである．1977年の論文

---

17) Sherr and Babb の実験について，Clarke（1975：52）は，"（フリーライドが少なかったことの）最も大きな原因は，彼ら［被験者］が戦略的行動の誘因を理解していなかったからだと思う"と述べている.

で，Smith は Scherr and Babb の最初の観測を確認する形で，次のように述べている．

　しかしどうして，現実の金銭に関して実際的な決定を行う多くの人々が，ここに報告されている実験，また公共財についての文献で引用されている実験において，競争仮説にそった行動をするのだろうか．なぜ，Hurwicz や Ledyard–Roberts らが主張する，最も「洗練された」「戦略的な」行動を取らないのだろうか．よく考えて計算をし，それを回答に表わすには，かなりの直接費用（および間接機会費用）がかかることが，戦略的行動を取ることを不経済的にしている原因だろうと，私は考えている．

　オークション・投票においては，合意に達しないことによる機会費用は，価値のある最適な提案が失われるということである．戦略化するということは，貴重な時間や思考を使うということだけではなく，グループとして期待にそぐわない結果に陥るというリスクが高まることになる．合意が得られないということは，よりよい富の状態（better wealth state）から排除されるということを意味する．これは，得るべきものがなければ，より多く得る者は誰もいなくなるというきびしい原則にもとづいている．現在までに行われた実験による，純粋に科学的な証拠は，不適切な，あまりにも単純なもの，特定の実験上のパラメータにもとづくものとして，一蹴すべきなのだろうか．私はそうは思わない．なぜなら，その結果が現実の示すものと多くの場合，合致するからである．何千ものビルが宗教団体，クラブ，組合，または私的な団体のメンバーの自発的な寄付によって購入されているのである（1977：1136）．

　Vernon Smith, Grether, Plott, その他の研究者はその後，さまざまな状況のもとで観察された協力的行動をいくつも提示した[18]．それらに共通する結論は，協力的な行動は，自発的な顕示と ICDRD 方式の両方でほとんど常に起こるものであり，自発的顕示においても，もっとというほどではないにしても，変わらずにすばやく（効果的に）達成されるものであるということである．つまり，パレート最適に達するに際して，自発的需要顕示は大抵の場合，ICDRDs の結果と同じ程度，ときにはそれ以上の成果を収めるのである．次に示す ICDRD 研究者たちの仮説は，現実を正しく反映していないということであろう．

（1）最適戦略を決定するのに費用はゼロである．

（2）虚偽の回答をすることに費用はゼロである．

（3）自分の行為によって，経済が最適な競合的，あるいは協力的解決に達するのが妨げられるというゼロ・リスク（zero risk）を個人は感じるものである．

　ここで，フリーライド仮説の弱い形と強い形とを区別しておくのがよいであろう．強い形はといえば一般に，Samuelson（1954）や Olson（1965）が連想されるが，人は他の誘因がなければ公共財に金銭を支払うことはないとするものである．選択的誘因（selective incentives）がない状態で，最適額の 25 パーセント以下の支払いであれば，一般に，この強い形のフリーライド仮説を支持するものと考えられている．弱い形は，かなりの支払いはなされるだろうが，部分最適なものであるとする[19]．

　過去 10 年間，実験研究者たちは常に強い形に対する反証をあげてきたが，弱い形に関しては，可分的公共財と不可分的公共財（たとえば，あるグループの表明された WTP が一定のレベルに達していない場合には，そのグループ全員がその財を享受できなくなるというもの）との決定的な違いを示している．不可分的条件のもとでは——CV シナリオで暗黙のうちに使われているもの——

18）とくに Vernon・Smith（1977, 1979, 1980），Grether and Plott（1979），Vernon・Smith ら（1982）を参照．Plott の著作（1982）には，実験経済学の方法論がよくまとめられている．

19）Cornes and Sandler（1984）は弱い形のフリーライドを "イージーライディング" と呼び，どうしてこれが発生するかを詳述している．

弱い形のフリーライド仮説でさえもあまり支持されていない.

2.2 Bohm の実験

　1970 年代のはじめ，スウェーデンの経済学者 Peter Bohm が先駆的な一連の実験を行った．これは，スウェーデンのテレビのある番組のプリビューを見るための WTP に関するものである（Bohm, 1972）．彼の実験は，フリーライド仮説に関するテストとしては初期のものであり，過大な表明についての仮説をテストするものとしては今日に至るまで唯一のものとされている．また，模擬的な市場での WTP 行動と仮想的な市場での WTP 行動とを比較した数少ない研究の一つである（Bohm の研究のこの点に関しては，第 7 章と第 9 章を参照）．Bohm の実験結果は非常に説得力のあるもので，Atkinson and Stiglitz（1980）がその影響を受け，最近の公共経済学の上級テキストで，フリーライドの経験論的重要性について疑問を投げかけている.

　Bohm の被験者はストックホルム在住の成人で，スウェーデン放送局（Swedish Broadcasting Company）に招かれ，テレビ番組に関する質問に答えた．局に集合すると，各人に 50 クローナが支払われ，全員あるいは個人がある支払基準を満たすという条件で値をつけ，スウェーデンの有名タレントが出演する 30 分番組のプレビューがそこだけで見られることとした．被験者は自分たちが，同時に同じ機会を与えられている大勢の中の一部であると信じるように仕向られた.

　Bohm は彼らを 6 つの実験条件に分け，そのうちの 5 つは，もし個人の付け値が一定の合計に達しなければ，そのグループ全員が番組を見ることができなくなり得るが，この 5 つのグループでは，被験者が個々の WTP を表明したあとで，その番組を見るための支払方法だけが違うものとした．提供のための条件は，各人が提示した付け値を実際に支払うということ，支払いが必要かどうか不確実であること，表明された WTP にかかわりなく一定額を支払うこと，支払いは必要とされないという項目が含まれた．Bohm の条件をまとめた **表 6-1** の戦略の欄には，それぞれの条件での Bohm

表 6-1　Bohm の戦略的行動テスト

付け値が合計 500 クローナに達した場合の条件	提供が条件付きであるか[a]	支払条件			Bohm の結果予想[b]	N	平均付け値（単位クローナ）
		申告額どおり	不定	一定額			
I. 付け値を支払う	いいえ	X			フリーライド	23	7.6
II. 付け値に比例して支払う	いいえ	X[c]			フリーライド	29	8.8
III. くじによって支払方法を決定する	はい		X		なし	29	7.3
IV. 一定額（5 クローナ）	はい			X	過大な付け値	37	7.7
V. 支払必要なし	はい			X	過大な付け値	39	8.8
グループ全体が排除されない条件							
VIa. 仮想的な WTP が要求される	不定		X[d]		やや過大な付け値	59	10.2[e]
VIb. 100 人中最高 10 人くらいまで OK	はい	X			やや過小な付け値	59	10.3

注) a 「いいえ」は，WTP 以下の値をつけた場合，財の供給に影響するということが十分あり得ると回答者が考えるということと．「はい」は，自分たちが表明した額にかかわりなく，財が供給されると回答者が思っているだろうということを意味する

　　b シナリオに表わされた経済的誘因にもとづいている

　　c 自分の回答を出すときに，被験者はなんらかの金額は支払わなければならないとは思っているが，正確にいくら支払わなければならないかはわかっていない

　　d この条件のシナリオではいかなる支払いも予想されていないが，回答者は，この実験は国のテレビ局のための製品の市場テストであり，結局は納税者として支払わなければならないものであると感じている可能性はある

　　e 外れ値を一つ除外すれば，この値は，9.45 クローナになる

の予想が記されているが，これは優先的な効用最大化仮説（a priori utility maximization assumption）にもとづいている．

Bohm は，条件 I と II とはフリーライドする誘因を含み，条件 IV と V とは被験者が過大な表明をするように条件を設定した．たとえば条件 I では，参加者に"大勢"の他の参加者による付け値によって，500 クローナの支払目標は達成されることが予想され，低い値をつけても番組は見られると期待させるものである．逆に，条件 V の参加者には，支払義務が告げられていないので，彼らの表明する WTP がいかなるものであれ，番組を見るために過大な表明をする戦略が取られやすくなる．

Bohm は条件 III を戦略的誘因を最小限に抑えるように設計した．回答者は，無作為の抽出により，4 つの支払方法のいずれかが必要となると知らされる．被験者が誘因を十分理解するように，Bohm はそれぞれの条件において被験者に，彼らにとっての最適戦略は何かということを告げ，それに対する反対理由も提示した．つまり，フリーライドに関して，財が提供されないことがあり得るということと，過大な表明に対しては，真実の選択を明示することがモラルにかなったことであるということを知らせたのである．

条件 VI は他とは違って，財が公共財ではなく私的財として扱われており（グループ全員が排除されるということはない），その参加者は選好を導き出す方法として，二種類の方式に従うこととなる．最初の条件 VIa では，参加者は「もし，ここで見る番組の聴取料を支払うことを要請されたとしたら，あなたが支払意志のある最高額を示して下さい」と告げられる（Bohm, 1972 : 129，下線は原文のもの）．この段階ではまだ，被験者が支払わなければならないということ，あるいは番組を見ることができるかどうかは，はっきりとは告げられていないが，これらの可能性についてこのグループの一部あるいは全員が確信とまではいかないにしても，なんらかの期待を持つことは自然であろうと思われる．仮想的な状況での回答が集められたのち，このグループのメンバーは，番組を見るための実際のオークションに参加するよう要請される．選好を引き出す第 2 番目の状況，条件 VIb では個人個人が番組を見るために付け値を出す．このとき，被験者に知らされた 100 名の全参加者のうち，最も高い値をつけた 10 名が番組を見ることができるものとされる．

最初 Bohm は条件 VIa と VIb との組み合せが，真の需要額を表わすだろうと考えた仮想的な状況の回答がやや過大評価され（スウェーデン放送局に対して，"よく"ありたいと感じて，番組が実際よりも価値があるという被験者が現われる可能性があるため），オークションの状況ではやや過小な評価が出されるだろう（最高値をつけた上位 10 パーセントに選ばれるに十分であろうと計算された金額をつける者がいるであろうから）と考えた．ところが，条件 I から V までの平均付け値が，条件 VIa. と VIb. のものよりもかなり低いことが判明し，彼は考えを変えた．このような収束があったということ，また彼は条件 III には戦略的行動の誘因は含まれていないと考えたこと[20]，そして財を私的財として扱ったことによるひずみが予想されたことで，彼は，条件 III の値が真の価値を最もよく表わしているだろうと結論づけた．Bohm によれば，ひずみは二重になるという．まず VIb が問題となる．なぜならこれは条件 VIa によってすでに汚染されているからである．54 名中，2 つの条件の間で表明を変えたのはわずか 18 名であった（増加させた者と減少させた者とが半数ずつ）．これは，最初に"嘘をついた"ことを認めるのを好まなかったのかもしれないとい

20）リスクに対して中立的な被験者が単純に期待支払額を計算し，表明した額を支払うことに正の確率があり，何も支払いがないことにも正の確率があれば，予想された額は表明された額よりも低くなり，過大な表明をすることに対する誘因が存在するといえる．このような状況では，はっきりとリスクを嫌う被験者は，フリーライドをする誘因を持っているといえるかもしれない．

2. 実 験 結 果

う印象を，Bohm に与えることとなった．第2に，VIb の財は私的財であるので，これによって競合の要素が介入し，"競り熱"が評価の状況の中に生じた．このためこの条件は公共財に対する WTP を示すものとしては，不適切なものとなってしまった．

たしかに条件 VIa と VIb とに対する Bohm の懸念はもっともなものであるが，彼の設定したすべての条件の中で，VIb が真の WTP に最も近い評価を与えるものであるとわれわれは考える．それは次の3つの理由による．

（1）条件 VIb の形が7つのうち，最も高い WTP を示すのに適している．このような目的のために行われた他の実験（下記に説明あり）で使われて成功した，オークションの方式とよく似ている．

（2）条件 VIb は，回答者が前に行った付け値を自由に変えられると思うように，説明されている．

（3）大いにあり得ることとして，条件 I から V までは真の WTP を過少に評価するのではないかと思われる．というのは参加者が実験時にストックホルムで映画を見る料金に影響されたという可能性，また自分たちの WTP を，500 クローナの目標額を達成するために分割された，仮想されたグループサイズにもとづいて決定したという可能性があるからだ．

さて，これらの重要な実験の結果，明らかにされたことを解釈することになるのだが，まず，回答者が Bohm の諸条件における戦略的誘因に敏感ではなかったということが示されている．I から V までの条件で回答として顕示された額には，経済理論によれば真の WTP よりも高いものも，低いものも出るだろうと予想されたとしても，現在認められているいかなる有意水準（any accepted significant level）においても，差異が認められない．第2に，条件 VIb. を基準として考えると，I から V までで顕示された額は真の価値の71 パーセントから85 パーセントを表わしている．ここで過大な表明がなされていないこと，そして強い形のフリーライド仮説が支持されなかったことは注目に値する．第3に，仮想的条件（VIb）（訳注．原本〈VIa〉は誤り）は真の WTP に最も近いものである．このような結果は，CVM の妥当性をよく示しており，第9章でさらに詳述されている．

2.3 フリーライド実験

それでは次に，戦略的行動であるフリーライドがどの程度優勢であるのかを検査するために，かなりの報奨を使った一連の実験を検討してみよう．これらは，標準的な仮説によれば，フリーライドが起きるように設計された，現実的な，実地の条件下で行われたものである．その結果は，ここでわれわれが行った Bohm の観測の解釈を補強するものとなる．それによれば，戦略的行動は，標準的効用極大化の仮説で予想されているよりも，はるかにまれにしか起きないものであるということを示している．ただしこれには，どんな額を表明しようとも財が手に入るような状態は除外しうるが，そのような状況であったとしても，フリーライドの起きる頻度は，ほとんどの経済学者が予想するよりは，はるかに低い[21]．

Marwell and Ames（1981）が行った一連の実験では，参加者には換金可能なトークン（代用硬貨）が与えられ，それを個人で交換することも，グループで交換することもできるものとする．個

---

21) CV とはやや条件が違う，関連性のある実験に関しては，Harstad and Marrese（1982），Kim and Walker（1984），Tideman（1983），Issac, Walker and Thomas（1984），Issac, McCue and Plott（1985），Orbell, Schwartz-Shea and Simmons（1984）を参照．Issac その他の行った実験は，ここで論じられている実験の反証となるものである．彼らは，人に戦略的行動を取らせるような条件をことさらに発見しようとし，いくぶんかはそれに成功したといえる．われわれとしては，そのような条件はたしかに存在するが，そのほとんどは避けられるものであると考えている．

人交換の場合には，その回答者に直接金銭が戻される．グループ交換の場合には，支払率はそれに比べて高いが，グループの合計金額が支払者全員に等分される．その場合，個人がいくら出したかは関係がない．

　これらの実験すべての中では，一つの例外を除いてグループ交換による利益は個人に対する金銭であり，可分財である．経済学の大学院生を被験者とした実験を除いて[22]，この可分財による実験では，強いフリーライド仮説を支持するものは見られなかった．グループ交換に出された引替券の量は，30 パーセントから 60 パーセントの範囲であった．この結果は，対象が高額になっても変化は見られなかった．利益がグループメンバーの中で分けられる場合には，弱いフリーライド仮説を支持する結果が認められたが，不可分の利益を使った実験では，弱いフリーライド仮説でさえも支持されなかった．ここで，グループ交換に出された引替券の平均量は，可分性を有した実験では 43 パーセントだったが，金銭がグループ財を購入することのみに使われる条件を除いてまったく同じ実験では 84 パーセントにまで上昇した．この結果は，Marwell と Ames の予想に反したものであり，他の 3 つの実験結果を予見させるものであった．その実験を検証してみよう．

　Schneider and Pommerehne（1981），Brubaker（1982），Christainsen（1982）らの行った実験は，ほとんど同じような条件設定のもとで，フリーライド仮説を検証した．それぞれの実験で，最高 3 つまでの条件が使われたが，ここではそれを E_1, E_2, E_3 とする[23]．

＊条件 E_1 では，第 n 番目までの値をつけた者が財を享受するという保証を与えて，WTP を尋ねた．E_1 は財に対する真の WTP を引き出すものと予想された．過少な評価を出した場合には，それが享受できないからである．

＊E_2 では，回答者がそれぞれに表明した金額を支払わなければならないという条件で，WTP を尋ねた．そして，グループの合計額が一定以上であれば，（個人の支払金額にかかわりなく）メンバー全員が財を享受することができることとした．合計金額がその一定額を超える場合には，個人の支払金額は等分に下げられる．この条件はグループ排除という，環境財の CV による調査でしばしば見受けられる考えである．E_2 は，真の WTP から，他人の支払いに対するフリーライドへの誘因を引いたものが導き出された．この条件でフリーライドをしない誘因は，他人の支払いが財を得るのに十分でない可能性があることと，公正さと正直さの内部的規範であった（各個人への支払金額は他の被験者には知らされない）．

＊条件 E_3 では，支払いは必要であるが，実際の額を提示したすべての回答者に財を享受することが保証されているという条件で，WTP が尋ねられた．条件 E 3 では，フリーライドする誘因は非常に強く，社会的な規範によってのみ，これが妨げられるという状況であった．

　Schneider and Pommerehne はこの実験を現実の状況の中で実施した．経済学大学院生が自分の

22）これらの実験を行う前に Marwell と Ames は，経済学者の小規模なパネルから意見を聴取した．彼らはこの実験の設計を調べたあとで，理論的にはグループ交換には支払いはまったく起こらないだろうと予測したのである．支払いがされた場合には，それが実際にどの程度になるかを尋ねられて，経済学者たちの共通した意見は，0 パーセントから 20 パーセントの間だろうということだった．この 20 パーセントという数字は，冒険，利他，非合理性によるものであるとされた．興味深いのは，この 20 パーセントという数字は，まさに経済学大学院生がグループ交換で行った支払いレベルと一致するということである．他の参加者と違って経済学大学院生は，グループ交換においてどの程度の支払いが公正なものであると考えられるかという，自由回答方式の質問に答えるのに非常に困難を感じていた．その中で答えた学生は，公正な支払額はゼロかほとんどそれに近い額であると答えたのに対し，その他の回答者の 4 分の 3 は，彼らが最初に表明した額の 50 パーセント以上が公正な額であると答えた．

23）Schneider と Pommerehne それに Christainsen の順番に合せるため，ここでは，Brubaker のグループ II を E 3 に，グループ III を E_2 とした．

金銭を使って，次回の予備試験にとくに役に立つという新しい，まだ出版されていない経済学テキストが手に入るということで付け値を出す．学生は，この市場が調査のために作られたものであることを知らされていない．Brubaker の被験者は，ウィスコンシン州マディソンの市民のサンプルで，その土地の何軒かの食料雑貨店で使える $50 の商品券を手に入れるということで付け値を出した．Christainsen の回答者もマディソンの市民で，$200 のバウチャー（証票）を対象として付け値を出した．当然のことながら，Christainsen は E_3 を自分の調査には含めなかった．

予想どおり，$E_1 > E_2 > E_3$ という結果になった．Schneider and Pommerehne の実験では，（$E_1 = \$27.62$）＞（$E_2 = \$26.57$）＞（$E_3 = \$16.83$）となり，$E_1$ と E_2 の間には有意な差は見られなかった．Brubaker の場合は，（$E_1 = \$33.99$）＞（$E_2 = \$27.07$）＞（$E_3 = \$23.96$）であった．ここでは E_1 と E_2 の差異は，95 パーセントの信頼レベルで，わずかに有意であった．Christainsen の実験結果は，（$E_1 = \$194$）＞（$E_2 = \$153.05$）で，有意な差が見られた．以上の 3 つの実験で，E_2 を E_1 の割合で示すと，96 パーセントから 79 パーセントまでの幅があるが，これはやり方によって大きく異なった値が出てくることが，費用便益分析ではあたりまえであることを考えれば，真のWTP と明示された WTP との違いは比較的小さいといえる．これらの結果は，先に述べた McMillan （1979 b）や，Evans and Harris（1982）の理論とみごとに合致している．

条件 E_3 は，直接的な経済的誘因がない場合に，人はどの程度まで選好を示すものであるのかを明らかにした．これによって，強いフリーライド仮説に対する反証が提示された．なぜならば，財の享受が保証されている最低額（$1）よりもかなり高い額を，回答者は提示したからである．E_3 の結果については，2 つの興味深い解釈が可能であるが，そのどちらも標準的なフリーライド仮説に合致するものではない．一つ目は，

$$\text{NG} = \text{MG} - \text{WTP}_{AL}, \tag{6.1}$$

で表わされ，NG（net gain）は虚偽つまり歪曲された需要顕示をすることによって得られる利益．MG（maximum gain）は，当該の財を得るために必要な最低の WTP を提示することで得られる最大利益 WTP_{AL}（willingness to pay to avoid lying）は MG を得るために嘘をつくことを避けるためのWTP[24]である．この説明は，誘因（不誠実な行為による利益）が大きければ，真の WTP と顕示されたWTP との違いも大きくなるという可能性とも一致するものである．Schneider と Pommerehneでは，WTP_{AL} は $15.83，Brubaker の WTP_{AL} は $22.96 で，どちらも，最適なフリーライド戦略のおよそ 60% である[25]．この解釈では，嘘をつくことには費用がかかり，嘘をつくことを完全に避けるために，かなりの WTP_{AL} が，少なくともこれらの実験での条件では，存在することになる[26]．ICDRD の考え方では，嘘をつくことの費用が暗黙のうちに排除されている．そのような費用をICDRD の枠組みの中に取り入れることによって，まったく異なった結果が導き出されるということは想像に難くない．

Brubaker は，この E_3 の結果について，また別の解釈を提示しているが，これにはきわめて説得力がある．このような選好を顕示する状況では，人は必ず真実を語るが，この"真実"は，その財について，人々が評価するある範囲から形成されるという仮説を強く提起しているのである．さらに，その範囲を狭めて真の期待値に近づけるためには，あまりにも多大な努力を要するため，その

---

24) 操作上は，MG は E_1 から必要最小限の支払額を引いたもので，WTP_{AL} は E_3 から必要最小限の支払額を引いたものである．
25) 被験者が一定の割合の額を支払ったのであるかどうかについて論じるためには，もっとたくさんのさまざまな価値を導入しなければならない．
26) 下に掲げる Brubaker の仮説，人は常に真実を語るという意味の仮説が真でなければ，どうして $1 で手に入る財に $20 も払おうという人がいるのかの説明がつかない．

財の提供から排除されるというような何か強制的な脅威がなければ，人はなかなかそれをしようとは思わないと，彼は論を進める．脅威がなければ，財を過大に評価する危険を最小限に抑えようとして，人は自分の WTP の範囲で WTP の下限値を表示するだろうと彼は考える．消費者が評価の実施に十分な注意を払わなければ，Brubaker の仮説が正しければ，顕示された WTP は低い評価となる．これは Bohm が条件Ⅰから Ⅴ までで得た結果と，ぴったりと符合するのである[27]．

2.4　戦略的行動のさまざまな類型

ここまで述べてきた実験によって明らかになった事柄を総括し，それを CV 調査に援用する前に，経済学思想が CV において予見するさまざまなタイプの戦略的行動を詳細に確認しておくことも有益だろう．すでに述べたように，標準的な経済学的仮説によれば（たとえば Schoemaker〈1982〉，Varian〈1984〉），CV 研究における戦略的行動は，（A）回答者が感じる支払義務と，（B）財の提供についての回答者の期待との関数であるという．表 6-2 は，CV 調査に最も関連が深いと思われる（A）と（B）の，内部の要素を照合分類（cross-classifies）したものである．

（A）内部で顕著な相違点は，面接者に提示する WTP によって財の提供が左右されると回答者が思うかどうかということである．（B）については，支払義務について 3 つの説明が可能であると考えられる．回答者は実際に申し出た額を支払わなければならない．支払わなければならない額は不定である（表明した WTP より多い場合もあれば，少ない場合もある）．わずかな額あるいは $0 に設定された，一定額を支払わなければならない．以上の要素が組み合わされて，6 つの動機づけ状態が生まれる．これも，財に対する回答者の真の評価に比べて表明された WTP の予想される方向と，予想される動機の強さと一緒に，表 6-2 に記されている．

この枠組みによれば，真の顕示選好（true preference revelation=TP）が動機づけられるのは，財の提供が自分の表明した選好に条件づけられていて，提示した全額を支払わなければならないと回答者が考えたときである．このような状況では，真の WTP を表明することが，その人の利益となるのである．これとは非常に異なった戦略的動機，努力の極小化（minimize effort=ME）は，財は必ず提供され，申し出額と実際の支払額とにはなんの関係もないと回答者が考えたときに生じる．ここでは嘘をつくのを避けるということ以外に，真の選好を表明するかしないかを決定する動機は存在せず，合理的な回答者は自分の選好を探るために最小限の努力しかしないことになる．CV

表 6-2　CV 的状況での戦略的行動の先験的期待事項（a priori expectations）

	意識された支払義務		
	提示された額	不定額	一定額
	財の提供が顕示された選好と関連していると認識される場合		
動機 方向 強さ	真の顕示選好（TP） 真の価値 強い	可変的（SB$_1$） 不確実 弱い～普通	過大表明（SB$_2$） 過大な付け値 強い
	財の提供が顕示された選好と関連しないと認識される場合		
動機 方向 強さ	フリーライド（SB$_3$） 過少の付け値 強い	フリーライド（SB$_4$） 過少の付け値 弱い～普通	無戦略・努力の極小化（ME） 無作為 普通

---

27) Hoehn and Randall（1983, 1985 a, 1987）はこの考えを CV の状況で展開した．その内容については，次章を参照．

シナリオが知らず知らずのうちに，この状況を作り出している可能性は高い．

残りの4つのタイプの戦略的行動（SB）は，すべて生じると考えられる．というのは，CVシナリオによる条件によって，回答者は，あるアメニティに対する自分のWTPを過少に，あるいは過大に評価しようと思ってしまうからである．標準的な仮説によれば，回答者が自分の提示した額にかかわらず，財は提供されるという自信が強くなればなるほど，また自分の提示した額を実際に支払わなければならないと思えば思うほど，CV調査では，過少評価あるいはフリーライドをする傾向が強くなる．この強い動機づけ状態から発生すると思われる行動が，フリーライド（SB$_3$）であり，この状況では，回答者は，公共財の提供のための自らの負担義務（financial obligation）を減少させようとして，真のWTPを過少に評価する．

その逆に，回答者が自分の明示した額が財の提供に影響を及ぼすと考えれば考えるほど，また自分の支払い義務が実際に支払わなければならない額を決定すると考えなければ考えないほど，過大な付け値をする傾向が出てくる．この状況では，戦略的行動2（SB$_2$）が発生する．ここでは，WTPは支払義務によって制約を受けず，財を評価する個人にとっての最適な戦略は政策決定者がさらに多くの財を提供するように，常識的に考えられる範囲でできるだけ高い額を払うということである．

戦略的行動4（SB$_4$）は，弱い形のフリーライドを生ずるものである．回答者は，財の提供は期待できると思ってはいるが，しかしながら，フリーライドしようとする誘因は，自分の申し出た額を支払わなければならないのかどうか不明確なために，そがれてしまうのである．

戦略的行動1（SB$_1$）はとりわけ重要である．なぜなら，そこで仮定されていることは，支払額が不明であること，財の提供が回答者の顕示選好に左右されること——ほとんどのCVシナリオで発生する誘因と，非常に密接に対応しているからである．CVの調査者は，評価しようとする財が必ず提供されるというようなことを匂わせることは避けるものであり，また避けるべきである．回答者にとっても，このようなスタンスは現実味を帯びて感じられるものである．というのは，アメリカ社会における公共財の提供は確実に行われるとは限らないからである．しかしながら，支払義務に関していえば，CV調査において，回答者が仮想的な市場において，支払明示をした額をそのまま支払わなければならないと思わせることは，不可能ではないにしろ，かなり困難なことである．ただ，彼らの支払いが自分達の提示したものとなんらかの形で関連しているという考えは，CV調査でも伝えることができる．

6つの戦略的行動のうち，SB$_1$は特異な存在である．なぜならば，ここでは戦略的行動の取る方向が，回答者の支払いに関する不確実性を感じる場所で左右されるからである．回答者の不確実性が，提示した全額を支払わなければならないかどうかというものであるならば，アメニティに対する期待値（可能性×額）は提示額よりも低く，誘因は過大な表明の方向に向かう．たとえば，回答者がアメニティを＄30と評価し，その全額を支払わなければならないか，それとも何も支払わないですむかの割合が3：1（75パーセントの確率）であると考えた場合，予想される支払額は，真の顕示選好がなされたとすると，およそ＄23である．

Samuelsonの使ったような論理によれば，真のWTPよりもやや高い額を提示することで，回答者は，真のWTP以上の価値の支払いの可能性にさらされることなく，財の提供に関してより大きな影響力を持つことができる．しかし一方で，回答者の不確実性が，最終的に支払わなければならない提示額の割合に関するものであれば，また異なった動機づけ状況が現われてくる．つまり，その人のリスクに対する嫌悪感といった要因次第で，フリーライドや過大な表明に対する誘因が生ずるような状況を想像するのは難しくなくなる．

　上記のように戦略的行動を分類する場合，気をつけておかなければならない点が3つある．まず最初に，このモデルはCV調査の状況での，戦略的行動に関する先験的期待事項（apriori theoretical expectations）であり，それゆえ戦略的行動に反するような要素をすべて考慮に入れているわけではない．第2番目に，この分類法における，支払いと財の提供に関する感じはまさに感じであって，調査時に示されたシナリオに対する，回答者の主観的理解にかかわるものである．問題となるのは，これはのちほど扱うテーマであるが，調査者のシナリオが形式的に正確なものであるかどうかということではなく，回答者の理解するシナリオが正確かどうかということである．そして最後に，4つのSB（戦略的行動）における予想される方向は，回答者は財に対して積極的な価値を見い出している，という仮定にもとづいている．これは多くの公共財についても妥当する仮定である．SB_1とSB_2での間では，評価の対象となっている財の提供に無関心であるか反対しているような回答者からは，異なった動機づけパターンが予想される．

2.5　実験結果の解釈

　本章の前半でふれた実験が，どの程度標準的経済理論の提示する戦略的行動に関する仮説を支持するものであるのかを検証することとしよう．最初に検討した諸実験では，被験者の戦略的回答が，フリーライド（SB_3）ではなく真の顕示選好（TP）となるように，誘因両立的需要表明手段（ICDRDs）がどの程度さまざまな誘因を再構成することができるかを検証した．これは，実験室のコントロールされた条件下で行われ，利他的あるいは正直さの規範といった反戦略的な誘因は極力抑えられた．興味深い結果として，真の顕示選好を導き出すために，特別な誘因を使わなかった場合でも，自発的な表明がさまざまなICDRDsと同じくらいの成功率を収めることができた．この現象に対する説明は，戦略化行動にかかる費用の問題から，反戦略的行動のための強い動機が存在するということにまで及んだ．

　真のWTPの割合を測度できる，公共財の決定に関する実験結果を表6-3にまとめた．ほとんどの実験でSB_3，すなわち強いフリーライド条件が誘発された．ただし，このSB_3に関する実験は戦略的行動をことさら起こそうとして設計されたものであるということを考えれば，一つとして強いフリーライド仮説を支持する実験結果が得られなかったということは，注目に値する．どの実験においても，回答者は真のWTPを100パーセント表明することはなかったが，61パーセント以下の表明をした者もまたいなかった．とくに注目すべきは，どのような付け値であっても参加者は財を享受できるという保証をはっきりと与えられた，2つの実験（Schneider and Pommerehne〈1981〉，Brubaker〈1982〉）の結果である．この実験の参加者には，明らかに情報コストを払う必要がなかった．したがって戦略を立てなければならないという必要性はほとんどないといってよい．だが結果は，提示された値は，財に対する真の価値の61パーセントから71パーセントであった．

　これらのデータによれば，グループ排除の条件を導入することによって，真の最適値が表明される割合が高まることが明らかである．フリーライドを極大化する条件下で，グループによって提供が左右されるという状況は，表示額を平均15パーセント上昇させる．

　フリーライド，あるいは過大な表明を引き起こすと考えられる，その他のすべての条件での戦略的行動の有無を調べた研究者は，Bohmだけである．注目すべきことに，彼のIからⅤまでの設定における，支払いおよび財の提供に関する条件では，さまざまな戦略的行動への誘因が含まれてい

表6-3　実験によって測度された真のWTPの割合

行動のタイプ	行動の動機	実験・条件	真の支払意志額（WTP）の割合（パーセント）[a]
戦略的行動[1]（SB[1]）	可変	Bohm III[b]	71
戦略的行動[2]（SB[2]）	過大な表明	Bohm IV	74
		Bohm V	85
戦略的行動[3]（SB[3]）	強いフリーライド	BohmI	74
		Schneider and Pommerehne	96
		Brubaker	80
		Christainsen	79
		Marwell, Ames	84
		Schneider and Pommerehne	61
		Brubaker	71
戦略的行動[4]（SB[4]）	弱いフリーライド	Bohm II	85

（Schneider and Pommerehne ～ Marwell, Ames に c、Schneider and Pommerehne ～ Brubaker に d）

注）a 一つを除いてすべての場合で，真のWTPの基準は，オークション条件（auction treatment）で測度された．オークションに勝った者が財を受けるというものである

b Bohm が導入した不確実な要素とは，何も払わないかそれとも全額を支払うかというランダムな条件であった．本文で述べられたように，このタイプの不確実性に対する動機は過大な表明である

c これらの実験では，グループが目標に達するかどうかで財の提供が左右される．マーウェルとエイムズの調査では，フリーライドをしない基準は，グループ財に対して100パーセントの支払いをするということである

d これらの実験では，財の提供は保証されていた

出典：Bohm（1972），Schneider and Pommerehne（1981），Brubaker（1982），Christainsen（1982），Marwell and Ames（1981）

たが，Bohm はできるだけ回答者が戦略的誘因を無視するように誘導したのである．これにはモラルの問題を喚起したり，TV番組を見るために設定した付け値を公表するという方法が取られた．この努力は効を奏し，彼の回答者の表明した額は期待効用仮説（expected utility assumptions）で予測された方向と大きくずれることはなかった．戦略的行動への動機に対する人々の相対的な無関心をとくによく表わしているのは，条件VからBohmが引き出した結論で，（1）何も支払う必要はないが，（2）表明された額によって財の提供が左右される，とはっきりと知らされた場合に，過大な表明は発生しなかった．

ただ残念なことに，SB[1]，SB[2]，SB[3]から得られた結果は，わずかに一連の実験結果のみによるもので，またBohmの条件VIb.が真のWTPを表わしているという仮定にもとづいているのである[28]．明らかに過大な表明に関しては，さらに実験，研究を積み重ねてゆかねばならない．

3．政治的市場における個別誘因両立性

これまで，私的財市場モデルを使って，公共財を評価するときの，個別誘因両立性を検討してきたが，また別の種類の研究が行われており，さまざまな種類の政治的市場や投票システムの誘因構造，あるいはそれが理性を持った個人が真の選好を表明するとき，どの程度影響するかということについて調査がなされている．

28）Bohm の研究成果に対するやや異なった解釈については，Vernon Smith（1979）を参照．Smith の議論は，Bohm の行ったような単一回答調査は，反復手法を使った研究よりも，処理変数（treatment variable）に対する反応がやや鈍いとしている．これは単一回答調査の回答者は，何度も手順を繰り返した被験者に比べて，尋ねられる内容にあまりなじみがないためであるという．Smith はまた，VIb.の結果は有効性を持たないというBohm の判断に賛成しているようである．単一回答対反復回答の問題についていえば，現実的な状況の中で行わなければならない選択（たとえば，住民投票）というのは，何度も試行ができる条件での決定（たとえば消費者がパンやシャンプーを購入するときのような）というよりは，1回限りで独自の決定としてモデル化されたほうが適切なものである．たとえばCoppinger, Smith and Titus（1980）は，オークションでフィードバックがただちに行われるという条件下では，被験者がどのような行動パターンが自分達にとって有利であるかということを「学習」するのに，6回の試行が必要であったとしている．

　この種の研究は，住民投票というような政治的市場が，CV 研究のモデルとして使われた場合にとくに注目に値する．理論研究者が長い間関心を持っていたことは，投票ルールというものが，どのようにして集団的財貨の最適な提供に関連するのかということである．研究により明らかとされたことは，いかなる投票システムであっても，連合形成と，多段階投票システムにおける戦略的投票の可能性が存在するということである（Zeckhauser, 1973；Sen, 1986））[29]．優先度を管理し（たとえば住民投票で，投票対象となる量と税を設定すること），決定をするために使われる投票の条件を決めることが，非常によく使われる最適供給のための投票システムの例である．

　しかしながら，この研究で，人に真の選好を表明させるよう動機づけする投票形式が一つあることが明らかにされた．これは，一定の税（おそらく投票者によって異なる）と交換に，一定レベルの公共財を提供するという提案に対する，単一の住民投票を使用するものである．投票者にとって一番よいのは，もし WTP がその税額よりも大きい場合にはイエスと答え，同等かあるいは小さい場合にはノーと答えることである（Zeckhauser, 1973）[30]．投票の単一性のため，個々の投票者は，提示された財の量と税をコントロールすることを，外生的なものと見なし，優先度形成の問題を避けようとする[31]．しかしこのような条件で，しかも投票者の数が多い場合には，個人が投票する"合理的な"理由は存在しない．なぜなら，最終決定に対する個人の影響力は，投票者数が無限に増えてゆけば，ゼロに近づいてゆくものだからである[32]．この場合，投票に対する動機は社会的な，あるいは市民としての義務感によるものである[33]．

4．要約と結論

　戦略的行動があるため，調査によっては人々の公共財に対する選好を十分に測度することはできないという仮説に関して，いくつかの分野にわたって理論的な，あるいは経験論的な立場からの文献を検討した．理論的な文献を検討した結果，Samuelson が仮説をたてたフリーライド行動は，単純な，1 回限りの囚人のジレンマ的状況以外では，合理性を持たないということが示された[34]．反復的な評価，あるいはその可能性がある場合には，フリーライドは通常，支配的戦略とならないことはもとより，安定的ナッシュ均衡となることもない．さらにこれは現実的不均衡プロセスを表わすものともならない．個別誘因両立的顕示選好に関する文献を検討したところ，顕示選好問題の形成は非常に複雑なものであることが示された．個々の税や補助金といった支払行為が使えない場合

29) 政治家の行う，投票における相互援助や投票権の売買は，結託形成の例である．多段階投票システムの一般的な例は，アメリカの予備選挙制度で，予備選挙でいかなる候補者も過半数を得られなかった場合には，上位2名の候補者による決戦投票が必要となる．第1段階での戦略的行動は，意図する候補以外の候補に投票し，その意図する候補の決戦投票での相手が弱い候補となるようにすることである．

30) Hoehn and Randall（1987）はこの結果を，単一の二肢選択 CV の質問に用いた（第7章参照）．

31) ある住民投票での投票が将来の同様な投票の財の量や税金高に影響するものであれば，誘因両立性の特性は失われる（Gibbard, 1973；Satterwaite 1975）．

32) 投票者数が増えてゆくときの決定的な投票をする可能性と収束特性とを検討して，Chamberlain and Rothschild（1981）は，投票者数が2N+1である場合，決定的な投票をする可能性は，およそ1/Nであるとした．

33) Brennan and Buchanan（1984）は，投票結果に影響を及ぼすことはあり得ないということに気づいて，真の選好を投票するのではなく，象徴的に投票をする可能性があるとしている．この議論は，私的財の市場の場合よりも，政治的な市場においては，より公徳心にもとづいた行動をする可能性がある，ということと同じであろうと解釈される．Brennan と Buchanan は，このような行動の，経済的選好を表わすために投票結果を使うことに対する影響を否定的にとらえているが，われわれはそのようには考えない．

34) 囚人のジレンマの形式のかわりに，市場行動や軍事的戦略的問題のモデルとしては，2人のゼロサム・ゲーム理論（そして戦略的に同等の一定和ゲーム）がよく使われる．ここで，Shubik が『数理経済学ハンドブック』（Handbook of Mathematical Economics, 1981）で提示した警告に注意する必要がある．すなわち，この理論も政治的経済学の研究には，限られた価値しか持たないということである．なぜならば，純粋に反対の条件に合致する状況というものはほとんどないからである．

には，非協力的行動の仮説をやめるか，不誠実な回答に実際的な費用が伴わない限り，真の顕示選好がなされるという保証はない．ICDRD 関連の文献にもまた，真の WTP の表明を促すような特性がいくつか紹介されている．

また，最近の理論的な展開として，協力的行動に対する誘因を提起するもの，また非協力的行動から協力的行動へと進化してゆくメカニズムがあり得るということが示すものを検討した．たとえば，Akerlof が近年，基本的な心理学上の原理をいくつか標準的経済学の中に取り入れて，個人の正直さは長期的によい見返りを生み出し，正直でない行動を取った場合にはそれが阻害されることを示した．このような考察の意味するものは，非常に強い誘因がない場合には，戦略的行動は常に起こるものではなく，むしろ例外であるということである．

そして次に，フリーライドの問題と，実験経済学によって示される協力的あるいは競合的な行動の傾向とについて，経験論的な証拠を検討した．これらの研究の結果は，戦略的行動は顕示選好状況において避けられないものではない，という考えに合致するものである．実験実証主義者のフリーライドを誘発させようとする試みにもかかわらず，検討したすべての実験において，このような行動は常に起こるものではなく，例外的なものであった．財の提供からグループ全体が排除されてしまう危険性があるということは，たとえかなりの額の支払いが必要とされ，また予期されたとしても，自発的に表明された WTP を真の WTP に近づけるものであるとされた．

近年の 2 つの実験（Schneider and Pommerehne，それに Brubaker）は，嘘をつくことは費用がかからないわけではないという仮説を強く支持するものである．全体的に見て，真の支払条件とフリーライドを奨励する条件とを比較してみると，実験的な状況では，フリーライドは WTP で 10 パーセントから 30 パーセントのわずかな下降バイアスを示すことが明らかとなった．このような実験の成果の基礎には，さまざまな状況下で得られその数も増大しつつある，非常に一貫性のある結果が存在することが強調された．

また，離散選択的な住民投票モデルは，もしこの方法で評価される財に対する WTP が，少なくとも税と同じ額であるならばイエスと投票し，そうでなければノーと投票するのが最適であるという意味で，誘因両立的であるということを明らかにした．この結論は，CV による質問を，理論的に理想的で真実な顕示選好特性を持つように設計することが可能であることを示唆している．

全体として見て，ここで検討した理論的にまた経験論的な証拠によって，戦略的行動は公共財に対する消費者の意志決定において，多くの経済学者が懸念するほどにはひどい現象ではないという見解が支持されたということである．次章では，CV 研究における戦略的行動の存在を表わす証拠を検討し，CV の研究において，どのようにして戦略的な回答を極力抑えることができるかを考えてみたい．

第 7 章

戦略的行動と CV 研究

　前章で扱った理論的，経験論的文献で立証された消費者の行動のイメージによれば，消費者というものは，公共財に対する選好を尋ねられた場合には常に嘘をつくという考えとはまったく対照的なものであった．本章では，CV 研究そのものの中での，戦略的バイアスの役割を検証することで，この問題をさらに探求してみたい．

1.　CV 研究における戦略的行動の可能性

　まず最初に，現行の CV 調査の実際を，表6-2 であげた六種類の戦略的行動と関連づけてみることから始めてみよう．その後で，CV 的状況で戦略的行動を取る動機づけとなる誘因を詳細に検討してみることとする．低いレベルの戦略的行動を確認するにとどまった第6章で述べられた実験と比べて，本章では，非常に適切に設計された CV 調査においては，戦略的行動はさらに低いレベルとなることが示される．

1.1　CV シナリオによって誘発される動機づけのある状態

　財の提供と，支払条件とのさまざまな組み合せ（表6-2）に対する考えによって発生する6つの動機づけのタイプのうち，4つは CV 調査の実際とは直接的には関係しないものである．もちろん関連のある状況を考え出すことは可能であるが，真の顕示選好（TP）は市場が存在しないので，ここでは妥当しない．公共財を評価するうえで，申し出た金額は支払わなければならないと，回答者が思うような状況を作り出すのは CV 研究では困難であるため，SB_3 戦略的行動は，ここでは適切さを欠く．

　CV インタビューを始める際に，回答者には匿名を保証するということ，また個別の集金システムが実施不可能であることから，そのような条件の信憑性が著しく低下するのである．SB_4 と ME（努力の極小化），それに SB_3 は，アメニティが準私的財であっても公共財であっても適切ではない．これは CV 調査では，回答者の答えにかかわらず財が提供されるということを示唆しないからであり，またこの条件が信憑性に欠けるという証拠はどこにもないからである．以上から，現行の CV 調査の実践と関連する2つの動機づけのある状態が残る．すなわち SB_2 と SB_1 である．

1.1.1　戦略的行動2（SB_2）

　異常な事態であり望ましい状態でもないが，SB_2 は CV 研究においてなじみがないわけではない．一定額を支払う条件のもとで，回答者は WTP を尋ねられる前に，いくら支払わなければならないかを告げられる．Cronin（1982）の報告した調査では[1]，ポトマック川の水質のさまざまなレベルの評価を行ったものであり，サンプルとなった住民のうちの，ある副次サンプルは次のように告げられた．

　最後にお知らせいたします．汚染防止の費用は連邦政府が支払うことになります．ポトマック川の水質汚染防止のための措置をどの程度の規模にするかを決定するにあたって，あなたの支払う税金は，数セント影響を受けるだけです．

1）Cronin はワシントン D. C. の都市部議会（Metropolitan Council of Government）のために集められたデータを分析した．また Davis（1980）も参照．

　この文章は，回答者に支払義務は，提示する WTP にかかわらず，最小限にとどめられるということを保証するという意味で，非常に効果的である．一定額を支払うという条件下では，回答者が財を評価し，表明した選好によって財の提供が左右されると思った場合には，SB₂ に対する非常に強い動機づけが生まれる．財を評価する回答者は，フリーライドの場合のように支払い額に影響を与えようとするのではなく，本当の WTP よりも高く付け値をすることによって，財の提供される確率を高めようとするのである．Cronin の研究では，ワシントン地区の住民は，自分達の申し出た金額に対して責任を取らなければならないという心配をすることなく，自由に実際に支払う意志のある金額よりも多めに値をつけることができた．

1.1.2　戦略的行動 1（SB₁）

　申し出た額をそのまま支払わなければならないと回答者に思わせることは，適切でもなく，また可能でもない．また，なんらかの一定額を支払わなければならないと回答者に告げるのは望ましくない．このような理由から，CV 研究で最適な（また最もよく使われる）方法は，支払いは必要であるが，その詳細は明示しないというシナリオを使うことである．

　「X を……から……までに増加させるため，税金あるいは価格の上昇分として，あなたはいくらぐらい支払う意志がありますか」というようないい方が，多くの CV シナリオで使われるものである．支払義務があるということは，はっきりとわかるが（状況が公的援助を受けて行われているというような場合，あるいは現実的な支払手段が使われる場合にはさらに明瞭化される），しかし表明された額と実施されるべき支払システムの関係は特定化されていない．他のシナリオでも支払いの結果は強調しても，提示された支払いと実際の支払いとの関係は曖昧である．たとえば，Cronin の調査の第 2 副次サンプルは次のように告げられた．「最後に確認しておきます．地域世帯は汚染防止の費用は負担しなければなりません．そして，あなたの回答によって，地域の税率が影響されることになります」（Cronin，1982，波線は原文による）．

　このようなシナリオでは，明示的にせよ非明示的にせよ，回答者の最終的な支払金額は，費用を市民の間で負担し合うという任意の方式，あるいはプロセスに従うものであるということが伝えられる．これによって，戦略的行動への動機が排除されることはないにせよ，制限されることとなる．

　回答者の真の WTP にできるだけ近い額を聞き出すとなると，SB₁ は SB₄ より優れている．これは SB₁ のほうが，TP（真の顕示選好）条件に近いからである．財の提供が保証されていると思われたならば，真の WTP を決定するために必要な思考努力をしようという動機が弱められてしまうだけである[2]．SB₁ における財の提供に関する不確実性は，その反対に，好ましい方向に働くと予想される．この理由で，SB₁ が大抵の場合，CV シナリオでとくに指定される，動機づけのある状態となる．第 6 章で戦略的に行動するかどうかは，支払義務に対して不確実性を感じているかどうか[3]，またリスクに対する嫌悪感といった要素についての予想によって，左右されるということが確認された．

　CV 調査の回答者にとっての戦略的行動への動機は，次のような理由から，弱いものであると考えられる．

　1．戦略的行動を行うためには膨大な情報量が必要．

2）SB₄ の提供が保証された条件は，表明された WTP と最終的な支払義務との間になんらかの関係がある場合には常に，フリーライドを奨励するものとして提示される．

3）回答者の支払義務に対する予想が，表明した額よりも少ないと感じた場合には，オーバーな表明をする傾向があり，予想される支払義務が表示額より多い場合には，過少な評価をするか，またはフリーライドする傾向がある．

2．CV調査では通常回答者に，多数の人間が調査対象となっているという印象を与える．ある程度信憑性のある金額のオーバーな表明をして，結果に対してかなりの影響を与えるということは，大勢の間で平均化されてしまうので，まず考えにくい．

3．CV研究で通常使われる支払手段（税金，値段の上昇，電気料金の値上げなど）のほとんどは，強い予算上の制限，その他の否定的な反応を引き起こすようである．たとえ仮想的な状況であっても，人はこの種の支払いを容易に上げることに賛同しないものである．

4．過少な表明には，公共財が提供されないという危険性が伴う．これは一般にCV調査では，選択肢として，提供されるかどうか本当に不確実であるような状況が提示されるからである．

このような要素はどれも，標準的な経済理論で提唱されている，合理的な効用極大化をめざす経済上の消費者に合致するものである．他の超合理的な動機づけ要素の役割も，CVが戦略的行動をある程度のレベルに抑えることができるということを示すものである．われわれの提唱する，戦略的行動の動機づけのための実験的なモデルを検討する前に，この現象の厳密なモデルを開発しようとする最近の試みに目を転じてみよう．

1.2　HoehnとRandallのCV行動モデル

John HoehnとAlan Randallは，CVインタビューの回答者が，SB1条件に焦点を当てた調査手段のさまざまな特性に対して，どのように戦略的行動を取って反応をするかについて，理論的モデルを提起した[4]．このモデルにもとづいて，彼らはいくつかの結論に達した．その一つに，CV調査で個人が表明するWTPは真のWTPを過少に評価する傾向があり，CV調査で示されたWTAは真のWTPよりオーバーな表明となる傾向がある，というものがある．また，離散選択である買うか買わないかの二肢選択形式は，誘因両立的である．つまり，支払義務が財に対するWTPよりも低い場合には，回答者は，そのような条件では，イエスと答えるしかないということである．そして最後に，彼らは結論として，回答者がCVシナリオに注意すればするほど，真の価値判断に向かってWTPとWTAとの間は収束していくとした．

HoehnとRandallは，いくつかの仮説にもとづいて以上のような結論を導き出した．個別誘因両立性を論じた文献によく現われるものに加えて，次のような仮説を提起した．CV研究で評価される公共財のレベルの変化によって，一体どの程度の満足感を得ることができるのかについて，個人はある程度の不確かさを感ずるものである．また財に対して，その価値以上の支払いをすることに関して，回答者はある程度リスクを嫌うものである．HoehnとRandallはまた，CVのために費やされる時間と労力を，選好探求プロセスを制約する要素として扱っている．さらに，回答者が支払義務に関する不確実性を解決する方法を制限するような仮説を立てている．HoehnとRandallは，回答者は次のように感じているものとしている．

（1）表明した金額を支払わなければならないと感じている（これは誘因を，TPすなわちフリーライドの動機づけのある状態に向かわせる）

（2）支払わなければならない金額は，表明した金額のなんらかの割合で決定されると感じている（これも，誘因をTP動機づけのある状態に向ける傾向がある．とくに当該プロジェクトが，すべての回答者の表明した金額にもとづいた費用便益ルールを使って行われる，という感じが加わったときに著しくなる）．

4）Hoehn（1983），Hoehn and Randall，1983，1985a，1987；Randall，1986b, Hoehn and Sorg，1986を参照されたい．

（3）費用は頭割りで支払わなければならないと感じている（これは，いかなるタイプの複数回投票によって実施できるルールのもとであっても TP へと向かい，費用便益分析結果に従って実施を決めるルールのもとでは，奇妙なものとなり得る行動へと向かうものである）．

回答者が最も信憑性があるとして受け入れる投票のルールを使用すれば，ある条件下では，真の顕示選好が得られるが，これはパレート最適を捨てるという代償を払ってのことである（Zechhauser, 1973）．しかしながら，Hoehn と Randall の提唱する不確実性，不完全な最適化，リスク忌避の仮説は，選好が WTP によって（WTA とは反対に）引き出される場合には，顕示選好を慎重な過少表明の方向へそらせてしまう傾向がある[5]．

Hoehn と Randall のモデルは，内面的な経済的誘因がどのようにして CV 調査の回答者を動機づけるかについての理論を展開するための，有効で論理的に厳密な試みである．ただ現在の形では，このモデルにはいくつかの制約が存在する．まず最初に，個別誘因両立性に関する文献に共通のものがあり，この種の文献のモデルは，調査状況での回答者の行動に影響を与えるような，直接的には経済にかかわらない他の要因を無視するものであるという．

Hoehn と Randall が最も新しい彼らのモデルにおいて確認したように，彼らの得た結果は，回答者が調査で語られたことをすべて信じるという仮定のもとに成り立っているが，この仮定は真実でないことがよくある（第 10 章を参照）．たとえば，回答者がなんらかの理由で，自分が表明した金額（または，付け値の関数としてのなんらかの価額）を支払わなくてすむと信じたならば，真のWTP をかなり越えた WTP を提示する可能性がある．この行動は，Hoehn と Randall のモデルでは説明のつかないものである．それゆえ，公団のアパートに住んでいる貧しい人ならば，アパートに関するアメニティに対しては，もしそれが連邦政府によって支払われると思われるならば，高いWTP を提示することを，抑制する要因はあまりないといってよいだろう．

Hoehn と Randall によって確認された第 2 の制約とは，彼らの結果は，期待値として表わされているということである．それゆえ，Hoehn と Randall が提示する不同性—WTP（CV 調査で表明されるような）は真の WTP と同等か，あるいはそれ以下であり，表明された WTA は真の WTA と同等かあるいはそれ以上である）平均的には真実であっても，特定の CV 調査には当てはまらない可能性がある．調査手段によって影響される CV 回答には，ランダムな要素が介在するということを認めるならば，このような特質は避け難いものであろう（第 10 章を参照）．これは，Hoehn と Randall のモデルによって経験論的テストを行うことを困難なものにしている．

Hoehn と Randall のモデルによって導き出される結論は，CV 調査における内在的経済誘因によって，CV の WTP が，財に対する回答者の真の WTP の完全な測度値よりも低く抑えられる傾向があるということであり，この結論にはわれわれも賛成である．しかしながらわれわれの見解としては，この行動モデルは，多くの場合にそのような過少評価は起こり得るが，CV 調査で得られた WTP が常に真の WTP を下回るものであるとは考えられない．さらに，CV 調査において反復的な住民投票による回答法（たとえば，反復的な入札ゲーム）で得られた WTP が，非反復的な回答法で得られた額以上になるという Hoehn と Randall の結論には，賛成しかねるものである．

彼らがこの結論に達したのは，まず買うか買わないか二肢選択の単一オファーは個別誘因両立的であるという所見を援用し，買うか買わないか二肢選択の反復的オファーもまた，個別誘因両立的

であるという結論を導き出したことと，さらに反復的競りのゲームは，ある公共財の特定の量の（回答者にとっての）価値を回答者が考えるのに費やす時間と努力を，最大にしてしまうと仮定することによるものであった．彼らの理論の問題の一つは，回答者が反復的離散選択的状況を独立した外生的なものとして扱うという仮定を，暗黙のうちに認めているという点である．われわれの経験からいうと，回答者は買うか買わないかの二肢選択の質問と，その後に続く質問との関係を，素早く理解してしまうものである[6]．また別の問題として，反復的質問方法を支持するにあたって，Hoehn と Randall は，開始位置バイアスといった，この方法に特有の回答効果バイアスを考慮に入れなかったということがあげられる（第 11 章参照）．

1.3　実験的（heuristic）CV 行動モデル

一般的に CV 研究においては，回答者は，第 6 章で扱った戦略的行動に関する多くの実験テストで，回答者に提示されたのと同様な仮想的状況におかれる．この両方の場合において，彼らは，自分たちが市場化されていない財を評価するように要請された一群の人々の中の一部であり，ほとんどの人がその財を欲しており，これは一般市場においては入手が難しいものであるということを知らされる．この両方の場合において，回答者は調査者以外には誰にも接触しないで財の評価を行うので，直接的なグループ・プレッシャーの可能性は排除でき，また戦略的な計算は困難である．これは，回答者には自分の WTP を表明する前には，他の人の支払提示額の規模について情報を与えられないからである．もう一つの類似点は，CV シナリオと，フリーライドが最も少なかった実験条件で使われた，グループ排除の方式との対応関係である[7]．

しかし，CV 研究と，CV の戦略的行動に関する可能性にかかわる実験との間には，相違点が存在する．たとえば被験者はしばしば，財が提供される条件について詳しく知らされ，その条件下では財の提供が保証される．Bohm の条件 II では，付け値の合計が 500 クローナ以上であれば，回答者は自分の付け値の割合に応じた金額を支払えば，番組を見ることができるということを知っていたわけである．この約束は信用できるものである．なぜならば，財の提供を約束しているもの（大学の教官とスウェーデン国営放送局）が，信頼するに足るものであり，その財を供給できる立場にあるからである．だが，その場で提供されることのめったにない財の CV 研究では，回答者は公共財が提供される確率と，財が提供された場合に最終的に必要となる支払レベルを，自分で主観的に求めなければならない．さらに CV 調査では，財が提供された場合には，税金や消費財の値上がりといった形で誰もがそれに対して支払わなければならないという条件を，信憑性のある形で伝えることが可能であり，また実際に伝えているのである．この条件によって，戦略的行動の実験テストで特徴的に現われるフリーライドへの誘因が，かなり排除されることになる．

戦略的回答を動機づける方法に関しての，実験的調査と CV 調査とにおける，以上のような点，またその他の相違点がどのような影響力を持つかを検討するにあたって，ここではまず，実験的な状況において戦略的行動を取る可能性を，戦略的行動を取ることによって得られると予想される利益，そのような戦略を展開するための費用，正直で協力的な行動といった内面的な抑制要因との関数としてとらえることから始めてみよう[8]．この論を厳密にではなく，実験的に展開して，実験的

6）買うか買わないかの二肢選択のオファーは，その優先度が操作可能（すなわち提示される将来の価格，あるいは量が回答者の前の答えに影響される）であるとなると，たちまちその個別誘因両立性を失うものである．

7）グループ排除方式は，CV 調査で使われた場合，一般に，参加者すべてが支払う意志を持たなければ，財は供給されないと知らせて，実施されるものである．

状況において戦略的に行動する可能性を次のように定式化することができる．

$$L_s = f[EG, EC, ID] \tag{7.1}$$

ここで，L_s は戦略的行動を取る可能性，EG（expcted gains）はそのような行動から期待される利益，ECは戦略を作るのに必要と思われる費用，ID（internal disincentivs）は戦略的行動を取ることに対する内面的な抑制要因である[9]．CV においては，次のような式が与えられる．

$$L_s = f[(P)EG, EC, ID] \tag{7.2}$$

ここでPとは，CV 調査の結果によって公共財の提供とそれに対する支払いが完全に決まってしまうという，回答者が主観的に形成した可能性である割引補正要因（discount factor）を表わす．上記等式の右側の要素を子細に検討すると，他の要素が同じであれば，CV 調査はそれと同等の実験的方式と比べて，戦略的行動を起こす可能性は少ないということがわかる．

実験的な方式では，P はほとんどの場合1に等しいが，CVM では，その結果の現実性が低いため，$1 \geqq P \geqq 0$である．この違いによって，CV 研究では戦略的行動への誘因が低くなることになる[10]．回答者の内面的計算の多くはPの値を中心に働くものであるため，Pの側における証拠は何かないものだろうか？　間接的なある証拠によれば，Pは比較的低いということが示されている．環境問題評議会（Council on Environmental Quality）の1980年の「環境問題に対する世論」（Public Opinion on Environmental Issues,〈Mitchell, 1980 b〉）調査は，その序文でこの調査は政府行政のために行われるものであることを述べ，全国的なサンプルに対して，次のような質問をしている．

　あなたが聞いたり，読んだり，また経験から学んだことから判断して，環境問題に対して，連邦政府はどの程度，あなたのような市民の意見に耳を傾けているとお思いですか？

　［非常に（agreatdeal），ある程度（some），あまり（little），全然（none at all）］

連邦政府が市民の個人的意見に"非常に"よく耳を傾けていると考える回答者の割合はきわめて低く，ほとんどが，政府は"あまり"あるいは"全然"注意を払っていないと考えている（表7–1を参照）．この2つの所見は，上記に述べたことに合致するものである．この質問で回答者に提示された状況は，非常に一般的なものであるということに気づくが，広範囲な公共政策にかかわる CV 調査（たとえば，大気や水質に関する国の政策）もまた同様に一般的なものである．地方の公共財に関するものであれば，Pの値は状況によって変わってくる傾向がある．

ほとんど，どのような CV シナリオでも使われる条件の一つに，財が提供された場合には，誰もがなんらかの額を支払わなければならないというものがある．それゆえ，CV 調査において$1 \geqq P$であるだけでなく，もし回答者がPが1であるとしても，EG はさらに小さくなる．この特性によって，CV 調査における強いフリーライドの可能性が，本質的に排除されることとなる．ただし，シナリオが暗示的または明示的に，強制力をもって参加料金を設定し，規則を発令し，利用料金を定め，あるいは税率を上げるという措置が必要である．

8）実験的状況と現実の両方において，行為からの利益は現実的なものであるから，この2つの状況における金銭面での条件には相違は存在しない．

9）戦略的行動を取ることに対する内面的な抑制要因は，賭博のように，そのような行動に反対する社会的規範がないような状況では，存在しないと思われる．経済学を除いた他のすべての社会科学では，調査の質問に対して正直に答えることを促す社会的な規範が存在することを仮定している．

10）ここでは$\partial LS / \partial P > 0$と仮定している．しかし注目すべきことに，$P$を減少させることによって，不規則な行動の可能性が増加するのである．さらにEC, EG, IDに影響しないPの減少は達成されにくい．Pを減少させる最も簡単な方法は支払義務を強調しないことであり，この方法は$EG - EC$が効果的に減少し，$\partial LS / \partial P > 0$となる．

表 7-1　環境問題に対する市民の意見に，連邦政府がどの程度注意を
払っているかについての国民の意識調査

答	戦略的行動への可能性	割　合（％）
非　常　に	最　も　高　い	5
あ る 程 度	普　　　通	31
ほ と ん ど	低　　い	39
全　　　然	な　　し	20
そ　の　他	不　　明	5

（出典：Mitchell, 1980 b）

　この CV 調査の特性は，Guttman（1978）が戦略的行動を減少させる方法として提唱した，マッチング条件にある程度似ているといえるだろう．財が提供された場合に“平均化された”支払いが約束されている場合にもまた，戦略的行動への動機のうち 2 つが排除されることとなる．すなわち貪欲さ，つまりフリーライドによる利益で，この場合，支払いは強制的で，表明された金額とは直接的につながっていないためであり，もう一つは，支払ったあとで財が享受できないのではないかというおそれである[11]．実験経済学の文献を検討してみたところ，重大なフリーライド状況が生じるのは，ほとんどいつも，ある被験者が他の被験者がフリーライドをして利益を得ていることを確認したときであるが，このような状況は，CV 調査では起こり得ないものである．

　また，EG は WTP を聞き出すために使われた方法の関数であるということは注意しておくべきであろう．一つの極に，EG をゼロに設定する単一の（想定された）買うか買わないのか二肢選択のオファーがあり，もう一方の極において，それがどんなものであれ，回答者の最大の WTP を直接的に聞き出す方法があって，EG が可能な最大の値を取ることができる．

　それでは，問題となっている残りの変数を見てゆくことにしよう．実験的方式も CV 調査も同一の特性を持っているものならば，戦略的行動を取ることで期待される利益（expected gains＝EG）は両方とも同じとなるだろう．だが，EC と ID とは異なり，その異なり方は，CV 調査において戦略的行動を取る誘因を減少させる形となるだろう．戦略を作り上げる費用（EC）は，CV 調査において戦略的に行動する誘因を減少させるにはとくに重要な要因である（Kurz, 1974；Brookshire and Eubanks, 1978）．そのような戦略を形成するためには，回答者はサンプルサイズや，もうすでに調査された者と，これから調査を受ける者とを含めた，すべての回答者に関する WTP の平均値を知っていなければならない．

　CV 研究とは対照的に，実験においてはしばしばサンプルサイズは参加者に知らされるか，あるいは被験者は，かなり正確に推定することができる．実験的方法の中には，グループの他のメンバーの答えをフィードバックするものもある．CV 研究における回答者は，それよりもやや情報集約性の低い戦略を取るかもしれないが，これによってほとんど常に，期待される正味利益（$EG-EC$）を，実験的な状況で達成できるレベル以下に減少させるのである．戦略的行動に対する内面的抑制要因（internal disincentives＝ID）もまた，CV 研究においては，実験的状況におけるよりも高くなる傾向がある．とくに面接による CV 研究においてそれが顕著となる．訓練され，中立的なプロの面接担当者がいるということで，正直さと協力の規範が喚起され，虚偽の行動に反して作用すると考えられている．けち，あるいは気まぐれだと思われたくないという社会的なプレッシャーは，これとは逆に作用するように思われる[12]．

　前述の Marwell and Ames（1981），Schneider and Pommerehne（1981），Brubaker（1982）らの行った実験的な研究によって，最適な WTP を聞き出すための，グループ排除の重要性が指摘された．

---

11) Palfrey and Rosenthal（1984）を参照．

上記調査者のシナリオには，参加者によって十分なグループWTP が提示されなければ，誰も財を享受できないということがはっきりと述べられていた．現在までの CV 研究ではほとんど場合，グループ排除を強調することはなかったが，公共財について支払う意志がない場合には誰にも提供されないということは，しばしば暗黙のうちに（時にははっきりと明示されて）理解されていることである．グループ排除は，とくに住民投票モデルにもとづいた CV 研究において重要になってくる．これは，財の供給に関する集団的意思決定の枠組および制度的意味がかかわってくるためである．

戦略的行動の低い実験に比べて，適切に設計された CV 調査では戦略的行動はさらに低くなるということは，確証をもって結論づけることができる．これに関する証拠は非常に広範囲にわたり，また一貫しており，われわれの感ずるところでは，立証責任は，戦略的行動ゆえにすべての CV 研究の妥当性を疑ってかかる者に移されたようである．この判断は，CV 研究者が，戦略的行動によるバイアスの可能性を完全に無視し去ることができるという意味でとらえられるべきものではない．現在 CV 調査で最も広く使われている支払い方法 SB_1 は，最も戦略的行動を引き起こしにくいものであるが，CV 研究の中には，ほかに比べて戦略的行動に陥りやすいものが存在する．戦略的バイアスは設計の不適切な CV 研究において問題となる，さまざまな種類のバイアスの中の一つとして，考えられるべきものである．

さて以上で，CV 調査における回答者の戦略的行動によって，この調査法そのものの妥当性に問題が生じるとする経済学者の仮説に対して反証を試みた．次に，CV 研究においてどのような条件が戦略的行動を助長するのであるかという重要な問と，それに関連した諸問題を検討してみよう．また戦略的行動が生じた場合に，それが CV による便益評価に及ぼす影響についても考えてみたい．

2．CV 研究における戦略的バイアスのコントロール

2.1　CV 研究において戦略的行動を助長する条件

CV 研究において回答者が戦略的行動をする可能性（L_S）は，終端が $L_S=0$（戦略的行動からの割引き補正された利益が期待されない場合）と，$L_S=1$（戦略的行動によって，任意の大きな割引き補正された正味利益が期待される場合）とで定義されたラインあるいは連続体にそって存在する．ここでわれわれは，回答者の L_S に対する評価にもとづいて，回答者は4つのグループに分けられるという仮説を提示したい．それぞれが，戦略的行動に対して異なった可能性を有している．

Ⅰ．$P=0$ か $EG=0$，あるいは両方である者．この回答者は，低いほうの終端に位置している．

Ⅱ．$[(P)(EG)>0]$ と予想された費用（内面的抑制要因を含む）との当初の比較（費用がほとんどかからないと思われた）が，正味利益がマイナスか0であると示している者．この回答者は戦略的行動を取らない．

Ⅲ．当初の費用便益計算では戦略的行動によって正味利益が期待できたが，戦略を決定したあとでの再評価では，正味利益が0かマイナスを示しているような者．このグループも戦略的行動は取らない．

Ⅳ．当初の費用便益計算では正味利益が期待でき，戦略を決定したあとでの再評価でも正味利益

12）面接者がいるということは，たとえば何にでも「イエス」と答えてしまうというような，また別のバイアスを引き起こすことにもなる．この例は，回答者はどんな質問であっても，「イエス」と答えてしまうもので，それが社会的に適切な回答であるという考えからこのような行動を取るわけである．ほかに関連したものも含めて，このようなバイアスは第11章で検討する．

　がプラスとなるような者．このグループは戦略的行動を取ろうとする．

　先に述べた理由から，最初の2つのグループが，ほとんどのCV研究では回答者の大多数を占めるものと思われる．

　しかしながら，事前に特別な措置を講じない場合，かなりの回答者がグループIVに陥ってしまう状況となる．利用料金が課されることによって，回答者が評価対象となっている財の提供から除外され得るものである場合（たとえば公園の利用，狩猟許可証の獲得，社会的なサービスの供給），その財の利用者あるいは利用可能性のある者は，料金の徴収の可能性を最小限にとどめることに関して，またそれができない場合には，料金そのものを最低限に抑えようとする，高い動機づけがなされる可能性がある．

　もし回答者がその調査によって，提供されることが危ぶまれていない財に対して料金（高いP）が課せられることになると考えた場合には，（1）評価対象となる財が特定化されればされるほど（たとえば特別の公園），（2）回答者がその財を利用すればするほど，また（3）現行の料金が低ければ低いほど，WTPを過少に評価する[P·EG]は高くなる．このような条件下では，回答者はフリーライド条件SB_4（表6.2参照）に傾いてゆくことになる．逆に，料金が課せられるという可能性が低いと感じられた場合には，また政府が一般歳入分からその財を供給するという可能性が高い場合には，同じ要因によって，SB_2と同様に利用者にオーバーな表明をすることとなる．

　このような例において，戦略的行動への動機を助長させるという意味で，3つの要素がとくに重要になっているようである．最初の2つは[P·EG]を増加させ，3つ目はIDを減少させる．最初の要素は，回答者に対する財の顕著さ（salience）である．回答者が現在使用している特定の財は，その個人に対して直接性（immediacy）を有しており，非常に顕著なものとなる．第2の要素は，財から排除されるかもしれないという可能性である．財を享受するためには利用料金を払わなければならないと回答者が考える場合には，表明された実際の額に非常に近い支払義務が発生し（財が提供されると思われる場合には），フリーライドへの強い傾向が生じる．第3の要素は，仮想的所有権にかかわるものである．財が現在，低い料金あるいは無料で手に入る場合，回答者は暗にあるいは明確に，その使用権を主張することがあり，それに対して値をつけようとしていると感じられた場合には，それを不当であると見なすことがある．このように思った場合には，CV回答者を通常は正直な行動へと導く規範が否定されることがある．

　石油天然ガス用海洋採掘作業台を，趣味の釣りに利用する場合の価値として調査したRoberts, Thompson and Pawlyk（1985）の研究では，戦略的行動の可能性と，その影響を最小限に抑えるために研究が利用できる戦略が提示された．彼らは電話によるCV調査を行い，スキューバダイビングを趣味で行う人々にとって，メキシコ湾にある現在使用されていない海洋採掘施設を，そのままに残しておくことの価値を定めようと試みたのである．このような採掘施設は，多くの海洋生物に生息地を提供しており，ダイバーたちは現在，この資源を自由に享受している．

　この調査のサンプルは，調査の前年にこの作業台を利用したダイバーたちである．この回答者たちは，もし許可証が必要となったとして，その海洋施設に対する仮想的な年間許可証にいくら支払う意志があるかを尋ねられた．回答者がフリーライドをする可能性を考慮し，調査者らは，回答者に対して「採掘施設の利用に料金を課す計画はない」と保証し，[P·EG]の値を下げようと試みた[13]．彼らはまた，次のように説明して，この申し出の信憑性を高めようとした．この調査は「ルイジアナ州の石油天然ガス海洋施設におけるスポーツダイビングに対する経済的価値を定める方法

---

13)　この手続では，この保証によって最適な戦略がやや不明瞭になったため，ECを増大させることにもなるという議論も成り立つ．

を研究するためのものである」．この操作は，シナリオの構築において正直に答える誘因を微妙に釣り合わせる努力をよく表わしているといえる．というのは，SB_3 型のフリーライドを避けようとする調査者の試みは，SB_2 型のオーバーな表明を奨励する危険性をはらんでいたからである．結果として，$0 と高い WTP の提示が両方とも非常に少なかったという事実から，戦略的な回答を避けるという彼らの試みは成功したといえよう．

3 つの異なったタイプの調査実施方法（郵便，電話，面接）は，それぞれに，戦略的行動を奨励する，あるいは抑制する特性を有している．郵便による調査は EC を減少させ，EG を増大させ，ID を減少させることで，おそらくこのような行動を最も強く奨励するものであろう．この理由として，調査を受ける個人に最適な戦略的回答を作るのに十分時間があること，アンケート全体に目を通すことができ，WTP の質問に答える前に，その目的と最終的な用途を特定することができること，そして，調査者に対しては非個人的なコミュニケーション手段しか持たず，他の人間に直接的に嘘をつく費用が減ぜられることがあげられる[14]．

これとは対照的に電話による調査では，戦略的行動は抑制される傾向がある．これは，限られた時間では戦略を構築するのに十分ではないためで，また電話と面接による調査では，調査担当者は情報の流れと質問の順序をコントロールすることができる．回答者との接触は，郵便より電話のほうがより直接的であり，この要因は，戦略的行動を抑制するためにはとくに重要なものであり，担当者が回答者の家に出向いて行う面接調査において最も顕著に現われる．

2.2 　戦略的行動のテスト

戦略的行動のための三種類の実地テストが，CV 関連文献に報告されている．しかし，そのうちのどれも戦略的行動の存在を明確に測度することはできない．これは，ほかに予想される回答行為との区別がつかないからである．ただこの三種類のテストは，戦略的行動が見つからないということが，それが存在しないことを十分に示すようには設計されている．一つを除いてすべての戦略的行動テストにおいて，結果はネガティブなものであった．これは，戦略的行動はほとんどの CV 研究においてはあまり問題となり得ないという見解を支持するものである．戦略的行動が認められた一つのテスト結果は，ほとんどの CV シナリオが作られている方式とは，とくには関連性のないものである．

第 1 番目のテストでは，回答者は戦略的に行動するために必要な追加情報が与えられ，それに従って WTP を変更する機会を与えられる．このテストを採用した唯一のケースで，Rowe, d'Arge, and Brookshire（1980）は，まず，アメリカ合衆国南西部での大気の透明度の改善のための WTP を表明してもらった．その後で各回答者には，他の回答者たちがある特定額の平均付け値（specified mean bid）が提示されたと告げられた．この特定平均付け値は，個人個人別々に定められ，最初の付け値を出す際に戦略的行動を取ったかもしれない者を含めて，回答者がすべて，付け値を変更することによって，利益を得ることができるようになっていた．そして，回答者はその新たな情報を考慮して，表明した WTP を変更するよう勧められた．

戦略的行動のテストとしてのこの手順の欠陥は，回答者が，その平均 WTP を価格，つまり財の真の価値を表わすものと，取ってしまう可能性があったということである（第 11 章の暗黙の価値

14）戦略的行動によって回答が影響されたと思われる，われわれの知る唯一の CV 研究は，郵便によるものであった（Carson and Mitchell, 1983；Carson, Graham-Tomasi, Rund and Wade, 1986）.

サイン〈implied value cues〉についての議論を参照）．もし彼らがこのように仮定したとするならば，その新たな情報を使って，最初のWTPを正直に再評価するのが，理にかなった行動となるだろう[15]．しかしながら，付け値の変更は戦略的行動以外の要因によって生じたものであったかもしれないが，付け値に変更がないということは，戦略的なバイアスがないということの非常にはっきりとした証左となる．Rowe, d'Arge and Brookshire の調査では，回答者40名中，変更を勧められて，実際に付け値の変更をしたのはわずか1名だけであった．またフリーライドをする機会が与えられたときに，経済学者はそれ以外の人々とは異なった行動をするということが示された実験ということで注目に値するのは，おそらく戦略的行動を行ったと思われるその一人というのが，無作為に抽出された経済学の教授であったということである．

　第2類型のテストは，Brookshire, Ives and Schulze（1976）が最初に提唱した分布に関するテストである．彼らは，真の付け値は正規分布になるという仮説を提起し，調査の平均値を財に対して自らつけた値に近づけようとはするが，自分の回答なしにはサンプルの平均値がどの程度になるかわからないということから，回答者が使うことのできる戦略は2つしかないという直感的な議論を展開した．回答者が，サンプルの平均WTPが自分のWTP以上であると考えたとすると，$0といったできるだけ低いWTPを出すのが適切な戦略である．もしサンプルの平均WTPが自分の値より低いと考えたとすると，最適な戦略は，調査者が信じると思われる最高の（金銭的）評価をすることとなる．それゆえ，戦略的行動を示す一つの指標として，WTP分布において，高い終端あるいは低い終端に予想以上の回答者が集中している場合があげられる．このような集中は，WTPに関して，対数正規分布のような，他の適切な分布が選ばれた場合でも，戦略的行動を示すものといえる．ただBrookshire, Ives and Schulze の研究においては，そのような分布は見い出せなかった．

　分布タイプのテストの信頼性は，回答者が低い（ゼロ）あるいは高い回答を出すいくつかの理由（戦略的行動以外で）によって弱められる．付け値がゼロであるということは，低所得の回答者，あるいは問題となっている財に対して否定的な態度を持つ者の，正直な回答を表わしている可能性がある．また，WTPがゼロであるということは，調査に参加することを拒否する回答者の，抗議としての付け値である可能性もある．WTP分布の上端での回答を解釈する際にも，数はそれほどではないが，やはり似たような問題に直面する．これは環境に対して強い肯定的な態度を持つ，高所得の環境財使用者は，実際にかなりの額を支払う意志を有しているのである．さらに高い額や低い額には，よく考えて答えを出す意志のないか，あるいはそれができない者で，答えないでいることもまた好まないといった者による無意味な付け値もあり得る．

　戦略的行動以外の要素によって，CV調査における極端な付け値の多くのケースの説明がつけられるという仮説は証明されている．Randall, Hoehn and Tolley（1981）は，利用できる付け値の核という考えを使って，抗議付け値や外れ値（回答者の収入を考えると，あまりにも法外に高かったり低かったりする付け値）を除外した残りの回答を記述している．外れ値は，CV調査では通常，サンプルの付け値の5パーセントから10パーセントを占めるが，これには多くの潜在的戦略的付け値が含まれている．つい最近までは，外れ値は一般にケースバイケースで確認されてきたが，Bel-

---

15）Rowe, d'Arge and Brookshire はまた，回答者の副次サンプルに，ほかの回答者の想定された平均付け値を知らせた．副次サンプルに選ばれた回答者たちは，自分たちの付け値を出す前にその平均付け値を知らされ，その額は$1.00から$1.50までの範囲で個々の回答者に告げられた．この研究者らの報告によれば，平均してこの情報を与えられた回答者は，与えられなかった者よりも，1カ月当たりにして$1.70低い付け値を出した．サンプルが同等のものであるとすれば，これはかなりの違いである．上記研究者らは，この結果をフリーライドの証拠であるとしている．われわれとしては，価格設定の説明のほうがよいと思うが，いずれかの説明を取るべきかについては，明確な判断材料がない状態である．

sley, Kuh and Welsh（1980）の提唱した，もっと高度で体系的なアプローチを利用することの価値
が，Desvousges, Smith and McGivney（1983）によって示された．

　第10章において，この目的でトリム平均を利用することを提起したい．外れ値と思われる WTP
を提示する回答者の特質を分析してみると，大抵の場合，低収入で教育程度も低く，とくに圧倒的
に女性で，年齢が高い者であることが判明した．このような特性は，戦略的行動が予想される者の
特性とはまずいいがたい．

　戦略的行動のための，第 3 番目のテストは 2 つの同等の副次サンプルを使用する．それぞれのシ
ナリオが同じ財を評価するが，戦略的行動を起こすための異なった誘因を提供する．この種のテス
トは，スウェーデンの地方自治体が，地方の都市計画立案者が利用できる詳細な統計的住宅情報を
確立するための基本的費用を，どの程度支払う意志があるのかを測度した調査において，Bohm
（1984）が利用したものである．回答者が自治体であり，もしそのサービスに対して，全自治体が
提示した WTP の総計が一定のコストを超えた場合には，実際の支払いが必要となるという点にお
いて，この研究は本章で検討した他のものとは異なっている．Bohm は 279 の地方自治体を 2 つの
グループに分け，それらの WTP は，アメニティを戦略的に過大評価あるいは過少評価する誘因を
持つような条件のもとで引き出された．グループ 1 の自治体は，その額を過少に表明する理由を有
する．というのは，表明した WTP（SB_1 の形）の何割か（100 パーセントまで）を，当該のサービ
スのために，中央政府に支払わなければならなかったからである．一方，第 2 グループは，支払い
限度額が一定に定められたものであったため（SB_2），オーバーな表明をする誘因を有していた．付
け値が＄0，または一定額以下の自治体は，サービスの享受から排除されることになっていた．そ
れぞれの地方自治体には，この調査に関する完全情報が与えられた．それには WTP を偽って表
明する誘因を明確に説明した情報と，「WTP を偽って表明する誘因に従った場合には，この調査の
価値が減ぜられることになる」という倫理的勧奨が含まれていた（Bohm, 1984：144）．さらに参
加自治体には，各自治体が提示した額は公表される旨が知らされた．

　Bohm の方法の意図したことは，サービスに対する WTP の上部と下部を外して，その間の部分
が一定のコストを超えるか，あるいは下回るときに，住宅統計を提供する明確な決定ができるよう
にすることであった．この方法をこのように特定的に，実験室でなく，また非仮想的に実施して，
平均 WTP はそれぞれの条件で"きわめて近くなり"，"重大な虚偽の行為を示す証拠はほとんどな
かった"ことを表わしていた（Bohm, 1984：147）．

　この第 3 番目のテストを実際に利用した他の唯一の例は，Cronin（1982）の行ったもので，彼は
ポトマック川の水質改善のための支払意志について CV 研究を行い，戦略的バイアスを発見したと
主張した．ワシントン D. C. 地区のある副次サンプルは，支払いは地方税の増加という形で行われ
ると告げられ，また別の副次サンプルは，"一人当たり，連邦租税が多くても数セント"上昇する
程度の費用で，連邦政府がこの改善のための支払いを受け持つと告げられた．

　Cronin はこの 2 つのグループの回答にきわめて大きな相違を発見した．後者が前者に比べて，
約 25 パーセント多く支払う意志があると表明したのである．だが，彼のテストには欠点があった．
それは回答者が無料の財（実質的に価格がゼロである財）をどの程度欲しているかを評価するとい
うことは，実際の価格のついた財をどの程度欲するかということを評価することとは違うからであ
る（Kurz, 1974）．かなりの額の支払可能性が取り除かれたとき，Schneider and Pommerehne や，
Brubaker の E_3 の条件（実際にどのような支払いをしても，財の提供が保証されている）に類似し
た状況が作り出され，類似の結果が生じるのである．さらにいえば，Cronin の 2 つの調査条件で

の支払条件の違いによって，また別の分散増加の原因が加えられのであるが，このことは，彼が戦略的行動によるものであるとした違いの原因として，排除することはできないのである．

３．要約と結論

　戦略的行動は，CV 調査におけるさまざまなバイアスの一つとして扱われるべきであるという提言を行った．戦略的バイアスは，もし存在するとすると，回答者の真の WTP を下回るものであろうか，それともそれを超えるものと見るべきであろうか，またその相違幅はどの程度であろうか．一般に，もし戦略的バイアスが存在するとすると，わずかな過大評価が結果として予想される．第 6 章で示されたとおり，SB_1——CV 調査において作られる最適，かつ最も普通に使われる支払い動機づけ条件——に対する先験的な予想は，過少な表明または過大な表明となり，その違いは，回答者が自分の支払義務に対してどのような予想をたてているかによるものである．そこで示された理由からは，合理的で効用極大化を試みる消費者であっても，過少評価あるいは過大評価をするような強力な動機を有していない．第 12 章で主張されているように，ある条件下で外れ値を除外することによって，戦略的バイアスの影響を，とくに大きなサンプルにおいてさらに減少させることができる．

　戦略的行動の分析を CV の状況に拡張するにあたって，本章ではまず，CV 調査と戦略的行動につながる（標準的経済学の理論によれば）6 つの支払い・提供に関する動機づけのある状態との関係を検討した．そこで，6 つの状態のうちで多くの CV 調査の条件に最も近い SB_1 は，戦略的行動への弱い動機づけを生み出すということを発見した．次に，CV 調査と第 6 章で述べられた実験的状況とを比較し，実験による結果がどの程度，CV に外挿的に応用されるかを見きわめた．CV 研究と実験とは多くの点で類似しており，相違するところは，CV 研究のほうがフリーライド実験よりも，戦略的バイアスの発生率は低いということを論じた．この結論は，典型的な CV 状況での支払いと財の供給条件に特有の不確実性があること，最適な戦略的行動に必要な情報が入手困難であること，他の人がフリーライドをしないという保証があることの結果より導き出されたものである．また，調査が郵便によって実施されるという条件は，もし回答者がその気になれば，戦略的行動が取りやすいものであり，面接または電話による調査は戦略的行動を抑える傾向があるということを論じた．

　CV 調査における戦略的行動のための三種類のテストを検討した．それぞれの場合において，否定的な結果は戦略的バイアスが存在しないことを示すよい指標として提示された．第 1 のタイプのテスト（平均 WTP についての情報の提供）には実施例が一つしかないが，その結果を見ると，戦略的行動はほとんど見られなかった．第 2 のタイプ（極端な値への観測結果の集中）のテストは，外れ値を除外する CV 研究ではよく行われるものであるが，その回答者の中で，外れ値にあたる回答を出した者は，戦略的行動というよりは，無作為で一貫性に欠けた行動に特徴的な，人口統計上のあるいは態度における特性を持つものであることが示された．さらに，外れ値の平均 WTP がしばしば残りの回答者のものと大体同等となることが確認されたが，これは過少評価をする者と過大評価をする者とが，相殺し合うということを示している[16]．

16）この結果は，ほとんどの参加者はわずかな金額での過少評価を行うフリーライダーであるが，大きな金額で過大評価を出す少数の反フリーライダーによって相殺され，グループの平均額と総計は，驚くほど正確なものとなるという Vernon Smith（1980）の観測と合致するものである．

　第3のタイプのテスト（WTP を過少，あるいは過大に表明する誘因にさらされた副次サンプルの比較）は，ある実施状況で戦略的行動はまったく現われないが，他の状況では現われるといったものである．後者においては，戦略的行動は予想されてしかるべきであった．なぜなら，回答者は実質的に無料の財をどのくらい欲するかと尋ねられたわけだからである．このような質問は，ほとんどの CV 調査に適応されないものである．

　本章で提示された，戦略的バイアスについての議論のほとんどは，WTP にのみ妥当するものであり，WTA には不適切なものである．ほとんどの状況において，WTP の質問形式は，たとえば"財なしでいるよりも，最高いくらまで支払う意志があるのだろうか"といったように，回答者に望ましい反応を起こさせるようである．これとは対照的に，WTA 的観点から額を聞き出す質問をした場合には，"この財を手放すためにかかる最低額はいくらか"ではなく，"売るとすれば，いくらぐらいにまでなるだろうか"といった，戦略的反応が生じるようであるが，前者に対する答えのみが，経済的厚生の測度として意味を持つのである．

　WTP を検証してみると，戦略的バイアスは，ほとんどの条件下では，CV 研究において大きな問題とはならないということが示されている．戦略的行動は，CVM にとっては根本的な避け難い脅威というものではなく，CV 研究の設計者が考慮すべき多くのバイアスの原因となり得るものの一つにしかすぎない．本章で述べられたように，軽減するための措置が取られなければ，かなりの戦略的行動を引き起こし得る CV 設計というものは存在するが，そのような設計を使った CV 研究はいままでのところほとんど見当たらない．回答者が故意に偽った WTP を出すことによって起こり得る問題は，回答者が意味のない値を出す可能性に比べればそれほど深刻なものではない．それでは，この後者の問題を以下の2つの章で取りあげてみよう．

第 8 章

回答者は
意味のある答をするか

　一般に調査が，とくに CV 調査において，どの程度行動を予測する能力があるだろうかということを考えた場合，根本的な問題となるのは，CV 研究は必然的に仮想的な特質を有するものであるが，それによって自動的に結果が意味のないものになってしまうかどうかということ，またそうでない場合には，どのような条件のもとで価値のある CV データが得られるかということである．本章ではこの点についての批判，見解また，その拠って立つところの議論を検討したのち，CV 研究がシミュレートしようとする市場行動の性質を調べ，そしてその結果を仮想的市場の予測能力に関連する，2 つの研究分野から調べてみたい．その分野とは，仮想的支払いのかわりに実際の金銭的な支払いを使う行動の影響を比較する実験室での実験と，それに態度と行動との間にある関係の研究である．この二種類の結果において，CV 研究が意味のある結果を導き出すことができるという楽観論の根拠を見い出すこととなる．

1. 仮想的データ

　妥当性のある CV 研究を行おうとする研究者は，問題となる公共財のための市場をシミュレートするような，信憑性があり意味のある質問を作り出す必要がある．それは，回答者がその財に関する実際の市場に直面した場合，どう行動するかということを正確に表わすようなものであると考えられなければならない．意見調査における仮想的な質問が，この目的にかなうということに懐疑的な研究者もいる[1]．Gary Fromm（1968：172）は，"仮想的な質問を尋ねる調査では，正確な回答はほとんど期待できない"と述べている．

　同様に Anthony Scott は，この方法が野生動物資源に適用された際にこれを批判して，"仮想的な質問をすれば，仮想的な答えが返ってくる"と述べ，さらに"この〔CV〕手法からは，きわめて非現実的な金銭評価が結果として導き出される"といっている（Scott, 1965）．もっと穏健なところでは，Freeman（1979 b：104），Freeberg and Mills（1980：92）が，CV 調査では，正確な回答をしようという明確な誘因は存在しないとしている．

1.1　本当の意見か，意見がないのに述べた意見か

　では，なぜ"仮想的回答"がそのように問題とされるのか．一つ考えられるのは，仮想的質問に対する答えというのは，即興的にあまり注意しないで出される傾向にあり，本当の嗜好を反映していないということである．これは，世論調査を研究する者にとっては長い間，問題となってきた点である．20 年前，Philip Converse は，そのような意見を"非態度"（nonattitude）と呼び，明確化されておらず不安定で，それゆえ他の選択行動を予測する材料としては使うことのできない態度であると定義づけた（1974：654）．パネル調査において，時間の経過とともに何回かにわたって調査をしたところ，回答者が態度調査で表明した意見が，低い相関性を示した．これを検討した結果，彼はこの現象を特定したのである．この問題に関する彼の独創的な論文（1964）は，多くの研究者の文献で言及されてきたものであるが，その中で彼は，全国的な調査で回答者に対して，なんらか

1）実際の行動に対して，態度に関するデータがどの程度妥当性を持つのかについては，同様の議論が運輸施設計画者の間でもなされている．彼らもまた，過去に観察された行動には収まりきらない条件で，どのような行動が起こるかを予測しようとするものである．多くの運輸施設需要モデルの設計者は，実際の行動から得られた観測結果のみを使うが（この分野の用語を使えば"顕在的選択"〈manifest preference〉），態度に関する適切な変数（variables），すなわち想像的選択（conceived preference）もそのモデルに取り入れられなければならないとする者もいる（Golob, Horowitz and Wachs, 1979）．

の社会的問題について，「われわれのために意味のないデータをひねり出すかわりに」，意見がないということをいってもかまわないとはっきりと知らされた場合，どのような結果が生じるかを調べた．その時点で彼は，社会的問題においては，かなりの割合で有権者の見解が非態度の特質を有している，と結論づけた．この Converse の論文によって議論が巻き起こり，学者も触発され，非態度がどの程度一般的なものであるかの研究が行われるようになった[2]．

　その後，Converse は非態度の蔓延に対する自説を和らげ（1974：660），またその他の研究からも，彼の最も懸念するところは実際には根拠のないものであることが示された．たとえば，George Bishop ら（Bishop, Hamilton and McConahay, 1980）は，大学教育を受けた者であれば，少なくとも自らの政治的態度を形成するための，非態度の仮説とは合わない，安定した思考の枠組みを有していることを示した．

　また Tom Smith（1984）は，一見したところ非態度と思える回答において，手段による誤差（instrument error）が大きな要因となっていることを指摘した．また別の種類の研究では，人は意味のないデータを作りがちであるという Converse の仮説に疑義を投げかけた．この種の調査では，ごく普通の調査の流れの中で，回答者に，たとえば 1978 年の農業通商法（Agricultural Trade Act）といったあまり知られていない（架空のものも使われる）プログラムに賛成であるか反対であるかが尋ねられる．人が本当に，自分が知っているかどうかに関係なく，調査において意見を表明するものであるならば，そのような質問には大抵の人が答えると思われたが，実際は，ほとんどの人があえて意見を述べることをしなかった．

　農業通商法の成立に賛成であるか反対であるかを尋ねた，方法論に関するある実験（Schuman and Presser, 1981：147 ff）では，全国的なその調査で，69 パーセントが "わからない" という答えを出してきた．また別のバージョンでは，その問題について意見がないということをはっきりと表明する機会を回答者に与えたところ，90 パーセントが意見を述べることを拒否してきた．Bishop, Tuchfarber and Oldendick（1986）は，信憑性はあるが，まったく架空の問題について意見を求めた平行実験で，同様の結果を得た．

　なぜ，架空のあるいはよく知らない対象について，あえて意見を述べる人（数は少ないが）が出てくるのだろうか？　Bishop, Tuchfarber and Oldendick（1986：248）は，「ある話題についての知識が少なければ少ないほど，混乱し，それに対する意見を述べるプレッシャーを感じるものである」という仮説を立てた．しかし，このようにして表明された少数の意見というものは，本当に意見がないのに述べた意見（nonopinions）であるのだろうか．Schuman と Presser はそうは考えない．彼らの調査であげられた，よく知られていない案件について意見を述べた人々は，提示された回答区分の中の答の一つを，ランダムに選んだわけではないということを発見した．もし非態度を表明しているのならば，このような結果にはならなかったはずである．そうではなく，彼らは「その知られていない条例が何を意味するのかについて，まず経験にもとづいた推測（不正確なことが多いが）」を行い，与えられた質問に対する答えを構築していったように思われる．いったんその案件に対する意味の構築が完了すると，回答者は，そのトピックに合った態度と考えを土台として，意見を表明することになる．つまり，意味のない質問に対して意見を述べた少数の人々は，それを自分なりに意味のあるようにしたうえで，そうしているのである．

2）Converse（1964，1970，1974）を参照．また反対意見に関しては，Pierce and Rose（1974），Judd and Milburn（1980），Bishop, Hamilton and McConahay（1980），Brody（1986）を参照．これらの文献をよくまとめて検討を加えているものとして，Smith（1984），Kinder and Sears（1985）がある．

　以上のような調査から2つの結論が導き出される．まず第1に，ほとんどの回答者は，知らないということを明示する機会を与えられれば，無意味な答えを出すことを思いとどまるものであるということ．そして第2に，なじみのない架空の質問に直面した場合に，回答者は過去の経験をもとにして意味を構築し，意見を持つに至る傾向があるのだが，それは，本当に自分の嗜好を反映したものであるということ．多くの人にとって，共感的で中立的な聞き手に対して自分の考えを述べるということは，とくに調査の目的が価値あるものである場合，個人として意義深いものに感じられるという調査方法論研究者たちの所見があるが，この第2の結論はそれと合致するものである（Sudman and Bradburn, 1982：5）．調査担当者と回答者との関係において，人は，質問に対してできるだけ意味のある答えをして，担当者を喜ばせようとするものなのである．

　CV の文献においても，CV 調査で出された WTP は，ランダムな意見ではないという証明がなされている．Davis の独創的な研究を筆頭に（Knetsch and Davis, 1966），CV 調査者は通常，回答者の WTP の値が（理論的にはこの種の選好に関連するとされる変数に回帰する）回帰方程式で与えられるとの結果を報告してきた．多くの場合でかなりの一致（たとえば，0.20 から 0.50 の R^2）が報告されており，CV 方式は人の価値観を，収入や表明された嗜好と矛盾しない形で，測度することができるということを示すのに十分である．

２．仮想的調査で行動予測ができるか

　適切に設計された CV 研究で測度された意見はランダムな意見の表明ではなく，本当の意見を表わしているということから，意味のあるものであるとしても，仮想的な答えであるという CV の結果に対する批判によって，2つ目の可能性が提示される．すなわち WTP があまりにも現実からかけ離れているため，妥当な金銭的便益評価が行える程度に，正確に行動を予測することは難しいというものである．ある財を趣味で利用する者は，その趣味に関連する財に対する強い選好を正確に反映する，高い WTP を表明するであろう．しかし，どうしても人工的にならざるを得ない CV シナリオにおいて表明された額が，その財を扱う市場に直面して実際に支払う額と，十分な関連性を持つであろうか．

　1980 年，便益測度の専門家に対して，Feenberg and Mills は，「行動を予測するための調査の正確性をテストする実験的な研究が行われていないため，便益性の測度においては，調査データは可能な限り避けられるべきである」というアドバイスを与えている（1980：93）．しかしこの種のテストは数多く行われてきており，調査によって行動が予測できるということは明かになっている．

　このテストには三種類ある．まず最初のものは，現実の状況においてかなりの金額を費やした本格的な実験に関する研究で，数は限られている．ここでは，本物の金銭を使って公共財の市場をシミュレートし，仮想的な CV 市場との比較がなされる（この研究は第9章で検討する）．第2のタイプには，仮想の金銭ではなく実際の金銭が，選択を要する状況で誘因として使われたとき，どのような事態が生じるかを比べる実験室的な実験を含むものである．3つ目のタイプのテストは，態度と行動との関係を調べるもので，これにはさまざまなものが含まれ，学術的な社会心理学による研究や，総合的な購買あるいは投票パターンを予測するために人々の購買または投票意志を測度する，市場調査専門家などによる実践的な研究も含まれる．

2.1　金銭的・非金銭的誘因の実験室的比較実験

"金がものをいう"，また"仮想的な金よりも，本物の金のほうがその声は大きい"（Bishop, Heberlein および Kealy, 1983：629）という考えは，経済学者が人間の行動に対して抱く見解と一致するものである．しかし，何度か厳密なテストが行われたが，仮想的な金銭は本物の金銭と変わるところなく，被験者を動機づけることができた．Lichtenstein and Slovic（1973）は，選択逆転現象——同じ便益性が予想される結果の間での選択は，その結果が利益としてではなく損失として提示された（またその逆）場合に逆転する——が，継続するということを示した．

この実験は，ラスベガスのカジノで現金を使い，拘束力のある賭けという状況で反復的に行われた．また別の実験では，Grether and Plott（1979）が，本物の金銭を使って支払いをしても，選択逆転には影響はなかったという所見を得た．Knetsch and Sinden（1984），Gregory（1982, 1986）は，すでに CV 研究において観察された WTP と WTA との大きな差異が，お金の支払いと現金による補償がかかわる場合に継続するかどうかをテストするため実験を行ったが，やはり上記のような結果が得られた．

2.2　態度・行動調査

社会心理学者は長い間，調査によって測度される態度と，その態度から予想される行動との関係に興味を抱いてきた．この興味関心は，LaPiere（1934）の有名な研究から導き出された驚くべき（社会心理学者にとって）結論によって喚起されたものである．LaPiere は何年間かにわたって，夏にある中国人の夫婦を伴って国内旅行をした．これらの旅行中，さまざまなレストランやホテルのサービスを受けた．旅行後 6 カ月たってから，LaPiere はその利用した施設にアンケートを送り，"中国民族"を客として受け入れるかどうかを尋ねた．

現実には，1 カ所以外はすべての施設でその夫婦は受け入れられたにもかかわらず，アンケートの回答では，92 パーセントが仮想的な中国人を受け入れないという回答をしてきた．ただ，この LaPiere の調査には欠陥があり，実際にその中国人夫妻と行動のうえで接触を持った人の態度を測度したのではなかったのである．LaPiere の手紙は，支配人に送られたのであるが実際に彼やその夫妻と接触したのは，女性従業員やウェートレスであった．さらに，アンケートでは中国人が大学教授が同行している，身なりもきちんとしている夫婦であると特定はしていなかったのである．それでも，この驚くべき結果は，主観的な測度値は実際の行動を予見するには，不確実で信頼のできないものであると考える人々にとって，現在でも説得力のあるものとなっている．

LaPiere の旅行以来 50 年間，態度と行動との関係について，かなりの調査研究が行われてきた（Canary and Seibold, 1983）．その結果を検討し，それが CVM にどうかかわってくるかということを見定めるに際して，われわれは，自己申告された行動ではなく，個々に測度された行動にとくに注目してみようと思う．また実験室的な状況ではなく，現実生活にかかわる行動にスポットを当ててみたいと思う．

Howard Schuman and Michael Johnson（1976）が態度・行動関連の文献をまとめたものを見ると，人々の行動をそれに先立つ態度から予測しようとした研究において，ほとんどの場合，正の相関関係が認められ，中にはかなり精度の高い予測能力を示したものもある．たとえば軍事訓練を受けていた者の中で，積極的に戦いたいといっていた訓練生は，数カ月後に行われた実際の戦闘にお

いて，他の者よりも優れた働きをした（Stouffer ら，1949）．また別の調査では，住宅開放政策を支持するといった人々のほうが（70 パーセント），これに反対を表明した人々よりも（22 パーセント），3 カ月後の住宅開放政策のための請願には多くの署名を行った（Brannon ら，1973）．また，ある 4 つの選挙を調査した結果では，選挙前に表明された行動意志は，投票をした回答者の 83 パーセントの投票結果を正確に予想することができた Kelly and Mirer（1974）．最後に，ミシガン州の夫婦を対象として，今後 2 年間に子供を作る予定を表明してもらい，その結果と，12 カ月後に測度した，子供をもうけるための特定行動との関係においては，0.55 の相関が見られた（Vinokur–Kaplan, 1978）．

Shuman and Johnson は，個人に関しては態度とその後の行動との相関関係は「かなりなもので，原因となる力が大きく作用している」ことを示していると結論づけている（Schuman and Johnson, 1976：199）．この慎重な楽観主義とでもいえる態度は，交通手段の選択と実際の行動とを比べて調査した，交通手段調査専門家たちの所見（Hensher, Stanley and McLeod, 1975）と態度・行動文献を検討した Hill の最近の著作の結論とによって，さらに補強されることとなった．

　態度と行動との相関関係に対する研究を，詳細にわたって検討した結果，10 年前のこの分野での評価に比べると，かなり楽観的な観測ができるようになってきた．はたしてそのような相関関係が存在するか否かという議論にも，終止符が打たれるだろう．さまざまな条件において，態度は行動を予測するうえで少なくともある程度の効用を有しているといってよい（Hill, 1981：371）．

　上に言及された研究は，態度から個人の行動を予測するものである．また別の研究分野では，総体的な態度・行動相関関係（aggregate attitude–behavior correlations）に関するものがある．これは，あるサンプルの態度の測度が，そのサンプルが取られた母集団のその後の行動を予測するために使われるものである．研究の結果，個人の意志における変化は時とともに，環境の変化によって変わってゆくものであるが，全体として見た場合には相殺されるものである．これは合計（個人，商品，あるいは時間）が，無視された変数の相対的重要性を減ずる傾向にあるためである（Theil, 1971：181[3]）．女性がもう一人子供を生む意志があるかどうかについて，女性を対象とした調査では，前もって予定したのと同じ人数の子供を生んだ女性は 41 パーセントであったのに対し，サンプルにおける実際の平均的家族規模は，意図された平均的家族規模と正確に一致したのである（Ajzen and Peterson〈1986〉が引用した，Bumpass and Westoff〈1969〉）．

　CV による研究でも同様に，母集団の見積りを出そうとするものであるため，そして，そのような見積りは CV 研究の第 1 目標でもあるため，総合的態度・行動相関関係の研究は，とくに興味深いものである．この種の文献では，総合的行動を非常によく予想した見事な例が提示されている．たとえば適切に行われた選挙予想調査では，かなり正確に最終的な選挙結果を予想することができる[4]．Ladd and Ferree（1981）によれば，上記の一般的な記述は，1980 年のアメリカ合衆国大統領選挙予想調査にも当てはまるものであるという．というのも，投票の直前に行われた調査では，レーガン大統領を勝利へと導いた最後の変動さえも予想できたというのである[5]．

---

3) Theil は，消費者消費式の評価において，データが個人かつ/また消費グループの間で分解された場合，R^2 がどのように減少するかについて，興味深い論を展開している．合成が非常に進んだ時系列データでは，R^2 が 0.9 あるいはそれ以上は一般的に見られるところであるが，合成された時系列を構築するために使われた，ある特定の商品のための，同等の個人レベルのデータによる等式の R^2 は，0.3 以下になることがある．また Cramer, (1964) を参照．彼は合成データを用いた R^2 の推定値が，合成データの要素データを用いて得た R^2 値よりも大きくならなければならないことを証明した．

4) 適切に行われた予想調査には，プロの調査担当者，科学的に抽出された大きなサンプル，注意深く設計された質問が必要である．

　経済的行動の分野においては，総合的態度・行動にはかなりの相関関係があることが示されている．経済的行動の調査で最も広く知られているのは，1952 年からミシガン大学の社会調査研究所（Institute for Social Research＝ISR）が毎年行っているものである．これは複合的な調査で，全国的なサンプルに面接や（最近では）電話による調査を行って，消費者意識を測度し，経済行動の心理を探ろうとするものである．ISR の消費者の意識に関する指標（Index of Consumer Sentiment＝ICS）の趨勢線（trend line）は，アメリカ国民の態度や購買予定の変化を反映するものである．ISR 調査の開始時当時から一貫して，ICS は，アメリカの景気後退の直前には常にかなりの下降を示し，景気回復の前には上昇を示している（Curtin, 1982）．総合的な消費者予測による国民総生産の予測において，全国的な調査に関しては 15 年の経験を有する全米産業審議会（Conference Board）が同じような成功率を示している（Linden, 1982）．

　全米産業審議会の調査は，毎月の郵便による調査を使い，産業界の現状，雇用状況，今後 6 カ月の個人的な経済上の動向などに関する消費者の予想を測度する質問を行い，そこから尺度を構築するのであるが，それが，その後の四半期の国民総生産の変化と密接な相関を示すのである[6]．

　ISR と米国産業審議会両方の調査でも，回答者に大型耐久消費財の購買予定を尋ねているが，特定機種ごとの売上げまで予想するところまで，大型耐久消費財の需要を予想できるような調査も存在する．世論調査の正確性を決定する要素を調べた最近の論文で，Roper（1982）はいくつかの購買意志調査の例を紹介している．彼の調査会社が，あるテレビメーカーのために 10 年以上にわたって行ってきた全国的な定期調査において，調査後 12 カ月の純売上げ高を 10 パーセント以内の誤差で予測できたこともあったという[7]．

　態度と行動とのかなり実質的な相関関係を示し，消費者の需要を予測することのできる調査をいくつか検討したが，同じレベルの成功を収めることのできない調査はいくつも存在する．それゆえ強い態度・行動相互関係を助長させるのは，どのような要因であるかという疑問が生じてくる．これに答える前に，態度・行動関係のモデルの概要を簡単におさえておくのも有効であろう．

2.3　態度・行動相関関係のモデル

　Fishbein と Ajzen および彼らの仲間達の開発した態度・行動相関関係のモデルは，広く受け入れられている．図 8-1 に，彼らのモデルで単一の行動が一つ，あるいはそれ以上の態度の基準（attitudinal measures）で予測されるような CV 研究に妥当するものを示してみた．以下に，このモデ

5）しかしながら，近代的な方法が使われたとしても，政治的な状況での調査には失敗が起こり得る．1982 年の議会と州選挙において，調査は優勢な候補のリードを過大に評価する傾向（とくにイリノイ州）があった（Kohut, 1983）．世論調査が便益を測度する調査において使われたときの失敗は，大局的な観点から検討されなければならない．政治における候補者についての世論調査では非常に大きな予測ミスと見なされるもの——5 パーセントから 10 パーセント——CV 研究では，取るに足らないものであり得る．

6）この消費者の予測調査の有効性については，経済予想の専門家から疑問が投げかけられた（Adams and Klein, 1972 ; Shapiro, 1972）．その批判というのは，よく経済学者は誤解するのだが，広く使われているマクロモデルと比較して，調査データによっては，総体的経済行動はそれほど正確に予想できないということではなく，主要な客観的経済指標とは別の情報はあまり含まれていないようであるという点である．消費者というものが，合理的に情報にもとづいて予測を立てるものであるならば，そのようなこともいえるかもしれない．ヨーロッパ共同体のための調査データにもとづいた最近の論文の中で，Praet and Vuchelen（1984）は，消費者調査には，ヨーロッパ諸国での短期経済予想をする際に有用な情報が含まれていると論じている．

7）消費者の意図しない購買による一定の過少評価のための訂正要因を適用したあとで，このような "調整" は購買予測のために設計された市場調査では，ごく普通のことである．実際の行動と CV 研究による行動との間に系統的な相違があり，それが定量化できるものである場合は，CV 研究結果の調整が行われる．統計学的な見地からの調整に関する議論については Scheffe（1973）を参照．

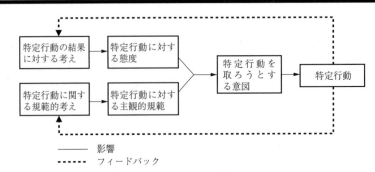

図 8-1　Fixhbein–Ajzen による特定な意図と行動予測のためのモデル

ルの構成要素と理論的な基礎を検証するが，ここでは，仮想市場での全国上水道の水質に対する購買を，単一の特定行動の例として使うものとする[8]．

　このモデルの最初の要素は，考え（belief）である．考えとはあるもの，あるいは概念をなんらかの属性に結びつける確率的判断（probability judgment）である．Fishbein and Ajzen (1975) によれば，人はさまざまなところから得られた観測や情報をもとにして，あるものに対して，いくつかの考えを知ったり，また形成したりするという．「ある人の考えの総体はその人の態度，意図，行動を最終的に決定する情報基盤となるものである．(Fishbein and Ajzen, 1975：219)．2 つのタイプの考えが，行動意図を予想するのにかかわってくる．（1）その問題となっている行動を行った結果についての考え——政府の水質汚染防止措置は効果が望めないと考えるかもしれないし，また原水の質を改善することによって，地域の飲料水の質がよくなると考えるかもしれない．（2）どのような行動を取るべきであると他の人は見ているかについての考え（規範的考え）——ここから，友人（先生，環境保護団体，ボーイスカウト）は当人が水質汚染防止のために支払うことをよしとするだろうが，政治的関係者（会社，政党，家族）はそうではないと考えたりする．人は，ある基準グループに従う気になることもあれば，そうでない場合もある．

　態度はこのモデルの 2 つ目の要素である．態度とは，あるものに対する二極対立的な価値判断である．これは本質的に，よい・悪い，強い・弱い，危険・安全といったなんらかの尺度にもとづいた主観的な判断である．先に提示した例でいえば，水質改善に好意的な判断をする人は，また大気の状況も改善されなければならないと強く感じているだろうし，危険な廃棄物投棄場の浄化を諦めるかわりに税金を低くしてもらうというようなことは，反道徳的であると感じるものである．Fishbein と Ajzen は，あるものに対する態度を，そのものに対するその人の考えの関数としてとらえた．主観的な規範とは，その人の持つ規範的な考えと，それに従おうとするその人の動機との総体であるといえる．それはまた，その対象に関してその人が，どのような行動を取るのが適切であると他の人が思っているかのバランスを表わしている．上記の例でいえば，水質に対しては“かなりの”，あるいは“適切な”金額を支払うのが規範であろう．

　モデルの要素の最後は，意図である．これはなんらかの行動を取るという個人の確率的判断で，CV 研究で測度するのはこれである．Fishbein–Ajzen のモデルでの行動意図は，態度と主観的規範との関数である．意図をこの 2 つの要因の二重関数（joint function）としてとらえることの重要性を理解するためには，1950 年代，自由主義的な南部の白人（最南部地方に住んでいて，保守的な友人知人を持っている）が，フリーライダーを歓迎する意図があるかどうかについて尋ねられた場

8）次の議論は，Fishbein and Ajzen (1975), Hill (1981) を基礎とする．市場の見通しと，そのまま経済心理学から Fishbein and Ajzen のモデルを議論するには，Foxall (1984) を参照されたい．

合に，この2つの要素がどのような役割を演じたであろうかということを考えてみればよい．自由主義者としては，歓迎することはよいことであると考えたであろう．しかし，南部社会に参加している白人としては，白人が黒人に対してどのように振る舞うべきであるかに関する一般的な人種差別的な規範に，たとえそのような規範を受け入れないとしても，ある程度は影響されたであろう．

Fishbein–Ajzen のモデルには，フィードバック作用が含まれている．これは，要素が動態的な調整プロセスの中に存在しているという事実を反映している．態度，考え，規範，期待は，行動経験によって影響を受ける．たとえば，水質についてほとんど気にもとめなかった人であっても，長期間のカヌー旅行をしたあとでは考えを変えるかもしれない．このプロセスがあるために，新奇な条件下での行動（コンビニエンス・ストアで花を買うこと）を予測することや，新たなパターンの行動（いままで手に入らなかったような花を買うこと）を予測するのは，一般的な行動を予測するよりも困難である．

CV 研究は行動意図（behavioral intentions）を測度するものであり，行動意図は行動の直接的な決定要因であることから，Fishbein–Ajzen のモデルのその他の要素は，CV 研究には関係がないと思われるかもしれないが，そうではない．これにはいくつか理由がある．まずモデルの要素に関する知識は，調査者がシナリオの中で，最も適切な状況を決定するのに役立つ．行動期待（behavioral expectation）と行動との関係は，人が意図したような行動を最終的に取るかどうかは，その間の経験による（関連ある他者の存在やその見解，あるいは物理的条件）という意味で，状況によって決定されるものである（Foxall, 1984）．

CV 調査において，最も適切な決定に至る行動状況がシミュレートできる程度まで，調査の妥当性は改善することができる．水質改善の問題に関して，回答者の多くが経済状況によって影響されるというような結果が出たとしよう．もし調査者が，経済の伸びがそれほどでもないとしても，水質改善の支持を予想したいと考えたときには，回答者にそれを仮定するように要請する文を，シナリオの中に入れるであろう．このような手段には2つの目的がある．決定がなされる状況についての回答者の仮定の一つを標準化することと，WTP の評価の現実性を高めることになる．これは，その評価があまりにも楽観的な状況にもとづいているのではないということを，決定者が確信するからである．

モデルの要素すべてが CV 研究には関連がある理由の2つ目として，CV シナリオを適切な形で特定化するためには，調査者は，もし考慮の対象外とされた場合に，バイアスや測度誤差を生じさせるような，行動意図の決定要因を見きわめておく必要があるということがあげられる．たとえば大気の透明度の利益のみを測度する目的の CV 研究で，回答者が大気の透明度と大気汚染の健康に対する影響とは密接な関係を持っていると考えた場合，提示された WTP には，健康便益の価値も含まれているおそれがある．また，もし回答者が CV 研究で使われているある特定の支払い手段に対して，あるいは環境条件の悪化に対して支払いを受けるということに対して，非常に強い否定的な態度を持っている場合には，シナリオにそのような要素を使うことで，財に対する支払意志をゆがめることになる可能性がある（Ajzen and Peterson, 1986）．

行動の決定要因が注目に値する3つ目の理由は，妥当性に関連するものである[9]．CV 研究による所見の信頼性を評価する方法の一つに，それが，理論的に適切な態度決定要因とどの程度強く関連しているかを見るというものがある．Bishop and Heberlein（1986）は，酸性雨の沈殿減少の存在価値のための，CV での WTP の信頼性を確立するために，この方法を推薦し，どのようにして

9）細かくいうと，"理論的妥当性"であり，これについては，第9章で論じられている．

理論が高度な実験モデル開発に利用され得るかの一例を示した．存在便益には，環境に対する利他的な行動意図が関係しているため，Bishop と Heberlein は，環境に関する利他性についての以前の研究を利用して，利他的な行動を活性化する要因を見きわめようとした．CV 存在価値と，このような（またその他の）概念との間にかなり正の相関関係があることを示すことのできる付け値の式は，「正当な経済価値が少なくとも近似値で確立されつつある，と論ずる」ための基礎を与えてくれるものであると，彼らは提言した．

　CV シナリオの設計者が，対象となっている財の表明された価値を決めるのは一体なんであるのかということをよく理解していることは，たしかに望ましいことである．CV 研究手段の本格的な実地テストを始める前に，小さなグループ（フォーカス・グループ）におけるコントロールされた話合い，小規模な予備調査，その他の定性的プレ調査手法を使って，当該アメニティを提供することのプラス面とマイナス面とについて，人々がどのように考えているか，そのアメニティの影響，その他の関連事項に関する情報が得られるだろう．このプロセスにおいては，上記の Fishbein–Ajzen のモデルは，態度・行動理論の最先端であり，重要な概念的補助手段となり得るものである[10]．

2.4　態度と行動との強い関係を決定するもの

　Fishbein and Ajzen の研究には，3 つの仮説が使われている．ここではそれを H 1，H 2，H 3 と呼ぶことにしよう．これらは，アンケート項目の行動予測能力を強める 3 つの要素に関するものである．適切に設計された CV 研究では，このうち 2 つの要因，対応性と近似性を容易に極大化することができる．3 つ目の要因，親近性にはやや問題が多い．

2.4.1　対応性　H 1
　行動と態度・意図尺度（attitude／intention measures）との対応性が大きければ大きいほど，後者は前者を予測できることになる．

　Ajzen and Fishbein（1977）は対応性を，（1）行為，（2）行為の向かう目標，（3）行為がなされる状況，（4）行為がなされるとき，の 4 つの要素の間での同一性として定義した．夫の妻に対する愛情という尺度は，彼が奥さんに花を送るかどうかを適切に予測するものとはなり得ない（愛情を表現するにはほかにもたくさん方法がある）が，花を送ることに対するその夫の態度という尺度となると，予測能力は格段に上昇する．同様に，公共財に金銭を使うという行動を最もよく予測できるのは，その特定の行為を喚起する質問である．

　Ajzen and Fishbein（1977）は，目標と行為の要素が対応性の程度によって異なる，態度と行動に関する 109 の研究において報告された態度と行動との関係を比較することによって，対応性の仮説を検証した．その結果，この仮説は強く支持され得るものであるという所見が得られた．高い対応性を示して，Ajzen and Fishbein が "適切" であるとする尺度を使った 26 の研究のいずれもが態度・行動に関するピアソン相関関数 0.4 以上を示した．これとは対照的に，対応性が部分的でしかなかった 3 分の 2 のケースでは，有意ではあるが "低い"（<0.4）相関が示され，また，対応性が低いと判断された 27 の研究すべてにおいては，態度と行動との関係において，統計的に有意な結果が見い出せなかった．

---

10) Ajzen and Peterson（1986）は，Fishbein–Ajzen のモデルの CVM への応用を示した．態度・行動関係にかかわるその他のモデルについては，Davidson and Morrison（1982）がまとめている．

　CV調査の質問は，公共財の選択に関する通常の調査の質問とは，２つの点で異なっているが，その両方ともが，CVの質問とその予測しようとする行動結果との相関を強める働きをする．まず，CV研究では支払義務がかかわってくるが，これは他の多くの調査では行われないものである．

　支払義務のある質問の効果を見るものとして，スウェーデンで行われた調査がある．回答者は，スウェーデン政府が開発途上国に対する援助を増やすことに賛成するかどうか尋ねられた．そしてそのアンケートの後半部分で，回答者は，「たとえ税金がその分増えても」その援助の増額を希望しますかと質問された．質問が２番目のような形でなされたところ，賛成者の半数が消えてしまい，援助増額を希望する者はわずか20パーセントになってしまった（Bohm, 1979：146）．この調査で言葉づかいを変えたために，意見が変わってしまったが，これは理解するのに難しくない．無料の財であれば需要が多いのも当然であるからだ．最初の質問で対外援助に賛成したスウェーデンの回答者には二種類あったわけである．

（１）観念的には賛成だが，費用がかかることがはっきりとした場合には，そうではない者．
（２）観念的にも賛成し，しかも支払う意志がある．

　あとの質問は，費用に関するコンティンジェンシーを導入することで，（１）のタイプの人が支持を取り下げるように仕向けたわけである．対応性の仮説によれば，２番目のいい方のほうが，対外援助の増加のための増税をするための住民投票による投票を，より正確に予想するものであるという．

　CV研究が対応性の基準を満たす２つ目の方法は，財に関する詳細な仮想的市場に参加するように回答者を導くことである．この点がCVMと，なんらかの比較的不特定の公共財を得るために＄Xを支払いますかと尋ねる，他の普通の調査とが異なる部分である．この後者の方法の一例として，米国連邦エネルギー局（Federal Energy Administration＝FEA）が全国的なサンプルに，"発電所で発生する大気汚染を減少させるために，年間＄20の追加電気料金を支払う意志がありますか？"（FEA, 1977）というものがあった．また別の調査で，米国環境保護局（Environmental Protection Agency＝EPA）のために1973年に行われたものでは，回答者は下水道サービスに年間いくら支払っているかを尋ねられ，そのあとで調査担当者はつぎのような質問をした．

　水質汚染の一部は，下水道の処理の不備に起因するものです．水質の改善には，上下水道料金あるいは地方税の上昇を伴う追加処理が必要となります．この種の水質汚染を改善するための追加下水処理を行うために，あなたなら，年間いくら支払う意志がありますか（Viladus, 1973：93）．

　Dorfman（1977）とJackson（1983）は最近，このような質問から得られたデータでは，費用便益分析をするためには用途が限られている，と指摘している．

　たしかにこの種の質問は，大気水質汚染の防止に対して回答者がどの程度の関心を持っているのかについては有効な情報を提供するものではあるが，理想的なものとはいいがたい．というのは，行動を予測するための対応性の基準を満たしていないからである．FEAおよびEPAの調査手段では，市場の定義が不完全で，財も最初の例では，発電所による大気汚染の"減少"，次の例では，下水処理の不備による水質汚染の"改善"というように定義づけが曖昧である．どちらの調査においても，その減少や改善がどこで発生するのか，その措置によって，大気や水質にどの程度の変化が起こり得るのかが述べられていない．回答者は個人として回答するのか，または家族を代表してなのかも明確にされていない[11]．

2.4.2　近似性　H2

Fishbein–Ajzen のモデルでの要素と行動との間に介在する段階が，少なければ少ないほど，その要素の予測能力は高くなる.

　この仮説によれば，予測しようとする行動に対応する行動意図，態度，考えといった尺度が同等に存在する場合，最も強力な予測要素は意図の尺度であり，次に態度がくる. Heberlein and Black （1976）は，無鉛ガソリンを購入する唯一の動機が，大気中の有毒であるとされている鉛の量を減らしたいという利他的な思いしかなかったときに（1973 年，アラブ諸国の原油輸出禁止措置の前），人々のガソリン購買行動を調査した. 無鉛ガソリンの購買を予測する際に測度する態度を，環境問題に対する一般的な関心から，個人がこのタイプのガソリンを購入することに対して抱く個人的な義務感の程度へと変えたときに，態度・行動の相関関係に 0.12 から 0.59 への上昇が発見された[12].

　Weigel, Vernon and Tognacci （1974）は，シエラクラブ（Sierra Club）に対して将来どの程度の行動を起こす意志があるかということを，"低い"（環境に対する一般的な態度）から "高い"（シエラクラブの活動に参加することに興味がある）までの，3 つに規定された態度測度尺度との相関を調べた. この態度測度尺度と行動参加尺度との間の相関パターンは，行動意図尺度と行動との間に 0.60 の相関を示し，Heberlein と Black の結論と同様のものであった.

　市場調査に関連した文献を調べても，近似性の仮説に関係する研究はごくわずかしかない. Juster （1966）は，購買意図と購買行動との関連を調べた数少ない研究の一つであり，その中で彼は，車の購入可能性と 1 年後の実際の購入との間に強い関連を発見し，耐久消費財に関しては，可能性と実際の購入の間には，"やや強い" 関連を発見した. 確実にあるいはほぼ確実に車を購入すると答えた者の半数が，半年以内に実際に購入をし，可能性の尺度の低い点に位置した者は，実際の購入行動を過少に評価する傾向が見られた.

　CV 研究に最も類似した市場調査は，コンセプト・テストと呼ばれる方法で，これはある会社が現在ある製品とはまったく異なった新製品（その試作品さえもまだ作られていない）に対して，はたして市場が存在するかどうかを知りたいというときに使われるものである. その調査において，回答者はその製品の細かい部分まで知らされて，そのような製品が近くの店で手に入るとしたら，試みに購入してみたいと思うかどうか尋ねられる[13].

　ただ残念なことに，ほとんどのコンセプト・テストの結果は所有権の問題があって，学術雑誌には報告されないが，Moore （1982）はこれに関して入手可能な文献をまとめると同時に，企業で調査を行っている有力な担当者 13 人にインタビューして，コンセプト・テストに関する自社内での経験について尋ねた. Moore によれば，コンセプト・テストの購買意志指標と，その後の最終的な製品の試験的な購入とを比較した会社では，そのような指標によって，試験的購買率を 20 パーセント以内まで予測することができるという.

　これは，この種の調査としては十分な正確性であるといえる. 「テストによって試験的購買率が 50 パーセントであると予想された場合は，実際の購買率は，全体の 80 パーセントの時間で，40 パーセントから 50 パーセントの間に落ちつく」（Moore, 1982：285）. ある企業の調査担当者は，一

---

11)　Dorfman （1977）と Jackson （1983）は，彼らの利用した全米野生動物連盟（National Wildlife Federation）の調査（Harris and Associates, 1969）に関する同様の，また別の問題点を指摘しているが，その他のデータソースを環境汚染の防止のための国民の支払意志を調べるために利用するのは不適切であると指摘している.

12)　厳密にいえば，義務の尺度は行動意図の尺度ではないが，ここで言及するのに十分なほど似通ったものである.

13)　コンセプトが価値あるものであると見なされた場合は，次に回答者が試作品を評価する製品テストが行われ，そのあとで選択的市場調査がなされる.

連の予測テストにおいて，試験的購買率の変動の 80 パーセントを説明するような購買意志質問を，Moore に披露した．またほかにも，コンセプト・テストの結果の予測能力が非常によく，"不思議なほど"あるいは"怖いくらい"だというようなケースがあるということを，Moore に告げた者もあった．

多くの政治上の世論調査が選挙結果の予想においてよい結果を出すのも，この近似性に関連している．政治的世論調査の調査者は，候補者の多くの属性を測度するものであるが，投票意図に関する質問をしないで，選挙結果を予想するようなことはしない．住民投票の方式を使い，投票意図を測るような形で聞き出す質問を行う CV 研究は，近似性の要因を極大化する．その他の CV 研究もまた，CVM における質問がアメニティに対する支払行動の意志を測度するように，明らかに近似性の基準を満たすものである．

2.4.3 親近性 H3

Fishbein と Ajzen の検討した研究で対象となっている行動——産児制限の実施，投票，ガソリンの購買，洗濯石鹸の使用，母乳を使った育児，学校施設の破壊，署名請願など——は，おそらくほとんどの人にとってなじみのあるものであろう．Fishbein–Ajzen のモデルでのフィードバックのプロセス（行動を経験することで考えが影響され，その考えによって，行動に対する態度と意図とが影響を受けるというもの）によって，3 つ目の仮説が提示される．

親近性 H3 行動がなじみのあるものであればあるほど，回答者の態度および行動意図によって，行動が予測されるようになる．

Russell Fazio（1981, 1982）と彼の共編者は，被験者が行動に対して，直接的な経験をする程度を操作することによって，さまざまな実験的状況の中でこの仮説を検証した．よくあるパターンでは，被験者にある種の知的パズルが紹介される．これは，例となっているパズルを実際にやってみる機会を与えられたり，実験者によって例を示されたりして，それぞれのタイプのパズルに対する関心度を，態度の尺度を使って表現するように指示される．そのあとで被験者は一室に入れられて，その紹介されたパズルのどれでも自由にやってよいといわれる．表明された関心と実際にやってみた行動との相関は，紹介の段階で手にふれてやってみた被験者のほうが高いという結果が出た．別の実験で，Fazio ら（1982）は，態度と目標との関係は，その態度を引き出すような状況に反応する速度で測ると，直接的な経験によってそれが形成された場合に，より強く，また容易に行われるということを示した．

市場調査に関する文献では，また，新製品のコンセプトのみの情報にもとづく回答から，その製品の使用予測をする場合に，それが現実とは合わなくなる可能性があるが知られており，これに対する懸念も表明されている．Tauber（1973）によれば，コンセプト・テストは，成功の可能性を秘めた大きな革新を阻害することにもなりかねないとしている．これは，Moore が述べているように（1982：290），"不連続的に新規なものにはじめてふれた直後において，消費者の示す態度というものは，長期にわたってそれにふれたのち，どのような行動を［消費者が］取るかということを正しく予測するものではない"．残念なことに，Tauber の仮説を検証したものは，市場調査関連の文献には見い出すことはできなかった．

親近性 H3 の要因は，CVM の仮想的な特質によって生じる難しさの最たるものである．良好な態度・行動関係のための他の 2 つの基準とは対照的に，親近性の多い少ないが，多くの CV 研究を

特徴づけるものとなっている．多くの場合，CV シナリオの構成要素のうち，一つあるいはそれ以上——財の説明，支払手段，聞き出し方法——が，回答者にとってなじみにないものとなっている．仮想的なシナリオで述べられた財の金銭的評価を表明するプロセスそのものもまた，多くの人にとって珍しい経験である．CV 研究において，住民投票方式を使うことは公共財に対する選択を表明するなじみのなさを克服するのに，とくに役に立つものである．これはなじみのない複雑でさえあるようなアメニティを評価するように要請されることは，そのような方法でならば，ありそうなことかもしれないと思う人が多いからである．

3. 要約と結論

　本章では，CV 研究はその手段の仮想的性質ゆえに，有意義な価値の測度には使えないものなのであるかどうかという重要な問題を提起した．CV アンケートでの回答が，現実において，公共財に対する選択の適切な表明を予想させる可能性というものはどの程度であろうか？　この問題を検討するのに，われわれは CV 以外の文献において，2 つのタイプの証拠を検証した．これは，仮想的な答えから行動を予測する問題に関連するものである．最初のものは，仮想的な支払構造を使った条件下で得られた結果と，かなりの金額にのぼる現実の金銭を使ったものとを比較するという，実験室と実地での実験から得られた所見である．

　もう一つの一連の証拠はより広範なものであり，態度と行動の関係にかかわるものであった．経済的市場調査には年間 10 億ドル以上もかけられているが，そのほとんどが，消費者の行動を予測するために設計された調査に使われている（Tulland Hawkins, 1984）．また，世論調査に使われる政治キャンペーンの割合は，選挙が行われるたびごとに増加している．

　さらに，行動予測の成功にかかわる要因とは，一体どのようなものであるのかということも検討した．この質問に答えるため，われわれは Fishbein–Ajzen のモデルを援用し，考え，態度，行動意図を区別してみた．態度と行動の強い関係を決定する 3 つの要因——対応性，近似性，親近性——のうち，ある特定のレベルのアメニティのための支払い行動意図を測度しようとする CV 研究では，対応性と近似性の基準が満たされるようである．CV 研究の設計者の直面する最も大きな問題は，公共財を評価するという新奇性であるという指摘がなされた．これには評価の対象となる財と，そのために現在どのように支払っているのかということに対する，回答者の親近性にさまざまな程度の違いがあるということも関連している．住民投票方式は，回答者が金銭評価の選択における新奇性に対処するのに，役立つようであるということを確認した．

　次の章では，CV 研究で測度される価値と，シミュレートされた市場で測度された価値とを直接比較しようと試みた調査で使用された，仮想的質問の妥当性を検討してみる．

第 9 章

仮想的価値と CV 研究

第 8 章では，CV シナリオにおいて市場の仮想的な特質，その複雑さ，そしてその新奇性という条件の中で，回答者が有意義な答を出すことができるだろうかという疑問を提示した．この方法論に関しては，戦略的行動よりも意味性ということのほうが，はるかに重大な問題であるという結論に達したが，態度・行動に関する文献を見る限りでは，調査によって，明確に定義された公共財に対する支払意志に関して，有効なデータを得ることができるとされている．調査によって，この可能性はどの程度実現するされ得るのであろうか．この疑問に答えるためには，まず CV の文献でやや混乱して扱われていると思われる点を明確化しておく必要がある．すなわち妥当性の評価の問題である．本章の最初の部分でこの問題を扱ったのち，CVM の妥当性テストの結果を検証してみよう．

妥当性の評価を考える際，2 つの仮説が指針となる．1 番目に，妥当性テストのすべてが同様に重要なものなのではないということ．仮想的な市場と，実際に支払いを行う市場とを比較した実験にとくに注目してみたい．これは実際の支払いを行う，すなわち "模擬" 市場は，仮想的シナリオの正確度を判断するためには，とくに有効な基準となるという前提にもとづいている．2 番目に，単一のテストは決定的なものであり得ないということである．公共財の特質と妥当性の持つ多元的な特質とによって，この方法が便益性を測るのに妥当な手段であると "証明する" ような，どんなテストの結果であっても，確実なものとはいえなくなってくる．さらにいえば，ある CV 研究が妥当性を欠くと見なされても，その方法論そのもののせいではなく，設計に不備があったためであるような場合がある．本章の目的は，妥当性の証明手段を全般的に検証することである．

1．妥当性の種類

ある測度方法の妥当性とは，調査対象となっている構成概念を測度する程度のことである．構成概念は，本質的に観察できないものであり，われわれが手に入れることができるのは，その不完全な測度結果だけである．CV における構成概念とは，もしある公共財に適切な市場が存在したとして，回答者がそれに対して実際に支払う意志のある最高額ということになる．方法論の研究家にとっては，妥当性は多元的なコンセプトである．全米心理学協会(American Psychological Association, 1974) が規定した妥当性の 3 つのタイプ——内容 (content)，基準関連 (criterion–related)，構成概念 (construct)——は，現在行われている測度方法を有効にまとめている．そしてそれぞれが，尺度と構成概念との関係を評価するための，別々の戦略を提示しており，それぞれがなんらかの形で，CV 研究に適用できるものである．

内容妥当性（表面妥当性）は，尺度が構成概念の領域を適切にカバーしているかどうかという問題に関するものである[1]．これは，調査手段の検証（通常は質問のいい表わし方）にもとづく主観的判断によってのみ評価できるものであるという点で，他の妥当性のタイプと異なる．それゆえ，人々の歴史的事柄に対する知識を測度するために設計された 50 項目の測度手段の内容妥当性は，歴史学者のパネルに，これらの項目がどの程度適切にこの領域をカバーしているかを尋ねることによって，ある程度評価することができる．項目が不正確であったり，項目の中に，歴史上の重要な時代が適切に提示されていない程度に応じて，そのパネルは，この測度手段の妥当性を，問題にすることになるだろう．同様に CV アンケートも，正しい質問を適切な形で尋ねているかが評価され

1）以下の所見は，Bohrnstedt (1983) によっている．

ることになる.

　基準関連妥当性は，構成概念の尺度が，基準と見なされ得る尺度と関連しているかどうかにかかわるものである．犯罪による被害率を評価するためであれば，警察の記録を使うよりも，調査結果を使ったほうが安上がりであるが，自己申告ははたして正確な尺度であり得るだろうか？　自己申告を正式な記録（判断基準）でチェックすることによって妥当性を確認した結果は，かなり良好なものであった．しかし，たとえば暴行といったようなある種の事件は，窃盗のようなそれほどひどくない事件に比べて，報告率が落ちる傾向にあった（Turner，〈1972〉を参照)[2]．公共財のためのWTPでもいえることだが，尺度の妥当性をはかる適切な判断基準は，常に存在するわけではない．しかしながらいくつかの重要な研究では，結果として出てきた価格と同じ財に対する仮想的な CV 市場で得られた価値とを比較するため，準私有財の市場——たとえば，ある猟区での狩猟許可——を作った．

　構成概念妥当性は，ある尺度が理論的に予想されるような形で，他の尺度とかかわる程度を問題とするものである（Carmines and Zeller, 1979）．構成概念妥当性の一種である収束妥当性は，その尺度が，同じ理論的構成概念を使った他の尺度と相関関係にあるかどうかを問題にする．たとえば，アメリカで雇用されている人の総数を知ろうとした場合，一つの方法として，国勢調査で使われているように雇用状態についての自己申告を使うことができる．同じ構成概念を調べる尺度としては，企業調査で，企業で雇用していると報告している人の数が考えられる．どちらの尺度も，他方の判断基準として使えるほどには，構成概念に近いものではない．この2つの尺度はいくぶんか異なった評価を提示することになるが，時間の経過とともに生じる変化が相関しているという事実から，両方とも同じ根本的な構成概念を測っているということは明らかである[3]．もう一つの構成概念妥当性である理論的妥当性は，尺度が，理論的に予想されたように，他の構成要素の尺度とかかわっているかということを問題とする．たとえば経済理論によれば，購入された財の量の尺度は，その財の観察された価格と逆の相関関係にあるはずだと予想される．そのような関係が発見できなければ，一方あるいは両方の尺度の妥当性が問題とされなければならない．

　CVM が開発されてから，調査実践者は，CVM にもとづいた便益性の評価の妥当性を示すことによって，主観的調査データに対して経済学者の抱いている根本的な偏見を克服しようとしてきた．このような努力において，最初の頃には，基準関連妥当性を収束妥当性と混同する傾向があった．これは，類似のトラベルコスト法またはヘドニック価格法による評価を，同じ根本的な構成概念のためのまた別な尺度としてではなく，CV の尺度の正確性を判断する基準であるかのように使ったためである．信頼性の効果，すなわち確率的誤差と非妥当性，すなわち系統的誤差とを区別しなかったことによって，さらに混乱が生じることとなった．これは，"仮想的バイアス"と呼ばれる誤差の確認問題であったわけだが，仮想性は，系統的誤差ではなく確率的誤差と関連づけられるのである．近年では，CV の妥当性を測度するためによりよい調査設計がなされ，さまざまな方法とが使われるようになり，このような問題の処理が非常に改善されてきた．

　以上述べたような妥当性をさらに詳しく検討し，これらが CVM にどのような影響を与え得るのかを調べてみよう．妥当性の研究はどんなものであっても，ある一つのもの単独で完全に信頼でき

2）一見したところ明確な基準がある場合でも，基準関連妥当性を確定することが困難であることは，Miller and Groves（1985）が最近発表した，被害報告の逆記録検査（reverse recordcheck）によって示されている．そこでは，その対応をするために使われた手順によって，妥当性にかなりの開きがあることが示されている．

3）一つの変数がもう一つの変数を評価するための基準となる基準関連妥当性とは対照的に，この場合の相関は両方の尺度の妥当性を表わしている．

るというようなものはないのだが，Bishop and Heberlein が最近行った一連の見事な実地調査に対して，かなりの検討を加えてみたいと思う．これは，狩猟機会のための仮想的市場の結果を，同じアメニティのための模擬市場の判断基準と比較したものである．

2．内容妥当性

　心理学で使われているように，内容妥当性は，経験的な尺度がどの程度内容の特定分野を適切に反映しているかに左右される（Carmines and Zeller, 1979）．CV 研究では，関連分野は市場の構造とアメニティの記述である．適切な理論あるいはアメニティの特質と合致しないような形で，CV アンケートがこれらを提示した場合，その程度に応じて，調査がその意図する対象を測度することができなくなっていく．それゆえに CV 調査者は，アンケートを実際の調査で使う前に，その下書きを同僚に見せてコメントを求めるのがよいであろう．また所見を発表するときには，常にそのコピーが利用できるようにしておくことも大切である．学術誌の編集者は，CV についての論文が基礎資料として使ったアンケートのコピーを要請し，論文を書評用に送るときにはそのアンケートのコピーを同封しておくべきである．発表された CV 研究を評価しようとする者，あるいは CV 研究の結果を利用しようとする者は，その結論を得るための基礎となったアンケートを検討することが大切である．

　シナリオの内容妥当性を評価するには，以下のような質問が適当であろう．財の記述，またその支払方法は曖昧ではないか？　それは，回答者にとって有意義なものとなり得るか．財には支払いが伴わないというようなことを回答者に思わせるようなものは，シナリオの中に含まれていないか？　所有権と財に対する市場は，回答者が支払意志の方式を信憑性のあるものとして受け入れるような形に定義されているか？　シナリオは，消極的な回答者に対して，WTP を表明するように強制しているように見えるか？　もちろんこのような質問に対する答えは主観的なものであり，議論の対象となり得るが[4]，このような査定は，CV による評価が政策決定に使われるときには，常に行われるべきものである．

3．基準関連妥当性

　基準関連妥当性は，ある尺度における WTP の妥当性を測るテストとしては，最も信頼性の高いものとなり得る．ただ残念なことに，この種の妥当性を調べるためには，妥当性が査定されているその尺度よりも，構成概念に明らかに近い判断基準がなければならない．CV 研究において最も大切な基準は実際の市場価格である．公共財においては，市場価格はわからないことのほうが多いが，趣味に関する財（特別な猟区での狩猟権など）の CV 市場の結果を，そのような財が実際に売買された同一の市場の結果と比較するというような実験を行った研究者もいる．このような市場は，人が排除され得る準私有財のために作られたもので，研究者によって構築され，実際には発生しないものであるので模擬市場と呼ばれている．このような仮想的模擬市場(HSM : hypothetical–simulated market）実験では，模擬市場の条件で回答者が支払う金額は，同等の仮想的市場の妥当性を評価するのに適した判断基準である．

4）たとえば，Mitchell and Carson（1985），Geenley, Walsh and Young（1985）を参照．

3.1 仮想的模擬市場（HSM）実験

ここで検討された HSM 研究は，回答者にとって比較的なじみのある，準私的財を評価したものであり，それゆえ，CVM の妥当性を測る最も重要なネガティブテストである．仮想的市場において，この種の財を正確に評価できなければ，公共財を評価するようにいわれたときに，よりよい成果を出すとは期待できない．これとは反対に，よい結果は公共財の仮想的市場の妥当性を想定するうえで，必要条件ではあるが十分条件とはいえない．人は，狩猟許可証の価値を仮想的に定めることはできるかもしれないが，川を浄化するためにいくら支払う意志があるかを尋ねられたときには，十分な対応がまったくできなくなってしまうのである．

とくに注目すべきは，文献に最初に現われた２つの HSM 調査，Bohm（1972）のストックホルムのテレビ番組を視聴するための WTP の調査と，Bishop and Heberlein（1979，1980）の中部ウィスコンシンでの雁猟のための WTP の調査が，仮想的市場の判断基準妥当性に対して，重大な疑義を投げかけているように思われることである．しかし，仮想的 WTP が根拠のないものであるという，それぞれの調査の結論を疑うべき理由は存在する．以下に掲げたこれらの調査の分析は，Bishop and Heberlein が行ったごく最近の実験結果と合致するものである．

3.1.1 Bohm のストックホルムでのテレビ視聴実験

仮想的模擬市場（HSM）に関する実験で，最も最初に行われたのが，Bohm（1972）のテレビ番組を視聴するための WTP の調査である．これについては，第６章と第７章で詳述した．この実験で本章に関連する部分は，彼の提起した条件ⅤとⅥa，とくに後者である．どちらも実際の支払いは伴わない．条件Ⅴの被験者は，納税者全体がこのサービスに対して支払うと告げられた．条件Ⅵの被験者は唯一，選好を聞き出すのに二種類の方法が使われた．Ⅵa のメンバーは次のように告げられた．

それでは，あなたはこの番組を見る価値をどの程度と判断されますか．これは，劇場や映画館に行くのが，入場料を払うかどうか決める前にどの程度の価値があるかと考える，その額と大体同じと判断されてかまいません．いいかえれば，あなたにとって，ここでこの番組を見ることの価値をお金に換算して評価していただきたいわけです．正確にいえば，もしここで，この番組を見るために入場料を払うようにいわれたとしたら，あなたが支払う意志のある最高額はいくらかということです（Bohm, 1972：129）．

財が供給される条件と，供給された場合に各人が支払う条件は，故意に明示されないままにされた．このような条件では，支払い義務が暗示されているⅥa. のほうが，いかなる条件でもこの番組を見るために被験者は支払う必要がないという条件Ⅴよりも，はるかに通常の CV 方式に近い．

Bohm はこの２つの仮想的条件の妥当性を，条件ⅠからⅣまでで得られた WTP の基準と比較することによって査定した．後者の４条件は，さまざまな状況で被験者からの実際の支払いを要求するという意味で，模擬市場である．条件Ⅴでは，WTP の 8.8 クローナは，模擬市場（条件ⅠからⅣ）で出された額とほぼ同じであった．Bohm は条件Ⅵa の 10.2 クローナの付け値は高いと考え，"［Ⅵa の］結果はもちろん支払う義務がない，かつ/また形式的な決定がかかわる場合には，人は"無責任"な反応を示す，という一般的な見解と矛盾するものではない"（Bohm, 1972：125）．つ

まり，実際の支払義務がなくなると（CV研究のように），人はよく考えて値をつけるということをしなくなるのである．

　Bohmの結論を問題とするのに2つの理由がある．まず，その基礎となっている相違であるが——条件IからIVのWTPを条件VIa.の判断基準として——，これは彼が強くいうほど大きなものではない．とくに4つを比較してみると，グループVIaの平均付け値が他よりも有意に高いのは一つ（グループIII）しかない．さらに，この実験に関してBohmの論文で出されたデータを調べてみると，外れ値（付け値の中央値が10クローナであるのに，50クローナを表明）は，グループVIbにしか現われておらず，これによって平均付け値がかなり上昇している[5]．

　第2にBohmの結論は，最もよい判断基準であると思われる，条件VIbを考慮に入れていない．先に述べた条件を使って，まずWTPを得たあとで，Bohmは次にグループVIに対して，高い順に10番目までの値をつけた人がそのつけた値を支払い，番組を見ることができるという，実際の競りに参加するように伝えた（条件VIb）．仮想的模擬市場（HSM）であるVIb.を仮想的WTP市場[6]であるVIaのための判断基準として使っているが，この2つの市場で，Bohmの被験者はきわめて類似した平均支払額を提示したのである．実際の金銭が使われた模擬市場（VIb）では，平均額は10.3クローナであったが，その前の，支払いをするかのように振る舞うよう要請された模擬市場においては，9.45クローナであった[7]．

　われわれがBohmの研究を分析した限りでは，仮想的支払条件を与えられると人は"無責任"に行動するという彼の結論は支持されない．さまざまな比較をしていえることがあるとするならば，彼の被験者が提示した仮想的支払額と実際の支払額とは類似しているということである．

3.1.2　BishopとHeberleinのHoriconガン（雁）猟実験

　この実験は，ウィスコンシン州中部のホリコン地区で，最高1羽のガン（雁）を狩猟することができるという，猟期前の許可証の価値を測度するための異なった方法を比較するために設計されたものである．BishopとHeberleinは，無料の猟期前のガン（雁）猟許可証をウィスコンシン州自然資源局に申請して，これを手に入れたハンター達にアンケートを郵送した．模擬市場の条件（$N = 221$）で，ハンターに一定額の流通小切手を送ることで，彼らのガン（雁）猟許可証を買い取る申し出をした（補償要求〈WTAs〉）．この申し出は，$1から$200までの九種類から選ばれた．ハンターはガン（雁）猟許可証を調査者に郵送すれば小切手は取ってよいと知らされた．仮想条件用に選ばれた別のサンプルは，いくつかの質問のうち，（仮想的）ガン（雁）猟許可証のために一定額を支払う意志があるかどうか（WTPh），そしてそのような許可証のために一定額を受け入れることができるかどうか（WTAh）尋ねられた．

　この条件（$N = 332$）で提示された額の分布は，模擬市場のものと相似していたが，実際の現金の授受はなされなかった．Bishop and Heberleinは，それぞれ申し出があった時点で受け入れられ

---

5) 外れ値を除外すると，VIa.の平均支払い額は，10.19クローナから9.45クローナに下がり，グループVIa.とグループIIIとの違いを減少させることになり，ほとんど有意差がなくなってしまう．またBohmのグループは小さいものであり，相違を検証するための統計的テストとしての能力が問題視され得る．この問題に関しては付録Cを参照．Bohmのデータにおける変動を見る限り，30パーセント以上の違いがなければ彼のテストは反応しないといえる．

6) もしこの2つの条件が，相互に影響し合う可能性が異なったサンプルを使って排除されたなら，このテストはもっと説得力のあるものになったであろう．競りにおける付け値は，その前に仮想的条件内で提示した額に影響された可能性がある．

7) 後者には外れ値は含まれていない．2つの額の違いは，0.05レベルで統計的有意差はない．この2つの条件における分布を調べてみると，状況が仮想的なものから現実的なものへと変わっていったときに，何が起こったかがわかる．さまざまな反応があったようである．条件VIa.からVIb.へと最低額へ落ちた人もいれば，最高額へ上がった人もいる．

た申し出の割合を計算した．たとえばWTAの市場では，許可証と交換に＄50の小切手を提示された回答者19人のうち90パーセントがそれを受け入れた．これは，許可証と交換に＄50の仮想的な申し出を受けた者（$N=30$）の40パーセントが受け入れたことと対照的である．どちらの場合も最高額は足切り点とされた．このようにして，可能性（P）を縦軸（0, 1）とし，金額を横軸（＄0，＄200）としたグラフが定義される[8]．ロジット回帰を使って，（P, ＄）点をつないで曲線を描き，Bishop and Heberlein は，実際の申し出金額（WTAs）では＄63，仮想的WTA（WTAh）では＄101，仮想的WTP（WTPh）では＄21の，総消費者余剰を確認した．＄63の模擬的WTA（WTAs）が，仮想的WTA（WTAh）と仮想的WTP（WTPh）両方の条件の有効な判断基準になるということにもとづいて，彼らは両方の仮想的条件にバイアスがかかっており，仮想的WTA（WTAh）が消費者余剰を過大評価をし，仮想的WTP（WTPh）がこれを過少評価するという結論を下した（1979：929）．「この結果，CVによる価値では，50パーセント以上のエラーは容易に生じるということが判明した」（Bishop, Heberlein and Kealy, 1983：620[9]）．

　Bishop と Heberlein のホリコンでの結論を，基本的にはCVMの有効性を支持するものと解釈する向きもあるが（Randall, Hoehn and Brookshire, 1983），われわれはそうは見ない．ここでわれわれが問題としたいのは，仮想的WTP（WTPh）の結果＄21と行動判断基準（模擬的WTA：WTAs）の＄63という一見したところの相違である．というのは，WTPの形式はCV研究で使われている形式だからである．このように大きな違いがあるということは，もしそれが仮想的な質問を行ったためのみによって生じたものであり，他の要因によるものではないとすると，CVMの妥当性に関して深刻な問題となり得る．しかし，この違いにはほかの要因が介在していると思わせる理由が3つある．

　（1）WTAの評価は，どこで分布の足切りを行うか，また狩猟許可証と交換に申し出を受け入れることを拒否した人を，どのように扱うかに関して Bishop and Heberlein が行った決定によって，非常に微妙に左右されるものである．

　（2）彼らの実験の設計の中に特有のバイアスの原因がいくつかあって，それが仮想的WTP（WTPh）の評価に影響を及ぼした可能性がある．

　（3）WTAの模擬市場は，仮想的WTP（WTPh）の市場の適切な判断基準とはいえない[10]．

　最初の点は，単一の買うか買わないかの二肢選択の聞き出し法において一般的な問題を含んでいる．額を評価するうえで，Bishop and Heberlein は WTP，あるいは WTA の申し出を拒絶した人は，みんな調査にはきちんと参加はしたが，金額が彼らが買うにはあまりにも高すぎたか，または売るにはあまりにも安すぎたため，拒絶したのであると想定した．しかし，＄200の申し出を受け取った人のうち一人か二人は，その申し出の有効性を疑ったか，封筒を開けずに捨てたか，またはその他の理由で，その小切手を現金化しなかった可能性がある．どの市場であっても，許可証の売買を拒絶した人が不参加者として排除された程度に応じて，予想された消費者余剰は減少する．

　Bishop と Heberlein はまた，彼らのロジット分析のための正しい足切り点は，回答者に提示され

8）仮想WTP（WTPh）の質問の場合は，回答者の100パーセントがそれぞれの価格レベル（＄200を含む）で提示された買い取り価格を受け入れた場合のみ，最高額が達成されることになっていた．Bishop and Heberlein の評価手順では，＄200の申し出をされた回答者のみがその買取り価格を受け入れたとしても，模擬的WTA（WTAs）と仮想的WTA（WTAh）の最高額が達成されることになっていた．

9）ホリコンの実験には，トラベルコスト調査も含まれていた．発生したトラベルコスト評価額＄9から＄32もまた，模擬市場価値と比べて生じた．

10）以上3点の詳しい検討については，Carson and Mitchell（1983）を参照．最初の点については，Bishop and Heberlein（1986）を参照．

た最高額（＄200）であるとした．このような推定の裏にある論理には誤りがあるように思われる．たとえば許可証と交換に，＄20 の申し出をした（仮想的 WTA：WTAh）人の 90 パーセントがその申し出を受け，＄50 の申し出をした（仮想的 WTA：WTAh）人の 90 パーセントもまた受け入れたという状況を想定してみよう．

このような状況から得られる所見は，その許可証の価格は＄20 であり，＄20 で買うことができる許可証は，＄50 で買われる数と同じぐらいあるということを示している．WTP を，買い手がガン（雁）猟の許可証を手放すために，受け入れる意志のある最低補償額というふうに標準的に定義するとすると，水平軸は＄20 のところでストップすることになる．もしこの軸を＄20 以上に伸ばすとするならば，カーブの上の部分（消費者余剰を表わす）を増やすことになり，そこで許可証の予測価値を追加割合を購入することなく，増加させることになる．このような方法論的推定を変更するということは，Bishop と Heberlein の結論に関していえば，非常に重大な影響を与えるものである．われわれはすでに（Carson and Mitchell, 1983），不参加率と適切な足きり点についての異なったしかし大いに説得力のある推定によって，彼らの調査に対する別の予測を次のように提示することを示した．WTAh：＄51—21，WTAs：＄43—28，WTPh：＄14—10[11]

この再評価によって，ずっと低い金銭的レベルではあるが，Bishop and Heberlein が模擬的 WTA（WTAs）と仮想的 WTP（WTPh）との間に発見した，割合における大きな違いが繰り返されることになる．このような変動は，仮想的 WTP（WTPh）は下降バイアスを持っているという彼らの最初の結論を支持するものだろうか．彼らの実験によって証明された事柄からは，この点に関して断定的なことはいえないと思われる．なぜならば，彼らは重要なバイアスとなり得るものに関して照査確認（control for）をせず，また模擬的 WTA（WTAs）の尺度は，仮想的 WTP（WTPh）の尺度に対して，問題のある判断基準であるからだ[12]．

潜在的バイアスの原因の一つとして，彼らの模擬的 WTA 市場は，仮想的 WTP（WTPh）市場とは違った，もっと価値のあるものを測度したのかもしれないということがあげられる．

模擬市場では，買い取りの申し出が受け入れられれば許可証を手放さなければならないため，ハンターたちは必然的に，ガン（雁）猟をする権利と彼らがそのシーズンにガン（雁）猟に行くために行ったすべての準備とを，両方ともに評価することになる．ハンターたちは，2 週間の猟期の直前に許可証を売るよう要請されたわけであるから，もろもろの準備を変更するのにはコストがかからないと見ることは難しい．仮想的 WTP（WTPh）の質問の言葉にはこのコストが示されていないので，この 2 つの市場は厳密な比較が不可能なのである[13]．

Bishop と Heberlein の仮想的 WTP（WTPh）には，当該市場には通常戦略的行動に対する強い（CV 研究にしては）誘因が存在するため，下方バイアスがかかっていた可能性もまた存在する．許可証はやがて無料で手に入ることになる．本当の公共財とは違って許可証は排除性を持つため，その料金がすぐにでもハンターに課せられる．ハンターは他のウィスコンシンでの許可証には料金

---

11) 仮想的 WTP（WTPh）の場合とは対照的に，ロジット分析によって，すべての場合において正確な模擬的/仮想的 WTA（WTAs /h）を予測することができる．Bishop and Heberlein の予測とわれわれの予測の違いは，実質的に参加している被験者の割合と，足切り点についての異なった想定によるものである．

12) 価格変動に関する Willig（1976）の研究にもとづいて，Bishop and Heberlein は，WTP と WTA とは近くなければならないという結論を出した．ところが逆に，量的変化（第 2 章を参照）についての Hanemann（1986 a）の最近の研究では，WTP と WTA との違いは，大きくはあるが限界があるものであると指摘されている．というのは，ホリコンのガン（雁）は，他の水鳥の狩猟行為との代替性に関する弾力性がかなり小さいからである．

13) しかし Bishop and Heberlein は，仮想的 WTA（WTAh）の質問の言葉の中では，さまざまな準備が無駄になってしまうというコストへの注意を喚起している．

を支払っているので，仮想的WTP（WTPh）の一部，またそのすべてが，料金の徴収を予期していたものであり，それゆえ真の価値よりも低い額を表明して，将来の許可証の価格に影響を与えようとしたということも考えられる[14]．仮想的WTP（WTPh）での下方バイアスのもう一つ別の原因は，Bishop and Heberlein の調査で使用された支払手段にある．ハンターたちにとって，許可証に料金を支払うということはごく普通のことであるため，猟期中に彼らが購入しなければならない他の許可証の一般的な価格が，ガン（雁）猟許可証にいくら支払う意志があるかを計算するうえでの基準となった可能性がある．それゆえ，一般的な最高価格を表明するかわりに，その仮想的WTP（WTPh）市場の回答者の何人かあるいは全員が，そのような許可証について"公正な"，あるいは"妥当な"価格であると考えた額を表明したかもしれない．

　上記のようなバイアスが排除されたとしても，消費者はWTA市場とWTP市場とでは，非常に違った反応を示すという強い証拠を考慮したとき，WTPの模擬市場の判断基準が代用されることで異なった結論が出たかどうかという，もっと重大な問題が残されている．BishopとHeberlein はこの問題には十分気づいており，調査設計の中に，最初から模擬的WTP（WTPs）市場を導入しようとしたが，関係当局からガン狩猟許可証の売却許可を得ることができなかった．

　ホリコンの仮想的模擬市場（HSM）の実験での，仮想的WTP（WTPh）尺度が有効性を持たないことの証拠は，われわれの考えでは，当初想定されたほど決定的なものではない．BishopとHeberlein は，彼らの調査が試験的なものであることをよく認識し，その独創的な論文の結論の部分で明確に述べている．「単一の実験にもとづいて，包括的な結論を出すのは，この時点においては注意深く避けなければならない」（Bishop and Heberlein, 1979：929）．その後の一連の独創的実験において，彼らは仮想的市場での支払いと模擬的市場での支払いとの関係をさらに検討した．このときは，模擬的WTP（WTPs）市場を実施することができた．ホリコンの結論と比べて，このサンドヒルでの調査は，趣味に関する準私有財の評価について，仮想的WTP（WTPh）尺度の妥当性についての結論はかなり違ったものになっている．それでは次にこれを検討してみよう．

3.1.3 サンドヒル実験

　この重要な実験が行われたのは，ウィスコンシン州ウッド郡のサンドヒル野生動物実地検証地区である．ウィスコンシン州自然資源局（Department of Natural Resources＝DNR）は，この広大な12平方マイルの土地（鹿が逃げられないようなフェンスで囲まれている）を，鹿の管理実験のために使用している．鹿の数を生態環境限界以内に維持しておくために，資源庁では，1年に1日だけ一定数の人がそこで特定の種類の鹿を狩猟する許可を与えている．この機会はウィスコンシンのハンターにとってはかなり価値あるものとされ，この恒例のサンドヒル鹿猟の無料許可証の分配は，くじ引きで行われているのである．1983年には，その年提供された150の許可証に6000名のハンターが申込みをした．

　BishopとHeberlein は，サンドヒル許可証の申込者リストを使用して，実験対象者に2段階の仮想的模擬市場（HSM）実験を行う許可を，自然資源庁から得た．この実験は，1983年（Bishop and Heberlein, Welsh and Baumgartner, 1984）と1984年（Bishop and Heberlein, 1985；Heberlein and Bishop, 1986）のシーズン中に行われた．この一連の実験では，ホリコン調査で使われたのと同様な仮想的模擬市場（HSM）比較を用いたが，このときの違いは，許可証を買うだけでなく売るこ

14）調査者が州立大学の教授であり，ウィスコンシン州自然資源局（ガン（雁）猟許可証の保有者名はここから入手した）と協力関係にあるという認識から，そのような憶測に信憑性が出てくる．

ともできたということである．両年ともに，WTP 調査実験は，許可証を受けられなかった者から無作為に抽出されたサンプルにアンケートを郵送して行われた[15]．付け値方式が含まれる条件では，電話による簡単なフォローアップが行われ，反復的調査が実施された．

　1983 年には 4 つの許可証しか売却許可が得られなかったため，Bishop and Heberlein は，その年は WTP 表明条件として，競り市場を使った．回答者は許可証が手に入るのは，付け値が高い順に 4 番目までの者であると告げられた．1983 年には全部で 4 つの競り形式が使われ，それぞれがに模擬的・仮想的 WTP 表明条件が付加された．600 名ハンターの全サンプルは 8 つの条件に等分された．模擬市場の条件では，ハンターたちがつけた値は，もしそれが採用された場合には拘束力を持つ契約となるとされた．仮想的条件の回答者も同様のオファーを受け，もしそのオファーが本物だとして，現金で支払う意志のある最高額を提示するよう求められた．1983 年の実験で使われた別のタイプの競りを表 9-1 に示した．

　1984 年の実験を設計するにあたって，Bishop and Heberlein は，前年に使用した競り方式では，回答者は通常の市場での行動とは異なった行動を取る可能性があることを考慮した．自然資源庁（DNR）への予備報告の中で彼らは次のように述べている．

　競りにおいては，自分で出す評価額以外にも，その競りの他の参加者全員の予想される付け値についても考えなければならない．通常の市場では，対象物の個人的な評価が市場価格より高いか低いか見きわめる必要がある．1984 年の調査の目的は，人が自分の評価のみを考慮する必要があるとき，その行動（実際と仮想の両者）に変化があるかどうかを確認することである（Bishop and Heberlein, 1985）．

表 9-1　サンドヒル実験での WTP 結果

	評 価 付 け 値		0.10 での 有意誤差
	現　金 （人数）	仮想条件 （人数）	
1983 年の実験[a] A．非公開付け値による競り 　　（郵送）	$ 24 (68)	$ 32 (71)	なし
B．付け値調査 1 　　最初非公開付け値による競りを郵送で送付依頼をする．その後の電話調査で 　　付け値が変えられる	$ 19 (65)	$ 43 (62)	あり
C．付け値調査 2 　　$1 から $500 まで任意に選ばれた一定額の郵送によるオファーに対する最 　　初の回答．この額が次の電話調査で出発点として使われた	$ 24 (68)	$ 43 (69)	なし
D．5 番目の価格 　　高い順に 4 番目までが許可証を手に入れることができる．このとき 5 番目の 　　価格を支払う	$ 25 (69)	$ 42 (70)	あり
1984 年の実験[b] E．単一価格オファー 　　$18 から $512 までの任意に選ばれた一定額を支払う意志があるかどうか尋 　　ねた	$ 31 (70)	$ 25 (62)	なし
F．単一価格オファー＋付け値調査 　　E と同じ手順．その額が次の電話による調査で出発点として使われた	データ なし	$ 35	なし

注）a　Bishop and Heberlein（1986）
　　b　Bishop と Heberlein の予備評価．1986 年 4 月著者らと個人的にコンタクト

15）WTP の条件のほかに実験の各段階で，WTA に関しても行われたが，ここではふれないこととする．

　1984 年には，75 枚の許可証を得て，Bishop and Heberlein は模擬的 WTP（WTPs）市場を運営することができた．サンドヒル許可証を受けられなかった申込者のリストから任意に 75 名のハンターを選んで，特定の価格で許可証を買う機会を提供した．価格は＄18 から＄512 までの範囲で，ハンターたちに任意に割り当てられた．17 名のハンターが＄18 から＄109 までの範囲で提供された許可証を購入するという回答を出した．平行して仮想的市場において，また別の 75 名の回答者にある特定額が提示され，このオファーが本物であるとしたら，許可証にその提示額を支払う意志があるかどうか尋ねた．このグループに提示された額は模擬市場に提示されたものと同一である．

　第 2 の仮想的 WTP 市場もまた作られたが，電話によるフォローアップで付け値の調査が行われた以外は，最初のものとまったく同じである．その開始価格は，最初の仮想的条件で 75 名の回答者にそれぞれ割り当てられた価格が使われた[16]．

　表 9-1 で示された 1983 年と 1984 年のサンドヒル WTP 実験の所見をまとめると，実際の金銭がかかわった場合，1983 年の 4 つの競りでは約＄23 という非常に似通った平均値を引き出している．これらの競りにおける仮想的価値はやや高くなっているが，4 つを比較したうち，0.10 のレベルで統計的有意誤差を示しているのはわずか 2 つしかない．1983 年のサンドヒル調査では，その前に行われたホリコン調査よりも，模擬市場価格と仮想的市場価格との間に密接な対応が見られた．しかし最も重要な結果は，1984 年の実験で得られたものである．これは競り方式（効果をゆがめる可能性がある）のかわりに，より優れた買うか買わないかの二肢選択方式が使われた．表 9.1 の E の比較では，模擬市場の平均値＄31 と，仮想的市場の＄25 との間に非常に密接な関係が伺える．また仮想的価値の＄25 が，1984 年の実際の支払額よりも，1983 年の実験で引き出された実際の支払額（模擬的 WTP〈WTPs〉）のほうに近いのは，興味深い結果である[17]．

　サンドヒルの結果から 2 つの結論が導き出せる．まず第 1 に，模擬市場の価格の判断基準で示されるように，仮想的市場は，Bishop and Heberlein の狩猟許可証のような財の価値を，かなり正確に測度することができるということが明らかになった．これによって，CV 研究を有効なものとするのに必要な条件が確立されるという意味で，この所見は重要である．しかし先に指摘したように，この所見は，CV 研究はたとえば大気や水質の浄化といったような財の量を，正確に測度することができることを示す証拠としては，価値のあるものであるとしても弱いものでしかない．そのような財は，回答者の心の中には，あまりはっきりと規定されていないのである．

　一方，ウィスコンシンの熱心で情報量も多いハンターにとっては，サンドヒルの許可証はきわめて明確なものである．第 2 に，CV 研究ではその仮想的性質によって，評価される財に現金を支払わなければならない場合の評価よりも，常に高いかあるいは低い価値を提示することになるという考えがあるが，サンドヒルのデータは，これを支持するものではない．仮想的なオファーは現金でのオファーと比べたとき，高くなることもあれば低くなることもある．

3.1.4　いちご実験

　ここで検討する最後の仮想的模擬市場（HSM）の調査で使われた判断基準は，きわめて私的な財であるが，これもまた，仮想的市場は商品の価値を適切に評価できるものであるということを確

16）これらすべての実験において，回答者にはさらにフォローアップ・アンケートが送付され，態度，狩猟経験，実験に対する感想，性質についての情報を収集した．アンケート自体がよく設計されていたことと，完全な回答をした場合には，＄5 の支払いがなされたこともあって，回答率は 90 パーセント以上であった．

17）サンドヒル実験で使われたさまざまな反復的付け値調査の条件による所見は，ここでは検討しない．この聞き出し方法は，回答者に希望するよりも高い値をつけるようプレッシャーを与えてしまうので，追従バイアスの可能性が出てくるのである．

認するものである．1984 年に Dickie, Fisher and Gerking（1987）は，非耐久性を有し，ごくなじみのある商品，いちごの仮想的市場と模擬市場との結果を比較するため実地実験を行った．ウィスコンシン州のララミーで，調査担当者は任意に抽出された 144 軒の家庭を訪問し，食料などを普段買いに出かけるという家の人にその商品を見せ，1 パイント当たり＄0.60 から＄1.60 までの売り値を伝える．模擬市場においては，回答者が提示された価格で購入を希望する場合には，そのいちごは実際に売却された．仮想的市場においては，調査担当者は市場調査をしていると回答者に知らせ，"1 パイントのいちごが＄＿で買えるとしたら，何パイントの購入を希望されますか？"と尋ねる．需要曲線を比較すると，この 2 つの条件が統計的に同一であるという帰無仮説を否定することはできなかった．外れ値に対する調整と面接者の影響を考慮したあとで，仮想価格の平均値と実際の価格の平均値との相違は 1 パーセント以下であった．このような非常に明確に定義されている消費財の場合には，CV による評価は，かなり正確に現実の市場行動を予測するといってよいであろう．

3.2　仮想市場と現実市場の比較

　仮想的模擬市場（HSM）の実験は，準私有財を評価する仮想的消費者市場モデルにのみ適用できるものである．住民投票の結果は，住民投票にもとづいた公共財の仮想的市場の判断基準となり得る．Carson, Hanemann and Mitchell（1986）は，この種の調査を行ったが，これは，カリフォルニア州の有権者がある提案について，どのように投票する意図があるかについての CV 手法を使った調査の結果を，その後に実際に行われたその提案についての投票行動とを比較するものであった．

　フィールド研究所のカリフォルニア世論調査（Field Institute's California Poll）では，カリフォルニアの選挙運動期間中に無作為抽出されたサンプルに，定期的に電話による調査を行い，時の話題や投票意志についてのさまざまな質問をしている．1984 年 10 月に Carson, Hanemann および Mitchell は，この研究所の世論調査の中で，1 022 人の有権者に対して，提案 25 についての投票意志を尋ねる質問を入れた．この措置は「1984 年水質浄化債券法」（Clean Water Bond Law of 1984）と呼ばれ，主に下水処理場を建設するために 3 億 2 500 万ドルの債券の発行を定めたものである．これは 1984 年 11 月の投票時に懸案となった 16 の案件のうちの一つである．この投票が行われる前に，有権者のすべてには，この提案についての賛成・反対意見を詳細に記述したカリフォルニア有権者パンフレットが配付された．

　この研究では，回答者の投票意志を 2 つの異なった方法で測度しようとした．まず最初の方法は実際の住民投票の仮想的方式を非常によく表わしているものであるので，ここでとくに問題とされるべきものである．まず調査担当者は 11 月の投票で対象となっているこの措置の概要を読み上げ，次に回答者に，もし明日投票が行われるとしたらどう投票しますかと尋ねた．2 番目の方法は，さまざまな価格条件のもとで，有権者の投票意志を聞き出す一連の質問からなっているものであった．このデータから，水質浄化の措置を求める需要曲線が導き出されたが，これは 1 世帯当たり年間＄1 で賛成 89 パーセントから，世帯あたり年間＄50 の 48 パーセントにまで及ぶものであった．

　この調査の妥当性の基準を示すものとして，投票意志で測度された投票予測と 1 カ月後の提案 25 に対する実際の投票との比較があげられる．回答者の 63 パーセントはこの措置に賛成，13 パーセントが反対に投票すると答え，25 パーセントがまだ決めていないという答えであった．未決定の有権者を，反対/賛成で，50/50，60/40，70/30 で分けると（調査によると，未決定の者は変化

よりも現状をよしとするほうに投票する傾向がある），最終的に75パーセントから70パーセントの賛成投票が予想された．実際の賛成投票率は73パーセントであったので，この規模のサンプルでのこの程度のパーセンテージでは，95パーセント以上の信頼区間となったわけである．この例では，仮想的住民投票は高い妥当性を示した．またこの結果は政治学者によって行われた，住民投票での有権者行動に関する他の調査でも繰り返されており（Magleby, 1984），適切に行われた住民投票方式の CV 研究は，この形式の投票における実際の投票者行動を示す有効な手段であることが明らかにされたといってよい[18]．

４．構成概念妥当性

4.1 収束妥当性

すでに述べたように，収束妥当性（convergent validity）は，ある尺度と同じ理論的構成概念の他の尺度との対応にかかわるものである．相関が存在する（つまり尺度が収束する）程度に応じてそれぞれの尺度の妥当性が確認される．これは，基準尺度（Bishop and Heberlein の模擬的WTP〈WTPs〉のようなもの）で興味の尺度が判断されるような，判断基準妥当性とは際だった対照をなしている．収束妥当性においては，どちらかの尺度が一方と比べて，構成概念の真の尺度であるとはいえない．

判断基準妥当性と収束妥当性との区別をわれわれが強調するのは，過去においてこの点に関していくぶん混乱があったからである．経済学者が，第３章で述べた観察/間接（トラベルコスト法またはヘドニック価格法の）便益測度手法の信頼性を認めたため，これらの方法によって得られたアメニティの価値と，CVM で得られた同じアメニティの価値とを比較するために多大の努力が払われた．観察/間接法で得られた尺度は，基準となる値（criterion variables）として扱われる傾向があった（Knetsch and Davis (1966), Thayer (1981), Brookshire, Thayer, Schulze and d'Arge (1982)）．事実，第３章であげた理由から，トラベルコスト法あるいはヘドニック価格法の尺度が，CV による尺度よりも正確であると考える根拠は存在しない[19]．このような要因から，CV 調査者は，観察/間接評価と CV による評価との対応があるということは，調査尺度の正確性を証明するものではなく（Cummings, Brookshire and Schulze, 1986；Cummings, Schulze, Gerking and Brookshire, 1986；Smith, Desvousges and Fisher, 1986），両方の信頼性を高めることに貢献するものであることを認めるようになった．

CV の測度とトラベルコスト法，またはヘドニック価格法の測度とを比較するさまざまな研究によって，収束妥当性に関していえば，どのようなことが明らかにされたのだろうか．全般的に，調査による測度と行動測度との対応には，適切な近似性が見い出される．たとえばトラベルコスト法分析は，存在価値を排除する傾向のある，事後的な厚生の測度法であるのに対して，CV は事前の測度法であり，上記のような価値を含むものである．あるレクリエーション地の金銭価値の調査に

---

18) Fischel（1979）は，ニューイングランド地方のいくつかの都市で，市民が，自分の住む町にパルプ工場が建設される（土地の人々の雇用につながる）ことに対して，賛成であるか反対であるかを測度する調査を行った．この調査は CV シナリオに非常に近い言葉を使ったものであるが，その結果は，この問題に対して投票が行われた町議会の結果と同じようなものとなった．

19) CV と，参加/トラベルコスト分析での諸問題の比較は，Smith, Desvousges and Fisher（1986）を参照されたい．Vaughan ら（1985）は，模擬的調査を行い，参加モデルに特有の集計と価格代用のレベルからして，個人の真の WTP を出すことが不可能なことが多いということが示された．

おいて（Thayer, 1981），CV と位置代替法の測度が比較され，CVM の測度は，その場所を維持してゆくためにサンプルはいくら支払う意志があるのかにかかわり，レクリエーション価値と存在価値の両方を含んでいる．位置代替手法は，別の場所へゆくための追加費用を測度するものであり，それゆえ内在的な価値は含んでいない．一般的に，資産価値にもとづいた大気の透明度の利益のヘドニック価格調査によって，大気浄化の利益のすべてが住宅価格の中に資本化されているという想定がなされるが，これには疑問が多い．この想定には，このような利益の一部あるいは全部が，賃金または他の財やサービスの価格の中に入っているかもしれないという可能性を無視しているのである．

美的影響評価（Cummings, Brookshire and Schulze, 1986 を参照）の研究では，8 つの収束妥当性の試みを詳細に検討している．内訳は，トラベルコスト法による測度を使ったものが 4 つ，位置代替評価を使ったものが一つ，ヘドニック価格の測度を使ったものが 3 つである[20]．そのほかにも，CVM で評価された利益と，観察/間接測度手法で測度された同じ財の利益とを比較した調査がかなりある．Blomquist（1984）は，シカゴのミシガン湖の景観の利益の価値を評価するため，ヘドニック価格法を使用した．Loehman（1984）は，財産価値のヘドニック価格分析にもとづいて，サンフランシスコの大気の透明度改善の評価を行った．Hoehn and Randall（1985 b）は，シカゴのハンコックタワーの展望台からの大気の透明度改善の需要曲線を測度した[21]．Mitchell and Carson（1984）は，参加トラベルコスト法の費用モデルにもとづいて，Vaughan and Russell（1982）の結果を使って，全国的な最低水質レベルを船遊びができる程度から，魚が生息することができる程度にまで変えることの利益を評価した．Walsh, Sanders and Loomis（1985）は，河川の利用にトラベルコスト法の費用評価を利用した．Sorg ら（1985）はトラベルコスト法を使って，冷水および温水における釣りの評価を行った．Sorg and Nelson（1986）は，ヘラジカ猟のトラベルコスト法による評価を行った．Walsh（1986）は，森林利用についてトラベルコスト法を使って評価を行った．

これらの調査のうち，とくに興味深いものが 2 つある．Hoehn and Randall（1985 b）の使用した観察/間接測度は非常に優れたものである．彼らは，標準的な参加トラベルコスト法またはヘドニック価格法に見られる多くの推定を避けた．これは，これらが評価し得る需要曲線は，大気の透明度のための直接需要曲線ときわめて近いものであったためである．Walsh, Sanders and Loomis の調査は，トラベルコスト法と CVM の比較を，CV によるすべての価値の表明された使用価値部分に限定している点で，ユニークなものである．CV の全体額には，かなりの存在価値や保護価値も含まれているため，こちらのほうがより正確な比較であるといえる．

このような調査の結果は，全体として CV に対するある程度適切な収束妥当性を示している．Cummings, Brookshire and Schulze（1986）によれば，彼らの検討した比較はそれぞれの 60 パーセント以内であり，それよりも近いものも数多いということである．これはまた，その後追加して行われた調査にもいえることである[22]．たとえば Hoehn and Randall の研究では，その比較の尺度は，他のいかなるものと比べても基準状態に近い．Hoehn and Randall は，CV 測度と需要曲線評価と

20）トラベルコスト調査とその対象は以下のとおり．Knetsch and Davis（1966）がレクリエーション日について，Bishop and Heberlein（1979）が狩猟許可証について，Desvousges, Smith and McGivney（1983）が水質浄化について，Sellar, Stoll and Chavas（1983）がボート許可証について．ヘドニック価格調査に関しては以下のとおり．Brookshire, Thayer, Tschirhart and Schulze（1982）が大気浄化について，Cummings, Schulze, Gerking and Brookshire（1986）が都市経済基盤について，Brookshire（1986）が地震情報について．Brookshire の調査では賃金が使われたが，他の 2 つのヘドニック価格調査では，資産価値が使用された．

21）Tolley and Randall（1985）も参照されたい．

の間に有意な違いを見い出さず，彼らの CV 測度には，彼らの使った他の観察/間接測度よりもはるかに小さな標準誤差しかなかった．

4.2　理論的妥当性

　理論的妥当性は，ある調査の結果がどの程度理論的な予測に合致しているかを評価することにかかわるものである．ここでは，収束妥当性の場合のように同一の構成概念で別々ではあるが同等の2つの測度についてではなく，WTP の決定要因に注目してみる．

　理論的妥当性は，一般的には，なんらかの WTP を，評価の対象となっている財への人々の支払意志の理論的決定要因であると思われる独立変数のグループに結びつけて調べることによって，測度されるものである．そして推定された係数の大きさと兆候（sign）とが検査され，理論と合致しているかどうかが判断される[23]．理論的妥当性を調べるもう一つの方法は，理論的には異なった価値が示されるさまざまな条件の平均 WTP を比較することである．たとえば，理論的にはリスクの減少度は大きいほど価値があり，同じアメニティを提供する際の遅れは短いほど価値がある．

　CV 研究において，理論に立脚した回帰方程式が使われ始めたのは，この方法のごく初期の段階であるが，そのような方程式に関する所見が，CV の報告その他によく発表されるようになったのは最近のことである．Knetsch and Davis（1966）は回帰分析を利用して，メーン州北部の森林レクリエーション地区の価値について Davis が行った先駆的な CV 研究の理論的妥当性を評価した．方程式の中のそれぞれの変数（世帯収入，世帯がその地区を訪れた経験年数，その地区での滞在期間）は，WTP の尺度ときわめて強く関連していた．それら全体によって，分散の大部分が説明されることとなった．これをもとに，Knetsch and Davis（1966：135）は，「経済的な一貫性と回答の合理性は高いようである」と結論づけている．

　さまざまなアメニティが，その他の調査でも評価されてきており，その結果の理論的妥当性を証明する回帰方程式が報告されている．以下にそのような調査の例を示す．Cicchetti and Smith（1976 b），Gramlich（1977），Mitchell and Carson（1981），Carson and Mitchell（1986）らの，水質浄化の利益に関する調査．Walsh, Miller and Gilliam（1983）のスキー場の混雑とスキー場の収容能力向上のための WTP に関する調査．Walsh and Gilliam（1982）の自然保護区域の拡張による利益に関する調査．Majid, Sinden and Randall（1983）のオーストリアで計画中の新しい公園の利益に関する調査．Tolley and Randall（1985）のアメリカ東部での大気の透明度改善の便益に関する調査．Mitchell and Carson（1986 b）の飲料水の危険性減少の便益に関する調査．最後の3つの調査は，定型の理論的モデルの展開と測度に対して注意が払われている点で注目すべきものである．

　これらの調査で聞き出された価値が，回答者の嗜好や経験に，予測可能な形で関係しているという事実は，その理論的妥当性を示す重要な証左である．しかしながら小規模なアメニティについては，回帰は報告されずに終わることがよくあり，また報告されても，理論的に想定される予測変数は統計上有意でないことがある．そこで，人々はこのような場合に寄付と同じようなものを提供し

---

22) CV による結果と他の手法，たとえば，N. Smith（1980）や Duffield（1984）で得られた結果とを比較する研究がいくつかあるが，まだこれらは検討されていない．Blomquist（1984）は，CV とヘドニック賃金等式（hedonic wage equation）といった他の手法によって得られた統計的生命価値の評価を検討し，CV による評価は，他の方法によって得られた評価の範囲内では，下のほうに位置するが，その外に出ることはない．

23) この種の手順は，"台所の流し" 手法（kitchen sink approach）にもとづいた回帰とは区別しなければならない．これは最も高い R^2 を得るために，"機能する" 変数はすべて等式の中に入れられるものである．そのような等式は，理論的妥当性を示す十分な証拠ではない．ただし，そのような手順で得られた高い R^2 は，信頼性を証明するものである．

ているのか，またそうでなければ，彼らのWTPの回答は，入場料支払手段の予測レベルといった要因でバイアスがかかっているのかという問題が出てくるのである（Mitchell and Carson, 1986 b）.

　CV研究を，政治的な目的に供する情報を収集しようとして設計する場合には，常に理論に立脚した回帰方程式，あるいはその理論的妥当性を表わす同等の証明を作る必要を考慮に入れること，そしてそれらをすべてのCV研究報告に標準的なものとして，提示することが望ましい.

5. 要約と結論

　本章では，主要な3つの種類の妥当性について述べ，CV研究の妥当性を示すものについて検討した．ある尺度の妥当性とは，それが理論的構成概念を測度する程度であるといえる．たとえばもし市場が存在するとしたら，回答者はその財に対して，実際にいくら支払うかということである．内容的妥当性は，CV研究手段とそれとともに使われた分析手順が該当領域をカバーするその度合いについて量的な判断をすることによって，測度することができる．

　基準関連妥当性は，CV研究の結果を基準変数（通常はCV測度手段の外にある重要な行動）と比較することで，測度することができる．その変数は，基礎となる構成概念に近いものであり，それゆえ，CVの尺度が変数の尺度に近ければ近いほど妥当性は高い．われわれはCV研究に関連する二種類の基準を提示した．一つ目は，模擬市場で測度された準私有財の価値である．模擬市場と，同じ財に対する仮想のCV価値を比較した重要な実験の結果が検討された．回答者がよく理解している財（狩猟許可証，TV番組の視聴）に関しては，仮想的市場と模擬市場の対応はきわめて高いことが示された．この所見は，顕示選好についての実験室での実験を扱った文献の内容と一致するものであり，それはShoemaker（1982：553-554）によれば，「被験者を経済的に拘束したときに実験室での行動が改善されたということを示すものは何もない」である．模擬市場と仮想的市場の調査は，消費者市場のモデルにもとづいているため，その結果は，純粋に公共的な財を評価するCV研究の使用には直接的には当てはまらない．2番目の基準は州の住民投票による投票で，本章ではこの基準を説明するのに，カリフォルニアの水質汚染債券の発行についての投票を見事に予測したCV研究を紹介した．

　第3番目の妥当性である構成概念妥当性では，尺度は，理論的にそれが関連すべきである他の尺度と比較することで，その妥当性が認められる．構成概念妥当性の収束形（convergent form）はCV研究においては，アメニティに対するCVと，そのアメニティを評価する別の方法の結果との対応を調べることによって，評価することができる．強い対応は，両方の尺度の妥当性を示すものと理解される．これは内部の構成概念の尺度として，どちらが優れているということがないからである．CV関連の文献に見られる，CV測度と観察/間接法によって得られた測度とを比較したさまざまな研究は，経済学者は観察/間接法の測度に重きをおくがこの範疇に入るものである．数多くの比較研究はかなり高いレベルの収束妥当性を示しているが，CV測度と，それと比較されてきた観察/間接測度とでカバーする領域の間には，さまざまな違いがあることを考慮すれば，これは注目に値するといってよいであろう．

　理論的妥当性は，また別の形の構成概念妥当性であるが，CV研究においては，なんらかのWTPが，そのWTPの理論的決定要因であると考えられるひとまとまりの独立変数に結びつく度合いを調べることで，評価することができる．興味深い成果はR^2——これは妥当性ではなく，むしろ信頼性を示す——ではなく，予想された係数の大きさと符号であり，それが理論と一致するかしない

かである．多くの CV 研究がこの種の妥当性を示している．

　本章で検討したさまざまな妥当性評価方法の結果は，おおむね，CVM によってたしかな WTP が測度できるということを示すものである．模擬的状況と仮想的状況を比較して確認したところを見れば，調査によって準私有財にかかわる支払い行動が予測できることが，きわめて明確に証明されたといってよいだろう．

　以上の結論は，ある特定の CV 研究の妥当性を論じたものではない．妥当性が多面的な特質を有しており，そして公共財に対する CV 価値を比較すべき明確な基準が存在しないため，個々の調査の妥当性は明確な形では確定できない．個々の CV 研究は，シナリオの詳細な検討と内容的妥当性の評価手順に耐えられるものでなければならず，理論に立脚した回帰方程式か，分割サンプル比較にもとづいた実験結果か，いずれかの形で理論的妥当性を証明するものが提示できなければならない．次章では，CV 研究の信頼性と妥当性を高める戦略を検討する．

第 10 章

信 頼 性 の 向 上

　最も狭義に定義すると，信頼性とは，CV 調査において回答者が回答する WTP の分散が無作為抽出による原因，すなわち"ノイズ"による範囲のことをいう．CV 調査の調査結果があるとすれば，財に対する WTP の分散は，3 つの主要な要因の結果である．

　第 1 の要因は，母集団全体のその財に対する WTP に"真の"差異があることである．財に対する価値が完全なサンプルに対する完璧な調査手段によって測度されたとしても，その財に対する WTP は人によって異なっている．2 番目の要因は調査手段そのもので，すなわちそのコンセプト，言葉の使い方，プレゼンテーションの方法である．同一の条件においてまったく同じサンプルに対して，数週間の間隔をおいて 2 回 CV 調査が行われたとして，2 回目の調査が行われたときに回答者が（ありそうもないことであるが）前回の調査時に回答した WTP を記憶していないが，その間にその財に対する選択はまったく変わっていないと仮定しよう．こうした古典的な調査，再調査を行う場合においては，1 回目と 2 回目の回答の違いは，真の分散に加えて調査手段の不完全さによるノイズが生じることになる．平均 WTP の分散の 3 番目の要因は，母集団のうちの一つのサンプルだけしかインタビューしなかったことによるものである．サンプルの回答者は，はるかに多い母集団——おそらく 20 万人，24 万人——のかわりであるにすぎない．母集団を正確に代表させるためには，正当な任意抽出法に従ってサンプルを選ばなければならない．完璧な調査手段を持っていて，同じ任意抽出法により，独立した 10 のサンプルを選んだとすれば，10 のサンプルの WTP の分散は，使用した抽出方法による分散を表わすはずである．回答者の WTP がまちまちになれば，調査する平均 WTP がその財の真の WTP と異なる可能性が高くなるため，CV 研究の WTP の信頼性を高めることがきわめて重要である．

　もちろん，CV による金銭評価の推計において若干の分散が生じることは避けられない．しかし，比較的小さいサンプルを使ったり，回答者が理解できなかったり非現実的であると思うようなシナリオを持った CV 研究の場合に，真正な平均値と大幅に異なる推計値が得られる可能性がある．このような性格の研究が立派な雑誌に発表されることがしばしばあるが，こうした研究結果は，便益コストを決定するためには無意味になりがちである．

　CV 研究の設計者が信頼性について配慮しなければならないもう一つの理由は，回答者を混乱させたり，疑いの念を持たせる調査手段は，回答者に選択を促すよりも，調査票の中の合図に依存させるようになりがちである，ということである．こうした回答をさせるような調査手段は，財の価値に関して無作為の推測を促すかわりに，組織的なエラーやバイアスを引き起こしがちである．

　本章においては，まず CV 研究の信頼性の評価方法について簡単にふれたあと，調査手段とサンプルの設計において信頼性をどのように高めるかを論じる．明確な用語を使った現実的なシナリオは CV 推計値の信頼性を高めるのに役立つが，バイアスを起こすことなく現実を把握することは困難である場合があり，これは詳細に検討すべき問題であるとともに，とくに財の性格，支払手段，聞き出し方法にかかわる問題である．次に，統計手法と大きなサンプルを使うことによって，CV 研究のサンプル統計の信頼性をどのように高めることができるかを論じる．

1．信頼性の評価

　調査手段およびサンプルの性格による分散を推計するために，いくつかのテクニックを使用することができる．残念ながら，こうした手順を適切に実施するには費用がかかるため，サンプル調査で通常実施されていない．

　調査手段による分散は，精神測度的，実験的調査設計文献（たとえばBohrustedt, 1983）において確立されている調査—再調査法によって評価することが可能であり，実験的主題やスチューデント調査においてしばしば発表されている．これらの方法は，回答者に再度接して，調査の反復を納得させなければならないため，一般の人々の調査で採用することは困難で高くつく．

　文献で知られている一般の人々に対する数少ないCV調査—再調査の一つとして，Jones–Lee, Hammerton and Philips（1985）は，全国の輸送リスク調査において，1カ月以前にインタビューした者の中の一部に対して再度インタビューを実施した．CVによるリスク削減評価に関する繰り返された質問に対する回答は，当初の回答と2番目の回答の間で大きな差異はなかった[1]．

　別の研究では，Loehman and De（1982）は，同じCV研究手段を使って，約45の大学の学生グループに対して2回インタビューした．当初のWTPと3週間後に同学生から得られたWTPの間の相関度は非常に高かった（$r=0.86$）．Heberlein（1986）は，鹿の狩猟機会に関する狩猟者のWTPと，1年前における調査時のWTPの間で非常に高い相関度を得た．再度のインタビューが実施されない場合の調査者にとっての問題は，それぞれのWTPが単なるいい加減な回答ではないということを示すことである．R^2が高くなればなるほど，WTPの回答分散のランダム部分が小さくなるため，WTPを一連の独立変数に回帰させる場合に，十分な量のR^2を得ることによって，これは容易に達成することができる．使われている独立変数が理論どおりのものであれば，前の章で論じた論理的有効性を示すために，回帰分析を使用することも可能である[2]．

　高い信頼性は望ましいものではあるが，調査の有効性またはバイアスがないことを示すものではない．特定の環境上の公共財に対するWTP価格が，初回の調査においても3カ月後に実施した同じ回答者に対する再度の調査においても，＄100前後に集中している調査を仮定してみよう．回答者がこの財に対して＄100支払う意志があるかどうかについて尋ねられたことに対する回答として，これらの金額が得られたことをわれわれが知っているとすれば，信頼性の高さは大幅に偏った回答を犠牲にして得られたのではないかと，疑問に感ずるはずである．

　サンプル誤差は，いくつかの大きな独立した小サンプルで構成されているサンプル設計を利用することによって推定することができる（Cochran, 1977）．このようなサンプル設計は，調査者がそれぞれの独立した小サンプルのサンプル統計（たとえば平均値，中央値，および標準偏差）の変動性を検討することによって，サンプル抽出に伴う差異を分離することを容認することになる．交錯したサンプルを使うことによってサンプル抽出の変動性を評価することは，調査—再調査を行う場合ときわめて類似している．第1に，インタビューはサンプルが異なっているのに不変であると見なされる．第2に，インタビューの状況が変わっているのに，同じ人間に複数回インタビューすることによって，サンプルは不変であると見なされる．

　調査—再調査および交錯したサンプル抽出による調査の信頼性を評価することは，何回もの調査を実施することに相当し，これは巨額の投資になる．調査手段をテストするためにサンプル規模を増やすこと，インタビューの訓練の改善，より精密な事前調査の実施，スプリット・サンプルの実験の実施などに金を使えば，大抵の場合は同じ金額でもデータの質をより改善することが可能にな

1）標準偏差はかなり大きかったが，分散の分布は比較的対称的であった（Jones–Lee, Hammerton and Philips, 1985：66）．Hammerton, Jones–Lee and Abbort（1982）も参照されたい．
2）Knetsch and Davis（1966）は，所得，滞在期間，訪問地を認知している年数などを含めた簡単な回帰方程式を使って，森林レクリエーションに対するWTPにおける差異の59パーセントを説明することができたため，CV測度値の信頼性を早期に証明した．
　　このR^2は，メーン州のレクリエーショニストよりも，異質な母集団から得られるものよりも，より抽象的な財に関する金銭評価において通常見られるものよりも，かなり高い．

る．

2．調査手段と信頼性

　ここで分散の原因である調査手段に話を移すことにする．CV の研究においては，提示するシナリオが回答者から現実的なものと見られることが大切であることは前述のとおりである．CV シナリオが現実的なものであることは，調査者が意図する方法において金銭評価を行う状況が回答者にとって，どの程度妥当なものであり，意味のあるものであるかを決定する．Rowe and Chestnut（1982：70）は，良好な CV シナリオの性格を細かく説明している．

　［それは］有益で，わかりやすく，確立されている行動パターンと法制度にもとづく現実的なものであり，あらゆる回答者に対して一様に適用され，できれば，その状況や回答が信用できるものであるだけではなく，重要なものであるという感覚を回答者に与えるものでなければならない．

　CV シナリオがこのようなものに近づけば，収集した WTP はそれだけ信頼性の高いものになる．
　シナリオを現実的なものにするのに役立ついくつかの要因がある．はっきりしていることの一つは，回答者がインタビューを受ける前にシナリオの主要な要素にどの程度精通しているかということである．これらの要素とは財，その財が提供される方法，提供されるレベル，聞き出し方法および支払手段である．精通度は経験によって取得したり，テレビ，読書，口コミなどの間接的な情報源から得られる．必ずしも過去に直接的経験を持っている必要はない．グランド・キャニオンへ行ったことのない回答者や，有毒廃棄物を見たことのない回答者も，二次的情報源によってかなりの情報を得ることができる．そのうえ，経験によって必ずしも精通できるわけではない．誰もが毎日大気の透明度を経験しているが，人によって熟知している程度は異なっている．
　ロサンゼルスの大気の透明度は地域によっては問題になっていて，ニュースでも常に取りあげられていて，地域によってまったく程度が違っているため，ロサンゼルスの居住者は，たとえばシカゴの居住者よりもアメニティとしての大気の透明度コンセプトをより熟知している．最後に，有毒廃棄物の危険を減らす方法のような一つのシナリオの内容に精通していることは，10 万人当たりの死亡率のような別のシナリオの内容について精通していることを，必ずしも意味するものではない．
　シナリオの現実性に影響を与えるもう一つの要因は，回答者が精通しているか否かにかかわらず回答者が容易に意味を理解できるような方法で，主要な内容が提示できるかどうかということである．回答者は，石炭を使った火力発電所の煙やグランド・キャニオンの景観に対するその影響をよく知らないかもしれないが，大気の透明度の変化を示すために写真を利用することができる．EPAのリスク基準に関連して有害廃棄物のリスクの変化を図示したり，たばこのようなより身近かなその他の発生源によるリスクと比較したりすることによって，熟知していないコンセプトを回答者に理解させることができる．
　シナリオの現実性に影響を与える 3 番目の要因は，そのシナリオが回答者に対してどの程度妥当なものであるかということである．大気の透明度についてのシナリオにおいては，電気料金のほうが売上げ税よりも妥当な支払項目である．なぜならば電気代のほうが税金よりも大気の透明度の原因としてよりわかりやすいからである．別の例をあげると，大半の回答者は水質をよくするためには金がかかることを認めており，納税者および消費者として最終的には水質の改良の費用を負担する意志を持っている．

　また，回答者は現状を現在の負担との見返りとして享受する資格を持つ質的レベルであると認めている．したがって，現在のレベル以上にするためには，どの程度支払う意志を持っているかを質問されることは，回答者にとって意味のあることである．しかし，この改良についての聞き出し方法を変えて，このような水質の改良をしないですませるためには，どの程度のWTAを受け取りたいかを質問するとしたら，これは妥当ではないだろう．なぜならば，それはまだ実現されていない水質の改良がすでに行われたかのような印象を与えるからである．妥当性は，回答者がこの仮定的な改良が実施できることを，どの程度信じるかによっても影響される．原子力を安全にできるとは信じない回答者は，原子力発電所の危険をゼロ近くへ減らすための計画に，どれだけ負担するかという質問をされても，容易に信じようとしないだろう．

　シナリオが一般的な道徳的基準とどの程度適合しているかということも，シナリオの現実性に影響を与える．水質改良についてのシナリオでWTAフォーマットを使用することは妥当ではないだけではなく，回答者は汚染を起こさせるために“支払いを受ける”ことを不道徳であると見なすかもしれない．回答者が妥当であると思うと同時に，道徳に反すると見なすようなシナリオも考えられる．

　たとえば，カリフォルニアの沖合の石油生産設備の賃借権を国が売却するという計画についてのシナリオで，地元の回答者がこの売却によって，どの程度の減税を受け入れるかを質問されるような場合である．

　回答者が非現実的であるという印象を受けるシナリオは，３つの種類のいずれかを誘導するという危険を冒す．一つは，信頼性の点に関しては最も危険性の小さなものであるが——別の理由からきわめて望ましくないもので——“わかりません”の回答である．他の２つ——出まかせの想定と暗示にもとづく回答——は，回答者が調査者の望むような方法でシナリオの意味がわからない場合でも，WTPを回答する場合である．出まかせに回答するよりも暗示にもとづいて回答する者は，入札の開始のときのように適当な額の手掛かりを提供されたシナリオのある部分に見つけて，WTPを決める．

2.1　現実性とバイアスの関係

　シナリオが，現実性を欠いていることに帰するユニークなバイアスは存在しないことに注意することが肝要である．これは，“個人を現実の状況に直面させないことによって導かれるポテンシャル・エラー”（Rowe, d'Arge and Brookshire, 1980：6）と定義されてきた“仮想的バイアス”（Schulze, d'Arge and Brookshire, 1981；Moser and Dunning, 1986）というコンセプトが，誤ったいい方であることの理由である．シナリオが現実性を欠いていることの唯一のユニークな影響は，バイアスではなく，ランダムな指示を欠いたことによるエラーである（Thayer, 1981：32）[3]．シナリオをより現実的なものにしようとする調査者は微妙な問題に直面する．すなわち，一方では現実性が不十分なシナリオはバイアスを受けやすいが，他方ではシナリオに現実性を加える項目自体がバイアスを引き起こす場合があることである．シナリオに現実性を加えることによってバイアスが生じるのは“情報過多”によるもので，回答者は質問される財に対するWTPを決定する場合に，

3）CV研究におけるランダム・エラーの影響は，方向性がまったくないとは限らない．WTP分布の下限がゼロで限られているのに対して，上限がない場合（CVのWTP分布の場合など）には，ランダム・エラーに由来した差異が大きくなれば，平均WTPを本来の平均値よりも引き上げることになる．このバイアス効果は，金銭評価される財に対する“本来の”平均WTPがゼロにかなり近く，WTPの分布の分散値が大きい場合にはきわめて面倒なことになる．

重要な情報をおろそかにして，重要ではない情報に重点をおいたり，誤って解釈してしまう．

　調査者の立場からいえば，CV シナリオには二種類のものが入っていて，一つは金銭評価に関係させることを意図した事項，もう一つは金銭評価については中立的なことを意図した事項である．金銭評価に関係を持つ事項は，調査者が回答者に対して財を評価する場合に考慮することを望む事項，とくに財の説明および規定である．シナリオに含まれている残りの事項は WTP に影響を与えることなく，その財に対するたしかな市場を知ることを意図したものである．調査者は，回答者に対して調査に使用される特定の聞き出し方法や，はるかに程度は少ないが，特定の金銭評価には無関係な多くの要素の影響を受けないことを望んでいる．

　したがって回答者には，それぞれ異なった大気の透明度における同じ風景の一連の写真が示されている．大気の透明度に対して敏感であるとともに，大気の透明度と汚染によって引き起こされる病気との関係や，支払カードによる聴取方法の特徴，写真によって樹木の葉が緑であったり，色があせていたりすることに対しては鈍感であることが望ましい．出まかせの想定はすべて純然たるノイズであり，バイアスや指向的効果とは無関係である．しかし，前述の“ノン・オピニオン”行動および意志決定発見法に関する研究により，よくわからない回答者は，アメニティに対してどれだけ支払う意志を持っているかと質問された場合に，想像するよりも暗示に多くを依存するということが判明している．いいかえると，シナリオの中の金銭評価に対して中立的な事項に対して意図したとおりに反応するかわりに，金銭評価があまり意味を持たない回答者は，それらの事項を金銭評価に関連したものと受け取る．たとえば，大気の透明度のコンセプトを強める写真がない場合には，回答者は大気の透明度の変化の原因となるメカニズム——大気汚染——を金銭評価に関係があると誤認して，透明度効果による価値に健康上の便益を含めてしまいがちである．

　現実性を欠いていることが，シナリオがバイアスを起こす可能性を高めるのに対して，シナリオの現実性を高めようとすることも，現実性を高める事項が回答者から金銭評価に中立的であると見られるかわりに，誤って金銭評価に関連すると受け取られる危険を冒すことになる．大気の透明度の写真の使用がこの問題についての好例になる．写真は，言葉でいうだけではまったく伝えられないようなアメニティの変化——たとえば大気の透明度 20 マイルと大気の透明度 30 マイルのように——を生々しく示すことができるため，大気の透明度についてのシナリオの現実性を大幅に高める．

　また，回答者の注意をアメニティに集中させることによって，写真は，健康に対する効果を無視して大気の透明度の改良についてのみ評価させるため，回答者を誘導することを少なくすることにも役立つ．しかし，残念なことに大気の透明度の写真自体は，葉の色，光の角度，季節を示すもの，風景の性格などの多くの無関係な要素も持っている．これらの要素が写真別に違うことは金銭評価に対して中立的であると調査者が思っていても，回答者はこれらに無意識に影響されて，調査で使われる写真に写っている特定の光景に対して，少なくとも部分的には影響された WTP を回答する．同じ大気の透明度の別の写真を見せられたとすれば，回答者は別の WTP を回答するだろう．

2.2　ランダム・エラーの削減

　調査者は，調査結果を不当にゆがめることなく，CV 研究手段の信頼性をどのようにして高めることができるだろうか？　前述のように，人々はいつ気まぐれに想定するのか，いつ暗示に頼るのか，いつ意見を表明するのかなどを，確信を持って予想できるようなインタビュー調査における回答行動についての十分に強力なモデルはまだできていない[4]．こうしたモデルがないため，以下の

議論は，シナリオのわかりやすさ，妥当性，意義を高める手順は，なんらかの方法によってバイアスを生じさせることなく，これらの望ましい資質を持たせることがしばしば困難であるとしても，シナリオの信頼性を高めることになるという仮定にもとづいている．

　実地に調査を行う前に，調査手段の問題点を検討するための各種のプレテストを慎重に行うことが，調査の信頼性を高めるための，おそらく唯一の最も効果的な方法であろう[5]．インタビューの間に，回答者は誤解に気づいて訂正する機会があるという誤りを予測することが大切である．たとえば，いろいろな公共財についての WTP について質問するには２つの方法がある．

　その一つは，特定のレベルの財から次のレベルの財へと，順に限界的 WTP や増加的 WTP を質問する方法である．もう一つは，基準レベルのものから各レベルの財に至る総体的 WTP を質問する方法である．プレテストにもとづいて，どのような方法を採用しても，多くの回答者が他の値について質問されたかのように，WTP に関する質問に答えるということがわかった．したがって，回答者が一連の WTP に関する質問（限界的方法が採用された場合は，ひとまとめにして）を受けたすぐあとに回答を示されて，その場で WTP を変更する機会を与えられるように質問紙が作られていれば，より品質の高いデータが得られることになる．とくに調査者が事前に深く研究しなかったような分野についての CV 研究においては，この種の可能性を予測することが困難であるため，プレテストを行うことは大切である．

　調査者が不確かな回答者に対して，WTP を回答するよう過度に強要しないようにすることによっても信頼性は高められる．たとえば，Schuman and Presser (1981) は，質問用紙に"あるいは，あなたはその問題について意見を持っていませんか"という字句を加えることによって，回答者にとって無意味な質問に対する回答のパーセンテージを 30 パーセントから 10 パーセントに減らした．こうした字句が加えられなかったとしたら，"わかりません"という回答に記号をつけるよう，インタビュアーに明確な指示が出されていたにもかかわらず，回答者の不明瞭な表現を認めたがらなかったインタビュアーに対しても，こうした字句を加えたことが役立ったことが判明した．しかし，このような方法で"わかりません"を認めることにはきわめて慎重でなければならない．なぜならば，回答者が意味のある金額を出すことができたはずであったのに，やすやすと"わかりません"と回答させてしまうことと，実際には額を回答することができないにもかかわらず，回答者に対して回答を強いることの差は紙一重であるからである[6]．

　信頼性を高めるためのもう一つの方法は，金銭評価に関する質問をする前に，回答者に対して主題について考える機会をもっと与えることである．このことは個々の質問の用語を使い分けることによって可能である．余分な字句を持っている質問項目は，短い質問項目よりも正確な回答を得ら

---

4) Schuman and Presser (1981) は，銃規制や人工流産の問題に対するように，人々がある問題について確固とした意見を持っていればいるほど，回答のランダム・エラーはそれだけ少なくなるといういくつかの説明をしている（パネル調査で得たもの）．人々のある問題に対する関心が高ければ，それだけ意見を持つことになると思われることから，これは直観的に説得力のある調査結果である．しかし，このような一般化がすべての経験にあてはまるわけではない．Schuman と Presser は，同じ問題に関する別の調査（Judd and Krosnick, 1981）では，彼らの調査結果に合致しなかったとともに，彼ら自身の調査によって，調査の他の問題に対して手がかりを求めようとはしない態度は，回答者が確固とした意見を持っているかどうかには無関係であったことを指摘している．

5) "プレテスト"という用語は，小規模な試験的調査のことを指す場合があるが，ここでは調査手段を設計する過程で行われる各種の調査活動を意味する．これにはフォーカス・グループの活用，インタビューの観察，録音，組織的な聴取，25 名以上の回答者の代表者に対する調査などを含む．われわれの知る限りにおいて，調査に関する文献は，新たな調査手段を設計する場合に，調査者が利用する多様な手順についての包括的な説明を欠いている．この問題について役に立つ議論をしているのは Sheatsley (1983)，Converse and Presser (1986) で，また Hammerton, Jones–Lee and Abbott (1982) も安全リストの削減を評価するための調査の利用可能性を判断するために，どのようにプレテストを実施したかについて優れた説明をしている．

れることが判明している（Cannell, Miller and Oksenberg, 1981）．このことは，対象の財とその他の公共財，私的財の間のトレードオフを取った質問を，質問紙のはじめの部分におくことによっても可能である．この方法を取る場合には，予備的質問事項で回答者が過大評価したり，過小評価する結果になるような方法——第 11 章で"調査手段によるバイアス"として論じた種類のバイアス——によって，評価対象の財を説明しないように注意しなければならない．

2.3　信頼性に対するシナリオの主要事項の影響

　CV シナリオの各主要事項——財，その準備レベル，市場タイプ，支払手段および聞き出す方法——は信頼性に影響を与える．以下，順にこれらの事項について述べる．理解しやすさ，妥当性，意義という 3 つの基準を満たしているシナリオを設計することによって，CV 研究者は，CV シナリオの仮想的性格に起因して信頼性が損なわれることを克服することができる．しかし，バイアスがより大きくならないようにするために，信頼性を一部犠牲にすることが望ましいことも，しばしばあることに留意しなければならない．

2.3.1　財およびその提供レベル

　一部の財および提供レベルは，その他の場合よりも CV という意味においては，回答者にとって評価しやすいことは以上で述べてきたとおりである．メーン州の森林地帯（Davis, 1964），コロラド州のスキー・リゾートにおいて混雑がないこと（Walsh, Miller and Gilliam, 1983），沖合ダイビング・プラットホーム（Roberts, Thompson and Pawlyk, 1985）のような準私的なレクリエーション財を，利用者にインタビューすることによって評価する場合には，きわめて事情が理解されていると想定することができる．

　以上のメーン州やコロラド州の調査の場合は，現地でインタビューされたが，この方法は，同様な調査（McConnell, 1977；Daubert and Yoong 1981；Thayer, 1981）においても踏襲された．南西部のフォー・コーナー（Randall, Ives and Eastman, 1974, Rowe, d'Arge and Brookshire, 1980）およびロサンゼルス（Brookshire, d'Arge and Schulze, 1979）において，大気の透明度を評価した CV 研究も，なじみの財であったことによって好都合であった．

　これらと対称的に，財についてのなじみを欠いている場合の典型が，Mitchell and Carson による水質の調査（1984）である．ボート遊びや釣り，水泳ができるレベルの水質についてのコンセプトは，回答者にとってなじみのものであったが，ほとんど非地域的な財——アメリカ全体の飲料水——についての感覚は，回答者にとって理解しにくいものであった．いままでの CV 研究によって評

6）真正のゼロとゼロという回答を分けること，ならびにゼロという回答を利用できる回答にする手順を採用することによって，評価手順から完全に外されていた回答者をあらためて含めることができる．WTP をゼロと答えた回答者に対してその理由を質問することや，ゼロと回答したと，アメニティに対して実際に価値を認めていない者を分けるために，この質問に対する回答を使用することは，現在の CV 研究ではあたりまえなことになっている．このように回答した者が確認されれば，こうした問題を克服するために，事前に定めていた補足的質問を行うことができる．
　プレテストによって，回答者がアメニティに対しては企業が負担すべきであると考えているために，WTP を示したがらないことが判明した場合には，こうした見解を思いとどまらせるために，フォローアップを行う場合がある．このようなフォローアップは，回答者を説得するための臨時の措置であってはならない．
　すべてのインタビューアーに対して，予想される質問に関して事前に定めた回答方法を口頭で伝えなければならない．そうしない場合には，インタビューの等質性が損なわれてしまう．このようにしてゼロ回答を放棄するよう説得された回答者が答えた WTP は，その回答者の回答した金額を含めないで，その後に統計的技術を使うことによって処理する場合よりも，良好な推計値が得られることが多い．

価されてきた最もなじみの薄い財は，大気中の炭酸ガスの増加防止（d'Arge, Suholze and Brookshire, 1980），および原子力発電所の地域住民に対する健康上のリスクの削減（Mulligan, 1978），および有毒廃棄物によるリスクの削減（Smith, Desvousges and Freeman, 1985）であった．健康上のリスクの調査における回答者は，評価されるリスクを起こしている施設の性格には通じているかもしれないが，実際のリスクの可能性に通じていることはない．

以上の3つの調査においては，影響の原因や潜在的原因が複雑ではっきりしなかったため，理解することがとくに困難であった．原子力や有毒廃棄物のような評価においては，それらの発生源による死亡リスクが非常に感情的にとらえられるために，回答者はシナリオで提示されている制度上の対策を認めることが困難であると考え，調査者が伝えようとしているものよりも，高いレベルのリスクを取りあげる場合がある．

Davis は，そのように熟知しているのを重視したため，財の使用者だけを，できれば実際に消費活動をしている間に，CV 研究でインタビューすべきであると提起した（Davis, 1964）．非使用者が正当に評価できない財もあるが，WTP を回答できるのは使用者だけであるという考え方はあまりにも極端である．回答者は個人的な体験以外からでも情報を入手することができるし，よく書かれたシナリオや適切なものを見せることによって，回答者に財やその提供レベルを理解させることができる．十分に評価できるほど財を解釈することができない回答者に対して，"わかりません"とか "WTP を回答するほど，その財について知らない"と答える機会を与えることが大切である．WTP に関する無回答をきちんと取り扱えば，それらを是正することができる技術があるからである（第 12 章参照）．

2.3.2 市場の型式

調査者は，私的財の市場か政治的市場かを模倣することを選択することができる．純粋な公共財を金銭評価するためには，第 4 章で説明した理由から，政治的市場モデルを選ぶのが最良であると思われる．信頼性の点からは，国民投票モデルが公共財シナリオの理解しやすさ，妥当性，意義を大幅に高める．準私的財を金銭評価する場合には，適切な市場モデルは，金銭評価される財および支払手段や，アメニティを損なう可能性などのシナリオの内容，およびある特定の財にかなり依存している．

2.3.3 支払手段

調査者が金銭評価する財は調査者が管理しているわけではないが，支払手段は選択できる．CV 研究で最も多く使われる手段は，光熱費，入場料，税金およびより高い金額のものであるが，これらは大抵の回答者が熟知しているものである[7]．しかし，CV 研究におけるこれらの手段の使われ方が新奇である．回答者は，電気代を支払うことを，大気の透明度を高めるために支払うのではなく，電気を購入するためであると考えるのが普通である．同様に，環境を保護するために（その他の財を得るほかに）所得税を支払うという考え方は熟知されているが，税金のうちから水質の改良にどの程度かけるのが妥当かということを自発的に定めるという観念はない．前述のように，選択された支払手段は，金銭評価のために，それが使われるアメニティと妥当なつながりを持っていな

7）アパートを借りている者は，固定資産税や，賃貸借契約によっては光熱費についてもあまり熟知していない．特定の目的に指定されている "特別資金" も熟知されていない（Sutherland and Walsh, 1985）．このような手段を使用するには，その信頼性を確かめるためにプレテストが必要である．

ければならない．調査者が特定の支払手段に結びついている政策を評価する意図を持たない場合は，支払手段は財に対して中立的でなければならない．

　回答者が調査者の意図する方法でシナリオを理解しない場合は，誤りを回避するために，妥当性と理解しやすさのトレードオフが必要になる．たとえば熟知度が高く，財とのつながりが明白であるにもかかわらず，レクリエーション地域のある面を金銭評価するための手段として，入場料を使用することは賢明な選択にはならない．なぜならば，そうすることは"公正な"すなわち慣習的な入場料の範囲に，WTP を限定することを回答者に対して促す可能性が高いからである（第 11 章におけるバイアス発生源としての手掛かりに関する記述を参照）．

　同様に，支払手段として固定資産税を使用すれば，税金に関する否定的な考え方が，回答されるWTP に強く影響することを調査者は認識すべきである．調査手段が WTP に影響するとすれば，金銭評価されるのは，支払メカニズムとは無関係な公共財ではなく，むしろ政策である．

2.3.4　聞き出し方法

　仮想評価シナリオにおいて説明されている仮想的市場は，回答者から金額を引き出さなければならない．第 3 章において四種類の聞き出し方法を論じた．すなわち自由回答法，付け値ゲーム法（尺度のあるものとないもの），支払いカード法，二肢選択法である．特定の聞き出し法および支払フォーマットを選択する基準は 3 つある．すなわち，方法およびフォーマットが国民投票の場合のようにどの程度異種同形であるか，回答者の決定をどの程度単純化するか，どの程度バイアスがないかである．特定の調査における最適の聴取方法を選択するには，これらの基準の間のトレードオフを伴う．方法の選択は調査結果の信頼性に影響する（第 4 章参照）．

　インタビュアーの評価，および各種の方法によって引き出される WTP の違いによって判断されるように，自由回答法は，おそらく回答者が財に値をつけるという行為に慣れていないため，付け値ゲーム法や支払カード法よりも信頼性が低い調査結果となると思われる．支払カード法は，とくに他の種類の公共財に対して，回答者がどれだけ支払うかを示すための尺度つきの支払いカード法を使用する高価なプログラムによる調査の場合には，信頼性を高める方法によって，回答者の金銭評価を容易にすると思われる[8]．次章で実証するように，付け値ゲーム法は出発点においてバイアスを受けやすい．

　Heberlein（1986）も，1 年後の 1984 年のサンドヒル調査に参加したハンターを再インタビューしたときに，付け値ゲーム法が二肢選択法よりも信頼性度が低いことを発見した（第 9 章参照）．彼は，1985 年サンドヒルにおける狩猟免許（ハンターが申請しているか否かを問わず）が取れなかったと仮定させて，前年度と同じ価格で免許を売買する機会があると仮定した．付け値ゲーム法によって引き出された金額を出した者のわずか 77 パーセントが，首尾一貫した回答を出したのに対して，二肢選択法による者は 90 パーセントが首尾一貫した回答をしたことが判明した．後者の信頼度係数は 0.75 であったのに対し，付け値ゲーム法の回答者は 0.45 であった．

　二肢選択法によるテストで，信頼性が高いのは驚くには当たらない．なぜならば，同法が回答者に求める意志決定は，インタビュアーが提示する単一の額がアメニティに対して，回答者が支払う

8）Mitchell and Carson（1984）は，全国水質の便益についての調査のプレテストの段階で実施した実験において，ベンチマークのついている支払カード法と，ベンチマークのついていない支払カード法を採用した．ベンチマークのついた支払カード法の平均標準誤差は，ついていない支払カード法よりも 0.10 小さかったため，ベンチマークによって回答の信頼度が高くなったと思われる．これは，統計的に大きな誤差を生まないような，小さな規模のテスト（サンプル数は 100）であったことを考えれば重要なことである．

意志を持つ額以上であるか，以下であるかを問うだけであって，他の方法が求める最高の WTP ではないためである．しかし，別の観点から見ると，この種の個別的な選択は各回答者から引き出す情報が少ないため，信頼性がより低くなる．支払いカード法や自由回答法が回答者の実際の最高WTP を得ているのに対して，二肢選択法は，財に対する回答者の実際の金銭評価の幅を狭めるだけである．したがって，たとえば支払カード法の平均値に正確さの点で比べられるような平均 WTP を得るためには，二肢選択法を使った調査ではサンプル数を増やす必要がある[9]．

3．CV サンプル推定の信頼性

　シナリオがいかに現実的なものであっても，最良の CV 調査から収集されるデータは，政策目的に対して十分な質のサンプル統計値を得られなければ役に立たない[10]．CV サンプル統計値を高めるための 2 つの主要な方法がある．一つは十分に大きなサンプル数を使用することであり，もう一つの方法は，外れ値による不当な影響から守る統計技術を駆使することである．

3.1　サンプル数

　平均 WTP のようなサンプル統計において許容できる精度を得るためには，WTP の回答の分散が大きいため，CV 研究は，大きなサンプル数を必要とする[11]．このことは，推定平均標準誤差（SEM）が WTP 回答値 σ の推定標準偏差の $\sqrt{n}$ の関数として減少するという事実に，もとづくものである．

$$\mathrm{SEM} = \frac{\hat{\sigma}}{\sqrt{n}} \tag{10.1}$$

中央値や統計的 WTP のような，その他の大部分の略式統計値もサンプル数の減少関数である．

　人口の統計分散値 σ^2 が入手できて，調査者が絶対誤差に関心を持っている場合には，サンプル数の選別過程において，この事実を直接利用することができる．Kish（1965），Cochran（1977），Yares（1980）のようなサンプル抽出に関する標準統計の文献は，単純無作為サンプル抽出や広く使われている単純無作為サンプル抽出の変種を使って，サンプル数をどのようにして選択するかを論じている[12]．しかし調査者は，絶対誤差の大きさよりも相対誤差（真の平均値からの偏差のパーセンテージ）の大きさに関心を持つ傾向が大きい．このような場合には，調査者は変動係数 V を事前に推定する必要がある．

9）二肢選択法によって得た金額に一つだけ補足的金額を加えることによって，同じサンプル数でも正確さを増すことが可能になる（Carson, Hanemann and Mitchell, 1986）．

10）CV 調査の目的が実験的である場合も同様である．別の方法による CV 調査にかかわる過程のテストについては，付録 C において詳述する．

11）大部分のこうした分散は予想できるもので，異なる属性の回答者の意見の多様性に起因するものである．調査者は，漁民やハンターのような同質的な集団からよりも，一般的な集団から得た CV による WTP の分散のほうが大きいことを予想すべきである．調査手段自体に起因する CV の WTP の分散は，大きな自然的分散によって生ずる問題とは別の問題である．

12）個人面接においては，単純無作為抽出は，サンプル数が大きい場合には商業的に使われる方法に近似したものではあるが，使われることはまれである．民間調査会社は，"地域確率サンプル"としばしば呼ばれるものを引き出すにあたって，層別技術とクラスター技術を合わせて使用することが多い．層別技術はサンプル統計の効率を引き上げるため，サンプル数は少なくてもよいが，クラスター分析は効率が下がるのでサンプル数を増やす必要がある．
　地域的に大きな変動がある場合には，層別効果が大きい．所得グループ間に変動がある場合には，クラスターが近隣のような小地域に限られていれば，クラスター効果が出る．電話番号を任意に選ぶ電話調査や，完全なリストによる郵便調査は，単純無作為抽出にきわめて近似したものになる．

$$V = \frac{\sigma}{\overline{TWTP}} \tag{10.2}$$

　この数値を事前に推計することは，σ 自体を推定するよりも容易であることが多く，σ の推定よりもはるかに安定している．

　付録 C に記載されている多くの CV 調査から得られる変動係数は，この推定を行なうのに役立つ[13]．必要とするサンプルの概数 n_0 は，次の式で求めることができる．

$$\left[\frac{Z\hat{\sigma}}{\varDelta \overline{\mathrm{RWTP}}}\right] = \left[\frac{Z\hat{V}}{\varDelta}\right]^2 \tag{10.3}$$

　上記の式において，$\varDelta$ は真の WTP（$\overline{\mathrm{TWTP}}$）と推定 $\overline{\mathrm{RWTP}}$ の誤差率である．信頼区間は，$t^* \varDelta^* \overline{\mathrm{RWTP}}$ で示され，t はスチューデント t 確率変数である[14]．信頼区間を定める場合には，$\sigma = \varDelta \overline{\mathrm{RWTP}}$ とする．調査者は無回答，ゼロ回答のような使用できない WTP 回答の数を予想して，慎重にこの n_0 を増やさなければならない[15]．

　表 10-1 は相対誤差（V），信頼区間（$1-\alpha$）および調査者が許容し得る $\overline{\mathrm{TWTP}}$ と $\overline{\mathrm{RWTP}}$ の差異率（$\varDelta$）をいろいろ組み合わせた結果得られるサンプル数を示すものである．サンプル数は，回答者を選ぶために単純無作為抽出が採用されたことを前提としている．表は，調査者が変動係数（V）2.0（CV 研究についての V としては妥当な推定値である）[16]と予想し，$\varDelta$ を 1.5 と認め，両側 95 パーセント（$1-\alpha$）の信頼レベル（$t = 1.96$）を望むならば，サンプル数 683 の利用可能な WTP が必要であることを示している．$\overline{\mathrm{RWTP}}$ が 100 であれば，上記の例では $\overline{\mathrm{TWTP}}$ の信頼区間 95 パーセントは約 [70, 130] になる．

表 10-1　必要なサンプル数（利用できる回答）

V, α	$\varDelta$						
	.05	.10	.15	.20	.25	.30	.50
$V=1$, $\alpha=.10$	1 143	286	127	72	46	32	12
$V=1$, $\alpha=.05$	1 537	385	171	97	62	43	16
$V=1.5$, $\alpha=.10$	2 571	643	286	161	103	72	26
$V=1.5$, $\alpha=.05$	3 458	865	385	217	139	97	36
$V=2.0$, $\alpha=.10$	4 570	1 143	508	286	183	127	46
$V=2.0$, $\alpha=.05$	6 147	1 537	683	385	246	171	62
$V=2.5$, $\alpha=.10$	7 141	1 786	794	447	286	199	72
$V=2.5$, $\alpha=.05$	9 604	2 401	1 608	601	385	267	97
$V=3.0$, $\alpha=.10$	10 282	2 570	1 143	643	412	286	103
$V=3.0$, $\alpha=.05$	13 830	3 458	1 537	865	554	385	139

V は，変動係数 $\dfrac{\sigma}{\mathrm{RWTP}}$

$\varDelta$ は，RWTP の偏差率

$\alpha = 0.05$ とは，推定 WTP の 95 パーセントが $\overline{\mathrm{TWTP}}$ の $\varDelta$ の範囲内であることを示す．

$\alpha = 0.10$ とは，推定 WTP の 90 パーセントが $\overline{\mathrm{TWTP}}$ の $\varDelta$ の範囲内であることを示す．

---

13) CV 研究における推定変動係数 V は，常に 0.75 から 0.6 である．当初は V を少なくとも 2 と推定することが望ましい．この大きさの V の場合は，サンプル数 200 から 2 500 が適当である．

14) t の標準値は 1.96（95 パーセントの信頼区間）および 1.69（90 パーセントの信頼区間）である．$\varDelta$ の妥当な値は 0.05 から 0.3 である．

15) これらの利用できない WTP 回答によって生じるサンプル選別上の問題は，第 12 章で論じる．

16) 付録 C の表 C—1 参照．

3.2 外 れ 値

　サンプル数が十分な数であっても，サンプル数の数に関係なくサンプルの一定の割合を占める外れ値が引き起こす問題を解決することはできない[17]．WTP は，通常の尺度とは違って上限がないため，CV 調査はとくに外れ値の影響を受けやすく，CV 調査において最もよく使われる略式統計値である平均 WTP も，外れ値の影響を受けやすい．＄1 000 000 の WTP をあげた一人の回答者が，他の 600 名の回答者が＄100 以下としか評価しなかったアメニティに対する平均 WTP を左右することは，容易にわかることである．調査者がこれを外れ値であるとしたり，データから除外することを正当化することは簡単である．より難しいのは，問題ではあるが簡単に除外することのできない WTP である．たとえば，他の質問に対してはアメニティに対して普通の回答をしているが，彼の税引前の所得の 5 パーセントにも達する WTP を表明している回答者を取りあげてみよう．このようなわずかな外れ値は，まったく根拠のないものであっても，便益評価を大幅にゆがめることになる．

　ではどうするのか？　一つの方法は特別に外れ値を除くことである．このような方法は明らかな欠点があって，調査者は望みどおりの結果を得たいがために選択的に削除したという批判を受けることになる[18]．より安全な方法は，統計的推計値を使って外れ値の影響を小さくすることである．

　平均値や中央値は，α 処理平均（α–trimmed mean）と呼ばれる推計値に含まれるものである．中央値は α が 0.5 である α 処理平均であり，平均値は α がゼロの α 処理平均である．統計学者は，分布の期待値の推定値として α レベル 0.05〜0.25 を推奨している[19]．

　α 処理平均値は推定が容易である．サンプル観察値を定める．最小のもの X_1 から最大のもの X_n を X_i によって示す[20]．α 処理平均値 X_a は下記の式で求められる．

$$X_a = \frac{X_{(na)+1} + \cdots\cdots + X_{n-(na)}}{n-2\,[n\alpha]} \tag{10.4}$$

ただし $0 \leq \alpha \leq 1/2$

Bickel and Doksum（1977）は，α 処理平均値の分散の演算推定値 $\sigma_a{}^2$ を以下の式で求めた．

$$\sigma_a{}^2 = \frac{\sum_{i=[na]+1}^{n-[na]} (X_i - X_a)^2 + [n\alpha]\cdot[(X_{[na]+1}-X_a)^2 + (X_{n-[na]}-X_a)^2}{(1-2\alpha)^2 n} \tag{10.5}$$

　上記の式で，$X_{[na]+1}$ と $X_{n-[na]}$ は経験的統計値である．X_i は対称的単峰型分布からのものであると仮定すれば，非対称的ランダム変数，

$$T = \frac{\sqrt{n}\,(\overline{X}_a - \mu)}{\hat{\sigma}_a} \tag{10.6}$$

　ここに μ は人口平均値で，ほぼ標準正規分布（Z）である．信頼区間は以下の方法で求められる．

---

17) ここでいう "外れ値" には，仮想分布を与えられない各種の観察値が含まれる．Barnett and Lewis（1984）は，外れ値とその処理方法について詳細に論じている．

18) しかし，個々の観察値を慎重に検討することがきわめて大切である．少数の観察値は，データ入力エラーや質問紙への記入の不備などを明らかにする単純な "理論的" チェックで落とされる．これらの値は別にして，外れ値として扱わずにデータ処理過程で処理すべきである．

19) Stigler（1977）は，自然定数（自然定数は正規測度誤差を条件とする）を測度するための多くの実験を行い，10 パーセント処理平均値がより妥当で，バイアスの少ない推定値を得られることを示した．

20) このように定めることによって，サンプル観察は経験的統計値とされている．

$$\overline{X}_a \pm \frac{Z(1-1/2\,\alpha)\hat{\sigma}_a}{\sqrt{n}} \qquad\qquad (10.7)$$

したがって，便益コスト分析のためにコスト比較ができるように，片側および両側検定が可能になる[21]．

そのほかにも α 処理平均値と同様な機能を持ついくつかの推計値がある（Mosteller and Tukey, 1977；Huber, 1981）．これらの方法の大半は回帰式に拡大することができる[22]．外れ値の影響を取り除くのに使用されるもう一つの方法は，プロジェクション・マトリックスにおける観察の影響にもとづくテクニックによるものである（Belsley, Kuh and Welsch, 1980；Barnett and Lewis, 1984）．これらのテクニックは，Desvousges, Smith and McGivney（1983）による CV で使用されている．金銭評価機能の推定については，抵抗回帰推定値を考慮しなければならない（Krasker, Kuh and Welsch, 1983）．

4. 要約と結論

WTP の容認できないような変動が，いろいろな原因によって生じることがわかった．CV 調査で最も重要であるのは，調査手段，サンプル抽出，"真の" WTP の基本的な分散となるものである．調査手段による分散は，時間が至ってから同じ回答者を再度インタビューしたり，一部変更した質問紙によって再調査された同等のサンプルによる WTP の差異を比較したりする，いくつかのテクニックによって処理することができる．CV 調査の信頼性についての有益な指標は，WTP を理論的に関係のある変数に回帰させた場合に，十分な R^2 が存在していることである．

特定の CV シナリオで得られる WTP の信頼性は，回答者がどの程度信用し，現実的であると受けとるかによって左右される．残念ながら，現実性を高める事項によってバイアスが起きる場合がある．金銭評価に関係する事項と金銭評価に中立的な事項を区別することに留意してシナリオを現実的にするために入れた事項を，回答者が金銭評価に関係するものと誤解させないようにしなければならない．ここでは各種の財，市場，支払手段および聞き出し法について現実性バイアスのトレードオフを査定した．

次に，CV サンプル推計値の信頼性に影響を与える統計的要因による分散の原因を検討した．サンプル数を大きくしないと，CV 調査は政策分析に利用できるような質のデータを出すことができないことを強調した．文献で取りあげられている大半の CV 研究は，母集団に当てはめようとする調査者が使用するサンプル数（600 名から 1500 名の回答者）よりもはるかに小さなサンプル数を使用している．しかし，CV 研究で一般的に得られる変動係数は，一般の調査よりも多くのサンプルが必要であることを示している．また，CV 研究における外れ値の問題も取りあげたが，これらの外れ値を特別に削除するよりも，外れ値によるバイアスを処理する方法としてロバスト推定値を使用することを提唱した．

信頼性はバイアスと密接な関係を持っている．CV 調査の仮説的性格によって生ずる特有のバイアスは存在せず，仮定的なバイアスについて語るのは意味がないことがわかった．拙劣で非現実的なシナリオによって生じるわかりにくさによって，回答者がでたらめな信頼できない回答をするこ

21）これらのテストの詳細については，Bickel and Doksum（1977）を参照のこと．
22）複雑な状況における分布理論を重視した文献を検討するにあたっては，CV 調査で見られるものと同様なエラーがある場合に，各種の回帰推定値がいかによく機能するかについてのシミュレーションを実施した Subramanian and Carson（1984）を参照のこと．

とがあり，WTP をゆがめるおそれのある各種の影響を回答者に与えやすくする．WTP が付け値ゲーム法で使用される開始地点に，密接に関係しているような調査は信頼性の高い推計値を得られるが，無効になるくらいのバイアスを受けることになる．

本章の最後の部分において，2 つの問題に答えるのに役立つテクニックを説明した．最初の（一見単純に思われる）問題は，十分に精密な CV 推定値を得るにはどのくらいのサンプル数が必要であるか，ということである[23]．CV 調査は WTP の回答の分散が大きいため，比較的大きなサンプル数を必要とする．表 10–1 は分散，精度および有意誤差のいろいろな組み合せに応じた適切なサンプル数に関する指針を提供している．政策目的についての便益を推定する目的においては，表 10–1 は，600 の有効回答数が最少であることを示している（十分な大きさのサンプルを使うだけの金を出せない場合には，CV 調査を実施する価値がないことをスポンサーは認識すべきである）．第 2 の問題である外れ値をどうするかということに答えるにあたっては，概略の WTP 統計値としてのサンプル平均値のかわりに α 処理平均値をあげた．特別の処理はできるだけ避けなければならない．特別の処理をして外れ値を除外する場合は，そのように決定した理由と，各外れ値の内容を調査技術報告書で述べなければならない．

次章では，CV 調査におけるバイアスを取りあげる．

---

23) Williams（1978 : 225）は，調査における最適サンプル数を決定することは，V のような不明なものが存在していることや，容認される精度についての明確な指針がないために，応用統計学における最も困難な問題の一つである，と主張している．

第11章

測度のバイアス

　本章では，CV 研究におけるバイアスの主な発生源とその発生を促す条件，ならびにその影響を最小にするために使用し得る各種のアプローチについて概説する．本章の目的は，CV 研究の設計と実行にあたってこうしたバイアスを考慮することができる，また考慮しなければならない体系的なエラーの形がいかに多様で，微妙であるかを明らかにすることである．それぞれのバイアスにどの程度影響を受けるかは，CV されるアメニティの性質によって大きく異なる．

1．CV バイアスの実験

　1970 年代に CV の技法を開発をした人々は，体系的なエラーが調査結果に影響する可能性に敏感であった．経済理論が戦略的な行動に対する憂慮を表明したのに加え，常識的な判断からも質問の表現方法や調査の手順に，バイアスが入り込む可能性があると考えられた．研究者たちはこれまで，エラーとバイアスの影響を調べるために，実験的な設計を用いて多数の実験を行い，調査手段の特定の側面が WTP に体系的な影響を与えるかどうか見い出そうとしてきた．

　こうした実験のほとんどは実験室の中ではなく，実際の調査として行われた．たとえば，ある地域の住民から無作為に抽出したサンプルの半分に対して売上げ税という支払手段を用い，残りの半分には，電気・ガス・水道料金の仮想的な上昇という基準で，同じ商品を CV するように要請した．回答者は，テストされるその支払手段のほかはまったく同じ 2 つのグループに無作為に割り当てられた．このとき，売上げ税と電気・ガス・水道料金のそれぞれに対する WTP の平均値が，信頼度 90 パーセントないし 95 パーセントで統計的な差異を持たなければ，支払手段の選択は CV の結果にバイアスを与えないと結論することができるであろう．

　われわれがバイアス実験と呼ぶこうした調査の中には，有効な便益推定値を得る試みにおいて行われたものもあれば，純粋に方法論的な意図で行われたものもある．1970 年代以降の各種のバイアス実験は，支払手段と支払カード，回答を引き出す方法，付け値ゲーム法に異なる開始点を使用する影響，WTP 対 WTA，異なる予算の制約，調査手段において回答者に異なる情報を与える影響について，その変動をテストするものとなっている．

　初期の実験の結果は，CVM ではほぼいつでも，開始点，支払手段，および金銭評価されるアメニティについて，与えられる情報にかかわるゆらぎが少ないことが示されていると解釈された（Schulze, d'Arge and Brookshire, 1981）．しかし現在では，こうした実験の一部は方法論的な根拠が弱く，この結論は楽観的にすぎると思われている．Rowe and Chestnut（1983）は，初期の一部の実験に見られる方法論的な問題点を指摘し，バイアスの問題を識別，克服するうえで進歩はあるものの，「この混迷の森から抜け出るにはまだまだ遠い」と主張している．また，以前に行われたものも最近に行われたものも含む多くの CV バイアス実験の重大な問題点は，サンプルのサイズが小さすぎ，処理方法の影響に相違がないという帰無仮説を否定するだけの統計的な検出力がないということである．こうした問題のため，本章で利用することのできる実験の数が少なくなっている．

　CV の文献では，統計的な検出力の問題が十分に認識されていないため，ここでもう少し説明しておきたい．たとえば，ある調査のサンプルの総数が 75 人，そのうち 37 人が処理 A を与えられ，ある財に対する平均 WTP が＄3.91（標準偏差＝＄5.65）である場合を考えてみよう．一方，38 人には処理 B を与えられ，同じ財の平均 WTP が＄7.85（標準偏差＝＄17.99）であったとする．この場合この差はほぼ 100 パーセントであるが，使用する処理の違いが WTP に影響を与えているといえるだろうか？　調査者は t 検定と有意水準 0.05 にもとづき，この 2 つの平均値に差があると

いう仮説を却下した．しかし，サンプルのサイズが小さく，データの分散が大きいことから，〔−10.10，2.22〕の平均値間の差に対して 95 パーセントの信頼区間となっている．したがって，このテストが処理の有意誤差を示すことができる前に，処理 B の平均 WTP は＄14.01 でなければならず，処理 A の結果より 250 パーセントも高いことになる[1]．

2．CV 研究における体系的な誤りの発生源

CV の調査者は，これまでに開始点のバイアス，支払手段のバイアス，情報のバイアスなど，潜在的なバイアスのリストを作りあげてきた．これまでに行われた多くの調査が，なんらかの形でこうしたバイアスに取り組んでいる．しかし，このリストはいくつかの点で不適切である(Cummings, Brookshire and Schulze, 1986)．すなわち，当面の問題ごとに対処するよう考えられているうえ，各種のバイアスを十分に網羅していない．また，情報のバイアス（シナリオの中で回答者へ与えられる情報の違いによって発生する影響）の場合は，論理的な影響とバイアスが混同されている．実際，WTP はシナリオによって変化するよう意図されているのであるから，与えられた情報に従って回答が異なることが期待されているのである．おそらく，最もやっかいな問題は仮想的バイアスの概念であろう．前章で述べたように，CV による研究の仮想的特徴は，どのような形であれ結果にバイアスを与えないかわりに，信頼性の問題を提起する．本章では，まずこうした欠陥に対処しようとする CV 調査バイアスのフレームワーク——類型——の背後にある仮定，および CV 調査におけるバイアスの主要な発生源を列挙したうえで，バイアスの類型を提示する．

2.1　仮　　　定

われわれのフレームワークは，人間の行動を動機づける事項に関する一連の仮定にもとづき，通常経済学者が認識するよりも幅広い要素を包含している．われわれは，質問調査において人々がどのように行動するかについて，以下のように仮定する．

1. 人々の間で共有されている意味は，主観的で前後関係に左右されるため，問題を含むものである．社会心理学におけるシンボルの相互作用のフレームワーク（Stryker and Statham, 1985）から引き出されるこの考え方は，研究者が調査手段の表現によって伝えようと意図する事柄を，回答者がそのとおりに理解するとは限らないというわれわれの見解の根拠となっている．

2. 公共財に対する公共的な価値は，選好，分析，道徳的な判断の混合にもとづく選択の表現で

1）タイプ I の誤り（帰無仮説 H_0 が真であるとき，かわりの仮説 H_1 を受け入れる誤り）とタイプ II の誤り（H_1 が真であるとき H_0 を受け入れる誤り）はどちらも，意味のあるバイアステストを行うのに必要なサンプルサイズを決定する際に考慮されるべきである．検出力の問題の処理をめぐる詳細については付録 C を参照のこと．付録 C には，以下のために必要なサンプルサイズの表が記されている．
　（1）検出力と有意なパラメータの異なる組み合せ
　（2）二次サンプルの平均値間のパーセンテージにおける受容できる差異
　（3）変動値の係数
　こうした特性の選択は，ある程度，判断の問題である．ある N に対するテストの検出する力は，有意テストの有意水準の程度が増すと下がり，標準偏差が小さくなると高まる．有意水準を伝統的な 0.05 としてテストするために必要なサンプルサイズは非常に大きい．
　ゆえにわれわれは，妥協案として，0.10 のレベルを用いることを推奨する．上記の例で，第 2 の処理で得られた WTP が第 1 の処理の平均 WTP より 50 パーセント大きいかどうかを判断するにあたり，タイプ I とタイプ II の誤りの 10 パーセントの確率を認める両側 t 検定を行うには，210 人というサンプルサイズが必要である．これは，75 人というもとのサンプルサイズのほぼ 3 倍である．50 パーセント以下の差異を検出するためには，さらに大きなサンプルが必要である．

ある（Lindblom, 1977；Etzioni, 1985）．この仮定は，回答者が判断を下す社会的コンテクストのシナリオにとっての潜在的な重要性を強調するものである．あるアメニティの提供を取り巻く論争の程度，そのトピックに関しての重要な他者の見解だと理解される考え方，（明示的あるいは暗示的に）喚起された権威の発生源の信頼性といった要素が，有効なシナリオを企画するという作業をより複雑にする可能性がある．

3. 通常，人々の好みは，社会経済的な地位，それまでの経験といった要素によって異なる（Mckean and Keller, 1982）．多数の社会調査の論文に示されているこの仮定は，質問を受けた人々のグループより大きなグループへと，一般化する意図で行われる CV 調査の確率サンプリング法の重要性の基盤となっている．

4.（われわれの社会の）人々は，個人的な利益を最大にしようという望みに加えて，公平，公正，人の役に立つことといった規範に動機づけられている[2]．一部の回答者が意見なしと答える傾向は，（調査者に協力することによって）人の役に立つという規範を満たそうとする欲求や（調査者の前で愚かに見えないようにすることによって）自分の有益性を最大にしたいという欲求から発している．

5. 不確定な状況で選択をする際，人間の認知の限界，過去の経験の影響，および意志決定のコストを最小にしたいという欲求のため，時として，既存の知識構造に頼り，経験にもとづく体系的な規則や意見の試行錯誤的思考法に助けを求めることによって，決定が単純化されることがある．この仮定は，Simon（1957）の研究ならびに Kahneman, Slovic and Tversky（1982）などの研究にもとづいている[3]．

6. ある問題について確定した意見を持たないとき，調査の質問事項に対する人々の判断は，調査の要求特性にとくに敏感である（Bishop, Tuchfarber and Oldendick, 1986）か，または質問の言葉づかいと回答が導き出される方法に敏感である（Fishhoff, Slovic and Lichtenstein, 1980）．

7. CV されたすべての階級の公共財は，ある時点で，飽和や限界効用の縮小を被りやすい．これは経済学者によって打ち出されている標準的な仮定であり，WTP の質問を設定する順序，ならびにいろいろな調査の推定 WTP を合計する方法という問題を生み出す．

2.2　バイアスの主要な発生源

われわれの類型は，CV の推定 WTP において体系的な誤りの主要な発生源になると考えられる 4 つの要素にもとづいている．それは以下のとおりである．

1. 真の WTP をわい曲して述べるよう回答者を促す，強い誘因を含むシナリオの使用．

2. 回答者が WTP を決定するために不適切にシナリオの要素に頼るように促す，強い誘因を含むシナリオの使用．

3. シナリオのある側面を（その事例の理論または政策に関連する事実から見て）不正確に記述すること，あるいは回答者が誤って理解するような方法で正しい記述を提示することによる誤同定．

2）この一般化の実験上の根拠は，存在便益（第 3 章）と戦略的行動（第 6 章および第 7 章）についての論議において詳しく述べた．Kahneman, Knetsch and Thaler（1986）は，企業による価格，賃貸料，賃金の設定に適用される公正さの共同体標準の証拠を提示している．

3）このトピックに関する文献を役立つ形で総合するには，Nisbett and Ross（1980）および Abelson and Levi（1985）を参照のこと．また，予期される有用性モデルの文献の含みの解釈については，Schoemaker（1982）を参照されたい．

4．不適切なサンプリングの設計または実行，および不適切な便益の合計．サンプリングと合計の誤りに対して調整がなされないのであれば，合計された便益の推定値にバイアスを与えることになる．

本章では，最初の3つの発生源によるバイアスのみを考察し，第4の発生源によるバイアスについては次章で論ずることにする．

3．バイアスの類型

現時点で，CV研究に最も密接な関係があると考えられる主要なバイアスを**表11-1**にまとめ，その後のページに詳しく検討した．そのうちのいくつかがCV関連の文献でかなり注目されているほか，その他のほとんどが実際の調査を行う人々に認識されている．こうしたバイアスに対するわれわれのアプローチは，バイアスと記述の誤りの区別をし，（第2章に述べた理由によって）"情報バイアス"の概念を却下し，不適切なサンプリングと合計の方法によるバイアスを含めるという点で，これまでのアプローチと異なっている．

3.1 わい曲された回答への誘因

潜在的バイアスの最初の主要なカテゴリーは，わい曲されたWTPを述べるよう回答者を促す誘因の結果として起こるものである．質問を行う状況の一つまたは複数の側面によって発生するこれらの誘因は，次の2つのタイプの行動を導くことがある．

（1）戦略的な行動，すなわち，将来の支払いまたは当該の公共財の提供のいずれかに影響しようとする意図的な試み．

（2）追従的な行動，すなわち，意識的あるいは無意識的に，調査のスポンサーまたは質問者の期待であると回答者が理解したものをかなえようとする試み．

3.1.1 戦略的なバイアス

戦略的なバイアスは，回答者が自分の個人的な利益に役立つ形で，調査の結果に影響を与えるよう意図的に答えを作るときに発生する．戦略的な行動については，第6章および第7章で詳細に論じ，このタイプのバイアスは最悪の条件の場合にのみ問題であるという結論を提示した．

一般に，そのような条件はCV研究ではまれであり，多くの経済学者が考えているほど戦略的なバイアスがCV研究の障害となることはないが，このバイアスの可能性は真剣に考えるべきである[4]．とくに，CVの手段が真実らしく思われる支払義務を作り出すことが重要である．WTPを引き出すときに「……のふりをする」，「仮想的な状況を仮定する」といった表現を用いることによって直接に喚起するのであれ，あるいは非常に抽象的もしくは真実らしくない支払手段を用いることによって間接的に喚起するのであれ，金銭評価を実行するという仮想的な特性に対して不必要に注意を促す質問は，その財の提供を望む回答者の過大な付け値を促す危険を有している．政策決定者にとって，その回答者の答えが重要であることを強調する表現が使われれば，この問題がいっそう大きくなるであろう．

4）多くの経済学者が調査における戦略的行動に懸念を表明しているため，CV調査の結果を報告する際，戦略的行動がその結果にとって問題ではない理由を説明するとよい．

表 11-1　CV 研究において回答に影響を与える潜在的バイアスの類型

> **１．わい曲された回答への誘因**
> 　この分類に含まれるバイアスは，回答者が自分の本当の WTP とは異なる額を回答する場合に発生する
> 　A．戦略的なバイアス：財の提供および/または回答者のその財に対する支払レベルに影響を与えようとする試みとして，（理解された情報により）自分の本当の WTP と異なる WTP を回答する場合
> 　B．追従的なバイアス
> 　　１．スポンサーのバイアス：スポンサー（またはスポンサーと見なされた者）の推定された期待に追従しようとする試みとして，真の WTP と異なる WTP を回答する場合
> 　　２．質問者のバイアス：特定の質問者を満足させよう，または質問者によく思われようという試みとして，本当の WTP と異なる WTP を回答する場合
>
> **２．暗示された値の手がかり**
> 　このバイアスは，仮想市場の要素を回答者が，その財の"正しい"値に関する情報として扱う場合に発生する
> 　A．開始点のバイアス：回答を聞き出す方法または支払手段が直接的または間接的に，回答者の答える WTP に影響を与える，一定の WTP を示す場合．このバイアスは，何にでも"イエス"と答える傾向によって強められることがある
> 　B．範囲のバイアス：回答の聞き出し方法が，回答者の WTP に影響を与える，一定の WTP の範囲を提示する場合
> 　C．相対評価によるバイアス：その財の記述が，回答者の WTP に影響を与える，他の公共財または私的財との関連に関する情報を提示する場合
> 　D．重要性のバイアス：質問調査を受けるという行為，またはその調査手段のなんらかの特徴により，そのアメニティの１ないし複数のレベルが価値を持つということが，回答者に示唆される場合
> 　E．位置のバイアス：財の異なるレベル（または異なる財）に関する CV の質問における位置または順序により，それらのレベルがどのように評価されるべきかが回答者に示唆される場合
>
> **３．シナリオの誤同定**
> 　このカテゴリーのバイアスは，回答者が適切な仮想シナリオに回答しないときに発生する．以下の概説のうち A 以外は，意図されたシナリオは正確であるものの，回答者によるシナリオの理解が調査者の意図と異なるために発生すると仮定されている
> 　A．理論的な誤同定のバイアス：調査者によって提示されたシナリオが，経済理論または主要な政策の要素から考えて不正確である場合
> 　B．アメニティ誤同定のバイアス：金銭評価するものと理解された財が意図された財と異なる場合
> 　　１．シンボル：回答者が，調査者の意図した財ではなく，シンボルとしての実体を金銭評価する場合
> 　　２．部分と全体：回答者が，調査者の意図した財より大きい，もしくは小さい実体を金銭評価する場合
> 　　　a．地理的な部分と全体：回答者が，調査者の意図した財の空間的属性より大きい，もしくは小さい空間属性を持つ財を金銭評価する場合
> 　　　b．便益の部分と全体：財の金銭評価の際に，回答者が，調査者の意図した便益の範囲よりも広い，もしくは狭い範囲を含める場合
> 　　　c．政策パッケージの部分と全体：回答者が，調査者の意図した政策パッケージより広い，もしくは狭い政策パッケージを金銭評価する場合
> 　　３．尺度：回答者が，調査者の意図したものと異なる（通常は正確さが劣る）尺度または基準でアメニティを金銭評価する場合
> 　　４．提供の可能性：回答者が，調査者の意図したものと異なる提供の可能性を持つ財を金銭評価する場合
> 　C．コンテクスト誤同定のバイアス：理解された市場のコンテクストが意図されたコンテクストと異なる場合
> 　　１．支払手段：支払手段が誤って理解された場合，あるいは調査者の意図と異なる方法で支払手段が金銭評価された場合
> 　　２．所有権：その財に関して理解された所有権が，調査者の意図と異なる場合
> 　　３．提供の方法：意図された提供の方法が誤って理解された場合，あるいはそれが調査者の意図と異なる方法で金銭評価された場合
> 　　４．予算の制約：理解された予算の制約が，調査者が喚起しようと意図した予算の制約と異なる場合
> 　　５．回答聞き出し質問：そのアメニティなしでの支払いを選択するのに優先して回答者が現実的に支払うことになる最高額を支払うという確実な約束の要求が，理解された回答聞き出し質問が伝えることができなかった場合（離散選択のフレームワークでは，この約束は特定の額を支払うことである）
> 　　６．調査手段のコンテクスト：シナリオ外の予備的な部分によって伝えることが意図されたコンテクストまたは記述されたフレームが，回答者に理解されたものと異なる場合
> 　　７．質問の順序：影響を持つべきではない質問の順序が，回答者の WTP に影響を与える場合

3.1.2　追従的なバイアス

　多くの場合，社会心理学者や調査研究者は，一般に人々は質問者に対して真実を告げるよう動機づけられているが，質問者やスポンサーを喜ばせるような回答を作りがちだということを確信している．これはとくに，調査テーマに関して強い見解または熟慮を経た見解を持たない場合に多く見られる（Schuman and Presser, 1981）．この信念はもっともらしく思われるが，この事実を記した

文献は驚くほど少ない．社会的に望まれるものに関する文献を研究した最近のある論文は，"おそらくこの問題は見かけほど抵抗しがたいものではないだろう"と結論している（DeMaio, 1984：279）．

この動機はそれが一つの要素となる範囲において，いくつかの形の追従的なバイアスの原因となっている．その一つの形はスポンサーのバイアス，すなわち，回答者がその調査のスポンサーの期待を満足させると信じる方法で回答しようとするバイアスである．スポンサーのバイアスが起こる可能性は，利益団体によって直接実施される調査や，世論調査に有名な世論調査者や，政治家やメディアの信任を与えられることがほとんどない一つの理由となっている．特定の環境改善に対して公衆が支払意思を持つことを論証したいと望む環境保護団体，あるいは公衆に支払意志がないことを証明したいと望む企業は，委託する CV 調査の結果を信頼性のある便益推定値と見なすためには，非難の余地のない技術と中立性を持つ調査組織に委託しなければならないことに気づくであろう．今日までに行われた CV 調査は，ほとんどが大学または信望のある調査会社の主催で行われている[5]．

電話または面接による調査の場合には，質問者のバイアスの可能性が存在する．このバイアスは，回答者が質問者を喜ばせる，あるいは質問者によく見られることになると考える方法で回答を作るときに発生する．CV 調査ではなじみのないタスクを行うよう要請されるため，回答者は自分が"正しい"回答を出していることを確認するために，質問者の様子を伺うことがあるのである（Bishop, Tuchfarber and Oldendick 1986）．最近，飲料水の危険削減の便益について（Mitchell and Carson, 1986 C），イリノイ州南部で行われた CV 研究のある質問者は，聞き取り調査ののちに次のようなメモを記している．

回答者は，自分が"正常な"回答をしているという保証をとても欲しがった．彼女は〔CV の質問への答えの中で〕他のほとんどの人がどのようにいったかを尋ね，調査の間にしばしば，〔評価されるべき危険削減のレベルが説明されたとき〕"それは大いにあるわ，そうでしょう？"というような言葉を述べた．

回答における質問者の影響をテストするには，回答者が無作為に質問者に割り当てられ，各質問者が妥当な数の質問調査を行うことが必要である．面接調査では通常，回答者を無作為に面接者に割り当てることが困難であるため，質問者のバイアスを調べる実験のほとんどが電話による調査を用いたものとなっている．質問者によって引き起こされる調査誤りの研究は，概して，質問者が経験豊富であるならばその影響は比較的小さい（Groves and Magilavy, 1986）が，学生が質問調査を行なった場合には他の場合に比べて，回答にずっと大きな影響が出ることを明らかにしている（Bradburn, 1983）．

これまでの CV 調査の文献には，回答者が無作為に質問者に割り当てられた質問者バイアスの実験はない．ただし，Smith, Desvousges and Freeman（1985）が，有害廃棄物から発生する危険についての調査でこれに近い状況を実現し，また Desvousges, Smith and McGivney（1983）が，モノンガヘラでの水質の調査において異なる回答者の特性ごとに制御を行なっている．このどちらの研究でも，質問者のバイアスは証明されていない．

5）その調査を実施するスポンサーまたは組織が，調査の結果にはっきりとした利害を持っている可能性が存在するとき（ある政府機関が，その任務の一部であると考えているアメニティを金銭評価する場合など）には，回答額ゼロを含むあらゆる範囲の回答が受け入れられるということを明らかにする特別な配慮が払われるべきである．

こうした好ましい実験結果は，わが国の一部の調査研究センターで高度な訓練を受けた専門の質問者によって実施された調査にもとづいている．こうした組織によって使用される調査方法は，結果の比較可能性を最大にするために，それぞれの調査の構造をできるだけ同一にするよう設計されている．大切なのは，一つの例外もなく，質問用紙に印刷されているとおり正確に質問が発せられなければならないということである．

調査トライアングル研究所（Research Triangle Institutes）の『実地調査者の総合マニュアル』によると，"注意深く表現され，注意深く尋ねられる質問は，かなり正確な回答を引き出すことができる．質問の正確な表現からの逸脱は，それが意図的なものであろうとなかろうと，回答者がなすべきタスクを容易に変更してしまう"（1979：23；波線は原文のまま）．同様に，回答者に提示された質問のどのような説明も，前もって準備され，すべての質問者に与えられていたものに限定されるべきである．その場その場で質問が意味していることを説明すると，それがどれほど正当な意図にもとづくものであっても，比較可能性を損なってしまう．各種の研究から，訓練を積んだ質問者でも，常にこの目標を達成しているわけではないということが明らかになっている（Rustemeyer, 1977；Cannell, Lawson and Hausser, 1975；Turner and Martin, 1984 も参照のこと）．

3.2　暗示された値の手がかり

CVM による調査では，シナリオが長く複雑であり，ある財に対する金額による評価を出さなければならないため，回答者にかなりの努力を要求することが多い．それゆえ，このタスクを軽減する戦略を採用する誘因が発生する．先に信頼性について論議した際，そのような戦略によって十分な考慮なしに適当な値が選ばれることに言及した．残念ながら，付け値ゲームによる回答聞き出し形式など，この行動を抑えるためのテクニックは，回答者の他の戦略を誘い出し，やはりバイアスのかかった回答を導くことになりがちである．

Kahneman, Slovic and Tversky（1982；14）によると，多くの人はある現象について確信がない場合，最終的な回答を生み出すために初期値から出発して調整することにより，推定を行う傾向があるということである．「意識の固着」と呼ばれるこの戦略が取られたときには，一般に調整が不十分であるため，初期値のほうへ偏ったバイアスが発生する（Slovic and Lichtenstein, 1971）．CV研究では，調査者がその財の価値に関する情報を伝えることを意図していなかったシナリオの要素に回答者が注目し，その財のほぼ "正しい値" への手がかりとしてそれを使うとき，固定化が起こりやすい．CV シナリオにおけるそのような手がかりの主要な発生源としては，回答者が WTP を明確に述べるのを助けるために，研究者によって使用される回答聞き出し法[6]，回答者にその財への（仮想的な）支払いを要求する方法，CV されるアメニティの記述に使用される資料がある．全般的に見ると，この種のバイアスの最も重要な発生源は回答聞き出し法であるが，ある種の支払手段と説明方法，たとえば危険度区分表なども問題となることがある．

3.2.1　開始点のバイアス

開始点のバイアスは，回答者の WTP がシナリオによって持ち出された値によって影響を受けるときに起こる．付け値ゲーム法や "二肢選択" という回答聞き出し法は，この種のバイアスを生む

6）主要な回答聞き出し方法については第3章を参照のこと．

最も明白な可能性をもたらす．こうした手法は，回答者に提案額を直接突きつけ，回答者がそれを受け入れるか拒否するかを尋ねるからである．

　回答者は，アメニティの値について確信が持てないときにある金額が差し出されると，その金額がそのアメニティの本当の値に近いものを伝えていると見なし，自分のWTPをその提案額に固定しがちである．この傾向は，何にでも"イエス"と答えること，つまり一部の回答者が自分の本当の見解にかかわらず質問者の要請に同意する性向によって，いっそう強まる（Arndt and Crane, 1975；Couch and Keniston, 1960[7]．付け値ゲーム法では，回答者が最初の付け値を拒否したときにも，開始点が回答者の本当の支払意志よりずっと高ければWTPを押し上げ，ずっと低ければWTPを引き下げるであろう．

　このパターンはRoberts, Thompson and Pawlyk（1985）が，スキンダイバーを対象に行った海洋レジャー資源の評価額の調査で明らかになっている．単一の価格を提示する形式の調査では，その価格がその財に対する回答者の本当のWTPより上であれば，いろいろな比率で回答者がその支払を拒否するが，その価格を受け入れた回答者の何パーセントかは，その価格を受け入れたくないという気持ちより，"イエス"と答える傾向が優ったためにそれを受け入れているといえる．

　CV研究における開始点バイアスのテストの多くは，付け値ゲーム形式が使用されたときにこのバイアスが発生し（Cummings, Brookshire and Schulze, 1986；Mitchell and Carson, 1985；Roberts, Thompson and Pawlyk, 1985；Boyle, Bishop and Walsh, 1985；Welle, 1985），開始点バイアスはしばしば最終的なWTPの付け値に大きく関係する（Rowe, d'Arge and Brookshire, 1980[8]）ことが明らかになっている．付け値ゲームで得られた結果を調整し，開始点の影響を補正する全般的に有効な方法はない[9]．こうした理由から，われわれは，付け値ゲームがCV調査に適した回答聞き出し形式であるという水資源委員会（Water Resources Council）の『原則とガイドライン（Principles and Guidlines）』（1983：74）の判断に同意しない．

3.2.2　範囲のバイアス

　付け値ゲームの形式が開始点のバイアスを受けやすいことから，Mitchell and Carson（1981, 1984）は，支払カードによる回答聞き出し方法を開発した．典型的な支払カードには多くの額が記されているため，開始点のバイアスの可能性が排除，あるいは削減されるが，こうした額が存在することにより，範囲のバイアスの可能性が導かれる．これは，支払カードに表示された情報が回答者のWTPに影響を与えるバイアスである．この影響は，支払カードに含まれている行動の範囲が，その行動の分布に関する調査者の知識，または期待を反映していると回答者が考え，自分の行動を推定，評価するときの記述されたフレームとしてそれを使用するときに発生する[10]．

---

7) イエスと答える問題は，ゼロ以外の背景に対する刺激の影響をどのように推定するかという生物測定学者の問題に似ていると思われる．Hanemann（1984 b, 1984 c）とCarson and Mitchell（1983）は，CVのコンテクストにおけるイエスと答える問題について考察している．WTAの形式，または非常に高い開始点が使用された場合，イエスと答える傾向よりノーと答える傾向のほうが起こりやすい．
8) 開始点のバイアスがないことを示すテストのうち，説得力があるのはThayer（1981）のものだけである．開始点のバイアスがないと主張しているテストの一部（たとえば，Brookshire, d'Arge and Schulze, 1979など）は，実際に見られた非常に大きな差異を統計的に検出する力を持っていない．この問題の論議については，付録Cを参照のこと．
9) 開始点のバイアスの標準的なテスト（Thayer, 1981）は，分散分析を実行するか，あるいは
　　　$WTP = a + bS + e$
　という式による回帰を実行している．ここでWTPは，明らかになったWTPの$n \times 1$のベクトル，Sは使用された開始点の$n \times 1$のベクトル，aとbは推定される係数，そしてeは誤差項である．Carson, Casterline and Mitchell（1985）は，反応関数としてもっと複雑な公式が考慮されるべきであると主張している．回答者の真のWTPより上または下の開始点は，直線的ではない異なる回答パターンを生み出す可能性があるからである．

支払カード法が使用されるときには，次のような形で，設計の形態が WTP にバイアスを与える可能性がある．

（1）カードに記された最高額が回答者の最高の WTP より低く，それが回答者の WTP を人為的に制約する．

（2）最高額が妥当な上限を暗示すると考えられ，最高額がそれより低いときに回答者が答える額よりも高い回答額を導く．

（3）カードに示された額が回答者の WTP を含んでおらず，回答者が自分に好ましい値よりも高い，あるいは低い WTP を選ぶ．

最初の制約から発生するバイアスは，支払カードに示す上限として十分に高い値を用いることによって容易に避けることができる．しかし，そうすると第 2 のバイアスを促すことになる．第 3 の範囲のバイアスは，さらに捉えがたく，縮小することが困難である．支払カード形式では，回答者はカードに示されたどの数値を選んでもよいし，またその中間のどのような数値を選んでもよい．しかし，実際に回答者が選ぶ数値は，ほとんどがリストにあるものか，リストにはない $25，$100 といった区切りのよいものである．この傾向の結果，支払カードに与えられた値の選択は，回答者に適した範囲でリストに与えられた値がないことによって発生する，暗黙の値のバイアスを導くことがある．たとえば，多数の回答者の真の WTP が，ゼロと支払カードに記された最初の正の値の間にある場合は，多くの回答者が，本当の値より高い，あるいは低い WTP を表明することになる．

適切な数値と表明した数値とのギャップが大きくなれば，バイアスの可能性が大きくなる．カードに示された額の選択肢が十分に多く，サンプルが十分に大きければ，このように概数で表わした回答は平均値や中央値の計算に，あまり問題を与えないはずである．もっと複雑な複数変量の分析にとっての概数の意味はよく理解されていないが，真の WTP のほとんどが支払カードに記された 2 つの連続する額の間であるときには，このバイアスの問題が大きいとわれわれは確信している[11]．

3.2.3　相対評価によるバイアス

相対評価によるバイアスは，調査者の意図しない形で他の財（"準拠財"）が CV されるアメニティの値を示唆することによって，そのアメニティが他の公共財に関連づけられるときに発生する．準拠財は，支払カードまたは支払手段にリストされたベンチマークといった具体的なシナリオの特性によって引き出される．また，アメニティの種類によっては，シナリオに促されなくても準拠財を引き出すことがある．どちらの場合でも，回答者は，その財が自分にとって本当に価値を持つ最高額を決定しようとするかわりに，準拠財によって暗示される価格に依存する．

支払カードにベンチマーク（すなわち，それに付与された金額を持つ財）を使用するのは，税金や規制を受ける財への料金として多くの公共財にすでに支払っているということを回答者に思い出

10）Schulze ら（1985）は，被験者が自己報告したテレビ視聴時間に関する回答カテゴリーの範囲の影響を調べる実験において，この種の強いバイアスを発見した．ある実験で，選択型質問の 6 つの回答カテゴリーにおける最初の数値は，処理 A では "30 分以内"，処理 B では "2.5 時間以内" であった．また処理 A では，"2.5 時間以上" を最も長時間のカテゴリーとしたのに対し，処理 B では 2.5 時間以上の 5 つのカテゴリーを提示して，その最高を "4.5 時間" とした．その結果，2.5 時間以上テレビを見ていると答えた回答者が処理 B では処理 A の 2 倍となった．

処理 B の形式では，これが標準的な行動だということが暗示的に伝達されたのである．また，この報告の著者たちは，"各種の余暇活動と同様に"，生活におけるテレビの重要性の評価も "この尺度によって示された比較基準に影響をされた" ことを明らかにした（1985：394）．

11）一般的な数値か支払カードに実際にリストされた数値を選ぶ傾向は，その財の明らかになった WTP がかなり小さな区間，たとえば $1 から $30 の間に集中するようなとき，WTP がもっと大きく広がるような全国的プログラムの場合よりも，問題となりがちである．

させ，その支払いの規模に関する一般的な概念を与えるためである．ベンチマークは明白な相対評価によるバイアスをもたらすため，ベンチマークとして使用するのは CV されるアメニティに直接関連のない財のみとすべきである．たとえば，環境の便益調査に適切なベンチマークは，警察や消防の保護，宇宙プログラム，一般道路や高速道路といった環境に関係のない財であろう．

　Mitchell and Carson（1981, 1984）は，全国的な水質調査を使って相対評価によるバイアスのテストを行うにあたり，支払カードに記した（環境以外の）ベンチマークの金額と数を体系的に変化させて，ベンチマークの額または数が回答者の WTP に影響を与えるかどうかを調べた．この事例では，回答者はベンチマークの額にもとづいて自分の値を決めるという仮説は支持されなかった（Mitchell and Carson, 1981, 1984）が，他の状況で起こり得る相対評価によるバイアスを過小評価してはならない[12]．

　ベンチマークの入った支払カードが使用されるときには，そのベンチマークが論争を呼ぶものでも準拠財を喚起するものでもないよう，注意を払うべきである．たとえば，福祉支出を支えるために平均的な世帯が支払っている税金の額をベンチマークに用いた場合，多くの回答者がそのカードに記されたすべての公共活動を考慮に入れず，その異論の多い事項のみにもとづいて自分の WTP を定めるならば，バイアスを生むことになるであろう．また，相対評価によるバイアスは，支払カードのみに限られたことではない．Slovic, Fishhoff and Lichtenstein（1980）は，危険度区分表がある種の危険を表示するときにも，同様の現象が起こることを明らかにしている．

　相対評価によるバイアスのもう一つの発生源は，金銭評価される財に類似した財の価格，またはコストを回答者が知っているということである．政府機関はしばしば，公園の入場料や狩猟・釣りのライセンス料といった使用料金を課すことによって，準私的財の提供コストの一部を回収するが，その料金の額は，市場の需要よりも政治的なプロセスによって決定される．この"価格"の存在は，この種の財を金銭評価しようとする CV 調査に重大な問題をもたらす．多くの回答者が知らず知らずのうちに，一般に徴収されている料金の範囲が，そのアメニティの"妥当な"または"公正な"価値を代表するものと見なし，そうした準拠額によって示唆される範囲に自分の WTP を限定してしまうからである．たとえば，Sorg and Brookshire（1984）が，ヘラジカの資源を金銭評価するために自由形式の回答聞き出し方法を用いたところ，回答者の半数以上が単純に現行のヘラジカ猟ライセンス料（＄25）を回答額とした．

　また，Harris, Driver and McLaughlin（c. 1985）は Nachtman（1983）の調査を説明し，コロラド州中央部のマルーンベル地域でレジャーを楽しむことに対する WTP を回答したバス乗客のうち，40 パーセントがその地域に出かけるために支払ったシャトルバスの料金と，同じ額（＄2.00）を回答額としたことを明らかにした．準私的財のシナリオは，回答者が一般に使われている価格に自分の支払意志を固定する傾向を乗り越えなければならない[13]．当然ながら，支払手段として入場料とライセンス料を使用するのは，この支払手段に関する調査結果を仮想的にしようと調査者が意図するものでない限り，避けるべきである[14]．

12）Randall, Hoehn and Tolley（1981）は，ベンチマークとして練り歯磨きといった"取るに足らない"私的財を使用した支払カードが，公共財のみを使用した支払カードに比べてWTPを高める傾向を明らかにした．

13）大気汚染のアメニティに対する支払手段として電気・ガス・水道料金を使用すると，回答者の現在のその料金よりも本当のWTP がずっと大きい場合，この問題に直面する可能性がある．回答者の電気・ガス・水道料金の現在のレベルが開始点を示唆し，起こり得る WTP の範囲を限定するのである．

3.2.4　重要性のバイアス

　重要性のバイアスは，CV シナリオの個別の部分から発生するものではなく，CV 研究に参加する経験から発生するものである．重要性のバイアスは，回答者がアメニティの一つないし，それ以上のレベルが価値を持つに違いないと推論したときに発生する．そうでなければ，その事柄に関して自分の意見を形成するために，そのように複雑で高くつく努力は行われないと考えられるからである．

　追従的なバイアスの一形態と考えることもできるこの傾向は，前述した飲料水の危険調査のための予備調査で明らかになっている．地元の少数の住民が，いろいろな形のシナリオに意見を述べるよう要請されたフォーカス・グループのセッションのとき，討論のリーダーが，その調査で CV されることになっている各種の低レベル危険を伝達するのに使用し得るある手法を説明した．すると，参加者はすぐに，"そんな方法で人々に情報を与えたら高い値を得ることができない"から，その使用に反対するという意見をきっぱりと述べた．リーダーは，その前にかなりの時間を取って，その調査では高い値にせよ低い値にせよ，特定の結果を得ることは期待も意図もされていないということを参加者に説明していたため，この予期しない反応により，回答者は CV 研究に参加するという行為によって影響を受けやすいということをあらためて確認したのであった．

　この影響を最小にするためには，そのアメニティにまったく支払う意志がない回答者には，その回答を遠慮なく述べられるようにシナリオを設計しなければならない．この条件が満たされず，一部の回答者がなんらかの値を出すことを期待されていると感じたために値を回答したのであれば，その便益は過大評価されることになる．

　前述の飲料水の調査で，Mitchell and Carson（1986 c）は，いくつかの方法でこの重要性のバイアスの発生を防ぐ試みを行なった．その一つは，シナリオの中で実際に WTP が聞き出される直前に，これから評価してもらう仮想的二肢選択に対して，イエスと投票した人もノーと投票した人もいるということを，回答者に知らせる文章を含めるというものであった．この目的は，この危険削減がなにがしかの支払いをするに値するほど大きくないと感じた回答者が，ゼロと回答することを正当化することである．この手順は成功したように思われる．多くの回答者が危険削減がごく小さい場合には，実際にゼロと回答したのに加え，重要性のバイアスの現象が前もって警告されていた調査者は，その調査が高い WTP を得ることを意図していると考える兆候を見せた回答者が，ほとんどいなかったと報告した．

　調査手段のその他の特徴がそのアメニティがいかに望ましいか，あるいはいかに望ましくないかを誇張した場合，重要性のバイアスを導くことがある．そうした例として，郵便による質問用紙のさし絵に感情をかき立てるようなシンボル（骸骨と交差させた 2 本の骨，原始時代の川やひどく汚染された川の絵など）を用いること，大惨事，国家の自尊心，あるアメニティの望ましい質（そびえ立つ崖や未開の壮大な渓谷など），または"悪漢"（採鉱の利権や大企業など）を不適切に喚起する表現，あまりにも一面的で重要な矛盾を無視するプレゼンテーションなどがある．

3.2.5　位置のバイアス

　暗示された値の手がかりの最後のタイプは，重要性のバイアスと密接に関連している．このバイ

---

14) 相対評価によるバイアスは，WTP の初期値を反復的値付けプロセスに対する開始点とすることにより補正されると主張する者もある．しかしこのためには，初期値が常に回答者の真の WTP より低く，また反復のプロセスのために，回答者がそのアメニティの本当の価値と考えている額より多く支払うよう強制されるバイアスが生じないという強固な仮定が必要である．それに対する実験的な証拠がないため，われわれはどちらの仮定にも疑いを持っている．

アスでは，異なるレベルの財の提供に関する一連の CV の質問がなされていることを認識している回答者が，意図されないレベルまたは財の値のなんらかの情報をその質問の順序が暗示していると考えている[15]．たとえば，CV を要請された一連の改善のうち，最後のものがとくに価値が高いと仮定したり，そうした改善が自分にとってなんらかの価値があるかどうか確信が持てない場合に，最後のものだけが評価する価値のあるものだと仮定したりすることである．

3.3 シナリオの誤同定

CV 調査を行う調査者は，回答者から適切な選好を得るという課題に直面する．誤同定は，回答者が仮想市場と金銭評価される財のある側面を（理論的，あるいは方策的観点から）不適切に理解したときに発生する．誤同定は，その発生源によって，理論的または方法論的である．*理論的な誤同定*は，調査者が経済理論またはその状況の既知の事実から見て，誤ったシナリオを記述したことの結果である．この場合，回答者がそのシナリオを完全に理解したとしても，回答された値に適切なコンティンジェンシー（訳注：相手の出方次第で対応が変わること）を反映することができない．

それに対して，大ざっぱに*方法論的な誤同定*と呼ばれるものは，調査者によって記述された市場が形式的には正しいものの，いくつかの要素が不適切に伝えられているために，回答者が調査者の意図どおりに理解しないときに発生する．この問題は，調査研究にとって根本的なものである．これまでの研究から，客観的だと思われるような語，たとえば "失業"，"犠牲者"，"汚染" といった語でも，回答者が同じ形で理解していると仮定するのは誤りであることが繰り返し示されている（Turner and Martin, 1984, 1：410 ff）[16]．方法論的誤同定は，CV 調査の信頼性と有効性に対する深刻な脅威であり，調査研究法の訓練を受けていない調査者に過小評価されがちである．Sudman と Bradburn は次のように述べている．

表現上の小さな変更と思われるものが，回答に大きな差をもたらし得るという事実は，調査が行われるようになったばかりの頃から，調査実行者によく知られてきた．しかし，質問表の作成は調査の設計の中で，最も簡単な部分と見なされることが普通であり，これに力を注がないことがあまりにも多い（1982：1）．

理論的誤同定と方法論的誤同定の関係を**図 11-1** に示した．

このバイアスは，回答者がシナリオの要素を意図されたとおり正しく理解しない場合，および誤解が指向性の影響を持つ場合に発生する．たとえば，資産税という支払手段を用いる研究者は，それが中立的な支払いの形だと考えているとしても，回答者は，自分の資産税が高すぎると確信しているために，その支払手段以外の場合の WTP より低い WTP を回答するという反応を示す可能性がある．以下に論じる類型ごとの誤同定は，それぞれに伴う潜在的バイアスを持つが，それらは WTP の推定額にランダムな誤りを加える場合も，あまり問題にならない場合もある．

回答者の誤同定によるバイアスは，CV 調査における誤りの発生源として最も重要かつ最も問題を含むものであり，調査の結果に劇的な影響を与える可能性がある．たとえばある調査で，研究者

15）そのような連続は，危険度区分表といったある種の尺度カードとの関連で使用されることが多い．
16）回答者が調査の質問を理解する程度に関する研究で，Belson（1968）は，最もよく理解された質問でも，調査者が意図したとおり正確に解釈したのは回答者の約 50 パーセントであることを明らかにした．

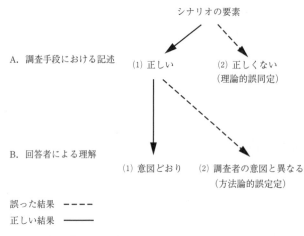

図 11-1　理論的誤同定と方法論的誤同定の関係

は回答者に対して発生確率の低い危険を金銭評価するよう要請していると考え，回答者はそのシナリオの危険とする記述がもっと確率の高い危険を示していると解釈した場合を考えてみよう．回答者が誤解した部分がそのアメニティのレベルより核心的なものではないもの—たとえば支払手段や暗示された予算の制約などであったとしても相当に大きなバイアスが発生し得る．誤同定は，シナリオがその発生の機会を多数提供し，真の WTP を客観的に測度する方法がないためにその誤りを見抜くことが難しく，さらに回答者が自分の WTP をはっきりとつかめないという傾向のせいで，こうした外部からの影響を受けやすいため，多くの問題を含んでいるのである（Fishhoff, Slovic and Lichtenstein, 1980）．

　われわれは本書の随所で，CV による調査が通常の調査で用いられるものより複雑，あるいはなじみの薄い概念や状況を伝えようとするため，従来型の態度調査を利用する研究者の直面する困難に比べて，はるかに大きな伝達の問題に直面するということを強調してきた．しかしある重要な意味で，CV は通常の質問を用いる調査より誤同定を受けにくいということができる．通常の調査質問は，回答者が状況的な前後関係から抜き出して，自分の態度や行動の意味のある報告をすることができると仮定している（Turner and Martin, 1984：417）．“われわれは水質汚染の抑制のために，適切な金額を費やしているでしょうか，それともその金額は多すぎるでしょうか，少なすぎるでしょうか”というような問題は単純であるゆえに，伝えるのが比較的容易であるが，きわめて一般化されているため，人間の意志決定についてよく知られている状況依存性を考慮に入れていない[17]．その結果は，Fishhoff, Slovic and Lichtenstein が次のように指摘している．「回答を聞き出す者と，回答者が無意識の制御の問題を解決することなく，異なる物事について話している可能性を高めることになる．実際，冷静な回答の聞き出しは何より操作可能なものだと主張することができるかもしれない．質問をするという経験全体が，回答を聞き出す者の分析されていない傾向と，仮定の影響のもとで行われることを意味しているからである」（1980：124）．それに対して，CV のシナリオは，評価状況の多くのパラメータを明らかにすることによって，適切かどうかの定義を回答者に委ねる側面が少ない．

　ほとんどのシナリオの誤同定は，これまでに調査研究者が作り上げてきた非公式な質問表現ガイ

---

17) シンボルの相互作用性という視点からの概観については，Stryker and Statham（1985）を参照のこと．具体的な調査については，Lazarsfeld, Berelson and Gaudet（1948）ならびに Crespi（1971）を参照のこと．

ドラインを，設計者が守らないために発生する（Payne, 1951；Bradburn and Sudman, 1979；Schuman and Presser, 1981；Dijkstra and van der Zouwen, 1982；Sudman and Bradburn, 1982）．誤同定は，質問表を企画する前に特定の問題に必要な理論経済学的なフレームワークを作り，またフォーカス・グループの使用や，質問表の草案の慎重な予備調査を含む徹底した質問表の作成作業を行うことによって，最小限にすることができる[18]．質問調査が行われたあと，調査者はその質問調査の報告を自分で聞き，質問調査スケジュール表に質問者が書いたコメントを検討し，回答のパターンを分析することによって，起こり得る誤同定バイアスを識別することができるであろう．CV 調査で最もよく見られるシナリオ誤同定を認識していれば，こうした努力を大いに支援することができる．

　事前の注意が払われない限り発生しやすく，実際に発生したときには WTP にバイアスを与える可能性の高い方法論的誤同定は，2 つのカテゴリーにあてはまる．すなわち，実際のアメニティにかかわるものと，アメニティの CV の前後関係を作り出すその他の側面にかかわるものである．この誤同定を詳しく検討するうえで，以下のバイアスのリストは完全ではなく，CV 研究のすべてのタイプに大きく関連するものでもないことを念頭においていただきたい．

3.3.1　アメニティ誤同定のバイアス

　とくに重要なのは評価されるアメニティにかかわる誤同定である．CV 調査における財の記述は普通，その財が提供される時期，その変化の場所，原因，程度，アメニティ自体の特性など，いくつかの要素を含む．たとえば大気の透明度の調査におけるアメニティは，発電所からの微粒子の放出を削減することにより，大ロサンゼルス地域における年間平均透明度を 20 マイルから 40 マイルに増加させることと記述される．CV 研究で金銭評価される財の多くに対して，すでにはっきりと定義された価値を持たない人が多いため，回答者がシナリオの詳細の一部または全部を無視したり，判断上の試行錯誤的思考法を無意識に用いてシナリオをゆがめる可能性がかなり高い．そのような試行錯誤的思考法は，人間が理解の誤りを犯す条件を研究する心理学者によって識別されている（Fishhoff, Slovic and Lichtenstein, 1980；Kahneman, Slovic and Tversky, 1982）．こうしたわい曲の影響は，CV による調査を完全に無効にすることもある．アメニティの誤同定はシンボル，部分と全体，尺度，および提供の可能性のバイアスに分類することができる．

　シンボルのバイアスは，回答者が記述された特殊な提供のレベルではなく，アメニティの一般的なシンボル的意味に反応するときに発生する．Kahneman（1986）がとくに憂慮しているのは，重要な非使用価値を持つアメニティを評価するように要請されたとき，回答者が実体よりもシンボルに反応する傾向があるということである．これは，たとえばどれだけの健康と収入が危機に瀕しているかを知る前に，"健康と収入のどちらが重要ですか"という質問に答えを出すときに起こるであろう．

　Kahneman（1986）は，「シンボルとしての要求」の証拠として，彼自身と Jack Knetsch の行なった電話による調査の事例を論じている．この調査では，一部のサンプルに与えられた便益がオンタリオの一地域に限定され，別のサンプルに与えられたプログラムが，州全体に適用されるものであったにもかかわらず，釣りができるように水質を保つプログラムに対して，独立したサンプルが

18）全米調査委員会（National Reserch Council）の招集した"主観的現象の調査測定専門委員会"によると，一般に調査研究者とそのスポンサーに欠けているのは，調査結果の質を高めるために必要な試験的調査と，方法論的研究への十分な注目と予算だということである（Turner and Martin, 1984：315）．

回答した WTP の値は実質的に同じであった．こうした影響が導かれることはあるが，それは他の同様の調査が示すように不可避のものではない．たとえば，地域的（Desvousges, Smith and McGivney, 1983）ならびに全国的（Mitchell and Carson, 1984）な淡水の改善を金銭評価するために長い時間をかけて行われた面接調査では，地域的な改善よりも広い地域の水質改善のほうが何倍も高い値を得ている．これは回答者の値が関連する水の量に依存する場合において期待されるとおりの数値であった．

調査手段が慎重に表現され，提示されたときに，非使用のアメニティに意味のある金銭評価を行う回答者の能力について，われわれは Kahneman ほど悲観的ではないが，シンボルの要素が金銭評価のプロセスを損なうという彼の論点は事実であると考えている．このシンボルの誤りは，質問調査の手順とシナリオの表現が，CV 調査を通常の世論調査と同じように考えるという，回答者の当然の傾向を克服しなければならないことを，われわれにあらためて認識させる．この誤解を促進すると思われるものは，小額のものを金銭評価する CV 調査，単純なシナリオを使用する CV 調査，および面接以外の方法を用いる CV 調査である．たとえば，所得水準が中程度で地域の公園の面積を倍にするために，年間 $5 を支払うと答えた人に対する暗示された意味は，公園提供のこの特定のレベルが，自分にとって実際どれだけの価値があるのかという熟慮を促すほど重いものではないかもしない．いうまでもなく，ある公園プログラムに対する平均 WTP が $1 であるか $5 であるかは，公園関連の政策に大きな違いをもたらすであろう[19]．また，あるアメニティの変化を 2, 3 行で記述するような単純なシナリオは，CV 調査質問の変則的な性質を伝えるのに十分ではないことがある．同様に，この調査が電話または郵便で行われたときには，回答者が望まれる金銭評価のタイプを把握し，その金銭評価に関連する項目だけに注目するのが困難となりがちである．

また，特別な予防措置が取られない限り，まったく異なるタイプの要素がシンボルに対する反応を引き起こすことがある．このような要素には，論争の的となっていて回答者が強い感情を持つ話題，あるいは回答者が感情的に脅威を感じるような話題を含むシナリオというのがある．最初のものの例として，原子力の危険を金銭評価しようとする CV 調査が考えられる．回答者は，その調査を利用して異論の多いこのテクノロジーへの反対，あるいは賛成の意見を記すという誘惑に打ち勝てないかもしれない．

一方，強い感情を刺激する話題は，回答者が CV に関連するシナリオの側面に注目しにくくする場合がある．汚染された血液からエイズに感染する危険の削減を，金銭評価しようとする CV 調査がこの例である．

部分と全体のバイアスというのは，主要なアメニティ誤同定であり，また回答者がその CV 調査に述べられた具体的な記述に十分な注意を払わず，全体的なシンボルとして公共財に反応する傾向の結果でもある．しかし，ここでは誤同定がもっと具体的である．この誤同定をとくに受けやすい財の次元として，地理的分布，便益の構成，その財を含む政策パッケージがある．ある場所の河川地域おける水質改善への WTP を尋ねられた回答者を考えていただきたい．その回答者が頭の中で，その州や地域の他の川からその川を分離することができないのであれば，回答者は調査者の意図よりも広い範囲の水質を評価することになりがちである．このような地理的な部分と全体のバイアスは，オンタリオでの釣りに関する Kahneman の調査結果を説明している．

便益の部分と全体のバイアスは，便益の下位要素間の区別，あるいは下位要素と全種類の便益に対する価値を区別をできないときに発生する．第 3 章で，たとえば，その資源に対して発生する他

19）この問題のさらに詳しい論議については，Mitchell and Carson（1986 c）を参照のこと．

の種類の便益（たとえば現在の使用または存在価値）と明確に異なる財のオプション価値に対し，回答者が意味のある評価に達するのが難しいと感じがちな理由だとわれわれが考えるものについて論じた[20]．

　調査者が評価したいと考えている部分と，それを含む全体を回答者が混同する可能性のある第3の分野は，そのアメニティを含む政策パッケージである．通常，CV調査の回答者には一つの政策タイプのみを金銭評価する機会が与えられる．予防措置が取られない限り，回答者は提案された政策をもっと大きな政策パッケージのシンボルとして扱い，その誤りに気づかずに，関連する政策群に対する値を，その提案された政策に対して付与しがちである．われわれが行った全国的な水の便益の調査では，水質にどのような値を回答しても，大気汚染の抑制（他の主要な連邦公害抑制プログラム）のためには，別の支払いが必要だという点を回答者にはっきりと示した．政策パッケージの部分と全体のバイアスを回避するわれわれの努力が成功したかどうかを知るために，この調査の一部に実験的なテストを組み込んだが，その結果から，このバイアスが存在しないことが示された（Mitchell and Carson, 1984）．

　部分と全体のバイアスを縮小しようという一般的な戦略として，そのシナリオの中に大きな実体の記述を含め，金銭評価されるアメニティの変化と，その大きな実体とを混乱しないように警告を与えるという方法がある．また，また地図などの説明的な道具を用いてその財の記述をはっきりさせるという方法もある（Desvousges, Smith and McGivney, 1983）．また，回答者の認知のプロセスと矛盾しないと思われる戦略がある．それは，その資源全体のCVが調査の主題ではなくても，まず全体を評価してもらい，それからそのWTPを各部分に配分してもらうというものである．たとえば，まず米国における大気の透明度の改善を金銭評価してから，この額のどれだけをニューメキシコやロサンゼルスに配分するかを回答する．こうした戦略については，合計と分解に関連する部分と全体の問題を論じた第12章で述べる．

　アメニティのバイアスの別のタイプとして，尺度のバイアスがある．これは，回答者が調査者の意図と異なる尺度に従ってアメニティを金銭評価するときに発生する．ここで問題となるのは，シナリオの中に記述された財の各レベル間に，人々が意味のある区別し得る正確さの程度である．一例として，危険のレベルが人口10万人に対する年間の死亡者の数で示され，等しい特性を持つ回答者の2グループが，一連の危険削減をCVするよう要請される場合を考えてみよう[21]．グループAでは10万人当たり1.0，2.0，5.0から0.05への削減が評価され，グループBでは10万人当たり5.0，10.0，15.0から0.05への削減が評価されるとする．

　調査者は特定の危険レベルのWTPを目盛り上に記し，さまざまな危険削減の程度に関する完全な需要曲線を描くことができるように，尺度を基数にすることを意図している．しかし回答者は，広いカテゴリー内であまり差異のない，低レベルの危険，中レベルの危険，高レベルの危険という序数の尺度でしか捉えないかもしれない．グループBはグループAより大きな危険削減を評価しているのであるから，グループBの平均WTPがグループAの平均WTPより高いならば，尺度のバイアスが存在しない（そして基数の尺度が存在する）証拠があるといえるであろう．しかし，危険削減の差異があるにもかかわらず，両グループの値がほぼ同じであれば，回答者はこの細かいレベルでの危険削減を区別せず，低レベルの危険削減全般を金銭評価したと考えられる．

20）地理的な部分と全体のバイアス，ならびに便益の部分と全体のバイアスを導く誤同定の論議については, Mitchell and Carson（1985）と Greenley, Walsh and Young（1985）も参照されたい．
21）この例は，Mitchell and Carson（1986 b）によって行われたテストに類似している．

　提供可能性のバイアスは，その財が提供されると理解された可能性が調査者の意図したものと異なるときに発生する．調査を企画する者は，通常，十分な資金が得られたら，金銭評価される公共財のレベルとして示されたレベルが，確実に提供されるということを伝えようとする．懐疑的な回答者や冷笑的な回答者がこの確実性を信用しないのであれば，その財は実際より低く評価されることになる．たとえば，有害廃棄物処理場または原子力発電所がもたらす危険レベルの削減を CV するように回答者に要請する場合，調査者は，評価されている政府のプログラムが実行されれば，こうした削減が実際に行われるということを，回答者に納得させるという困難な作業に直面することになる．

3.3.2　コンテクスト誤同定のバイアス

　市場シナリオ誤同定に伴うバイアスの第 2 の主要な発生源は，アメニティを金銭評価するためのコンテクストを提供する質問表の各種の要素である．以下に論じる 7 つの要素のうち，6 つはシナリオそのものの側面であり，残る一つは質問表の中のシナリオに先立つ部分に関連している．

　支払手段はシナリオの決定的な要素であり，それ自体が価値を持つこともあり得る要素だと認識されている．CV 調査に用いられる典型的な支払手段には，公園の入場料，電気・ガス・水道料金，資産税，売上げ税，特別基金，およびより高い価格と税金などがある．多くの CV 実験から，公共財に対する公衆の WTP がその調査で用いられた支払手段のタイプに影響されることが明らかになっている（Rowe, d'Arge and Brookshire, 1980；Greenley, Walsh and Young, 1981；Brookshire, Randall and Stoll, 1980）．ここでも，調査者が WTP における支払手段の影響を理解しており，それを意識的に受け入れるのであれば誤同定はなく，バイアスも存在しないといえる．いうまでもないが支払手段が調査結果に影響しているときには，それを一般化して，異なる支払手段によってその財が提供される状況，あるいは支払手段がそれほど論争の的となっていない状況の WTP を推定することはできない．最近，CV 調査実行者は，支払手段のバイアスの可能性を回避するために，妥当な限り，比較的中立的な手段であるより高い価格と税金を使用するようになっている．

　所有権のバイアスは，回答者がその公共財の権利（"所有権"）を持っているかどうか，あるいはそれを獲得するために支払わなければならないのが適切かどうかについて，曖昧であることから発生する．CV 調査では，基本的な所有権の記述されたフレームとして 2 つの形が使用されている．一つは価値構造を用いて，人々がそのアメニティのためにいくら支払う意志があるかを尋ねるものであり，もう一つは補償のフレームワークを用いて，そのアメニティを手放すための WTA の金銭評価を問うものである．第 2 章で，CV 調査には WTP のほうが望ましい理由，ならびに所有権のフレームとして WTP が用いられるか WTA が用いられるかにより，類似のアメニティに対する金額が大きく異なる理由について論じた．

　CV シナリオに用いられる提供の方法（またはその公共財を提供する機関）も，WTP にバイアスを与える可能性がある．これが提供方法のバイアスである．救世軍といった公共慈善団体による財の提供は，漠然とした政府機関または業界による提供よりも高い WTP を引き出す傾向がある．また，州の漁獲・狩猟委員会など一部の政府機関も WTP を高めるようである．反対に，連邦政府による提供は，世論調査によく見られるように概して連邦政府は税金を無駄にしているという認識に回答者が影響を受けている場合，WTP に下向きのバイアスを与えやすい[22]

22）政府は，無駄づかいをしていると考えている人による抗議の意味でのゼロ回答を最小にする方法は，第 12 章に示す無回答バイアスの項目の議論の中で考察されている．

　CV シナリオに適切な設計がなされていない場合，回答者は考えることなく安易に承認を表明することがあるが，適切な設計がなされた CV シナリオは，それを大幅に抑制するということが，世論調査者の間でしかるべき認識をされていないようである．設計が適切な CV シナリオは，その記述に対する承認や不承認の程度ではなく，金額によって選好を表現するよう要請するものだからである．したがって，回答者が仮想的な市場構造に反応するとき，類似した大きさの購買または住民投票について考えるのと同様に，自分の支払能力を考慮しないのであれば，CV 調査の中に予算制約のバイアスの可能性があるといえる．示された WTP がかなりわずかなものであれば，予算制約のバイアスによる問題は小さい．しかし，コストのかかる大きなプログラムが金銭評価されるときには，予算制約の誤同定はその便益の推定値にかなりの影響をもたらす可能性がある．

　予算制約のバイアスの最も単純な事例は，意図された制約が世帯の所得であるのに，回答者が誤って自分自身の所得が制約であると考える場合である[23]（意図された予算制約が世帯の所得ではなく，個人の所得である場合には反対のことが起こり得る）．複雑な事例としては，財の価格または税金の一部として，回答者がその時点で支払いをしているプログラム（全国的な大気汚染と水質汚濁の抑制プログラムなど）を金銭評価しようとする調査の，予算制約のバイアスがある．その財の現レベルの提供に対する消費者余剰を全面的に得るためには，回答者は自分たちの回答する金額が現在の支払いに追加されるわけではなく，その目的でまったく支払いをしていないときに回答する金額を述べなければならないと認識する必要がある．シナリオがこの条件を伝達していない場合，この誤解が WTP に下向きのバイアスを与える傾向がある．またわれわれが水質に関する調査において，ベンチマークの入った支払カードを使用するときに直面したのは，回答者がその他の財（とくに防衛プログラム）への支払いを，この調査で金銭評価されるアメニティに配分し直そうとする傾向であった．このような再配分が認められると，明らかに不適切な予算制約を持ち込むことになり，水質に対する WTP に上向きのバイアスを与えることになる．予算制約のバイアスを避けるためには，起こり得る問題点を見い出すために綿密な予備調査を行うことが必要である．予備調査が行われれば，大抵の場合，予算制約のバイアスを最小にするためにその調査手段を設計し直すことが可能である．

　回答を聞き出す質問が CV 研究に果たす決定的な役割，および各種の回答聞き出し法がある値を暗示する可能性については前述した．回答を聞き出す質問のバイアスは，調査者の使用した質問が（1）それ以上の額になるならば，評価されるアメニティが，なくてもよいと考える金額以下で，回答者が現実的に支払う最高額，および（2）その額を支払うという確固たる責務を必要とするということを，うまく伝えられなかったときに発生する[24]．

　CV 研究で使用されている，あるいは使用が提案されている形式には以下のようなものがある．

　　A．もし（改善）がもたらされるのであれば，あなたはそれに―――を支払う意志がありますか．

　　B．あなたは（改善）のために―――を支払いますか．

　　C．自分にとっての本当の価値以上のお金を費やしていると感じない範囲で，（改善）のためにあなたが支払う意志のある最高額はいくらですか．

　　D．あなた自身は，（改善を得るために）余分に―――を支払う用意がありますか．

　水資源委員会の『水および関連する国土資源実行調査の原則とガイドライン（Principles　and

23）質問を受ける回答者が，自分の世帯の収入についてよく知らないときにも，このコンテクストで予算制約のバイアスが発生する．この問題は，自分が世帯主だと考えている者に質問を行うことで避けることができる．

24）この問題は，特定の価格が「二肢選択」の形で提示される離散選択のフレームワークにおいて，その責務が特定の金額を支払うことが妥当かどうかにかかわる．

Guideline for Water and Related Land Resources Implementation Studies』は，AよりBを推奨している．Aは自発的な負担の訴えと解釈されることがあるからである（1983：80）．CとDはこの批判にはあまりあたらないが，それぞれ*下線*で書かれた語を取り除くことによって強められる．こうした表現の変更の効果を調べる実験は，これまでに行われていない．また，潜在的バイアスの方向を演繹的に決定することは困難である．通常の金額より高い金額でCVされるアメニティでは，回答者がその財のためにあまりにも高い支払いの約束をすることを嫌う傾向があるため，そのバイアスの方向が下向きになることが多い．

　回答聞き出し質問のバイアスを促進するもう一つの要素は，一部の回答者が，自分たちの支払う金額がその改善を達成するために実際に必要な金額を上回ると，その部分が無駄になると信じる傾向である．このように誤解した回答者は，その改善の世帯当たりのコストにふさわしいと考える額にもとづき，自分が“妥当な”上限だと考える金額によってWTPを抑制することになる．われわれが飲料水の便益に関する調査の予備調査を行ったときにも，この信念の存在が見られた．その調査を行ったイリノイの小さな町の回答者は，必要以上の金額を回答するのを避け，市役所が他の目的のためにその予算を使うおそれをなくすために，提案された危険削減の実際のコストを知りたいと望んだのである．

　回答聞き出し質問のバイアスを避けるには，シナリオの表現に十分な注意を払い，この影響の可能性を判断することを目的とした実験的な調査を行うことが必要である．極端な場合には，単一価格による回答聞き出し方法，すなわち回答者に一つの金額を与えて，そのアメニティのために，その額を支払う意志があるかどうかを問う手法が必要とされるかもしれない．

　*調査手段のコンテクストのバイアス*は，CVシナリオに先立つ質問表の内容がWTPに指向的な影響を与える場合に発生する．これは，調査方法論学者が現在関心を持っている分野であるが，これまでのところ調査方法論学者の実験結果から，この影響がこれまでに考えられていたほど広範囲に及ぶわけではないという暫定的な結論が出されている．調査手段のコンテクストの影響を予測する基礎は，人間がどのように情報を処理するかに関する理論である．この理論（の核心）は，人間がある事象を判断するよう要求されたときに，自分の記憶にある情報のうち，最もアクセスしやすい部分のみを取り出すというものである（Wyer and Srull, 1981）．Kahneman, Slovic and Tversky（1982）はこの判断の近道を，利用可能性の試行錯誤的思考方法と呼んでいる．一例をあげると，ある人が心臓発作の一般的な危険を判断するとき，主に自分の知人に最近起こった心臓発作を基盤にすることである．

　実験心理学における“予備知識”現象は，このコンテクスト効果によって生じるのである．被験者がある課題を行うすぐ前に受け取る情報を調査者が操作し，形式上はその課題に関連しないその情報が被験者の行動の予備知識となったり，なんらかの影響を与えたりするかどうかを調べる各種の実験がこれまでに行われている．その結果，実験によっては予備知識の影響が見い出されている．

　たとえば，ある人物のある午後に起こった出来事を説明するパラグラフ（段落）のみにもとづいて，その人物の特性（敵愾心，退屈，わがまま，親切など）を評価するよう被験者に要請した実験（Wyer and Srull, 1981：181-183）がある．そのパラグラフの記述は敵愾心に関しては曖昧であり，たとえばセールスマンをアパートに入れなかったというような行動を記述しているが，敵対的な態度でなされたかどうかは書かれていなかった．そして，実験の開始時に行われた無関係と見える練習で，被験者のあるグループには敵愾心に関連する事項を，別のグループには親切に関連する事項を紹介した．すると，その後に行われた人物の個性に関する被験者の評価は，予備知識の効果によ

って予測される方向に影響を受けた.

　調査方法論学者も同様の影響を立証している. George Bishop（1985）は, "連邦議会議員の記録に関するかなり難しい"一連の質問を行ったすぐあとに, 政府や公的業務に関する質問をすると, その議員の記録に関する質問が行われる前に同じ質問がなされたときに比べて, 「政府において行われていることと公務に従う」と答える回答者が増えることを発見した. 一部の方法論学者（たとえば, Tourangeau ら〈1985〉）は, 人々が不明瞭な問題, あるいは複雑な判断を要求される問題について質問されたときに, このようなコンテクストの影響が起こりやすいと理論づけている.

　CV 調査では, 質問者によってかなりの量の素材が紹介されたあとに, 回答者が複雑な判断をする. 当然ながら, この素材の多くがシナリオに含まれており, 市場の状況を記述することによって値に影響を与えることが意図されている. しかし, シナリオに先立つ質問によって, コンテクストの影響が不注意に引き起こされる可能性がある. 典型的な CV 研究においては, 質問者は通常, そのアメニティに関する回答者の経験, その保護に対する全般的な態度, 個人的な特性などを尋ねることで開始する.

　こうした質問はシナリオの一部ではなく, 通常は WTP に影響するように意図されていないが, 状況によっては影響を与えることがある. たとえば, シナリオの直前に公共機関に対する信頼感についての質問をすると, 官僚に関する否定的な認知をもたらし, 公共機関がそのアメニティの提供を保証すると仮定するシナリオでのアメニティの価格は, 信頼感の質問がなされなかった場合よりも低くなるであろう[25]. 同様に, 経済的な二律背反（たとえば仕事〈工事〉対環境など）の形ではなく, 望ましい環境の質に関する一連の質問を行うと, 環境改善の規範的な特性を強調することによって, 追従的なバイアスの可能性を高める可能性がある.

　CV による調査に, コンテクストの影響の可能性が存在するのは明らかである. それはどれほど重大な脅威だろうか. 残念ながら, CV 調査についてはこの現象の研究が行われていない. 関連する分野における証拠（Tourangeau ら, 1985）によると, 態度調査にはコンテクストの影響が発生するが, その発生は散発的で予測できないということがわかる. これはその調査がなじみのないテーマ, または複雑なテーマについて質問する場合にいつも見られるというわけではない. Tourangeau と彼の共著者たちは, 調査一般の問題として, "ほとんどの場合, 調査質問の中で関連するテーマの質問を近くに並べ, 結果に影響が出ないようにすることができる. またコンテクストの影響があるときでも, ほとんどの場合それは小さい"（波線は原文のまま）と結論している. CV のコンテクストで行われる実験を含め, さらに多くの証拠が出されるまでのことではあるが, この Tourangeau の結論は, CV 調査者が起こり得るコンテクストの影響に気を配らなければならないということを, あらためて認識させるものであるといえよう.

　質問が問われる順序は, 時として意図しない形で調査の回答パターンに影響を与えることがある（Schuman and Presser, 1981）. いくつかの異なるアメニティ, または一つのアメニティの異なるレベルに対して金銭評価が引き出されるとき, 質問順序のバイアスが CV 調査の問題となり得る. 財によっては, その財の提供に自然な順序があり, それが質問の順序を規定するものとなる. また回答者が後の質問を答えるときに, それより前の質問の答えを考慮に入れることが意図されている

25）認知プロセス理論の用語体系（Wyer and Srull, 1981 参照）では, こうした予備質問は, "シェマータ（schemata, 枠組）" すなわち, そのトピックについての感情, 信念, イメージの総体を喚起し, それが中心的な概念またはイメージ（たとえば不信など）のまわりに作られることが多いと考えられている. 人間は多くの場合, ある状況をいくつかの異なるシェマータから見ることができる. シェマータが CV を決定する範囲において, あるシェマータ（公共の利益における作業）ではなく別のもの（不信）が喚起されたり, それらが同時に喚起されたりすると, その結果がひずむ可能性がある.

場合もある．その一つとして，アメニティの高いレベルの提供がなされるために，低いレベルの提供から順に改善されていかなければならない状況を考えることができる．

　船遊びができる水質のレベルから泳ぐことができるレベルへの向上はこの例である[26]．そのような場合，回答者は政策変化の妥当な順序を評価するため，質問順序のバイアスは問題とならない．しかし，別の状況では，同じ調査の中で CV された他の財の WTP を参考にせず，それぞれの財を独立して評価してもらいたいと調査者が望む場合がある．このようなときには，前の答えを考慮しないようにと質問者が回答者に指示を与えても，CV される一つないし複数の財の額に質問順序が影響することがある．この影響を検出するためには，異なる質問順序を無作為に付与すればよい[27]．

4．要約と結論

　調査手段の影響と回答者の誤解は，調査研究によく見られる問題である．本章では，こうした発生源が，CV 研究の有効性を損なう可能性のある多数の状況を検討した．調査研究の論文において測度モデルが十分に確立していないため，われわれは CV 調査での回答者の行動に関する一連の仮定，ならびにそのような仮定から考えられる誤りの発生源という形で作業モデルを定めた．そして，誤りの 3 つの起源，すなわちわい曲された回答への誘因，暗示された値の手がかり，市場シナリオの誤同定を詳細に論じた．第 4 の主要な誤り発生源，すなわち不適切なサンプリングと合計については第 12 章で論じる．この誤りは調査のサンプリング，設計，データ分析の過程で発生するものである．

　本章で考慮されたバイアスの一部（全部ではない）は，CV の論文においてこれまでにも認識されてきたものである．われわれはいくつかのバイアス，とくに仮想のバイアスと情報のバイアスを意図的に除外した[28]．これらは相当の注目を集めているが，本当に意味のあるバイアスのカテゴリーではないからである．可能な場合には，バイアスの存在を調べるために CV 研究者が行った各種の実験の結果を示した．また，こうした実験の持つ本来的な有用性を損なう方法論的な問題にも注目した[29]．

　われわれは，将来のバイアス実験において，その結果から意味のある結論を引き出すことができる十分な大きさを持ったサンプルサイズが用いられることを望んでいる[30]．それぞれのバイアスごとに，可能な限り，そのバイアスの効果を避ける，あるいは最小にする方法を提示した．ある研究がこうしたバイアスを受けやすいか否かは，使用された調査方法，アメニティの特性，調査の目的など，いくつかの要素によって異なる．調査者は，自分の調査が受ける可能性のあるバイアスの発生源を注意深く検討しなければならない．そのためには，量的特性に関する徹底した予備調査を行い，各種のシナリオの要素に対する回答者の反応の仕方とその理由をよりよく理解すること，および調査の設計の中にいくつかのバイアス実験を含め，最も可能性の高いバイアスの発生源が調査に

26）調査研究者は，経済学者が自然の限界評価と代替効果だと考えるものを質問順序の影響だと考える傾向がある．このため，こうした論理的な経済効果の可能性を持つ事柄が，CV されるシナリオの不可欠な一部であるか否かを判断することが重要である．

27）質問順序の影響のテストについては，Mitchell and Carson（1986 b）を参照のこと．その研究においては，影響は検出されていない．

28）しかし，CV 質問の限られた時間の中でどのような情報が伝達されるべきかという問題は，重要ながらあまり認識されていない問題である．この問題に取り組んだ数少ない研究の一つである Samples, Dixon and Gower（1985）を参照されたい．

29）残念ながら，CV 実験の報告の中には，その結果を評価するのに必要な基本的な情報が提示されていないものがある．

30）付録 C は，この目的で使用され得る情報を提示している．

存在していないことを実証することが必要である.

　CVMが調査手段の影響を受けやすく，質問者の述べたことと回答者が理解したこととの間に，伝達のミスが起こりやすいという事実は，調査研究に精通している人にとっては驚くべきことではない．ここに述べた各種の潜在的なバイアスを考えると，CVMは特別な注意を払わず，手軽に適用することはできないということが明らかである.

　しかし，CV便益推定値にバイアスがかかっている可能性があるということから，CV研究にはバイアスが避けがたいと示唆するのは妥当ではない．ある経済モデルの係数推定値にバイアスがかかっている可能性があるからといって，どの係数群にもバイアスがあるというわけではないのと同じである．CVの質問に人々がどのように答えるかが理解されればされるほど，誤りの発生源を減らし，よりよい便益推定値を得る可能性が高まるのである.

第 12 章

サンプリングと集計の問題

　CVM を用いる調査者は，通常，その調査結果をいろいろな方法で一般化したいと考える．普通は，実際に調査した人々より大きなグループの便益を推定するために，調査結果が用いられる．また場合によっては，ある特定の CV 調査から得られた WTP を用いて他のコンテクストでの CV を推測したり，もとの調査で具体的に述べられたものより範囲の広い，もしくは狭い政策を評価したりすることがある．本章では，このサンプリングと合計に関する問題点について述べることにする．

　はじめに，サンプリングの設計と，実行のエラーによって発生するバイアスについて論じることにしよう．回答された個々の WTP が費用便益分析に用いられるためには，それが適切な母集団に対して推定されたものでなければならない．ここでは，サンプリングと無回答のエラーの4つの潜在的発生源の影響を最小にし，（可能なときには）それを補正する方法について論じる．

　続いて，CV 調査の時間的安定性の問題に注目し，ある時点で行われた CV 調査の結果を用いて同じアメニティのあとの時点の便益を推定することができるかという問題に言及する．それから，異なる地域や異なるアメニティに対する個別の推定値を合計することの有効性を考察する．ある地域で大気の透明度を改善する便益の推定値が，他の地域での同じ改善の推定値と結合できるのはどのような状況の場合か．最後に，動機の正確さの誤謬，および便益の要素ごとに個別の値を計測する CV 調査の使用において，その誤謬が与える影響について論じる．

1．サンプリングの設計と実行のエラーによるバイアス

　確率サンプリング法は，比較的少数の回答者の回答からずっと大きな集団へ一般化する直接的な方法を与える[1]．この手順は，その対象母集団におけるそれぞれの経済的主体者（個人または世帯など）が選択される既知の確率を持つという原則にもとづいている[2]．サンプリングの問題は，合計された WTP 推定値の正確さに対する大きな問題であるにもかかわらず，最近まで CV の文献においてあまり注目されてこなかった[3]．

　その理由の一つは，最近まで，CV の調査者（たとえば，Cummings, Brookshire and Schulze, 1986）の関心が計測の問題に集中していて，集計の問題をほとんどつけ足しのように扱ってきたということである．また，経済学者に統計調査の手法の訓練と経験が欠けているため，既存の調査データを用いたり，自分のデータを公表する前にサンプリングと欠損値の問題を処理するにあたり，国勢調査局（Census Bureau）および労働統計局（Bureau of Labor Statistics）といった調査機関，あるいはミシガン大学社会調査研究所（Institute for Social Research）といった調査組織に，依存してきたということも原因の一つである[4]．

　誰に対して CV 研究の質問を問いかけ，またこうした人びとの居所をどのようにつきとめて，どのように質問するかを決めるには，いろいろな事項を決定することが必要である．調査者はまず，その公共財のレベルの変更によって影響を受けると思われる経済主体の母集団を，どのように定義するかを決定しなければならない．その主体はある町または他の地域の住民を含むのか，彼らはそのアメニティの使用者か，個人か世帯か．

1）2つの標準的な処理については，Sudman（1976），または Cochran（1977）を参照されたい．
2）異なるシナリオ設計特性（支払手段など）が WTP に与える影響を評価することが調査の主な目的である場合，無作為サンプリングではなく，回答者または被験者を異なる処理に無作為に割り振ることが必要である（付録 C 参照）．
3）Desvousges, Smith and McGivney（1983），Mitchell and Carson（1984），Bishop and Boyle（1985），Mills（1986），Moser and Dunning（1986），Edwards and Anderson（1987）を参照されたい．
4）しかし，こうした機関によって用いられる方法は，しばしば経済分析に対してかなり大きな含意を持っている．この点は最近ようやく認識され始めたばかりである．たとえば Lillard, Smith and Welsh（1986）と David ら（1986）を参照されたい．

表 12-1　CV 調査における潜在的なサンプリングと推定のバイアス

1．サンプルの設計と実行のバイアス
  A．母集団選択のバイアス：選択された母集団が，その公共財の提供の便益および/またはコストが発生する母集団に適切に対応していない場合
  B．サンプリング・フレームのバイアス：使用されたサンプリング・フレームが，選択された母集団のすべてのメンバーに対し，サンプルに含まれる既知の明確な確率を付与しない場合
  C．サンプル無回答のバイアス：有効な WTP の回答が得られた構成サンプルの使用によって計算されるサンプル統計量が，WTP に関連する，認められた特性におけるその母集団のパラメータと有意な差を持つ場合．これは単位または項目の無回答による
  D．サンプル選択のバイアス：認められた特定の特性を持つサンプル成員の中での有効な WTP の回答を得る確率が，その財に対するサンプルの評価値に関連している場合
2．推定のバイアス
  E．時間選択のバイアス：ある時点で行われた調査で引き出された選好が，現在の選好を正確に表わしていない場合
  F．一連調査合計のバイアス
    1．地理的一連調査合計のバイアス：あるアメニティが適切な一連調査と異なる順序で（たとえば独立して）評価されたという事実にもかかわらず，代替または補完となる別の地域のアメニティの WTP が，そのアメニティを含む政策パッケージを CV するために足し合わされる場合
    2．複数公共財一連調査合計のバイアス：あるアメニティが適切な連続と異なる順序で（たとえば独立して）評価されたという事実にもかかわらず，代替または補完となる各種公共財の WTP が，そのアメニティを含む政策パッケージを CV するために足し合わされる場合

　次に，この母集団をどのように識別もしくはリストするかを決定しなければならない．このリストまたはそのようなリストを作成する方法は，サンプリング・フレームと呼ばれている．実際のサンプルが抽出されるのはこのリストからである．第 3 のステップは，サンプルに選ばれたそれぞれの経済主体から，有効な WTP の回答を得ようとすることである．残念ながら，なんらかの理由で有効な WTP を回答できない回答者がかなり存在するであろう．この“無回答”は，補正手段が取られない限り，無回答バイアスまたはサンプル選択バイアス，あるいはその両方を導く．最終的な便益推定値は，サンプリングの決定と手順のいずれかのステップの結果としてバイアスを受けることになる．

　以下に，こうした問題点について，**表 12-1** に記した四種類のサンプリングの設計と，実行のバイアスに従いながら論ずることにする．

1.1　母集団選択のバイアス

　母集団選択のバイアスは，その調査が得ようとしている値を持つ母集団を，調査者が誤って識別した場合に発生する．母集団は，構成サンプル（たとえばレジャーを行う個人），サンプリング単位（レジャー地域に入る車)[5]，場所（カリフォルニア北部の 2 つの郡），時間（1988 年 7 月）にもとづいて決定される．

　正しい母集団を選択することは，その財に対して支払う集団（すなわち，たとえば地方税という一定の支払手段に従って支払っていると推定される集団）が，それによって便益を得る集団と一致している場合には最も簡単である．支払う集団と便益を得る集団との相違が大きくなればなるほど，母集団の選択の問題が難しくなる．たとえば，ニューメキシコ州フルーツランドの巨大なフォーコーナーズ発電所の事例（Randall, Ives and Eastman, 1974）を考えてみよう．その地域の住民とそこを訪れる観光客は，維持費を支払うことなく大気の透明性という公共財を利用している．この支

5）この論議の中では，しばしば専門的には“構成要素”というのが正確なときに“単位”という語が用いられている．妥当な経済主体として世帯を指定することが多いからである．この場合ならびに他の多くの場合（ただしすべての場合ではない），母集団の単位と母集団の構成要素は等しい．

表 12-2　ある財への支払いとその財の提供による便益の関係

		その財への支払い	
		イエス	ノー
その財からの便益	イエス	A	B
	ノー	D	C

払義務を負っているのは，ロサンゼルスとその近傍地域に住み，その発電所を所有する電力会社から電力を買う人々である．それにもかかわらず，この地域の住民と観光客は，この地域の大気の透明度という美的な便益を直接的に経験しているのであるから，この便益の支払意志調査にとって不可欠の母集団かもしれない．

表 12-2 に公共財への支払いと，その使用の間の 4 つの関係（A-D）を図示した．関係 A は，CV 研究における回答者として最も望ましい位置にある．ここでは人々を A に位置づけている支払手段が使用されるべきである．CV される状況によって，回答者はこの 4 つの関係カテゴリーのどれかに当てはまるであろう．たとえば，騒音のないごみ収集車を注文しようと考えている村にとっての騒音抑制の便益を見積もる場合を考えてみよう．そのコストが村の資産税から支払われるのであれば，適切な母集団はその村の住民（世帯）であると思われる．そのアメニティから便益を得る人のほとんどが村の住民であるから，この母集団はカテゴリー A に近い．

適切な母集団の選択は，不在地主や流出効果などの要素を考慮に入れるともっと複雑になる．公共財を管轄する行政区域に住む人々で構成される母集団が，使用者と非使用者の両方を含むことはほとんど避けがたいことである．たとえば，ある公立学校制度を持つ市に住む住民の中には，子供のない世帯，子供が公立学校に通う年齢ではない世帯，子供を私立学校に通わせている世帯が含まれる．先ほどの村の例でいうと，関係 B としてその村の訪問者を考えることができる．訪問者はその村の資産税の対象ではないため，騒音のないごみ収集車にコストを支払うわけではないにもかかわらず，その収集車から便益を得るからである．

カテゴリー D は，耳の不自由な住民と不在地主を含むであろう．しかし，町の住民をサンプルとして使用すると，D の一部を除くことになる．つまり，資産税がその町の収入源であるとすると不在地主はその町の住民のサンプルに含まれない．また，資産税納税者で構成される集団は不在地主を含むが，借家人を含まない[6]．一方，関係 D の人々は，あるアメニティの存在便益を持っていることがある．たとえば，以前その村に住んでいた不在地主は，まだその村に住む友人が，静かな環境を得たということを知ることによって利益を得るかもしれない．

フォーコーナーズの大気の透明性というアメニティの事例に戻ると，フォーコーナーズ地域でレジャーを享受したことのない，またはする意図のないロサンゼルス市民は，自分たちの電力を供給する発電所からの粒子の放出によって，きわめて澄んだ大気が影響を受けていないと知ることに価値を見い出す場合もあるだろう．実のところ，米国南西部における大気の透明度を守ることが，オハイオの住民にとってもなんらかの価値があるかもしれない．——これが関係 C である．したがって，米国南西部における大気の透明度という便益の全国的な評価において存在価値を含みたいと調査者が望む場合には，このアメニティの CV 研究の母集団として，その地域の住民を選ぶのは不適切であるといえる．

6）われわれは，地主に課税される額の全部または一部を，最終的には借家人が支払っていることを認識している．

　表 12-2 に示された関係にもとづいて全母集団が確定されたら，調査者は次に，妥当な経済主体を決定しなければならない．ほとんどの純公共財の支払いは世帯のレベル（たとえば，資産税または所得税）で行われるため，個人より世帯が妥当な経済主体であることが多いであろう．この場合，適切なサンプリング方法は，その世帯の代弁者，すなわち世帯主であると主張する大人なら誰でもよいとするものであり，国勢調査局によって実際行われている方法である[7]．しかし，アメニティが準私的財，たとえば狩猟の許可といったものである場合には，世帯より個人が適切な経済主体である場合が多い．

1.2　サンプリング・フレームのバイアス

　対象母集団を識別したあとは，サンプリングのフレームを決定しなければならない．このフレームは対象サンプル単位の既存のリスト，または多くの場合にそのリストを作成する方法である．母集団とサンプリング・フレームが異なるとき，サンプリング・フレームのバイアスが起こる可能性がある．このタイプのバイアスがあると，この調査を実行するほかの問題がなくても，その調査結果を調査者が定めた母集団に正確に広げることが困難，あるいは不可能になる．

　サンプリング・フレームを確定する手順は，使用する調査方法が面接調査か，電話による調査か，郵便による調査かによって異なる[8]．一定の地域に住む人々の面接調査のサンプリング・フレームは，通常，地理的に定義された住宅区域の物理的なリストにもとづくのが普通である．大きな地域のこのリストについては，そのコストを管理しやすくするために，各種の層化と分類手法が作られている（Cochran, 1977）．

　面接調査の母集団が一定地域に限定されたものでない場合は，しばしば困難な問題が引き起こされる．たとえば，ある砂浜を利用する人や，ある公園を訪れる人が対象母集団を構成しているとしよう．この場合の有効なサンプリング・フレームとは，利用者が訪れる時間，曜日，季節，およびおそらくその施設の利用方法に従って，そのサンプルが利用者を代表できるようにするものである．

　電話による調査のサンプリング・フレームは，電話帳にリストされた番号から選ぶか，またはランダム数字ダイヤル法を用いるという方法で選ぶことができる．電話帳を使う場合には，自分の意志やその他の理由によって，電話帳に載っていない番号があるという非常に現実的な問題を伴う[9]．後者の方法は，対象母集団の中で使用できる全番号からランダムに番号を選ぶが（Frey, 1983：57-86 参照），これによって電話帳に載っていない番号も確実にサンプルに含むことができるため，こちらのほうが好ましい．郵便による調査のサンプリング・フレームは，可能性のあるサンプリング・ユニットのリストにもとづく．この場合，その対象母集団におけるすべての経済主体の最新の住所を得るという問題に直面する．われわれの社会では住居を変える頻度が非常に高いため，これが一般大衆を対象とした調査の困難な側面となることが多い[10]．

---

7 ）分析の単位として，世帯を使用することの含意については Becker（1981）を参照されたい．
8 ）サンプリング・フレーム作成手順の技術面以外の説明については，Sudman（1976）または Tull and Hawkins（1984）を参照のこと．
9 ）アメリカの全世帯の 95 パーセントから 96 パーセントが電話を所有している．Rich（1977）は，1964 年から 1977 年の間に都市部で電話帳に載せていない人の率が 70 パーセントまで上昇したと報告している．また，Grovos and Kahn（1979）は，最新の全国的なサンプルの 27 パーセントが電話帳に番号を掲載していないと記している．さらに Frey（1983：62）は，「未出版の新たな電話帳に掲載されたものをこの数字に足すと，どの時点を取っても電話加入者の 40 パーセント近くが電話帳に含まれていないといえる」と述べている．

1.3 無回答の問題とバイアス

CV による調査に，どのようなサンプリング・プランと調査方法が使用されたとしても，WTP を問う質問に対して一定レベルの無回答が発生するのは事実上，不可避である．したがって，有効な WTP を答えた人の数が，もともと選ばれたサンプルの数より少なくなる（不完全データ専門委員会＝Panel on Incomplete Data, 1983）．サンプルの一員が WTP の質問に回答できない明白な形は2つある．最初の形は単位無回答として知られており（Kalton, 1983），ある人物（または世帯）が質問表に回答しないものである．これは電話調査者が電話をかけ，面接調査者が訪問してもその人物が不在であるとき，調査者の質問を受けるのを拒否したとき，または郵便による調査のサンプルに選ばれた人が質問表を返送しないときに発生する．

第2に，項目無回答と呼ばれるものがある．これは回答者がその調査の一部またはほとんどの問題に答えたが，WTP の質問など特定の質問に回答しないものである．すべての調査にある程度の項目無回答があるが，一部の CV 調査では，WTP の質問に対する項目無回答の率が著しく高いことがある．通常の調査では，回答者の所得額を尋ねる質問を除き，項目無回答率が5パーセントから7パーセントを超えることは比較的稀である(Craig and McCann, 1978)．しかし，次のような CV 研究では，WTP を尋ねる質問の無回答率が20パーセントから30パーセントということも珍しくない．すなわち，（1）サンプルが無作為抽出されたため，あらゆる教育レベルおよび年齢レベルの人々を含む場合，（2）シナリオが複雑な場合，（3）人々が金額で評価することに慣れていないアメニティ（大気の透明度など）が CV の対象となっている場合である．こうした WTP の質問に対する無回答率の高さは，あるレベルまでは容認できるものであり，場合によっては望ましいことさえある．サンプルの 95 パーセントが，ある種のアメニティへの WTP を決定するために，じっくり考える努力をしてくれると期待するのは現実的ではない．あて推量で適当な値を答えてもらうのと，自分にとってどれだけの価値があるかわからないと答えてもらうのとどちらがよいかといえば，項目無回答を補正する適切な手順を行うのであれば，後者のほうが好ましいといえる．

WTP の質問における項目無回答は，4つの一般的なカテゴリー，すなわち，わからない，拒絶，抗議の意味でのゼロ回答，最低の一貫性のチェックに合格しない回答に分けることができる．適切な設計のなされた CV 調査では，わからない，拒絶，抗議の意味でのゼロ回答が項目無回答のほとんどを占める．また質問表の設計によって，これらの無回答の分布に影響を与えることが可能である．こうしたカテゴリーの中で，おそらく抗議の意味でのゼロ回答が最もやっかいな問題であろう．その財に支払うぐらいなら，その財なしですますほうがよいと考える回答者の値と区別しなければならないからである．

金銭評価されるアメニティと支払手段によっては，抗議の意味でのゼロ回答が $0 という回答のかなりの部分を占めることがある．たとえば，Desvousges, Smith and McGivney（1983）によるモノンガヘラの調査では，付け値 $0 のほぼ半分が抗議の意味でのゼロ回答であると考えられた．ゼロと答えた回答者にその理由を尋ねる手法（CV 研究者が進展させたもの）は，その財に支払いたくないという人と，なんらかの理由で評価のプロセス自体を拒絶した人とを区別するために，欠かせないものとなっている．

われわれが精通している CV 研究において，一貫性に関するチェックのときに"欠測値"（しば

---

10) 適切なサンプリング・フレームが政府機関の保有する最新住所リスト，たとえば釣りや狩猟のライセンス保持者のリストなどで構成されているときには，この問題は発生しにくい．

しば外れ値と呼ばれる）となる回答は，多くの場合，低所得者が自分の収入の不自然に大きな割合を占める WTP を回答した場合，または高所得者が他の質問に対する回答では，その財に対する強い要求を示しているにもかかわらず，ゼロまたは非常に低い WTP を回答した場合である．一貫性に関するチェックを行うために用いられる手法としては，単純な論理的チェックから，異なる外れ値の定義にもとづく統計的な手法まで，多様なものがある（Barnett and Lewis, 1984）．ある観測値を外れ値と定義する基準は，ある程度判断を伴うものであるため，その WTP を無効とする理由を（必要ならばそれぞれの外れ値ごとに）調査者が明確に記述することが重要である．

単位無回答と項目無回答のどちらが発生しても，もとのサンプル数より有効な WTP の数が少なくなる．確率サンプリング法によって 1000 世帯が抽出され，そのうち 800 世帯からしか有効な WTP が得られなかったとしたら，調査者は失われた 200 世帯が WTP の推定値に与えた影響を決定しなければならない．つまり，実現したサンプル（有効な WTP を回答した人）800 人の値は，もとの 1000 世帯が選択された母集団のアメニティ評価額を正しく表わしているかという点を考慮する必要がある．（サンプルのサイズが妥当な大きさを持っている場合）CV 研究における無回答がもとのサンプルの WTP の大きさに関連していないのならば，もとのサンプルの一部に質問できなかったという事実は，その推定値の信頼性に影響はしても，バイアスを発生させはしないであろう．しかし，無回答率を決定する要因は，WTP の大きさと関連している可能性が高い．

これまでに研究者は，無回答がその調査トピックへの関心の欠如に関連していることが多く（Stephens and Hall, 1983），あるアメニティに関心の低い人々は，関心の高い人々とは異なる値を持つ傾向が高いことを発見している．また回答率は，低所得層など母集団内のサブグループによって異なるのが普通であることが明らかになっているのに加え，調査の変数がしばしばこうしたサブグループの特性と関連しているということにも，十分な証拠があげられている（Kalton, 1983：16）．

ある調査における無回答が，バイアスを引き起こしているかどうかを決定するためには，2 つの問いが発せられなければならない．その一つは，識別可能なカテゴリーまたは世帯グループ間に異なる回答率が存在するかということであり，もう一つは，WTP の質問に答えたグループと答えなかったグループの間に，体系的な相違があるかということである．グループ間およびグループ内の回答率の違いがあり，それがその財に対する値に関連しているならばバイアスが発生する．CV 研究は，グループ間のサンプル無回答バイアス，グループ内サンプル選択バイアス，またはその両方に影響されることがある[11]．WTP に関連する特性（たとえば所得）を観測できないことによって，サンプル無回答バイアスがサンプル選択バイアスに変わることがあり，反対に，以前に観測されなかった特性を得ることによって，サンプル選択バイアスが無回答バイアスに変わることもある．この点をもっと明確にするために，次の式を考えてみよう．

$$\text{WTP} = f(X, \beta) + U \tag{12.1}$$

ここで，$f(X\ \beta)$（訳注 $f(X, \beta)$）は X にもとづく回帰関数，すなわち予測変量のマトリックスで，U は誤差項のベクトルである．サンプル無回答バイアスは，X のサンプル分布が X の結合母集団分布と有意な差があるときに発生し，サンプル選択バイアスは，U のサンプル分布が U の母集団分布と有意な差があるときに発生する．

図 12-1 のフローチャートは，一連の質問と答えを提示することによって，このどちらかのバイアス，または両方のバイアスをもたらす条件を示している．もとのサンプルのすべての構成サンプ

11）調査研究の文献で用いられる"無回答のバイアス"という語は，しばしば，グループ間とグループ内の両方のバイアスを指している．

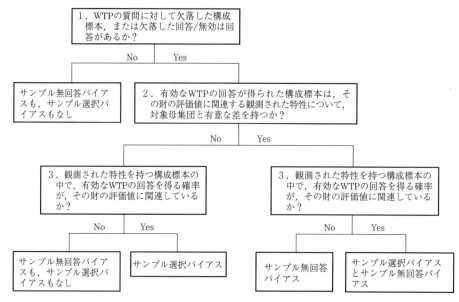

図 12-1　サンプル無回答バイアスとサンプル選択バイアスの存在を識別するための樹状図

ルが，有効な WTP 回答の実現したサンプルに含まれる場合（質問 1 参照），無回答に関連するバイアスは発生せず，回答率が高くなればなるほどバイアスの可能性が低くなる．無回答がなんらかの形で存在する場合，質問 2 を考えることによって，サンプル無回答のバイアスが存在するか否かがわかる．この問いは，CV されるアメニティに対して異なる WTP を持つ母集団のサブグループごとに，無回答率が異なるかどうかを考えるものである．たとえば，実現されたサンプルにおける低所得者の割合が母集団におけるこのグループの割合より低く，このサブグループが高所得グループの WTP より低い値を持っているのであれば，この WTP の推定値には上向きのバイアスがかかっているといえる．

　サンプル無回答バイアスが存在するにせよしないにせよ，母集団サブグループの中で，構成サンプルから有効な WTP の回答を得る可能性が，その財に対するその構成サンプルの本当の WTP に関連しているかどうかを問う必要がある．この第 3 の問いへの答えがイエスであれば，サンプル選択バイアスが存在する．これは，たとえば，WTP を回答した低所得者が，WTP の質問に回答する意志を持たなかった低所得者より，そのアメニティに対する高い関心と高い評価値を持っているときに存在する．

　以下に，サンプル無回答バイアスとサンプル選択バイアスの詳細と，その補正方法について説明する．

1.4　サンプル無回答のバイアス

　サンプル無回答バイアス，すなわちグループ間に発するバイアスは，CV 研究につきまとう問題である．教育や所得の水準といった異なるカテゴリーごとに無回答率が異なる傾向があるうえ，こうしたカテゴリーはさまざまな公共財に対して異なる評価値を持つことが多いからである．若くて一人暮らしで，仕事をして，大きな都市に住む人は家にいる時間が少なく，調査者があまり会えないため，面接調査では若い黒人男性の比率が少なくなりがちである（T. Smith, 1983）．また都市生

活者は，調査を拒否する率が高い．

　一方，質問に答えることができないのは，多くの場合，高齢者や知能に問題を持つ人である[12]．郵便による調査に回答する人に関する研究から，教育レベルと質問用紙の返送の確率には相関関係がないことがわかっている（Kanuk and Berenson, 1975）．比率の低いサブグループが，比率の高いサブグループと異なるWTPを持つ場合には，サンプル無回答バイアスの可能性が存在する．幸いなことに，このバイアスを（少なくとも部分的に）補正する方法がある．

　無回答バイアスが単位無回答の結果であるときには，個人の欠落事例に関しては情報がない．主な補正手法は，実現したサンプルにおける事例にウェイトをかけ，主要な人口統計変数のウェイトをかけた統計量が，既知の母集団パラメータに一致するようにすることである．それぞれの事例のウェイトを決めるには，国勢調査局の「最新人口調査」の情報を，母集団パラメータの資料として使用するのが一般的である．このようにして若い黒人男性など，比率の低いカテゴリーから実現されたサンプルにおける事例に，1より十分に大きい相対ウェイトを与え，その欠落した部分を代表することができるようにする．一方，母集団に対して高い比率が観測されることの多い中年白人女性に対しては，1より小さい相対ウェイトを与える[13]．ウェイト付けの手法は，回答しなかったグループが，調査に回答した同様の特性を持つグループと同様のWTPを持つという仮定にもとづいている．

　単位無回答と同じく，項目無回答も異なるサブグループの間にランダムに分布するわけではない．項目無回答者の中で比率の低いカテゴリーには，低所得者，教育水準の低い者，高齢者が含まれる．また，これらのカテゴリーの人々が，他のカテゴリーの人々と異なるWTPを持っていると考える理由がある．項目無回答の場合は，他の質問に対する回答者の答えから情報が得られるため，これを補正する手法は単位無回答の場合より選択の幅が広い．項目無回答者の人口統計上の特徴に関する情報に加え，対象の財に関連することが多い態度の質問に対する答えも，無回答者のデータとなる．

　項目無回答の補正にウェイト付けを使用することもできるが，回答者が答えた他の質問から得られる情報を使用し，欠測値を帰属させる方法のほうが優れている[14]．最も一般的なアプローチは，若い白人女性といったその場ごとの帰属階級を定義し，有効な値が出ている同じ階級の観測によって得られたWTPにもとづく値を，各階級の欠測事例に割り当てるというものである．この目的で使用される値は，その階級の平均値もしくは中央値，あるいはその階級の有効な観察値の集合からランダムに割り当てられた値であることが多い．

　平均値または中央値のアプローチは，分散を小さくする傾向があり，ランダム値のアプローチは分布の分散特性を維持する．国勢調査局は，ある帰属階級における欠測事例の値を決定するために，しばしば第3の方法を使用している．"ホット・デッキ"（hot deck）法と呼ばれる（Bailar and Bailar, 1978）このアプローチは，層化と集団化を使用する地域的確率調査で典型的に発生する，質問と答えの空間的な自己相関という利点を利用している．

12）面接調査を拒否する人についての研究を概観するには，T. Smith（1983）を参照のこと．これは難しい研究分野であるため，これまでの研究結果は互いに矛盾しており，結論が出ていない．

13）こうした手法の概要については，Anderson, Basilevsky and Hum（1983），ならびにとくにKalton（1983, 第3章）を参照されたい．ウェイト付け手法は大ざっぱな補正手段であることが多く，ウェイト付けの各階級に十分な数の回答者（25人以上）がいない限り，推定値の分散をかなり大きくする危険があることを強調しておかなければならない．CV研究にウェイト付けを利用し，有効な結果を得るには，専門の調査者が最新の技術を用いて達成したレベルの回答率が必要である．

14）帰属方法についての有益な情報を提供しているのはKalton（1983）である．Davidら（1986）も，欠測値を推定するためのいくつかの帰属階級と回帰方法を比較検討している．

　欠測値を帰属させるもう一つの方法は，モデルを基準とする回帰，または最尤法(maximum–like-lihood—たとえば EM アルゴリズム）（Orchard and Woodbury, 1972; Dempster, Laird and Rubin, 1977）である．これは等式を推定するために使用される構造モデルと，欠測 WTP の回答を予測するために使用される変数の値を条件として，欠落した観測の期待値を予測するものである．この推定された構造モデルは基本的に CV 関数である．CV 関数をサンプル無回答のバイアスの補正に使用する方法を説明するために，実在したサンプルを用いて，次の形の非常に単純な関係の推定を考えてみよう．

$$\text{WTP} = a + b * \text{INCOME} + c * \text{USE} + \varepsilon \qquad (12.2)$$

その母集団に対して推定される平均 WTP は，次の式によって得られる．

$$\widehat{\overline{\text{WTP}}}_{(\text{POP})} = \hat{a} + \hat{b} * \overline{\text{INCOME}}_{(\text{POP})} + \hat{c} * \overline{\text{USE}}_{(\text{POP})} \qquad (12.3)$$

ここで $\text{INCOME}_{(\text{POP})}$ と $\text{USE}_{(\text{POP})}$ は，CV 関数の右側の変数に対する母集団平均値である[15]．サンプル無回答バイアスを補正するためにこのアプローチを用いるのは，2 つの主要な仮定にもとづいている．第 1 に，調査者が CV 関数の数学的な形の正確な詳述と誤差項の分布の正確な詳述を知っているということ（データから推定され得る少数の未知の係数を除く），第 2 に，データがサンプル選択バイアスを受けていないということである[16]．

　もう一つ別の帰属方法として CART（Breiman ら，1984）がある．これは，ツリー構造の分類と回帰の方法であり，モデルにもとづくアプローチとその場ごとの帰属階級・アプローチの両方の特徴を組み合わせたものである．CART では，まず帰属階級の定義という点について（WTP を予測する意味で）最適なモデルを推定し，それから欠落事例に値を割り当てるために（ホット・デッキなどの）帰属方法を使用する[17]．

　異なる帰属方法の特性という研究分野については，現在活発に研究が行われている（不完全データ専門委員会，1983）．Carson（1984，1986 b）は，全国的な淡水の便益に関する CV 研究について，欠測 WTP の回答を帰属させるいくつかの方法を比較している（Carson and Mitchell, 1986）．この研究では，値を帰属させることの重要性が強調された．このデータの帰属を行わなかった場合，便益の推定が 20 パーセントも高くなることが推測されたからである．Carson は帰属階級平均値と中央値，ホットデッキ，EM 法，CART および帰属なしを比較した結果，最も納得のいく帰属手法は CART であることを明らかにした．

　図 12-2 は，水の便益調査における欠測値を帰属させるために使用された CART モデルの例である．ここでは，WTP を最も適切に予測させる実現されたサンプルの特性（収入，教育，地域，レジャーに淡水を使用する程度，水質改善と環境の質に対する態度）にもとづき，WTP を回答しなかった人の総計の予測がなされている．CART の代理分割手順は，CV による調査にとって，とくに有益な特性である．ある回答者の（収入や教育といった）予測変量分割の値がないときには，このプログラムが，最良の予測変量に最も類似した分割を作り出す変数の値にかわるものとなる．

---

15) DuMouchel and Duncan (1983) は，その回帰モデルがすべての観測値に対して一定の係数を仮定しており，サンプル選択バイアスがないならば，回帰（すなわち CV）関数を推定するために，実現したサンプルを母集団の代表とするウェイトを必要としないと主張している．

16) サンプル選択バイアスの問題を説明するためにも，このアプローチを一部修正して用いることが可能である．しかしこの 2 つの問題は，情報の大きな損失を伴う．とくに無回答の問題が単位ごとに異なる場合には損失が大きい．

17) CART は，欠測値の帰属に有効であることが明らかになっている（Kalton, 1983）ミシガン自動相互検出（Automatic Interaction Detection：AID）プログラムに多くの点で類似している（Songuist, Baker and Morgan, 1974）．しかし CART は，10 倍の相互検証を用い，ボトムアップで大きくなる樹木図を簡素化することによって，AID プログラムの問題点のいくつかを解決している．コンピュータを用いたこの方法は，樹木図の予測力についての信頼できる推定を可能にするとともに，ツリーのサイズを最適化することができる．

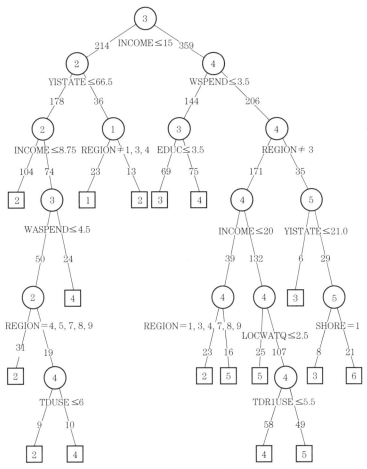

□のカテゴリーは1：WTP $0-25；2：$26-74；3：$75-149；4：$150-249；
5：$250-499；6：$500＋．
予測される階級のレベルは○(丸)および□(角)に示されている

図12-2　全国水質便益調査の帰属階級を得るための CART 分類樹林図

　われわれは，項目無回答の補正のために帰属手法を利用することを推奨するが，無回答を最小限にとどめる努力を怠ってはならない．ある値を帰属させて有効な値を作り上げるよりも，有効な値を回答者から得るほうがずっと好ましいことは明らかである．帰属手法を使用するときには，帰属階級に関する仮定の質によってその有用性が決まるのだということを十分に認識して，慎重に適用すべきである．また，サンプルサイズを計算するために帰属された値は，真の値のように扱われてはならないということを認識しておくのも重要である．Kalton（1983：66）が指摘しているように，「帰属は有効なサンプルサイズを削減するためにあるのであって，それを増加させるためにあるのではない」（波線部は原文どおり）．帰属手法はバイアス削減の技術であって，分散削減の技術ではないのである．

1.5　サンプル選択のバイアス

　これまで論じた無回答のバイアスは，選択されたサンプルの中で有効なデータが得られた人の識別可能なカテゴリーが不完全に代表されているというものであった．このバイアスに対する補正方

法は，そのカテゴリー内のランダムな無回答に依存している．もう一つのタイプの無回答のバイアスは，サンプル選択バイアスであり，サンプル無回答バイアスと別個に起こることも同時に起こることもある．

この無回答はランダムではない．その調査または回答聞き出し質問に答えなかった個人は，そのアメニティに対して，それに回答した同じ特性の個人と異なる期待値を持っているのである．このタイプのバイアスは，この調査に参加するかどうかの選択を回答者に与える形式の CV 研究で起こりやすい．たとえば，あるアメニティに対して強い関心を持つ人（そして通常それに対する高い価値を持つ人）は，同じ人口統計上の特性を持つ関心の低い人に比べ，そのアメニティの CV を要請する郵便による質問表に回答を記入して返送する可能性が高い．

サンプル選択バイアスは，一般に，ウェイトづけや帰属法によって補正できない．こうした手法は，回答しなかった母集団のサブグループと，同じサブグループ内の回答した人とで，そのアメニティに対する期待値が同じだと仮定しているからである（Anderson, Basilevsky and Hum, 1983）．

ここでサンプル選択バイアスを数学的な形で正確に規定しておくのが有益であろう．このために，われわれは Heckman（1979）に従い，外因性の X の $N \times k$ マトリックスに関して，関連変数 Y の母集団（$i=1, ……, N$）回帰の概念を導入する．Y と X の関係を直線的であると仮定すると，この関係は次の式によって与えられる．

$$Y_i = X_i\beta + U_i \tag{12.4}$$

ここで $E(U)$ は，すべての i に対してゼロと仮定されている．U_i は，ランダムな行動または観測されていない真の回帰変数の影響を表わす．この関係に対する母集団回帰関数は次の式で得られる．

$$E(Y_i|X_i) = X_i\beta / V_i \tag{12.5}$$

利用できるデータのサブサンプルに対する回帰関数は，次のとおりである．

$$E(Y_i|X_i, \text{SANPLE SELECTION RULE}) =$$
$$X_i\beta + E(U_i|\text{SAMPLE SELECTION RULE}) \tag{12.6}$$

式（12.3）の U_i の条件つき期待値がゼロであるならば，サンプル選択のバイアスは存在しないということができる．

サンプル選択バイアスは，観測された変数ではなく誤差項の分布（式 [12.6]）に影響を与えるため，それを補正するには，データの切り捨てによる誤差分布に対処するための統計技術を使用することが必要である．残念ながら CV による研究では，その調査に回答する確率に影響を与える要因の情報がほとんどない場合，こうした方法は限定的な使用しかできない．サンプル選択バイアスの補正は，通常，観測された回答を持つ確率を予測するために，二次方程式と，2 つの方程式における妥当な誤差分布に関する非常に強い仮定とを必要とする．これまでのところ，サンプル選択バイアスを補正するためにこうした手法を用いた CV 研究は知られていない[18]．

公式な仮定にもとづく実行可能な方法がないため，ある政策の便益推定におけるこの種のバイアスの影響を評価したいと望む政策決定者に対し，有益な情報を提供するアプローチとして，サンプル選択の問題に対するいくぶん特別の方法をここに述べる[19]．説明を容易にするために，このデー

---

18) Ziemer ら（1982）は，この統計手法を利用してトラベルコスト調査を行った．この問題に関連する研究はほとんどが労働経済学である．この分野では，労働力人口と現在雇用されていない人とを区別する特性が，観測された標準人口統計の変数以外にも及ぶことが以前から認識されている．この理論と各種の事例については，Heckman（1976, 1979），Amemiya（1985）ならびに Little（1985）を参照されたい．

19) この方法は，（サンプル選択）等式の形を推定するための適切な情報がある場合には，推定される未知の共同変数項の各種の値を試みることと，ほぼ同じであるということができる．

タが項目無回答の影響のみを受けていると仮定しよう[20]．最初のステップは，CV 関数を推定して，欠測値を帰属させることである．実際の WTP を持つ r の観測値と，帰属された WTP しか持たない m の観測値があると仮定して，次の式を計算する．

$$\overline{\text{WTP}}_{(1)} = \frac{1}{r+m} \left[\sum_{r} \text{WTP}_i + \sum_{m} {}_{(1)}\text{WTP}_i \right] \tag{12.7}$$

$\overline{\text{WTP}}_{(1)}$ はサンプル選択バイアスがない場合に，適切な WTP の推定値である[21]．次に，同じ形で $\overline{\text{WTP}}_{(.75)}$ を計算し，（1）を（.75）におきかえる．これは，各無回答者の WTP が，回答した類似の個人が実際に答えた額の平均 75 パーセントであるときに適切な WTP の推定値である．乗数として，5, .25, 0（その他なんでもよい）を使って $\overline{\text{WTP}}_{(.5)}$, $\overline{\text{WTP}}_{(.25)}$, $\overline{\text{WTP}}_{(0)}$ を計算する．$\text{WTP}_{(0)}$ はイリノイにおけるレジャー区域のアメニティに関する郵便による調査で，Bishop and Boyle（1985）が用いた，サンプル選択バイアスの解決方法である．これは，回答しなかった人はそのアメニティに対していっさい支払う意志がないと仮定するものであり，非常に極端なケースである．ある政策が $\overline{\text{WTP}}_{(0)}$ にもとづく費用便益テストにパスした場合，サンプル選択バイアスは無関係である．パスしない場合には，その政策のコストは，各種の $\overline{\text{WTP}}_{(.)}$ 仮定にもとづく推定値の表と比較できるであろう．この手順により，政策決定者は，特定の費用便益比較によって示される無回答の値についての仮定を明確に認識することになる．

1.6　郵便，電話，面接による調査の無回答とサンプル選択バイアスの影響

第 5 章では面接調査，電話による調査，郵便による調査の利点と欠点について，サンプリング以外の視点から論じた．ここでは，このそれぞれの調査方法が，無回答バイアスとサンプル選択バイアスにどの程度影響されるかについて考えることにする．郵便による調査は，他の 2 つの方法より，こうしたバイアス発生源からのエラーを生じやすく，とくにサンプル選択バイアスの影響を受けやすい．最近，CV による調査に郵便法が使われることが多くなっているため，この点が重要な問題となりそうである．

どの調査方法を使用する場合でも，ユニット無回答の率は，フォローアップの方法を用いることによって削減することができる．たとえば，自宅にいなかった人に対して，面接調査員が再訪問したり，電話での質問者が再度電話をかけたりすること，あるいや郵便調査の無回答者に対して再度質問用紙を郵送したりすることである[22]．再調査の回数が多くなればなるほどデータの質が高まるが，それぞれの質問調査の費用がかさむことになる．項目無回答率を削減するために最も重要なことは，入念な予備調査を行って，その調査手段の明確さと真実らしさを高めることである．

郵便による調査に特有の無回答の問題は，（1）無回答率が比較的高いこと，および（2）サンプル選択バイアスを受けやすいことから発生する．後者の理由のため，ウェイト付けと帰属手法を用いて無回答のバイアスを補正することが，不可能とはいわないまでも非常に困難になる．

現在では，郵便調査に対する回答率を 60 パーセントのレベル（母集団のタイプによってはそれ以上）[23]に上げることのできる手法が使われているが，それでもこのレベルは，同じ母集団に対し

20）サンプル無回答バイアスを補正するために，類似の，しかし若干大まかな方法を用いることが可能である．

21）$\sum_{r} \text{WTP}_i / r = \sum_{m} \text{WTP}_i / m.$ ならば，やはり無回答バイアスがない．

22）郵便による調査の単位無回答のレベルは，その郵便のパッケージ（封筒，添付の手紙，質問表を含む）のデザインに影響される．

て専門家が行った面接調査，および電話による調査の回答率よりも低い．郵便による調査の回答率を上げるためには，サンプリング・フレームの氏名と住所の最新のリスト[24]，適切な設計と入念な予備調査がなされた質問表，および大学や政府機関といった非営利的なスポンサーが必要である（Dillman, 1978；Heberlein and Baumgartner, 1978）．

　Bishop と Heberlein が行った鹿狩りに関する CV 研究は，こうした条件を満たしたこと（加えて奨励金として小額の謝礼金を支払ったこと）により，CV 研究の目的が回答者の関心と直接関係していると理解されたときには，郵便による調査でも 90 パーセント以上という例外的に高い回答率を得ることができることを示した（Bishop, Heberlein and Kealy, 1983）．しかし回答者の関心が少しでも薄れると，回答率は下がる．イリノイの自然保護の価値に関するある CV 研究で，Bishop and Boyle（1985）は，イリノイの住民のサンプルに対して，2 ドルの謝礼金と，注意深く設計した一連のフォローアップの手紙（再度質問表を同封し，配達証明郵便で無回答者に送られた最終的な手紙を含む）を用いたが，その努力にもかかわらず，回答を返送したのは，この質問表を受け取った付近住民の 66 パーセントと遠方の住民の 61 パーセントのみであった．郵便による CV 研究では，これよりかなり低い回答率である場合が多い．

　郵便による調査の回答率を計算する方法は，質問表に記入して返送した人の数をもとのサンプル数で割ることである．この方法では，そのリストの住所から転居したサンプルも質問表を受け取ったが返送しなかった人も無回答者に含めることになるが，すべての潜在的な回答者に到達するという課題の達成の程度が示される（Dillman, 1978：49）[25]．

　この方法によって計算された，郵便による CV 研究の回答率を**表 12-3** に示した．これらの調査のほとんどは，住所は正しいが最初の郵便に返答しなかった人に対して，少なくとも 2 回のフォローアップを行っている．また，Welle の調査，ならびに Bishop と Boyle の調査などでは，最終フォローアップのときに配達証明郵便を利用している．全般的に見て，こうした調査のほとんどに対するサンプル単位の調査範囲は，最新の郵便調査手法を用いた前述の調査の 60 パーセントというベンチマークよりずっと低かった．またかなりの調査で，選ばれたサンプルの半数以上が有効な回答をしなかった．

　郵便による調査では，電話による調査または面接調査に比べて単位回答率が低いばかりではなく，サンプル選択バイアスが発生する可能性も高い．この問題は，郵便による調査の場合，回答するかどうかを決定するのは回答者自身であり，回答者の協力を得て回答を聞き出すプロセスに，調査者が関与できないという特性があるために発生する．

　電話による調査と面接調査では，通常，無回答者は調査のテーマと関連がないと仮定することが可能である．その理由は 3 点ある．まず第 1 に，調査時に家にいなかった人，または質問に答える能力がない人の無回答は，その調査の主題に対する個人的な反応に関係がない．第 2 に，調査の質問を受けることを拒む人は，大抵調査の主題が提示される前に調査への参加そのものを拒む[26]．第

---

23) 調査方法論者は，通常，無回答率ではなく回答率で論じるため，以降の議論には調査法論学者の語法を採用することにする．回答率 60 パーセントは無回答率 40 パーセントに等しい．

24) この目的で電話帳を用いた場合，郵便による調査に対しても電話による調査と同じ種類のサンプル・バイアスが発生することが明らかである．

25) 回答率を計算する際，一般に郵送した質問表の数から，住所が正しくないために郵便局から返送された質問表の数が引かれるが，これは質問表を返送するよう回答者を促すことがどれだけ成功したかを知るうえでのみ妥当である（Dillman, 1978）．このような慣行は，転居しやすい母集団の成員が失われるため，大きい可能性のあるサンプル選択バイアスを隠してしまう．Berdie and Anderson（1976）によると，この慣行はもともと，調査者が実際よりも母集団の大きな割合に到達できたことを顧客に示す方法として，マーケティング調査会社が始めたものだという．

表 12-3　郵便による各種 CV 研究の回答率

研　究	郵送総数	回答数	回答率（％）
Hammack and Brown（1974）	4 900	2 455	50
Cicchetti and Smith（1976 a）[b]	600	240	40
Bishop and Heberlein（1980）[c]	257	221	93
Bishop and Heberlein（1980）[c]	237	190	80
Loehman and De（1982）	1 800	404	22
Schulze ら（1983）	2 103	166	8
Brookshire, Eubanks and Randall（1983）[b]	3 000	900	30
Stoll and Johnson（1985）[b]	1 800	650	36
Bargstrom, Dillman and Stoll（1985）	600	250	42
Bishop and Boyle（1985）	400	232	58
Randall ら（1985）	2 206	718	33
Sellar, Stoll and Chavas（1985）[b]	2 000	1 260	63
Sutherland and Walsh（1985）	280	171	61
Walsh, Sanders and Loomis（1985）	600	214	36
Welle（1985）	1 000	689	69
Tolley and Babcock（1986）	103	42	41

注）　a　ほとんどの部分に回答されたが，CV を聞き出す質問に回答がなされていないも
のを含む．したがって，WTP の直接的な推定に使用することのできる質問表の数は，
ここに記した数字より少ない場合が多い
　　　b　概数
　　　c　この調査は 2 つの独立したサンプルを含んでいる

3 に，面接または電話の質問調査を拒む人の研究（Stinchcombe, Jones and Sheatsley, 1981；Smith, 1983）から，回答の拒絶が発生するのは，それぞれの調査特有の理由ではなく，一般的な理由によることがわかっている．

　しかし，郵便による質問表を返送しなかった人については，この仮定はあてはまらない．受け取った人が封を切らないでごみ箱に捨てない限り，その質問に答えるかどうかの決定（その手紙をしばらく放っておくかどうかの決定を含む）は，その郵便に同封された手紙と質問表の内容に影響されると考えられる．各種の研究から，郵便による質問表が回答者の目を引く特徴をあまり持っていない場合，回答者が時間を割いてそれに記入し，返送する可能性が低くなることを示している(Heberlein and Baumgartner, 1978；Tull and Hawkins, 1984)[27]．公共財の場合，主題に対する関心とその財の回答者にとっての価値との間に相関関係があることが多いため，郵便による調査に回答しない人は，人口統計特性が同じで回答した人のカテゴリーと比べ，その財に対して低い値，あるいはゼロ値を持っている可能性が高い．

　つまり，郵便による調査はサンプル選択バイアスの可能性が高く，無回答者の WTP を推定または帰属させるために，有効な WTP を回答した人の情報を使うことはできないということである．これは，市場調査の教科書が一般的な母集団を使うことを勧めない理由の一つである（Tull and Hawkins, 1984 など)[28]．また，郵便による質問表が返送されない理由についての情報がないということは，サンプル選択バイアスを補正するためのデータの切り捨てによる誤差分布手法に，必要な補足情報がないことも意味している．

26）ここでわれわれは，このタイプのバイアスを避けるために多くの調査で行われているように，はじめに回答者の協力を要請する時点では，漠然とした言葉で質問のテーマが述べられると仮定している．たとえば質問者は，「飲料水のトリハロメタン汚染によるがんの危険を削減するために，人々がどれだけ支払う意志を持つか」についての調査だというのではなく，「ある種の環境問題について人々の意見を調べる調査を行っている」といった説明をするであろう．

27）郵便による調査に回答しない者の中には，テーマに関連しない理由による無回答者が含まれるのはたしかである．しかし郵便調査では，回答者が病気である，あるいは 1 ヵ月間海外旅行に出かけているといった理由を記録する質問者がいないという特性があるため，そうした理由による無回答者と，調査に答えることを拒否した無回答者とを区別することができない．

郵便調査におけるサンプル選択の問題に対処する方法として最も擁護できるものは（WTP の低い範囲が望まれるならば），イリノイの自然保護に対する経済価値の調査で，Bishop and Boyle（1985）が使用した方法であるように思われる．彼らはこの調査で，（住所が誤っていた者を除く）無回答者（サンプルの 30 パーセント以上）はその保護の評価値を＄0 と考えているという保守的な仮定をした．もし，母集団の推定値におけるこの調整がなされなかったら，そのアメニティの評価値はかなり過大評価されたはずである．

1.7　評価関数とサンプリングの設計

郵便による調査，電話による調査および面接質問における確率サンプル法の使用にかわる別の方法として，非確率サンプル法にもとづく CV 関数の推定を行うことができる．モデルにもとづくサンプリングと，確率にもとづくサンプリングというアプローチの論議は，統計学の文献において長い歴史を持っている（Hansen, Madow and Tepping, 1983）．モデルにもとづく非確率サンプリング法の使用によって推定される CV 関数の係数の効率は大きな利点であるが，この利点は正しいモデルを知っているという前提が条件となる．CV 研究では，CV 関数の正確な数学的形式がわからないことが多く，そのような誤同定の可能性が大きい．それゆえ，非確率サンプル法の使用は実に危険な戦略ということになる．

これまでのところ，CV 関数を推定するために非確率サンプル法で収集された CV データが用いられた調査は 1 件だけである．この調査では，調査者（Tolley and Randall, 1985）が，二段階のアプローチを用いることによって金額を制限している．まず，東海岸の 5 つの市における大気の透明度の改善に対する母集団の WTP を計測するために確率サンプリング設計を用い，それぞれの市に対する WTP の推定値を引き出せるようにした．それから，5 つの市のデータを結合し，米国東部全体の CV 関数を推定した[29]．

2．推論のバイアス

CV 研究の結果を使用し，ある調査で明示的に CV された政策変更以外の変更に関する事柄を推論したいと考える場合，別のバイアスが加わる可能性を考慮しなければならない．このバイアスの一つに時間選択のバイアスがある．これは，ある政策変更に対する公衆の CV が，時間とともに大きく変化するときに発生する．第 2 に，一連合計のバイアスの可能性がある．これは，"大きな"政策変更の評価値を得るために，個別に得られた"小さな"政策変更の評価値を足し合わせようと

28）一部の CV 研究者は，Wellman ら（1980）の行なった研究にもとづき，無回答バイアスは統計的に有意ではない場合が多いと主張している．Wellman は，CV ではない方法で戸外レジャーについての郵便調査（回答率 70 パーセント）を実施し，すぐに回答した人と遅れて回答した人の比較研究を行った．Wellman らは，この両グループが多くの特性で類似していることから，回答率を上げるための集中的なフォローアップに時間と労力をかけるのは，調査プログラムの他の段階にかけるよりも望ましいだろうと主張した．しかし，Wellman らはこの調査に回答しなかった 30 パーセントのサンプルの研究を行っていないため，この調査結果は，無回答がランダムであることを仮定する基準としては不十分である．彼らが行ったように，郵便調査に遅れて回答した人が無回答の代理として有効であるということを信じる先験的な理由はなく，それに反する実証的な論拠がある（Anderson, Basilevsky and Hum, 1983：479-480）．

29）Tolley と Randall が行った米国東部の CV 関数の困難な側面は，特定の市のダミー変数に有意な係数があるということである．この係数は，彼らが仮定したように，米国東部のどこでも大気の透明度に対して回答者が同一の CV を行ったのであれば，ゼロのはずである．この仮定が誤りであるかどうか，あるいはその CV 関数がなんらかの点で誤同定されたかどうかを判断するのは難しい．

するときに発生するものである．このような合計は，地理的な範囲を広げるとき，あるいは公共財の数を増やすときに行われると考えられる．ほとんどの場合，この大きな政策の構成要素は多少なりとも補完的であり，大きな政策の評価値は，その構成要素である小さな政策の合計より小さい．ある CV 研究で得られた便益の推定値を，ある面では類似しているが他の面では大きく異なる政策状況に移し変える問題については，次の章で考える．

2.1 時間選択のバイアス

　個人の選好にもとづく便益の推定は，それが実際の行動に現われたものであっても，意図された行動の言葉による表現であっても，必然的にその調査が行われた時点の選好の分布に依存する．時間選択のバイアスは，ある経済主体の持っていた時代遅れの選好にもとづいて便益の推定が行われるときに発生する．

　一部の経済学者が仮定しているように（たとえば Becker, 1976），比較的変わりにくい選好にもとづくものであるならば，CV 研究の結果を利用するときにその新しさについて心配する必要がない．特定のアメニティに対する CV にもとづく便益の推定値が非常に長い有効期間を持つ場合もある．しかし，われわれは選好は変化する（Etzioni, 1985）という立場を取っており，時間選択のバイアスの可能性を無視してはならないと考えている．たとえば，環境アメニティに対する公衆の選好，とくに公害抑制プログラムの結果として得られるアメニティは，1965 年から 1975 年の間に大きく変化している．長期にわたって世論調査の結果を検討しているある研究者は，1960 年代後半にアメリカ人の意識に浸透した環境問題のスピードと緊急性を「世論の奇跡」と呼んでいる (Erskine, 1971)．

　同様に，原子力発電所の建設継続リスクを容認する公衆の意志は，ペンシルバニア州ハリスバーグに近いスリーマイル島で事故が起こる前の 1970 年代半ばと比べて，10 年後にははっきりと否定的に推移している（Freudenburg and Baxter, 1985）．

　CV による研究は，時間選択のバイアスをどの程度受けるだろうか．これまでに研究結果が出されているほとんどの財の場合，調査にもとづく選好は十分な安定性を持っており，それから導かれる便益推定値は妥当な期間にわたって利用できるといえる．この主張の論拠となっているのは，第 1 に，世論データ，とくに特定の政策やプログラムに対して，（1）支出を増やす，（2）支出を減らす，（3）現状でよい，のいずれかを問う三択形式の調査にもとづくデータである．第 2 に，CV 研究自体が論拠となっている．以下にこうした論拠を詳しく検討したうえで，それとは反対に時間選択のバイアスを受ける可能性のある，新たに浮かび上がってきた一般住民の関心について論じることにする．

　環境の選好が大きな変化をしているとすれば，これは関心の一時的な推移というよりも全体的な変化であると思われる．1970 年以来，多数の世論調査が一貫して，環境保護に対する一般住民の高い支持を示している（Mitchell, 1984；Gillroy and Shapiro, 1986）．この支持のレベルは，原油の輸出禁止，エネルギー危機，国の経済に関する各種の重大な問題，環境規制への多額の支出，レーガン政権による連邦環境規制プログラムの範囲と方向性の再定義などにもかかわらず，不変である．また，米国世論調査センター（National Opinion Research Center）が，全国のサンプルに対して多数の主要な政策関連の質問を毎年繰り返す総合社会調査（米国世論調査センター，1983）のデータも，犯罪防止から宇宙開発計画に至るさまざまな公共財に対する選好が，この調査の期間

（1972-1983）にわたって安定していることを示している[30].

　CV 関連の文献にも，同じパターンの時間的な安定性が示されている．これまでのところ，異なる時点で同様の財を計測した CV 研究の WTP 推定値について 6 つの比較資料がある．こうした比較のほとんどは，使用されたシナリオが多少なりとも異なるため，厳密なものではない．Rowe, d'Arge and Brookshire（1980）は，米国南西部における大気の透明度の低下について，付け値ゲーム調査を 3 回繰り返した結果を比較した．この 3 回の調査は，基本は変わらないが方法の詳細が異なり，サンプルされた母集団もかなり異なっていたにもかかわらず，3 回とも "非常に似通った" 結果が得られた．また，Walsh, Sanders and Loomis（1985）は，ほぼ 10 年の間隔をおいて行われたコロラド川の水質に関する調査で，コロラド州立大学の研究者がほぼ同じ評価値を得たと報告している．

　Mitchell and Carson（1985）は，4 年の間隔をおいて（1980 年と 1984 年に）行われた 2 回の全国的な水質便益の CV 研究で同様の結果を報告している．Tolley and Randall（1985）は，異なる市で 1984 年に行なった大気の透明度の調査を（一部変更して）繰り返し，ほとんど同じ値を得た．Sorg（1982）ならびに Sorg and Nelson（1986）は，ワイオミングとアイダホで数年の間隔をおいて行ったヘラジカ猟の調査でほぼ同じ値を得た．Bishop and Heberlein（1986）は，1983 年と 1984 年にウィスコンシンでシカ猟の許可に対して行った CV による WTP の調査で，異なる回答聞き出し方法を用いたが，類似した値を得た．また 1 年後に同じ回答者の一部を用いて，部分的に繰り返したときにもやはり同様の値を得た（Heberlein, 1986）．Carson, Hanemann and Mitchell（1986）は，カリフォルニアでの水質債券（water quality bond）の問題に関する住民投票の模擬実験で，1 カ月の間をあけて実地世論調査を行い，同様の合計投票意志を得た．最後に，Jones–Lee, Hammerton and Philips（1985）は 1 カ月の期間をおいて CV による危険削減の金銭評価の質問で同じ結果を得ることができた．

　上記の例のほとんどは，回答者にとって以前からなじみのあるアメニティに関するものである．大きな獲物を狙うハンターは長い間ヘラジカを求めてきたし，水質汚染に関する問題も目新しいものではない．しかし，問題やアメニティが新たに認識されたものであるとき，あるいは古い問題やアメニティが突然広い世評を得るとき（1986 年に起こったソ連のチェルノブイリ原発事故ののちに，原発の危険性が急速に認識されたような場合），選好の安定性は問題を抱えることになる．

　有害廃棄物の投棄や，家庭内でのラドンガスの吸引による健康への害といった新たに認識された問題への一般住民の関心は，最初に高い関心を集め，メディアが他の話題に移るにつれて日常化され，多くの人がその問題を知るようになるというサイクルをたどる傾向がある．たとえば，1980 年 10 月から 1984 年 2 月までの約 3 年半の間に，ニュージャージー州の住民のうち，州内の化学性廃棄物の問題に対して個人的に「非常に憂慮している」と答えた人が 78 パーセントから 59 パーセントに低下している（イーグルトン政治研究所，1984）．同様に，「コストにかかわらず，化学廃棄物と有害廃棄物の処理が即時行われるべきである」と感じた人が 58 パーセントから 42 パーセントに低下した．1984 年にも，この問題に対する関心は他の問題に比べて高く，その廃棄物の処理に予算を費やすことへの高い支持も得られたが，有害廃棄物処理場の危険性を削減することの便益を

---

30) こうした選好を計測するために使用された形式は，国が各種のプログラムに現在費やしている金額の増加，または削減に対する選好を問うものであるため，主要な支出方針の影響を受けやすい．安定性を一般化するうえで唯一の例外は，国防に関する選好である．1973 年から 1980 年の間，防衛の支出を増やすことを支持する意見は増加し，1980 年代になって急激に低下した．しかしこれは，強固な国防力に対する人々の選好が低下したというより，レーガン政権が防衛費を大幅に増加したという事実を反映しているのであろう．

計測する正式な CV 研究が行われたならば，1980 年より 1984 年のほうが低い値を得たであろう．また，その州での毒性廃棄物の投棄に関連する劇的な出来事を別とすれば，1984 年の CV 研究で得られた便益推定値は，有害廃棄物が一般住民にとって新しく，あまり知られていない問題であった時点での推定値よりも，有効性を保つ期間が長いと思われる．

2.2 一連調査合計のバイアス

一連調査合計のバイアスについては，第 2 章で異なる公共財の量的な変化に対する WTP を加算することの問題を論じた際に紹介した．そのコンテクストで，Randall らの発見事項を検討した（Hoehn and Randall, 1982；Tolley ら，1983, 1985）．彼らは，補完財と代替財という経済概念を用い，多くの場合に個別の CV 研究で計測された構成要素の便益を結合すると，その評価値が大きくなりすぎる理由を説明した．また，各構成要素が同じ研究の中で順に評価されたとき，その要素の現われる順序が結果に影響することも立証した．結合したものが，グランド・キャニオンとロッキー山脈地域と米国東部の空気の質というように，異なる地域におけるアメニティの便益である場合，地理的一連調査合計のバイアスが発生する可能性がある．また，国の環境汚染抑制プログラムのうち大気汚染の抑制と水質汚濁の抑制というように，全体的なプログラムの異なる部分の便益を結合することもある．このような場合には，複数公共財の一連調査合計のバイアスが発生することがある．

汚染されたいくつかの湖を持つ地域の住民は，いくつかの理由により，第 2 の湖の浄化よりも第 1 の湖の浄化の価値を高く評価することになるであろう．それはまず，浄化された最初の湖は浄化された第 2 の湖の代替物となることができるからである[31]．また，最初の湖に対して金銭を配分すると，第 2 の湖の浄化のための資金が少なくなる．しかし，異なる CV 研究で個別にそれらの湖の評価を行ったならば，住民は，第 2 の湖に対してもそれが最初の湖であるかのように，CV するよう要請されたのと同じ扱いをするであろう．したがって，それぞれの値を合計すると，結合された浄化の便益を過大に評価することになる．一方，ある回答者が一つの調査の中でこれらの湖を順に CV する場合は，実際に浄化が行われる順序がそのまま評価されない限り，（湖全体ではなく）個々の湖に対する便益推定値がバイアスを受けることになる[32]．CV されるどのような財も，他の財に対して相対的な順序を持つことを明確にしておくべきである．すなわち，他の財は評価される財より以前，同時，あるいは以後に提供されるのである．

Randall ら（1985）は，全国的環境プログラム全体の WTP 推定値を，大気汚染と水質汚濁など，個別のプログラムの要素に分解する方法の問題点を考察している．彼らは，そうした構成要素が実行される順序がわからない限り，あるいは有用性の機能における非常に強い分離可能性の条件が満たされない限り，構成要素の値の独自の分解はないことを示した．根本的な問題は，代替と収入の弾力性が不明だということである．もし研究者が限界便益曲線の曲率についてかなり弱い仮定をするのであれば，順序に関係なく，WTP における上限または下限を得るためにいくつかの手法を利用することができる．こうした手法は，Randall ら（1985）が論じている．

---

31) 所得の影響が小さいとき，この 2 つの財が補完的なものであるならば，連続した第 2 の財は，それが最初におかれたときよりも高く CV されるであろう．

32) Walsh, Sanders and Loomis（1985）は，コロラドの自然を残した風光明媚な 15 河川の保護に関する便益の CV 研究において，川を追加していくとその保護の便益が減少することを明確に示した（1985）．

3．動機の正確さの誤謬：便益のカテゴリーとサブカテゴリーの評価

　これまでの 2 つの節で，異なる地域と異なる財の便益を合計する際の問題点を論じた．しかし，CV の文献において，ずっと多くの注目を集めているのは，一つの CV 推定値を異なる便益の構成要素に分解する方法の問題である．便益の多元的な特性を考察するコンテクストで第 3 章に述べられたフレームワークは，淡水の質の改善に対する総合的な値を 2 つの種類，すなわち使用と存在に分解し，さらにそれを 13 のサブカテゴリーに分けた．そしてそのうちの 10 のサブカテゴリーが，そのアメニティに対する人々の評価値に影響を与える可能性があると仮定した．このような分析の目的は，便益の全範囲を識別して，あるシナリオの中で何が計測され，何が計測されないと思われるかを調査者が認識できるようにすることであった．

　意志決定者は関連する便益を不十分にしか考慮しない傾向が見られる（Abelson and Levi, 1985：285）ため，研究者は，回答者が WTP の判断をするときに考慮する便益のすべての範囲を念頭におくことができるように，シナリオを設計しなければならない．あるアメニティから得られる有用性はこうした多元的な便益の一部，または全部から発生するかもしれないが，WTP の判断は全体的な評価にもとづいており，いくつかの構成部分を意識的に足し合わせて合計値に至るのではないというのがわれわれの主張である．

　CV の決定に関するこの見解は，あるアメニティのいくつかの便益カテゴリー，または次元を個別に CV するよう回答者に要請することの意義に疑問を抱かせる．回答者にとって，あるアメニティの望ましさを評価するというのは困難な作業である．自分ではなく，他人がそのアメニティを使用できるという事実を知るために，いくら支払う意志があるかを尋ねるのはさらに難しい．

　消費者の行動から類推してみよう．ほとんどの消費者は，新たに購入した車について，スタイル，馬力，座席の快適さ，トランクの大きさ，所有に伴う威信の各側面を自由形式で CV するよう要請されたら，それぞれの WTP を正確に述べるのは困難であろう．William James（Fischer, 1970：209 における引用）は，ある人の心理的な経験がいつ起こったかについて，観察している心理学者と同じ正確さで本人が理解していると考える誤りを，“心理学者の誤謬”と名づけている．これと同様に，回答者の CV の動機について，調査者の望む正確さで回答者自身が認識していると仮定する誤りは，“動機の正確さに対する誤謬”と呼ぶことができよう．

3.1　4 つの計測方法

　便益の各部分を個別に評価することが困難であるならば，どのような方法で各部分の意味のある計測を行うことができるのだろうか？　回答者があるアメニティから得るいろいろなタイプの便益に対して意味のある推定値を得るために，これまでに使用されてきた，あるいは使用できる計測方法が四種類ある．最初の 3 つの方法は回答者の主観的な判断にもとづくものであり，第 3 の方法はあるアメニティをどれだけ使用するかについて，回答者自身が報告した情報を用い，合計された存在価値の下限を推測するものである．方法ⅠとⅡは，とくに動機の正確さに対する誤謬に陥りやすい．

　方法Ⅰは，アメニティの便益カテゴリーを個別に回答者に説明し，それぞれの次元が自分にとってどれだけの価値を持っているか直接尋ねるものである．これによって直接的な使用，間接的な使

用，および存在のそれぞれの値が導かれたら，理論的には，その値を合計したものがその財に対するWTPとなる．この方法には単純さという長所があり，このアプローチを使ったこれまでの調査で，回答者はその質問に対する金額を実際に答えているが，動機の正確さに対する誤謬から考え，そうした回答は無効，あるいは無意味である可能性が高い．また危険な方法であるということもできる．WTP合計を大幅に過大評価する可能性があるからである．

方法Ⅱは分解法である．すなわち，先にWTP合計を聞いてから，それをいくつかの便益の構成部分に分けるよう回答者に要請するものである．それぞれの回答者は，"この〔合計〕額のうち，あなたは〔区分または下位区分の記述〕に＄__支払いますか？"といった質問を受ける．この方法は，最初に有効と思われるWTP合計を得てから，それらを無意味かもしれない各部分の値に分けるため，方法Ⅰよりは好ましい．また最初にWTP合計を得ることは，各構成部分の値を足したものが全体の値だと回答者が認識するのを助ける．

方法Ⅱは，第３章に述べた存在価値の定義の一つに一致する．つまり，経験にもとづいて存在価値を計測するためには，まずそのアメニティに対する回答者の総額を計測することが必要なのである．このWTPは，その財に対して回答者が有している使用価値と，存在価値の両方を含むであろう．存在価値の部分は，少なくとも理論的には，回答者の世帯がなんらかの理由でその財を使用できない，またはそれへのアクセスを持たないときに，それに対するWTPを回答者に尋ねることによって得られる金額に等しい．その新しいコンティンジェンシー（訳注：一般には「相手の出方次第で対応が変わること」と訳される．ただし，ここでは，「提示された仮想的世界」と訳したほうが適切であろう）が，その回答者にとって納得のいくものである場合には，このアプローチは誤謬を避けることができるといえよう．

こうした方法の使用を試みたCV研究者のこれまでの経験を見ると，これらの使用に伴う方法論的な困難さがよくわかる．方法Ⅰを用いた調査として，ある研究者たち（Greenley, Walsh and Young, 1982）は，将来のレジャーでの使用を考慮に入れてコロラドの河川地域の環境悪化防止に対する支払意志を尋ねた調査がある．

回答者は，続いて，「水に関連したレジャーとして，サウスプラット川地域を使用しないことが確実だとしたら」（社会的責任感），あるレベルの水質を保つ川の存在を知るだけのために，どれだけの支払意志があるかが問われた．さらに，将来の世代への遺産としての価値，ならびに準オプション価値を計測する個別の質問がなされた．Greenley, Walsh and Young は，回答者が質問を十分に理解しており，意味のある回答を出すことができたと信じているが，存在価値として得られた金額は，遺産としての価値および準オプション価値の金額とほぼ同じであった．このことは，回答者たちが頭の中でこうした次元の違いを正確に区別することができなかったということを示している（Mitchell and Carson, 1985）[33]．

一方，Walsh, Sanders and Loomis（1985）は，コロラドの自然を残した風光明媚な川を保護する便益の調査において方法Ⅱを用いた．彼らはそれぞれの回答者に総額を尋ねたあと，次の３つのタイプの便益にどれだけの割合を配分するかを質問した．すなわち，利用については"将来，こうした川でレジャーできることを保証するための保険料"，遺産，"本来的な属性"である．その結果得られたWTPの平均値には，ばらつきが見られた[34]．これは，無意味と思われる値の繰返しが避けられたことを示している．ただし，回答者が非利用便益のこの３つのタイプを確実に把握したうえ

33）水道料金という支払手段を利用した場合，サウスプラット川流域の全居住世帯の１カ月平均額は，計測されたその３つのタイプの便益に対してそれぞれ＄1.16，＄1.23，＄0.90であった（Greenley, Walsh and Young, 1982）．

で，その総額を配分することができたかどうかという点については，疑問が残されている．

　方法Ⅲは，異なる二次サンプルに対して，あるいは場合によっては同じ回答者に対して，2つ以上のシナリオを提示するものである[35]．このシナリオは，調査者が計測しようとする特定の便益部分に関してのみ異なるようにする．それによって，2つのシナリオに対するWTP合計の間の差異から，（レジャー目的で利用できる，または利用できない自然区域など）計測しようとした質の推定値が導かれる．この方法は，あるシナリオに対する総額のみを回答するよう要求するものであるから，動機の正確さの誤謬を避けることができる．異なるシナリオが真実と思われるものであれば，この方法はコストはかかるが有益なアプローチとなる．

　方法Ⅲの変形として，そのアメニティをCVする動機となり得るものが，特定の便益の分類，またはカテゴリーの中のみにある単一のシナリオを作ることができるであろう．この変形に使われる第2のシナリオ（その便益の分類を持たないもの）に対するWTPはゼロであると仮定することができる．

　方法Ⅳは，便益の構成部分に対する回答者の主観的な評価にまったく依存しないため，動機の正確さの誤謬を避けることができる．この方法では，存在価値を間接的にCVするために，その財の報告された使用および/または期待される将来の使用を用いる．回答者の自己報告によって，そのアメニティを使用する人と使用しない人に分けたうえで，WTPを従来の方法で計測する．そのアメニティに対する非使用者のWTPは，非使用または存在価値の比較的純粋な表現として扱われ，使用者のWTPは，使用価値と潜在的価値の組み合せを含むと考えられる．使用者のWTPのどの部分が，存在価値のカテゴリーに配分されるかを決定する適切な外的規準がないため，このアプローチによって得られる存在価値の推定は，存在価値の下限となる（Fischer and Raucher, 1984）．このような方法論的な制約にもかかわらず，この方法は，存在価値の程度に関する有益な論拠を提供するということができる．

3.2　存在価値の推定

　環境アメニティの存在価値の程度というのは，便益を推定したいと望む人にとっての大きな関心事項である．たとえば，Freeman（1982）は，CVMによる調査に伴う問題点にもかかわらず，1980年の時点で利用できる大まかな証拠にもとづき，水質の存在価値に関する全国的な推定値を調査した．また，Fischer and Raucher（1984）は，各種のCV研究などを中心に，その後の水質便益の調査結果を包括的に概観し，"内包された〔存在〕価値は明白なものであり，小さくはない"と結論した．われわれはこの総括的な結論には同意する．しかし，水質の存在価値の程度をより正確に推定するには，方法Ⅳの利用に伴う問題を看過してはならないと考えている．この問題は決して些細なものでなく，存在価値の推定値を用いるときには十分な注意が必要である．ここでわれわれの行った研究を例に取り，こうした問題の一部を説明してみよう[36]．

　全国的な水質便益調査のために，1980年に行なった試験調査（Mitchell and Carson, 1981）では，

---

34) Walshらは，「15の最も価値ある川」の四種類の便益に対して，1世帯当たりそれぞれ$9，$16，$28および$36という値を得た（Walsh, Sanders and Loomis, 1985：72）．

35) 同じ回答者を用いることは2つの調査を行うよりずっと費用がかからなくてすむであろうが，シナリオの混同という問題が浮上する．回答者は，最初のシナリオの内容に影響されずに，第2のシナリオをCVすることができるだろうか？

36) ここでは方法Ⅳを利用したすべての調査を論評するつもりはない．この点についてはFischer and Raucherの行なった概括に述べられている．水以外の便益をCVするために方法Ⅳが利用された好例としては，ハイイログマとオオツノヒツジの保護の便益を調べたBrookshire, Eubanks and Randall（1983）の調査を参照されたい．

過去2年間に川でのレジャーを行わなかった回答者の値を，ほぼ純粋な非利用の便益を代表するものと扱うことにより，全国のいろいろなレベルの水質に対する存在価値を予備的に推定しようと試みた．われわれは，できる限り真実に近い仮定として，過去の利用が将来の利用を予測させるものであるという仮定に立ったのである．そのうえで，水にかかわるレジャーを行う人の平均存在価値は，それを行わない人の存在価値と同程度であると仮定した．これによって，水のレジャーを行う人の利用価値は，支払意志の総額から存在価値を引くことによって得られることになった．

　この作業によって，存在価値は回答者のWTPの合計の大きな割合（約55パーセント）を占めることが示されたが，この方法にはいくつかの問題点があった．まず，利用者の存在価値を配分する手順が恣意的であったため，存在価値が過小評価または過大評価された可能性がある．第2に，利用者と非利用者を区別するために用いた質問が，家族の他の構成員による水のレジャーを考慮せず，また間接的な利用の行動も計測しなかった．その後の水質便益調査で，世帯での利用の情報を得たところ（Carson and Mitchell, 1986），存在価値の推定値はWTPの合計の40パーセントから19パーセントにまで下がった[37]．しかし，非利用者が現在のレベルより高い水質レベルに対する利用価値を持つこともあり得る．その場合，非利用者のWTPのすべてを存在価値とするというわれわれの方法は，このレベルにおける水質の真の存在価値を過大評価していることになる[38]．

　Mitchell and Carson（1981）の行った調査の問題点から，内包された便益を計測するために方法IVを利用する際のガイドラインを考えることができる．第1に，世帯の便益を計測する調査では，世帯での利用が計測されるような方法で，利用者と非利用者の区別が行われなければならない．第2に，（たとえば直接的と間接的など）可能な限り多くの利用カテゴリーが計測されるべきである．一部のカテゴリーが計測されないときには，その事実，およびそれが導いたと考えられる効果を調査報告書に明記することが必要である．第3に，妥当な場合には，改善された状況におけるそのアメニティの利用の可能性が識別されるべきである．第4に，存在価値の真に有効な計測値は非利用者のWTPであるということを念頭においておかなければならない．利用者のWTPのうち存在価値に帰属させることのできる部分を特定する方法は，どうしても恣意的とならざるを得ないからである．

　利用されるアメニティの評価に存在価値を含めることができるというCVの特性は，利用便益しか計測できない他の方法（たとえばトラベルコスト法）に優る，最も重要な利点の一つである．われわれは，これまでの調査結果に鑑み，水質の全体的な便益から存在価値を除くとその便益の程度を相当に過小評価することになるというFischer and Raucher（1984）の意見に同意する．しかし，彼らの検討したひと握りのCV研究を用いて，費用便益分析における存在便益を推定する確たる根拠とするのは時期尚早であると思う．われわれの調査を含め，現在計測されている存在価値は，まだこの推定に利用できるほど正確なものではないのである[39]．

4. 要約と結論

　CV調査の結果を合計して，公共財の異なるレベルの提供に対する便益の推定値を得ることは，

37）最高の値が得られたのは回答者の直接的な利用のみを計算したときであり，最低の値が得られたのは，利用の構成部分として家族の構成員の直接的または間接的な利用を計算したときであった．

38）水質の現在のレベルにおいて，代替となる場所のほとんどの消費者にとって最も普及した利用可能性を仮定すると，この要素から発生する過大評価は，この場合には小さいと思われる．現在の代替が利用可能ではなく，"新たな"アメニティが提供されることになるときには，それは小さいとはいえないであろう．

こうした調査結果を公共政策の決定に利用するために必要なステップである．サンプルと無回答の
バイアスから生じる合計のエラーの程度は，非常に大きい可能性がある．本章では，確率にもとづ
くサンプル抽出法にかかわる問題点を要約し，各種のデータ収集方法の利用に伴うサンプリング・
エラーの矛盾を検討し，サンプル無回答バイアスとサンプル選択バイアスを補正するために用いら
れる手法について論じた．最終的なデータにおける一定のカテゴリー（たとえば高齢者，教育レベ
ルの低い人など）の比率が実際の比率より低い傾向があるために，サンプルに選ばれた人の一部に
質問を行うことができないこと（サンプル無回答）と，質問を受けた人から有効な WTP を得るこ
とができないこと（項目無回答）の両方がバイアスを生み出す可能性を検討した．そのうえで，デ
ータセットに重みをかける統計手法，および項目無回答の場合には欠測値を帰属させてバイアスを
補正する統計手法の利用を推奨した．

　残念ながらこうした手法は，サンプル選択バイアスの問題には適用することができない．WTP
の無回答が回答者の識別できるグループの中にランダムに発生するものではないからである．郵便
による調査は，回答者が意識的に無回答とすることを選択している可能性があるため，とくにサン
プル選択バイアスが発生しやすい．

　続いて，すでに確立しているアメニティの便益を計測する CV 研究は，時間選択バイアスは受け
にくいと主張した．しかし新たに認識された財の評価は，時間の影響を受けやすいことがわかって
いる．また，個別に計測されたプログラムまたはアメニティの値を加算することは，一連調査合計
のバイアスの問題に直面する．このバイアスは，そうしたプログラムまたはアメニティが，一つの
調査の中で，その提供される順序に従って計測されない限り排除することが難しい．われわれはこ
のバイアスが十分認識されておらず，ときおり非常に大きくて納得しにくい CV 推定値が見られる
原因の一つになっていると確信している．

　本章の最後の節は，利用価値や存在価値といった便益の種類，またはカテゴリーが，CV 研究の
中で意味のある計測をなされ得るかという問題に焦点を当てた．ここでは，こうした値を計測する
ための 4 つの方法について論じた．最初の 3 つの方法の主な問題は，動機の正確さに対する誤謬，
つまり判断の背後にある動機を，調査者の望む正確さで回答者が認識していると仮定することによ
る誤りである．第 4 の方法は，回答者に自分の動機を解明してもらうのではなく，あるアメニティ
について非利用者が回答した値を基準として，存在価値を推定するものである．

　これは便益のカテゴリーを計測するのに役立つ基盤を提供する．しかし，この方法を用いた各種
の実験から，一連の解決しがたい問題が提起されている．そうした問題点のために，現時点での存
在価値についての相対的な程度を，確実に評価することが困難となっている．

---

39) その一例として，提案された Toulumne 川開発の費用便益分析を行った環境保護基金（Environmental Defense Fund）の研
　究（1984）がある．ここでは計測された利用価値の 60 パーセントをその保護の存在価値と計算している．どうして 60 パー
　セントなのか．この数値は，Fischer and Raucher がなんらかの存在価値の推定値を得ることのできた 9 つの調査の加重平
　均である．つまりサンプリングの方法，サンプルサイズ，バイアスのテストから見てこの 9 調査の質が大きく異なっている
　という事実にもかかわらず，これらをすべて等しいものとして扱っているのである．この率の基礎となったデータの基盤が
　強固なものでないため，この資源の真の存在価値は，利用者の便益の 20 パーセントから 120 パーセントまで，どのように
　でも考えることができる．CV の文献から推定して存在価値の割合を妥当な範囲に絞ることができるようになるには，さら
　に多くの研究が必要である．

第 13 章

結　論──
ＣＶＭの将来

　CV は，非市場財の提供という経済的な便益を計測するうえで大きな力を発揮する多用途のツールとして，今後の発展が期待される手法である．これは，まだ提供されていない財を含む多様な財の多様な経済便益を，経済理論に矛盾しない形で直接的に計測する可能性を有している．他の方法では，一部の便益しか計測することができず，現在する財の，現状での量と質の価値の計測に限定される．しかも，こうした方法を利用する研究者は，利用可能なデータから便益の推定値を引き出すにあたり，多数の検証不能な仮定をしなければならない．

　しかし CV 調査は，本当に便益の推定に利用できる十分な信頼性と有効性を持つ値を計測することができるのか？　この問いに対し，われわれは基本的に肯定の立場を取っている．回答者が戦略的に行動し，評価値を故意にゆがめるという意見に対しては，第 6 章と第 7 章に検討したとおり，各種の反証があがっている．この点についてはわれわれも Arrow（1986：183）の結論，すなわち「実験的な証拠からも理論的な論議からも，（CV 研究において）戦略的なバイアスが起こりやすいという主張には納得できない」という意見に賛成である．また CV 調査の仮想的な特質が，必ずしもその有用性の障害となっているわけではない．

　しばしば漠然と定義された財に対する制約のない態度を計測する通常の調査と異なり，CV 調査は具体的に期待される行動を引き出す．たとえば，「この地方の大気の質にこれこれの改善がなされるならば，自分の現在の収入の中から，税金の上昇という形で年にあと $X 支払う意志がある」といった回答を得ることができるのである．態度と行動に関する文献から，われわれは，行動の予測を最大にすることが発見された属性は，ほとんどの CVM のシナリオの基本的な構造とほぼ共存できると確信している．また，第 9 章に論じたような管理された実験において，同一の形でシミュレートされた仮想市場の結果を比較したところ，実際の支払いが関係するときには，準私的財の仮想市場から市場の結果を予測することができることがわかった．こうしたデータを裏付けとして，懐疑派（Kahneman, 1986；Freeman, 1986 など）と調査実行者の間に，CV 研究はレジャーとしての地域のアメニティといった“なじみのある”財については，意味のある計測をすることができるという合意が確立されつつある．

　それでは，大気浄化や各種の危険削減といった，それほどなじみのない財の便益の計測のために，CV 調査を使用することはできないのだろうか．なんらかの基準に則ってこういった問題に関する CV 調査の正確さをテストすることができないため，その有効性を論じるのは難しい．Bishop and Heberlein はウィスコンシン州サンドヒル保護区での鹿狩りの許可について，シミュレートされた市場での販売という方法を用いたが，大気の透明度にそのような手法を使うのは不可能である．純粋公共財の意味のある価値が CVM によって得られるのかどうかに懸念を抱く人々は，CV 調査ではよく知られた財の消費者市場を再現するべきであるという見解を持っている．この見解では，CVM は，回答者が調査に参加するよう要請された時点で，その財に対するはっきりとした選好の順序を持っているか（Freeman, 1986；国務省, 1986：27721 参照），あるいは CV の過程により，そうした確固たる選好の順序を獲得する広範な学習過程が提供される場合にのみ適切に機能し，それ以外のときには有効な WTP が得られないと考えられている．この立場に立つ人々は，45 分にわたる面接調査でもそのような学習経験を提供できないと見ているのである．

　われわれは，こうした懐疑派の提起する問題点に共感はするが，意味のある CV にはその前に“十分訓練された”選好が必要だという彼らの見解は，誤った市場モデルにもとづいていると考えている．純粋公共財――人々が直接的に価値をつける経験を持つ可能性が最も低い財――の CV 調査に用いるべきモデルは，住民投票であるというのがわれわれの見解である．市民は住民投票の場

で，公共財の提供について拘束力のある決定を行う．この観点から見ると，妥当な市場モデルが十分にないどころか，適切な CV 調査は消費者の選好を計測する一手段として，実際の住民投票に対して重要な改善点を提供すると考えることができる．

第 1 に，CV 調査は住民投票に比べ，十分な情報にもとづく決定を引き出すことができる．投票者の決定に関するこれまでの研究から，論争の的となっていない事項に投票するときには大衆が情報の空白に直面することが多く，政治家の言葉に頼るか，熟考せずにその場で決定しがちであることが明らかになっている（Magleby, 1984）．それに対して，CV 調査では回答者に対し，かなり詳しく，的を絞った情報が提示される．第 2 に，CV 調査は，ほとんどの住民投票より全体の意見を適切に代表することができる．実際の住民投票では，投票率が低く，また投票した者の中に占める一部のカテゴリー（たとえば教育レベルの低い者）の割合が低いため，投票する人が全有権者の適切な代表とならないことが多いのである．その点，CV 調査は確率サンプリング法，再調査，帰属手法を用いることにより，より適切な回答者に到達することができる[1]．

CV 調査は，シナリオに説明された仮想市場に注意深く従い，それが真実らしいと考えるよう回答者を動機づけることができるならば，市場で取引されないアメニティに対する消費者の選好について，意味のある情報を得る可能性を提供する．回答者は質問を受ける中で，シナリオに提示された内容，それまでに持っている情報，および政府が税金をどのように使うことを望むかという選好にもとづき，そのアメニティに対する自分の WTP を決定する．

1．研究の妥当性と質

CVM は将来性のある技法ではあるが，CV 研究を実行するにあたり，方法論的に少なからぬ問題点があるという点は否めない．理論的にも技術的にも正確で，同時に理解しやすく真実らしく思われる形で，回答者に考慮してほしいと政策決定者が望む事柄を回答者に伝えるのが困難なことが多々あるからである．この問題はしばしば CV の実行者に過小評価され，また CV 研究がすべて同じ質を持つと考えがちな便益分析者によって無視されてきた．しかし，CV 研究を使用しようとする者は，その結果に信頼をおくべきときと，そうでないときとをどのようにして区別することができるのか？　答えは調査の質を吟味し，使用者が CV したいと望む政策変更に対するその調査の妥当性を評価することによってのみ，判断できるということである．

1.1 妥 当 性

CV 研究の数が増えるにつれて，ある状況のために設計されたシナリオを持つ調査が，他の状況についてなんらかの事項を推論するために使用されることが多くなりがちである．ある特定の目的に対する調査の妥当性，または移転可能性を評価するためには，その調査によって計測された変化と，政策の実施によって生じる変化を慎重に突き合わせる必要がある．ここで問題となるのは，シナリオに説明されたアメニティの提供と，政策変更に伴うアメニティ変化の間の一致である．また，アメニティが計測される文脈も問題となる．CV 調査では，回答者が評価する改善点は，回答者に

1）政治市場モデルを使用するときの本当の問題点は，調査者が，CV 調査で計測されたアメニティについて，実際に住民投票が行われたときに発生する，比較的情報が少なくて適切でない代表に投票を予測することを望むのか，あるいは比較的多くの情報が与えられ，適切な代表に投票が行われたときに起こる事柄を予測することを望むのかという点である．

提示されたそのシナリオに限定されたものである．WTP は，評価値を引き出すために使用された仮想市場での提供方法，支払手段，その他の特性に影響されやすい．さらに，その調査のために質問されたサンプルとその政策の影響を受ける母集団が一致しているかどうかも検討しなければならない．

たとえば，カリフォルニアのある農村における殺虫剤の飲料水汚染による低レベルの危険を削減するプログラムの評価値を推論するために，イリノイ州南部のある地域における飲料水の危険削減に関する CV 調査（Mitchell and Carson, 1986 c）の結果を使用することを考えてみよう．イリノイの調査では，トリハロメタン——飲料水を殺菌するために使用される塩素と，原水の有機物質の相互作用によって発生する発がん物質——の危険の削減を評価したのである．この危険は，EPA の定めた最大汚染レベルの危険より少し上のいろいろなレベルから，最大汚染レベルに示された 10 万分の 1 まで削減されるものとした．カリフォルニアで評価される死亡危険の削減がイリノイで評価されたものと同じ規模であり，両方の場所で行われた危険削減の手段が，自治体の飲料水処理施設の変化にかかわっていると仮定しよう．比較を行うために考えるべき点は，

（1）カリフォルニアの住民にとっての殺虫剤の危険は，イリノイの住民にとってのトリハロメタンの危険と同じ意味を持つか．とくに，カリフォルニア住民が殺虫剤の危険は困ったことではあるが，必要な行動のための避けがたい副産物だと考えているか，それとも異なる受け止め方をしており，それが便益の推定に影響する可能性があるか？

（2）カリフォルニアで削減された危険のレベルは，トリハロメタンの最大汚染レベルに匹敵する，公表された基準であるか．そうでないならば，カリフォルニアの住民が自分たちにも同じレベルの安全性があると信じていることが重要である．

（3）カリフォルニアのプログラムは，イリノイの調査で用いられたように水道料金という支払手段を採用するか，繰り返すが，支払手段の違いが WTP に影響を与える可能性がある．

（4）イリノイの調査において回答者の WTP に影響を与えることが示された人口統計上の特性が，カリフォルニアの住民に対してもほぼ同じか？　そうでない場合には，たとえば CV 関数などを用いてカリフォルニアの推定値を得ることにより，その違いを考慮に入れなければならない．

1.2　調査の質

CV 研究による推定値を使用したいと考える人は，その調査の妥当性を調べるのに加えて，その質も判断しなければならない．ある政策の便益に関する情報がまったくない場合には，欠陥のある CV 研究の結果も，その政策の評価値の範囲を大まかに示してくれる手がかりとなり得るが，そのように役立てることができるのは，その CV 研究の欠点が認識され，考慮されたときだけである．それに対して，質のよい CV 研究の結果は，不確定性の範囲を大幅に縮小することができる．

CV 調査の質は，どのようにして判断することができるのか．魅力的と思われる一つのアプローチは，サンプルサイズが 200 以上，回答聞き出し方法として付け値ゲームが使用されていることなど，前もって設定した基準に合致する CV 調査のみを有効とすることである．これはすでに何度も引用した水資源委員会の『プランニングの原則と基準』が推奨する 2 つの基準である（水資源委員会，1979；国務省，1986：27722）．しかしわれわれは，この種の規定的アプローチの採用は非生産的だと考えている．

　第1に，そうした基準はあまりにも固定的である．ある CV 調査に適当な設計の特性は，その調査で評価するアメニティによって大きく異なる．ある状況で望ましいものが，別の状況ではまったく不適切ということもあり得るのである．同様に，ある調査に適切なサンプルサイズは，人々のWTP の自然の分散，観測された分散に対してその調査手段が果たした役割，および政策決定者の望む正確さの度合いに依存している．

　第2に，われわれの現在の知識の状況から考えて，多くの重要な問題に決定的な判断を下すのは時期尚早である．たとえば，水資源委員会が1979年に付け値ゲームの使用を推奨したあとに，この回答聞き出し手法は，開始点のバイアスを受ける傾向が非常に強いという証拠が次々と明らかになっている．しかし，同委員会の推奨に重きがおかれているため，CV 調査者の反対にもかかわらず，政府の契約担当者は付け値ゲーム法の使用に固執している．

　第3に，政府の指導文書によって定められる最低基準は，それ自体が目的となりやすい．用途によってはサンプルサイズ 200 というのは小さすぎるが，調査者や研究者は，委員会の推奨にそっているゆえに十分だと考えてしまいがちである．最後に，多くの潜在的なエラー発生源があるために，規範的な基準ではそれら全部に適切に対処できない CV 調査が困難に直面することになる．いくつかの規準の存在は，それに合致する調査に対する過剰な信頼をもたらすことになるだろう．

1.3　ベスト・プラクティス基準

　われわれが，好ましいと考えている別のアプローチ，すなわち“ベスト・プラクティス（最良の実施例）”基準に照らし合わせて個々の調査ごとに評価する方法である．このためには，そのような検討を行うことのできる人の判断と，主観的な手順が必要なのはたしかであるが，これは研究者同士が検討し合う形であり，これまでにも行われてきた実行可能な方法である．本書は，CV 調査においてベスト・プラクティス基準となるのは何かを理解することに貢献してきたつもりである．CV 調査のエラーの潜在的発生源を識別し，その影響を最小にするためにわれわれが提示したフレームワークは，CV 調査に対して回答者がどのように行動するかについて，これまでに知られている知識の総合にもとづいている．われわれの判断の一部は，CV 研究者の間の一般的な合意，すなわち，他の方法はもっと純理論的であるという考え方に立つ．

　（第11章と第12章，および付録 C で論じたような）信頼性のある有効な WTP の計測に関するわれわれの見解は作業仮説であり，これからテストされ洗練されるべきものだと考えていただきたい．この問題の複雑さとわれわれの知識の不完全さから，明確なベスト・プラクティスがないという状況に直面することは避けがたい．ある調査において，支払手段といった特定の要素がとくに問題を抱えていると考えられるときには，大規模な予備調査，あるいは最終的な調査で分割したサンプルを用いる実験を行うことにより，その影響を調べることができる．この二次サンプルが無作為に選択され，適切な感度のテストを行うのに十分な大きさを持っているならば，支払手段 A を用いて得られた結果と支払手段 B を用いて得られた結果を比較すればよい．違いが発見されなければ，この要素はバイアスの発生源として見なされず，もし違いがあれば，結果の解釈によってこの問題に対処しなければならないことになる．

　CV 調査の推定値に影響を与える可能性のある外部要因が多く，その影響についての知識が不完全であることから，われわれは明白な設計基準の採用を推奨する．それは設計の決定がなされなければならないが，明確にバイアスのない方法がないというときに選択をするための規則である．多

くの場合，あるシナリオ要素についての合理的な選択が WTP を上昇させる可能性があり，他の合理的な選択がそれを低減させる可能性があるならば，常に後者を選ぶことによって常に決定を行うという保守的な規則に従うのが望ましいであろう．たとえば，月額または年額で WTP を問うことができる場合，（この基準に従い）回答者に自分の回答が財政的に意味するものをはっきりと認識させることのできる年額のほうがよいといえる．

妥当な範囲で一貫してこの規則が遵守され，他の点で適切な形で実行されるならば，保守的な設計規則にもとづくことにより，結果として得られた WTP の推定額が，そのアメニティの真の価値の信頼できる下限であることを保証することになる．しかし，反対にゆるやかな設計規則のほうが望ましい状況もある．たとえば，あるアメニティの評価値の信頼できる上限を示すことが目的である裁判に使用するために，調査の実施を委託される場合があるかもしれない．

調査内容を検討しやすくするために，CV 研究者は，サンプリングの設計と実行の基本的な情報，その調査手段と各種の設計決定の背後にある仮定を導くために使った予備調査の方法，CV 関数を推定するために使用したその他の変数の値，および一部の観測が分析から除かれた場合には，その理由についての基本的な情報を調査報告書に提示すべきである．その報告書に調査手段のコピー[2]，すなわち回答者に提示したすべての資料，推定値の基準となったそれぞれの WTP のランク別のリストなどを含むことが不可欠である[3]．

2．CV 研究結果の評価

次の質問リストに答えることにより，分析者または研究者は，CV 研究を評価するのに必要な基本情報を得ることができるであろう．本書に提示された論議に従って回答していただきたい．適宜，そのテーマを考察した章を示した．

1．背　景

調査のスポンサーは誰か．スポンサーはそのアメニティの提供にどのような利害を持っているか（第 11 章）．

データはいつ収集されたか．その後，その便益の推定に影響を与えると思われる大きな世論の変化が生じたか（第 12 章）．

2．サンプリングと集計の手順（第 12 章）

その調査はサンプルでどのような母集団を代表しようとしているのか．

対象母集団からサンプルを抽出するために，どのようなサンプリング・プランが使用されたか．確率にもとづくものか．また，それはどの程度適切に実行されたか．

もとのサンプルサイズ，サンプリング回答率，および便益の推定に使用された WTP の回答者はどれぐらいの数か．

CV の質問に対する無回答率は何パーセントか．

無回答が便益推定値にどのような影響を与えているか．

3．シナリオ

2）われわれは，論文誌編集者が CV 研究の論文を提出する研究者に対し，完全な質問表のコピーをつけるよう要請し，これが批評者に提供されるようにすることを推奨する．CV の論文が受理されたときには，シナリオの主要部分が本文または付録に提示されることが望ましい．

3）CV 研究結果の報告方法のモデルとなるのは，Greenley, Walsh and Young(1982)，ならびに Devousges, Smith and McGivney (1983) の報告である．

シナリオを評価するには，次の３つの側面が考慮されるべきである．（A）用いた仮想市場は経済理論から見て妥当なものか．（B）シナリオは評価される政策に適切な関連を持つか．（C）回答者がシナリオを理解できると思われるか．

主要な質問は次のとおりである．

アメニティはどのように記述されているか．平均的な人間がその記述を理解できるか．どのような所有権が想定されているか．使用された尺度（WTP または WTA など）はその所有権に対して適切で，回答者にとって意味を持つか（第２章）．

評価されるアメニティは，回答者が混乱する可能性のある関連アメニティと区別されているか（第11章）．

そのアメニティに対する回答者の WTP には，便益のどのようなタイプ（使用または存在など）が含まれていると考えられるか（第３章および第11章）．

調査者は順序の影響を認識しているか．たとえば，意図的な順序の効果が望まれておらず，一つ以上の財または提供のレベルが CV されるとき，最初の改善点を CV する前に何が質問されるか回答者に情報が与えられているか．また，ある時点で回答者が前に答えた額を変えたいと望むときには，そのチャンスが与えられているか．

支払手段や提供の可能性といったシナリオの主要な要素は，評価される政策に対して適切か．回答者は十分な情報が与えられたうえで回答できるか．

アメニティの説明は正確か．アメニティとその提供の程度の変化に関する説明は，どのような範囲で政策の使用に妥当性を持つか（第11章）．

調査手段の影響によるバイアスの潜在的発生源を最小にするため，シナリオの表現にどのような注意が払われているか（第11章および第12章）．

４．調査手順（第３章，第４章，第12章）

データ収集のためにどのような方法が使用されたか（電話または郵便による調査が使用されたときには，これらの方法特有の問題に対処がなされているか）．

調査手段の開発と予備調査に使用されたのはどのような手順か．

調査がどのように運営されたか．この情報は，調査の方法によって若干異なるであろう．とくに重要な点は次のとおり．その調査は回答者に対してどのように説明されたか．スポンサーとして示されたのは誰か．面接または電話で質問をしたのは誰か，あるいは郵便調査を処理したのは誰か．一般的な調査の基準を満たすために，どのような方法が使用されたか．

５．データ分析

外れ値と抗議の意味での回答を識別し，それに対処するために，どのような方法が使用されたか．その方法の有効性を判断するために除外された事例について，十分な情報が提供されているか（第10章）．

欠測データを補正するために，どのような方法が用いられたか（第12章）．

CV 関数が推定される場合，他の特定化が考慮されたか．その CV 関数は，それを推定するためになされた仮定の逸脱に対して強固であるか（第２章および第12章）．データは独立した分析に使用できるか．

６．信頼性と有効性の論拠（第９章および第10章）

CV 研究を適切に評価するには，データ収集のために使用された完全な質問表を検討することが必要である．主要な点は以下のとおり．

　質問表（前おきの部分を含め，回答者に提示されたすべての資料）は，全体にわたって明確な表現がなされているか．説明の部分は，回答者の関心を維持できると思われる形で提示されているか．質問表は，純粋に中立的な調査手段の場合より，そのアメニティに対して，高い，または低い値の回答を促す部分を含んでいないか．表現が調査の仮想的な特質，あるいはそれが公共政策に与える影響を強調しすぎ，回答者の戦略的な回答を導いていないか．アメニティに関して提供された情報には，その CV を意味あるものにするのに必要なすべての特性が含まれているか．

　サンプルとシナリオの設計を決定するために，なんらかの一貫した設計規則が用いられたか．もしそうであれば，それは調査結果にどのような意味を与えているか．

　回答者が調査者の意図のとおりに質問を理解したという証拠として，どのようなものがあるか．回答者のシナリオの理解に一致する（または矛盾する）回答者の各種グループの回答パターンを調査者が論じているか．調査の終わりに質問者から報告を受けるために行われた話合いの結果が提示されているか．

　本書または他の文献で示されたような発生源によるバイアスの影響，とくに最も大きな問題を起こすと考えられるバイアスの影響として，どのような論拠が存在するか．とくに実験の結果が，分割したサンプルを用いるといった調査の設計に組み込まれているか（第 5 章）．

　理論的に妥当な一群の予測量変数における WTP の回帰分析の結果はどのようなものであるか（これは信頼性と有効性の論拠を提供する）．

　感度分析が行われているか．もしそうであれば，その結果はどのようなものであるか（これは結果の安定性の評価に役立つであろう）．

　サンプリングの有効性にもとづき，WTP の推定値にとっての統計的に信頼性のある区間となるのはどの範囲か．サンプリング以外の誤りが及ぼした影響が十分に論じられ，それに対して適切な警告がなされているか．

3．今後の応用

　現段階では，CVM の限界と可能性について未知の事柄が多数あるため，今後この方法が用いられるときには，常に調査設計の一部として方法論的な実験が含まれるべきである．ここにそうした実験テーマを列挙するのはひかえたいと思う．読者は，これまでの章に述べてきた多くの方法論的な問題点を参考にしていただきたい．ここでは，これまでに使用されてきた分野，すなわち環境便益の評価を越えて，CV 研究を拡大するという別のタイプの研究テーマについて述べておこう．

　CVM が有用性を発揮する可能性がある一つの研究分野は，"地域的な公共財"（Stiglitz, 1977）の金銭評価である．これはとくに都市において意義があると思われる．こうした公共財としては，市の公園，博物館，図書館，初等・中等教育プログラムの大きな変更，警察および消防業務の拡大，ホームレスの救済プログラムなどがある[4]．この種の財の金銭評価には，住民投票市場モデルがとくに適しているであろう．

　これまでのところ，CV 研究は主に一つの財の CV に使用されてきた．しかし，これを用いて多くの公共財の集合を体系的に金銭評価し，その集合の中での各公共財の置換の弾力性を評価するのも有益であると思われる[5]．最近，Randall ら（1985）は，いくつかの環境アメニティにおける同

4）このような研究はすでにいくつか存在する．たとえば，Devine and Marion（1979），Garbacz and Thayer（1983），ならびに Throsby（1984）などを参照されたい．

時変更を CV するよう回答者に要請することにより，この分野における先駆的な CV 研究を行っている．CV 以外の調査結果を用いる類似の研究は，次の 4 つの領域で行われてきた．その一つは，一般住民がすべてのものをもっと求めているように見える世論調査の含意をよく調べるために，何人かの研究者（Citrin, 1979 ほか）が行った研究である[6]．それに密接に関連しているものとして，政策の矛盾，とくにあるプログラムから他のプログラムに資源を移動することに関連する矛盾についての市民の理由づけを調べる Shanks ら（1981）の体系的な研究がある．第 3 は，第 4 章に簡単に説明した租税還付金の配分ゲーム（Hokeley and Harbour, 1983）の研究であり，第 4 は，異なる公共財に対して（1）支出を増やす，（2）支出を減らす，（3）現状でよい，のいずれであるかを問う三択形式の調査から，需要方程式のシステムを見積もるという最近の研究である（Ferris, 1983）．

　もう一つの興味をそそられる研究分野は，ある公共財に対する大衆の WTP が，各種の支払構造のもとでどのように異なるかを調べるものである．このテーマは，人々は自分が支払いをする方法に強い選好を持つという事実を受け入れることにより，支払手段バイアスの概念につながるであろう．CV 研究によって答えが得られる可能性のある問題点は，次のようなものである．すなわち，徴収の手段が売上げ税ではなく所得税であったら，人々はある一定の額または率をこれまでより多く（あるいは少なく）支払う意志を持つか．税制が比例税または逆進税でなく，累進税であったら，人々はこれまでより多くを支払う意志を持つか．徴収体系が "公正" であると見なされたとき，人々がこれまでより多く支払う意志を持つのはどのような場合か．こうした支払メカニズムは，ある財に対する大衆の支払意志の（全部でなければ）ほとんどをとらえる能力を持つか．

　公共プロジェクトの便益を推定するにあたって，どのような割引率を使用するのが適切かという問題も，CVM を利用することによって有益な検討ができるであろう．長期にわたって利益（または費用）を発生させるプロジェクトでは，そのプロジェクトの実行を正当化するに足る十分な便益があるどうかを判断するうえで，割引率の選択が最も重要な要素である（Mishan, 1976）．

　長い間，政府によって使用される割引率（しばしば社会的割引率と呼ばれる）は，民間市場で使用されるものより低くなければならないという主張がなされてきた（Lind, 1982）．この論争のほかに，割引率の標準的な理論フレームワークは，いくつかの面で批判を受けている．Machina（1984）は，そのフレームワークに非期待効用理論によって説明される矛盾が発生することを示した．これは現在，経済学者に受け入れられているよりも広い範囲の "合理的な" 行動を考慮に入れることになる．Hausman（1979）は，個人がエネルギー耐久財の購入のときに "一般に認められている" 割引方法を使用しないという実証的な論拠を提示しており，Thaler（1981）もよりコントロールされた実験で同様の結果を得ている．CV 研究では，実験的な設計を用い，その公共財の提供に関する時間の流れだけが異なる複数のシナリオを回答者に与えることによって，こうした問題を研究することができる（Carson, Machina and Horowitz, 1987）．異なる時期にどのようにして一般住民が残された耐久年数を割り引くかを調べるのは，とくに興味深い研究テーマであると思われる．

　このほか，リスク低減の CV も新しい応用分野である．この困難な研究分野に第一歩を踏み出し[7]，今後の研究の可能性を示したのは，Slovic, Fischhoff and Lichtenstein（1980）である．彼ら

5）こうした弾力的な情報はしばしば，異なる公共財に対して個別に聞き出された便益推定値を正しく合計するために必要である．

6）このような明白な調査結果のため，多くの経済学者が政策的な問題に関する世論調査に懐疑的になっているのも驚くべきことではない．しかし，この観測結果がよって立つ典型的な世論調査の質問は，納税者が支払わなければならない追加コストについて注意を喚起することなく，特定のプログラムの選好を回答者に尋ねるものである．ましてや，そのコストの額を特定することはほとんどない．この調査結果は，その財の提供コストがそれほど大きくなければ，一般住民はほとんどの公共財をもっと欲しいと望んでいると解釈するのが最善であろう．

は人々がリスクを多元的な形で知覚していることを発見した．費用便益分析にとって重要な問題は人々がリスク低減に与える評価値に対し，（リスク低減の規模や当初のリスクレベルではなく）リスクの特性がどの程度影響を及ぼすかということである．標準的な経済理論によると，即死のタイプといった特性は危険削減に対する価値に影響しないはずである．しかし，いくつかの研究（たとえば，Torrance, Boyle and Horwood, 1982）から，人々がこうしたリスクの特性に強い選好を持つことが明らかにされ，標準的な経済理論の誤りが示唆されている．このテーマを体系的に調べることにより，CV および CV 以外の調査者によって発見された統計的な生命の評価値に，大きなばらつきが見られる理由の一部が説明されるかもしれない（Blomquist, 1982）.

　CV には，このほかにも多数の新たな利用法があることは疑いないが，ここに述べただけでも，この方法が公共財の調査者にきわめて強力で応用範囲の広いツールを提供していることを示すには十分であろう．David がメーン州の森林で休暇をすごす人々に対し，レジャー区域の CV を要請してから 20 年少々が過ぎただけである．それ以来，われわれの知る限りで 120 件以上の CV 研究が行われてきた（付録 A 参照）．この方法が将来の有用性を持つことは明らかである．とはいえ，これが日常的に使用されるようになるまでには，まだまだ多くの研究が行われなければならない．その日を迎えるまで，個々の CV 調査の結果は，注意深く批判的な精査を施されたうえで，公共財の提供に影響を与える政策決定の基盤として用いられるべきである．

7）最近の例としては, Smith, Devousges, Freeman が行った有害廃棄物処理場の危険削減便益の調査(1985)，ならびに, Mitchell and Carson が行なった飲料水のトリハロメタン汚染の危険削減便益の調査（1986 c）を参照のこと.

項目および形式の例と，抜粋した CV 調査の方法論

次頁以降であげられる調査における項目と省略形

1. 評価対象物
2. 調査実施年
3. 調査方法

郵送方式（Mail）	ML
電話方式（Telephone）	TLP
個人面接方式（Personal interview）	PI
フォーカス・グループ（Focus group）	FG

4. 標本数（有効標本数）：複数の数値は，いくつかの標本数を用いたことを示す
5. WTP（willingness to pay）/WTA（willingness to accept）　　？
6. 個々の利益は分類されているか？　　Yes　　No
7. 標本の収集された地域の範囲

地方（Local）	L
州（State）	S
国（Nationwide）	N

8. 回帰式／評価関数？　　Yes　　No
9. 政策の見解は示されているか？　　Yes　　No
10. 他の手法との比較がされているか？　　Yes　　No
11. 質問方法

付け値ゲーム法（Iterative bidding or bidding game）	BG
自由回答法（Direct or open-ended question）	DQ
支払カード法（Payment card or checklist）	PC
二肢選択法（Take-it-or-leave-it）	TILI
仮想ランキング法（Contings ranking）	CR

12. バイアスの試験を行ったか？　　Yes　　No
13. 調査対象者のうち，どれだけに調査票を配布したか？

配布せず（None）	N
一部に配布（Part）	P
すべてに配布（All）	A

抜粋した CV 調査

　すべての研究にすべての項目があるわけではない．記述のない項目は，もとの資料からは確かめることのできない項目である．

Acton (1973). 1. Heart attack programs / 2. 1970 / 3. PI, ML / 4. 181 (60) / 5. WTP / 6. Yes / 7. L / 8. Yes / 9. Yes / 10. No / 11. DQ / 12. No / 13. A

Anderson and Devereaux (1986). 1. Artificial fishing reef / 2. 1985 / 3. PI, TLP, ML / 4. 201 (55) / 5. WTP / 6. No / 7. L / 8. Yes / 9. No / 10. No / 11. PC, DQ / 12. Yes / 13. P

Banford, Knetsch, and Mauser (1977). 1. Freshwater fishing sites / 2. 1975 / 3. ML, TLP / 4. 785 / 5. WTP, WTA / 6. No / 7. S / 8. Yes / 9. No / 10. No / 11. DQ / 12. No / 13. N

Beardsley (1971). 1. Recreation benefits / 2. 1966 / 3. PI / 5. WTP / 6. No / 7. L / 8. No / 9. Yes / 10. Yes / 11. BG / 12. No / 13. P

Bell and Leeworthy (1985). 1. Saltwater beaches / 2. 1984 / 3. PI / 4. 1051, 870 / 5. WTP, WTA / 6. No / 7. S / 8. Yes / 10. No

Bergstrom, Dillman, and Stoll (1985). 1. Environmental amenities / 2. 1981–82 / 3. ML / 4. 600 (250) / 5. WTP / 6. No / 7. L / 8. Yes / 9. Yes / 10. No / 11. PG / 12. Yes / 13. N

Berry (1974). 1. Urban parks / 5. WTP / 7. S / 10. No / 11. DQ

Bishop and Boyle (1985). 1. Illinois Beach State Natural Preserve / 2. 1985 / 3. ML / 4. 600 (359) / 5. WTP / 6. Yes / 7. S / 8. Yes / 9. Yes / 10. No / 11. TILI / 12. No / 13. A

Bishop and Heberlein (1980). 1. Hunting permits / 2. 1978 / 3. ML / 4. 353 (332) / 5. WTP, WTA / 6. No / 7. N / 8. Yes / 9. No / 10. Yes / 11. TILI / 12. No / 13. N

Blomquist (1984). 1. View-related amenities / 2. 1981 / 3. PI / 4. 208 / 5. WTP, WTA / 6. No / 7. L / 8. Yes / 9. No / 10. Yes / 11. BG / 12. Yes / 13. N

Bohm (1984). 1. Government statistics / 2. 1982 / 3. M / 4. 279 (274) / 5. WTP / 6. No / 7. N / 8. No / 9. Yes / 10. No / 11. DQ / 12. Yes / 13. No

Boyle and Bishop (1984b). 1. Scenic beauty / 2. 1982 / 3. PI / 4. 188 / 5. WTP / 6. No / 8. Yes / 10. No / 11. BG / 12. Yes

Brookshire, Eubanks, and Randall (1983). 1. Grizzly bear, bighorn sheep / 3. ML / 4. 3,000 / 5. WTP / 6. Yes / 7. S / 8. Yes / 9. No / 10. No / 11. DQ / 12. No / 13. N

Brookshire, Ives, and Schulze (1976). 1. Air visibility / 2. 1975 / 3. PI / 4. 104 (82) / 5. WTP / 6. No / 7. L / 8. Yes / 9. Yes / 10. No / 11. BG / 12. Yes / 13. A

Brookshire, Randall, and Stoll (1980). 1. Elk hunting / 2. 1977, 1978 / 3. PI / 4. 108 / 5. WTP, WTA / 6. No / 7. L / 8. Yes / 9. No /

Brown, Charbonneau, and Hay (1978). 1. Fish and wildlife recreational values / 2. 1975 / 3. TLP, ML / 4. 106,000, 20,000 / 5. WTP / 6. No / 7. N / 8. Yes / 9. No / 10. No / 11. DQ / 12. No / 13. N

Burness and coauthors (1983). / 1. Disposal of toxic wastes / 2. 1982 / 3. PI / 4. 74, 84 / 5. WTP / 6. N / 7. L / 8. Yes / 9. Yes / 10. No / 11. PC, BG / 12. Yes / 13. N

Cameron and James (1987). 1. Recreational fishing / 2. 1984 / 3. PI / 4. 4,161 / 5. WTP, WTA / 6. Yes / 7. S / 8. Yes / 9. Yes / 10. No / 11. TILI / 12. No / 13. A

Carson, Hanemann, and Mitchell (1986). 1. Water quality bond issue / 2. 1984 / 3. TLP / 4. 1,022 / 5. WTP / 6. No / 7. S / 8. Yes / 9. No / 10. No / 11. TILI / 12. No / 13. P

Cicchetti and Smith (1973). 1. Congestion in wilderness recreation / 3. ML / 4. 600 (195) / 5. WTP / 6. No / 7. L / 8. Yes / 9. No / 10. No / 11. DQ / 12. No / 13. N

Cocheba and Langford (1978). 1. Waterfowl hunting / 2. 1976 / 3. ML / 4. (169) / 5. WTP / 6. No / 7. L / 8. Yes / 9. Yes / 10. No / 11. PC / 12. No / 13. P

Conrad and LeBlanc (1979). 1. Development rights / 3. PI / 4. 22 / 5. WTA / 6. No / 7. L / 8. Yes / 9. No / 10. No / 11. DQ / 12. No / 13. N

Cummings, Schulze, Gerking, and Brookshire (1986). 1. Municipal infrastructure / 2. 1980 / 3. PI / 4. 486 / 5. WTP / 6. No / 7. L / 8. No / 9. No / 10. Yes / 11. BG / 12. No / 13. A

d'Arge (1985). 1. Water quality / 3. PI / 4. 20 / 5. WTP, WTA / 6. No / 7. L / 8. Yes / 9. No / 10. Yes / 11. DQ / 12. No / 13. A

Darling (1973). 1. Urban water parks / 3. PI / 5. WTP / 6. No / 7. L / 8. Yes / 9. Yes / 10. Yes / 11. BG, DQ / 12. No / 13. N

Daubert and Young (1981). 1. Instream flows / 2. 1978 / 3. PI / 4. 134 / 5. WTP / 6. No / 7. L / 8. Yes / 9. Yes / 10. No / 11. BG / 12. Yes / 13. P

Davis (1963b). 1. Recreation site / 2. 1961 / 3. PI / 5. WTP / 6. No / 7. S / 8. Yes / 9. No / 10. No / 11. BG

Davis (1980). 1. Water quality / 2. 1973 / 3. PI / 4. 2,000 (1,600) / 5. WTP / 6. No / 7. L / 8. Yes / 9. Yes / 10. No / 11. DQ / 12. Yes / 13. A

Deaton, Morgan, and Anschel (1982). 1. Rural-urban migration / 2. 1971 / 3. PI / 4. 396 / 5. WTA / 6. No / 7. S / 8. Yes / 9. No / 10. No / 11. DQ / 12. No / 13. P

Dennis and Hodgson (1984) 1. Boating facilities / 3. PI / 4. 120, 150 /
5. WTP / 6. No / 7. L / 8. Yes / 9. No / 10. No / 11. BG /
12. Yes / 13. A

Devine and Marion (1979). 1. Price comparison information for super-
markets / 2. 1974 / 3. TLP, ML / 4. 1,800, 1,500 (507, 363) /
5. WTP / 6. No / 7. S / 8. Yes / 9. Yes / 10. No / 11. DQ /
12. No / 13. P

Dickie, Fisher, and Gelkin (1987). 1. Strawberries / 2. 1984 / 3. PI /
4. 72 / 5. WTP / 6. No / 7. L / 8. Yes / 9. No / 10. Yes /
11. DQ / 12. Yes / 13. A

Donnelly and coauthors (1985). 1. Steelhead fishing / 2. 1983 / 3. TLP /
4. 427 / 5. WTP / 6. No / 7. S / 8. Yes / 9. Yes / 10. Yes /
11. BG / 12. No / 13. A

ECO Northwest (1984). 1. Fish populations / 2. 1984 / 3. PI / 4. 920 /
5. WTP, WTA / 6. No / 7. L / 8. Yes / 9. Yes / 10. Yes /
11. DQ / 12. Yes / 13. A

Foster, Halstead, and Stevens (1982). 1. Agricultural land / 2. 1981 /
3. PI / 4. (85) / 5. WTP / 6. No / 7. L / 8. Yes / 9. Yes /
10. Yes / 11. BG / 12. No / 13. A

Frankel (1979). 1. Value of life (airline accident) / 3. PI / 4. 169 /
5. WTP / 6. No / 10. No / 11. DQ

Garbacz and Thayer (1983). 1. Senior Companion program / 3. PI /
4. 60 (29) / 5. WTP / 6. No / 7. L / 8. No / 9. Yes / 10. No /
11. DQ / 12. No / 13. N

Gramlich (1977). 1. Water quality / 2. 1973 / 3. TLP, PI / 4. 165 /
5. WTP / 6. No / 7. L / 8. Yes / 9. Yes / 10. No /
11. TILI, DQ / 12. No / 13. P

Greenley, Walsh, and Young (1981). 1. Water quality / 2. 1976 / 3. PI /
4. 202 / 5. WTP / 6. Yes / 7. L / 8. Yes / 9. Yes / 10. No /
11. BG / 12. Yes / 13. P

Gregory Research (1982). 1. Museum exhibits / 3. PI / 4. 141 /
5. WTP, WTA / 6. No / 7. L / 10. No / 11. DQ / 12. Yes

Hageman (1985). 1. Marine mammals / 2. 1984 / 3. ML /
4. 1,000 (180, 175, 174, 174) / 5. WTP / 6. Yes / 7. S / 8. Yes /
9. Yes / 10. No / 11. PC / 12. Yes / 13. A

Halstead (1984). 1. Nonmarket values of agricultural land / 3. PI / 4. 85 /
5. WTP / 6. No / 7. S / 8. Yes / 9. Yes / 10. No / 11. BG /
12. Yes / 13. N

Hammack and Brown (1974). 1. Migratory waterfowl / 2. 1969 /
3. ML / 4. 4,900 (2,455) / 5. WTP, WTA / 6. No / 7. N /
8. Yes / 9. No / 10. No / 11. PC / 12. No / 13. A

Hammerton, Jones-Lee, and Abbott (1982). 1. Statistical life / 3. PI /
    4. 120 / 5. WTP / 6. No / 7. L / 8. No / 9. No / 10. No /
    11. DQ / 12. Yes / 13. P

Hammitt (1986). 1. Foodborne risks / 2. 1985 / 3. FG / 4. 45 (43) /
    5. WTP / 6. No / 7. L / 8. No / 9. Yes / 10. Yes / 11. DQ /
    12. No / 13. A

Hanemann (1978). 1. Water quality / 2. 1973 / 3. PI / 4. 467 /
    5. WTP / 6. No / 7. L / 8. Yes / 9. Yes / 10. Yes / 11. PC /
    12. No / 13. A

Harris (1984). 1. Water pollution control program / 3. PI / 5. WTP /
    6. No / 7. L / 8. No / 9. Yes / 10. No / 11. BG / 12. No /
    13. N

Hoehn and Randall (1985b). 1. Urban viewing site / 2. 1981 / 3. PI /
    4. 319, 87, 147 / 5. WTP / 6. No / 7. L / 8. Yes / 9. No /
    10. Yes / 11. BG / 12. No / 13. N

Horvarth (1974). 1. Recreation benefits / 3. ML / 4. 12,068 (9,322) /
    5. WTA / 6. No / 7. N / 8. Yes / 9. Yes / 10. No / 11. DQ /
    12. No

Jackson (1983). 1. Environmental quality / 2. 1969 / 3. PI / 4. 1,248 /
    5. WTP / 6. No / 7. N / 8. Yes / 9. No / 10. No / 11. BG /
    12. No / 13. A

Johnson, Shelby, and Bregenzer (1986). 1. White water recreation /
    2. 1984 / 3. ML / 4. 300, 300 (193, 200) / 5. WTP, WTA /
    6. No / 7. S / 8. Yes / 9. No / 10. No / 11. DQ, TILI /
    12. No / 13. A

Jones-Lee (1976). 1. Value of life / 2. 1975 / 3. ML / 4. 30 /
    5. WTA, WTP / 6. No / 8. Yes / 9. No / 10. No / 11. DQ /
    12. No / 13. A

Jones-Lee, Hammerton, and Philips (1985). 1. Safety / 2. 1982 / 3. PI /
    4. 1,103 (1,057) / 5. WTP, WTA / 6. No / 7. N / 8. Yes /
    9. No / 10. No / 11. DQ, BG / 12. Yes / 13. P

Kealy, Dovidio, and Rockel (1986). 1. Private market good / 3. FG /
    4. 240 (145) / 5. WTP / 6. No / 8. Yes / 9. No / 10. No /
    11. BG, DQ, TILI / 12. Yes / 13. A

Lah (1985). 1. Work of Calif. Conservation Corps / 2. 1984 / 3. PI /
    4. 212, 151 (186, 115) / 5. WTP / 6. No / 7. S / 8. Yes / 9. Yes /
    10. No / 11. TILI / 12. No / 13. N

Lareau and Rae (1985). 1. Diesel odors / 2. 1984 / 3. PI / 4. 290 /
    5. WTP / 6. No / 7. S / 8. Yes / 9. Yes / 10. No /
    11. DQ, CR / 12. No / 13. A

Loehman (1984). 1. Air quality / 3. PI / 4. 412 / 5. WTP / 6. Yes / 7. L / 8. Yes / 10. Yes / 11. PC

Loehman and De (1982). 1. Air pollution control / 2. 1977 / 3. ML / 4. 1,800 (404) / 5. WTP / 6. No / 7. L / 8. Yes / 9. Yes / 10. No / 11. PC / 12. No / 13. P

Loomis (1987a). 1. Water quality / 2. 1986 / 3. ML / 4. 603 / 5. WTP / 6. Yes / 7. S / 8. No / 9. Yes / 10. No / 11. TILI, DQ / 12. No / 13. N

Majid, Sinden, and Randall (1983). 1. Public parks / 2. 1982 / 3. PI / 4. 140 / 5. WTP / 6. No / 7. L / 8. Yes / 9. No / 10. No / 11. BG / 12. No / 13. A

Mathews and Brown (1970). 1. Salmon fisheries / 2. 1968 / 3. ML / 4. 5,000 (2,146) / 5. WTP, WTA / 6. No / 7. N / 8. Yes / 9. No / 10. No / 11. CL / 12. No / 13. N

McConnell (1977). 1. Day at the beach / 2. 1974 / 3. PI / 4. 229 / 5. WTP / 6. No / 7. L / 8. Yes / 9. No / 10. No / 11. BG / 12. No / 13. N

Meyer (1974a). 1. Salmon-oriented recreation / 2. 1971–72 / 3. PI / 4. 3,617 / 5. WTP / 6. Yes / 7. N / 8. Yes / 9. Yes / 10. No / 11. DQ / 12. No / 13. A

Meyer (1980). 1. Fish and wildlife / 3. PI / 4. (504, 514, 510) / 5. WTA / 6. No / 7. L / 8. Yes / 9. Yes / 10. No / 11. DQ / 12. No / 13. A

Michalson and Smathers (1985). 1. Public campground use / 2. 1982 / 3. PI / 4. 350 / 5. WTP / 6. No / 7. L / 8. Yes / 9. Yes / 10. Yes / 11. BG / 12. Yes / 13. N

Milon (1986). 1. Marine artificial reef / 2. 1985 / 3. ML / 4. 3,600 / 5. WTP / 6. No / 7. L / 8. Yes / 9. Yes / 10. Yes / 11. BG / 12. Yes / 13. N

Mitchell and Carson (1981). 1. Freshwater quality / 2. 1980 / 3. PI / 4. 1,516 / 5. WTP / 6. Yes / 7. N / 8. Yes / 9. No / 10. No / 11. PC / 12. Yes / 13. A

Mitchell and Carson (1984). 1. Freshwater quality / 2. 1983 / 3. PI / 4. 813 (564) / 5. WTP / 6. Yes / 7. N / 8. Yes / 9. Yes / 10. Yes / 11. PC / 12. Yes / 13. A

Mitchell and Carson (1986c). 1. Drinking water / 2. 1985 / 3. PI / 4. 286 (238) / 5. WTP / 6. No / 7. L / 8. Yes / 9. No / 10. No / 11. DQ / 12. Yes / 13. A

Mulligan (1978). 1. Nuclear plant accidents / 3. PI / 5. WTP / 6. No / 10. No / 11. BG

O'Neill (1985). 1. Two river sites / 2. 1984 / 3. PI / 4. 517, 392 /
　　5. WTP, WTA / 6. No / 7. S / 8. Yes / 9. No / 10. Yes /
　　11. DQ, BG / 12. Yes / 13. A

Oster (1977). 1. Freshwater pollution / 2. 1973, 1974 / 3. TLP /
　　4. 200 / 5. WTP / 6. No / 7. L / 8. No / 9. No / 10. No /
　　11. DQ / 12. No / 13. A

Randall, Ives, and Eastman (1974). 1. Environmental damage / 2. 1972 /
　　3. PI / 4. 747 / 5. WTP / 6. No / 7. L / 8. Yes / 9. Yes /
　　10. No / 11. BG / 12. No / 13. N

Randall, Blomquist, and coauthors (1985). 1. National air and freshwater
　　pollution control / 2. 1983 / 3. ML, TLP, PI, FG / 4. 991 /
　　5. WTP / 6. No / 7. N / 8. Yes / 9. Yes / 10. Yes / 11. TILI /
　　12. Yes / 13. A

Randall, Grunewald, and coauthors (1978). 1. Surface coal mine
　　reclamation / 2. 1977 / 3. PI / 4. 220 / 5. WTP / 6. No /
　　7. L / 8. No / 9. Yes / 10. No / 11. BG / 12. No / 13. N

Reizenstein, Hills, and Philpot (1974). 1. Air quality / 3. PI /
　　4. 400 (376) / 5. WTP / 6. No / 7. L / 8. Yes / 9. No /
　　10. No / 11. DQ / 12. No / 13. N

Roberts, Thompson, and Pawlyk (1985). 1. Offshore diving platforms /
　　2. 1982 / 3. ML, PI, TLP / 4. 144 / 5. WTP / 6. No / 7. S /
　　8. Yes / 9. Yes / 10. No / 11. BG / 12. Yes / 13. P

Rowe, d'Arge, and Brookshire (1980). 1. Atmospheric visibility / 3. PI /
　　5. WTP, WTA / 6. No / 7. L / 8. Yes / 9. No / 10. No /
　　11. BG / 12. Yes / 13. N

Rowe and Chestnut (1984). 1. Reduction in asthma days / 2. 1983 /
　　3. PI / 4. 82 (65) / 5. WTP / 7. L / 8. Yes / 11. PC

Samples, Dixon, and Gower (1986). 1. Humpback whales / 3. FG /
　　4. 240 / 5. WTP / 6. No / 8. Yes / 9. No / 10. No / 11. DQ /
　　12. Yes / 13. P

Schulze, Cumming, and coauthors (1983). 1. Visibility / 2. 1980 / 3. PI
　　4. 600 / 5. WTP / 6. No / 7. N / 8. Yes / 9. Yes / 10. No /
　　11. BG / 12. No / 13. N

Scott and Company (1980). 1. Air pollution / 3. PI / 4. 752 / 5. WTP
　　6. No / 7. S / 8. No / 9. No / 10. No / 11. DQ, PC /
　　12. No / 13. A

Sellar, Stoll, and Chavas (1985). 1. Recreational boating / 2. 1981 /
　　3. ML / 4. 2,000 (275, 211) / 5. WTP / 6. No / 7. S / 8. Yes /
　　9. No / 10. Yes / 11. DQ, TILI / 12. No / 13. P

N. Smith (1980). 1. Recreation site / 2. 1979 / 3. PI / 4. 200 /
　　5. WTP / 6. No / 8. Yes / 10. Yes / 11. BG / 12. No / 13. A

V. K. Smith and Desvousges (1986a). 1. Demand for distance from disposal sites / 2. 1984 / 3. PI / 4. 609 / 5. WTP / 6. No / 7. L / 8. Yes / 9. No / 10. No / 11. DQ / 12. No / 13. N

V. K. Smith and Desvousges (1986b). 1. Freshwater quality benefits / 2. 1981 / 3. PI / 4. 303 / 5. WTP / 6. Yes / 7. L / 8. Yes / 9. Yes / 10. Yes / 11. BG, DQ, PC, CR / 12. Yes / 13. A

Sorg and coauthors (1985). 1. Fishing / 2. 1983 / 3. TLP / 4. 1,758, 194 / 5. WTP / 6. No / 7. S / 8. Yes / 9. Yes / 10. Yes / 11. BG / 12. No / 13. A

Sorg and Nelson (1986). 1. Elk hunting / 2. 1983–84 / 3. TLP / 4. 1,629 / 5. WTP / 6. No / 7. S / 8. Yes / 9. Yes / 10. Yes / 11. DQ, BG / 12. No / 13. A

Stoll and Johnson (1985). 1. Whooping crane / 2. 1982–83 / 3. ML, PI / 4. 1,800, 800 / 5. WTP / 6. Yes / 7. N / 8. Yes / 9. Yes / 10. No / 11. BG / 12. No / 13. A

Sutherland (1983). 1. Recreation facility and travel time / 2. 1980 / 3. TLP / 4. 3,000 (364, 1,327) / 5. WTP / 6. No / 7. N / 8. Yes / 10. No / 11. DQ / 12. No / 13. A

Sutherland and Walsh (1985). 1. Freshwater quality / 2. 1981 / 3. ML / 4. 280 (171) / 5. WTP / 6. Yes / 7. S / 8. Yes / 9. Yes / 10. No / 11. DQ / 12. No / 13. P

Thayer (1981). 1. Environmental damage / 2. 1976, 1977 / 3. PI / 4. 112 (106) / 5. WTP / 6. No / 7. L / 8. Yes / 9. No / 10. No / 11. BG / 12. Yes / 13. N

Throsby (1984). 1. Public good output of the arts / 2. 1982 / 3. PI / 4. 827 / 5. WTP / 6. No / 7. S / 8. Yes / 9. No / 10. No / 11. DQ / 12. Yes / 13. P

Tolley and Babcock (1986). 1. Health risks / 2. 1985 / 3. ML, PI / 4. 199 (176) / 5. WTP / 6. No / 7. L / 8. Yes / 9. No / 10. No / 11. BG / 12. No / 13. P

Tolley, Randall, and coauthors (1985). 1. Air visibility / 2. 1982 / 3. PI / 4. 792 (538) / 5. WTP / 6. No / 7. N / 8. Yes / 9. Yes / 10. Yes / 11. BG, DQ, PC / 12. Yes / 13. P

Tyrrell (1982). 1. Beaches / 2. 1981 / 3. PI / 4. 251 / 5. WTP / 6. No / 7. N / 8. Yes

Walsh and Gilliam (1982). 1. Congestion in wilderness area / 2. 1979 / 3. PI / 4. 126 / 5. WTP / 6. No / 7. L / 8. Yes / 9. Yes / 10. No / 11. BG, DQ / 12. Yes / 13. N

Walsh, Loomis, and Gillman (1984). 1. Wilderness protection / 2. 1980 / 3. ML / 4. 218 (195) / 5. WTP / 6. Yes / 7. S / 8. Yes / 9. Yes / 10. No / 11. DQ / 12. Yes / 13. N

Walsh, Miller, and Gilliam (1983). 1. Congestion in ski area / 2. 1980 / 3. PI / 4. 236 / 5. WTP / 6. No / 7. S / 8. Yes / 9. Yes / 10. No / 11. BG / 12. Yes / 13. N

Walsh, Sanders, and Loomis (1985). 1. Wild and scenic rivers / 2. 1983 / 3. ML / 4. 214 / 5. WTP / 6. Yes / 7. S / 8. Yes / 9. Yes / 10. Yes / 11. DQ / 12. No / 13. A

Wegge, Hanemann, and Strand (1985). 1. Marine recreational fishing / 2. 1984 / 3. ML / 4. 2,915 (1,383) / 5. WTP / 7. N / 8. Yes / 9. Yes / 10. No / 11. TILI / 12. No / 13. A

Welle (1985). 1. Environmental degradation from acid rain / 2. 1985 / 3. ML / 4. 910 (669) / 5. WTP, WTA / 6. Yes / 7. S / 8. Yes / 9. No / 10. No / 11. TILI / 12. No / 13. A

Whittington and coauthors (1986). 1. Rural water services in Haiti / 2. 1986 / 3. PI, FG / 4. 345 / 5. WTP / 6. No / 7. L / 8. Yes / 9. No / 10. No / 11. DQ, BG / 12. Yes / 13. A

Willis and Foster (1983). 1. Water quality / 3. PI / 5. WTP / 11. DQ / 13. N

付録B

全国淡水便益調査
のための調査票

　以下は，第 1 章に述べた全国淡水水質改善の便益研究（Mitchell and Carson, 1984 年；Carson and Mitchell, 1986 年）に，Mitchell and Carson が使用した調査票の全文である．この調査票は，オピニオン・リサーチ社の面接者が全国的な層化抽出サンプルの回答者 813 人に対する個人面接に使用された．

面接者：回答者に記入ずみの『ありがとう』パンフレットを手渡す

研究 No. ＿＿＿＿65450＿＿＿＿＿＿＿＿＿

ライン No. ＿＿＿＿＿＿＿＿＿＿＿＿＿＿

場所 No. ＿＿＿＿＿＿＿＿＿＿＿＿＿＿＿

管理者名：＿＿＿＿＿＿＿＿＿＿＿＿＿＿

回答者

名前：Mr. Mrs. Miss　＿＿＿＿＿＿＿＿＿＿＿＿＿＿＿＿＿＿＿＿
　　　（丸で囲む）

住所：＿＿＿＿＿＿＿＿＿＿＿＿＿＿＿＿＿＿＿＿＿＿＿＿＿＿＿＿＿

市：＿＿＿＿＿＿＿＿＿＿　州：＿＿＿＿＿＿＿＿＿＿　郵便番号 □□□□□

電話番号：□□□－□□□－□□□□
　　　　　エリアコード

インタビューの日付：＿＿＿＿＿＿＿　時間：＿＿＿＿＿＿＿　午前　午後
　　　　　　　　　　　　　　　　　　　　　　　　　　　　（丸で囲む）

インタビュー時間：＿＿＿＿＿＿＿　分

面接者：回答者が電話番号を教えることを拒否した場合には，次のようにいう：

　「あなたの電話番号が必要なのは，このインタビューが適切に行われ，私が礼儀正しく事務的に仕事を遂行したことを上司が確認するためです．ほかの誰もが，あなたの電話番号を入手することはありません」

記入：1 電話番号を入手
　　　2 拒否

私はここに，これが私の指示に従って行われた公正なインタビューであることを証明します．
＿＿＿＿＿＿＿＿＿＿＿＿＿＿＿　　＿＿＿＿＿＿＿＿＿＿＿＿＿＿ 面接者のサイン　　　　　　　　　　　日付

事 務 専 用

日　付　　　　時　間　　　結　果　　　コメント　　　　　　　　　　　　　確認者

_____　_____　_____　_____　_____

_____　_____　_____　_____　_____

_____　_____　_____　_____　_____

_____　_____　_____　_____　_____

場所 No. ＿＿＿＿＿＿　65450＿

ライン No. ＿＿＿＿＿　110383＿

水 便 益 調 査

面接者：＿＿＿＿＿＿＿＿＿＿＿＿＿＿　終了時間：＿＿＿＿＿＿＿＿＿＿＿＿＿

面接者の ID 番号：＿＿＿＿＿＿＿＿＿＿　開始時間：＿＿＿＿＿＿＿＿＿＿＿＿＿

日付：＿＿＿＿＿＿＿＿＿＿＿＿＿＿＿　インタビュー時間：＿＿＿＿＿＿＿（分）

　　こんにちは，私はニュージャージー州プリンストンのオピニオン・リサーチ社の＿＿＿です．私たちは，公共のプログラムにどの程度の価値があるかについて，全米のさまざまな人たちと話をしています．あなたの意見は，政策決定者が情報にもとづいて決定を行うための手助けとして利用されます．

　　まず，質問の大部分があなたの姿勢と意見に関するものだということ，そして正しい答えや間違った答えというものはないことを申し上げておきます．

　　このインタビューは，完全に秘密です．あなたの名前があなたの回答に結びつけられることは決してありません．

1. 最初に，長年にわたる納税者の関心事であるいくつかの問題のリストを読みあげます．それぞれについて，国の費やしている金額は多すぎるか，ほぼ適正な金額であるか，あるいは少なすぎるかについて，あなたの考えを述べて下さい．

	多すぎる	ほぼ適正	少なすぎる	わからない	無回答
a. 大気汚染の防止	1	2	3	4	5
b. 犯罪撲滅	1	2	3	4	5
c. 淡水の湖，小川，河川の水質汚濁の防止	1	2	3	4	5
	問2へ	問4へ	問3へ	問4へ	

問１ｃが『多すぎる』の場合には，次を質問する：

2. あなたは，淡水の湖，小川，河川の水質汚濁を防止するために『多すぎる金額』を費やしていると答えました．あなたの意見では，水質汚濁を防止するために費やす金額は，ずっと少ない金額，あるいは少しだけ少ない金額にすべきだと思いますか？

	1	ずっと少ない金額
	2	少しだけ少ない金額
	3	わからない
	4	無回答

➡問4へ

問1cが『少なすぎる』の場合には，次を質問する：

3. あなたは，淡水の湖，小川，河川の水質汚濁を防止するために『少なすぎる金額』を費やしていると答えました．あなたの意見では，水質汚濁を防止するために費やす金額は，ずっと多い金額，あるいは少しだけ多い金額にすべきだと思いますか？

    1 ずっと多い金額

    2 少しだけ多い金額

    3 わからない

    4 無回答

全員に質問する（回答者に小冊子を渡す）

4. 何枚かのカードが入っているこの小冊子を見て下さい．カード1を見て下さい．それには汚染管理と汚染管理の費用に関する3つの考え方が載っています．私がこれらの考え方を読みあげますから，理解したうえでどの考え方に最も同意するかを教えて下さい（それぞれの考え方を回答者に読んで聞かせる）．

    1 環境保護は非常に重要であり，汚染管理の要求や基準はきびしすぎるということはなく，費用をいとわずに持続的な改善を行わねばならない，あるいは

    2 われわれは環境の浄化について十分な進歩を達成しており，いまやさらにきびしい管理を要求するよりも費用の削減に専念すべきである，あるいは

    3 汚染管理の要求や基準は行きすぎであり，すでにそれに値する以上の費用が掛けられている．

    4 1と2の中間（自発的な回答として）

    5 わからない

    6 無回答

5. 国の目標には，人々にとってとくに重要なものがあります．あなた個人にとって，自然保護と汚染管理という国の目標はどの程度重要ですか？非常に重要，やや重要，あるいはあまり重要ではありませんか？

    1 非常に重要

    2 やや重要

    3 あまり重要ではない

    4 わからない

問5が『1』の場合には，次を質問する：

6. あなたは，自然保護と汚染管理という国の目標は，あなたにとって『非常に重要』であると答えました．それはあなたの最優先事項の一つですか，それともあなたにとってやや重要性が低いですか？

    1 最優先事項

    2 やや重要性が低い

　　　3　わからない

7. カード 2 に進んで下さい．それには淡水の湖，河川，小川の水質汚濁の 6 つの源のリストが載っています．この国における水質汚濁の<u>最大</u>の原因となっていると思われる汚染源を一つか 2 つ答えて下さい．番号だけを読んで下さい．

　　　1　農業からの流出水
　　　2　都市からの下水
　　　3　鉱山からの排水
　　　4　道路とハイウェイからの流出水
　　　5　ごみ捨て場からの漏出
　　　6　工場廃棄物の水系への投棄
　　　7　な　し
　　　8　わからない
　　　9　無回答

セクション B：世帯活動表

導入：次のいくつかの質問は，この世帯全員の野外レクリエーション活動への参加に関するものです．

8. まず，あなたを含めて大人と子供の何人がこの世帯で生活していますか？
　　　01　回答者のみ　━━━━━━▶　問 10 へ
　　━━　回答者を含む世帯の人数
　　　98　わからない
　　　99　無回答

9. そのうちの何人が 18 歳未満ですか？

　　━━　18 歳未満の人数
　　　98　わからない
　　　99　無回答

10. 今度はあなたについてです．この前の誕生日でむかえたあなたの年齢を教えて下さい．世帯表の『年齢』欄に記録する．該当する性別を丸で囲む．

<u>世帯の人数が 2 人以上の場合には問 11 を質問し，そうでなければ問 12 へ進む．</u>

11. この世帯の最年長者から始めて，世帯の他の構成員の性別と年齢，あなたとの関係を教えて下さい．世帯表に記録する．
　面接者はチェックを行い，表に列挙した回答者の数が問 8 における世帯の人数と同じであることを確認

する.

<u>全員に質問する.</u>

12. 過去 12 カ月間, すなわち 1982 年 11 月以降, あなた（またはこの世帯の 5 歳以上の構成員）は合衆
国内の<u>淡水</u>の河川, 湖, 池または小川で, レクリエーションを目的とする船遊び, 釣り, 水泳, 徒
歩での川渡りまたは水上スキーをしましたか？　これには水泳プールでの水泳や, 海での船遊び,
釣りまたは水泳は含まれないことに注意して下さい.

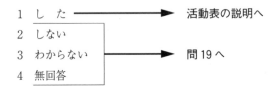

1　した ────────→　活動表の説明へ
2　しない
3　わからない ──→　問 19 へ
4　無回答

活動表の説明

　世帯の 5 歳以上の各メンバーについて, 問 13〜15 を続けて質問する. 回答者から始め, その後
に他の 5 歳以上の各メンバーについて問 13〜15 を質問する.

13. 過去 12 カ月間に, （あなた/世帯の構成員）は州内または州外の淡水の湖, 河川, 小川をレクリエー
ションの<u>船遊び</u>に利用しましたか？　船遊びとは, カヌー, カヤック, ラフティング, モーターボ
ート, ヨット, ウィンドサーフィンおよび水上スキーのことです.

14. 過去 12 カ月間に, （あなた/世帯の構成員）は州内または州外の淡水の湖, 河川, 小川をレクリエー
ションの<u>釣り</u>に利用しましたか？

15. 過去 12 カ月間に, （あなた/世帯の構成員）は州内または州外の淡水の湖, 河川, 小川をレクリエー
ションの<u>水泳</u>に利用しましたか？

　問 13〜15 に対する『した』という回答のそれぞれについて, 問 16 および問 17 を続けて質問す
る. 回答者から始め, その後に他の 5 歳以上の世帯の各メンバーについて問 16 および問 17 を質問
する. 日数を表に記録する. 『わからない』は『998』, 『無回答』は『999』, 『なし』は『000』とし
て記録する. 日数は厳密に調べる. なるべく正確な推定値でよい.

16. およそ何日くらい（あなた/<u>世帯の構成員</u>）は, <u>州内</u>で淡水の（船遊び/釣り/水泳）をしましたか？

17. およそ何日くらい（あなた/<u>世帯の構成員</u>）は, <u>州外</u>で淡水の（船遊び/釣り/水泳）をしましたか？

<u>世帯の誰かが釣りをした場合には, 問 18 を質問する. そうでなければ問 19 へ進む.</u>
　（州内および州外で最も多い日数釣りをした世帯の構成員について, 問 18 を質問する. 2 人以上
が該当する場合には, 世帯の最年長者について質問する）

18. （あなた/世帯の構成員）にとって，淡水の釣りはレクリエーション活動としてどの程度重要ですか？

    1 非常に重要
    2 やや重要
    3 まったく重要ではない
    4 わからない
    5 無回答   ➡️ 解釈しない

全員に質問する．

19. あなた（またはあなたの世帯の誰か）が，過去12カ月間に州内の水泳プールまたは海で泳ぎましたか？

    1 泳いだ
    2 泳がない
    3 わからない
    4 無回答

20. 過去12カ月間に，あなた（またはあなたの世帯の誰か）が合衆国内の淡水の湖，河川，小川の水辺または近辺でのレクリエーション活動に参加しましたか？　レクリエーションには，ピクニック，キャンプ，バードウォッチング，カモ狩り，あるいは休暇用コテージでの滞在のような活動があります．

    1 した
    2 しない
    3 わからない
    4 無回答   ➡️ セクションCへ

問20が『した』の場合には，次を質問する：

21. その活動は州内，州外あるいは両方で行われたものですか？

    1 州　内
    2 州　外
    3 両　方
    4 わからない
    5 無回答

セクション B：世帯活動表

	問11				ボート遊び			釣り			水泳問17		
	回答者との関係	性別 男 女	年齢		問13	問16 日数 州内	問17 日数 州外	問14	問16 日数 州内	問17 日数 州外	問15	問16 日数 州内	問17 日数 州外
1	回答者	1　2			1　ある 2　ない 3　わからない 4　無回答			1　ある 2　ない 3　わからない 4　無回答			1　ある 2　ない 3　わからない 4　無回答		
2		1　2			1　ある 2　ない 3　わからない 4　無回答			1　ある 2　ない 3　わからない 4　無回答			1　ある 2　ない 3　わからない 4　無回答		
3		1　2			1　ある 2　ない 3　わからない 4　無回答			1　ある 2　ない 3　わからない 4　無回答			1　ある 2　ない 3　わからない 4　無回答		
4		1　2			1　ある 2　ない 3　わからない 4　無回答			1　ある 2　ない 3　わからない 4　無回答			1　ある 2　ない 3　わからない 4　無回答		
5		1　2			1　ある 2　ない 3　わからない 4　無回答			1　ある 2　ない 3　わからない 4　無回答			1　ある 2　ない 3　わからない 4　無回答		
6		1　2			1　ある 2　ない 3　わからない 4　無回答			1　ある 2　ない 3　わからない 4　無回答			1　ある 2　ない 3　わからない 4　無回答		
7		1　2			1　ある 2　ない 3　わからない 4　無回答			1　ある 2　ない 3　わからない 4　無回答			1　ある 2　ない 3　わからない 4　無回答		
8		1　2			1　ある 2　ない 3　わからない 4　無回答			1　ある 2　ない 3　わからない 4　無回答			1　ある 2　ない 3　わからない 4　無回答		

セクションC：水質レベル

　ここからの質問は，国内の湖，河川，小川のさまざまな水質レベルと，そのような淡水域のさまざまな水質レベルが，あなた（およびあなたの世帯の他のすべての構成員）にとってどの程度の価値があるかに関するものです．

　これらの質問は海水，地下水あるいは飲料水についてのものではありません．この後のインタビューはすべて国内全域の湖，河川，川の淡水の話です．

　全国的な水質汚濁問題の深刻化のため，議会は1972年および1977年にきびしい水質汚濁管理法を可決し，共同体が新たな下水処理場を建設する大部分の費用を提供しました．これらの法律は，多くの企業が高価な水質汚濁制御装置を設置し弁済することも要求しています．

　議会が可決した法律は，水質の改善を意図しています．さまざまな水質レベルを考えるための一つの方法は，小冊子のカード3に示されている段階を用いることです．

　水質の段階の最上部は想定される最良の水質にあたり，段階の最下部は想定される最悪の水質に相当します．段階上にさまざまな水質レベルがあることがわかります．

<u>たとえば</u>：レベル『D』（示す）は，汚染されており，油，未処理の下水その他のごみのようなものを含んでいます．植物や動物は生息せず，悪臭がし，ふれると人間の健康に危険です．

　　　　　　レベル『C』（示す）の水は，船遊びが可能です．この水質の水は，ボートやヨット遊び中に短時間水に落ちたとしても害になりません．

　　　　　　水質汚濁管理プログラムにより，今日の合衆国ではこれが現在の<u>最低限の国内水質レ</u>ベルです．いいかえるなら，国内のすべての淡水の湖，河川，小川の現在の水質の99パーセント以上は<u>最低</u>でもこのレベルです．現在，ボート遊びにしか利用できない水域の多くは，産業がさかんで多数の人が居住している地域にあります．水質汚濁管理に金を費やすことをやめたなら，それらや他の多くの水域の水質は船遊びが可能なレベルよりも下がるでしょう．

　　　　　　レベル『B』（示す）は，釣りができます．ある種の魚は船遊びが可能な水に棲むことができますが，バスのような釣りの対象となる魚は水がこの程度まで清潔にならなければ棲むことができません．今日では，国内の淡水域の多くがこの程度に清潔です．

　　　　　　レベル『A』（示す）は水泳ができます．今日では，おそらく国内の淡水の70～80パーセントがこの程度に清潔です．

22. たぶん私がお話ししている間に，この地域の水質について考えられたことでしょう．最も近くの，釣りの対象となる魚が棲める程度に大きい淡水湖，河川，小川，池または支流について考えて下さい．人工のものであってもかまいませんが，その水質をどう評価しますか？この湖や池の水質を最もよく説明すると思われる水質段階の文字を選んで下さい（よく考えてもらう：なるべく正確な評価がよい）．

段階の文字	対応する段階の番号
1 D	（0～2 未満）
2 C	（2～3 未満）
3 B	（3～6 未満）
4 A	（6～8 未満）
5 A より上	（8～10）
6 わからない	
7 無回答	

23. 次に，この州を含めて合衆国に清潔な水があることが，あなた（およびあなたの世帯のすべての構成員）にとってどの程度の価値があるかを考えて下さい．ある人は水質汚濁管理には非常な価値があると信じており，他の人々は水質汚濁管理はさほど重要ではないと考えています．小冊子のカード4に，一部の人々が水質の価値を重く見るさまざまな理由が記されています．読んでみて下さい．

　　　これらの水質汚濁を低下させようとする理由のうちで，あなた個人にとって最も重要な2つはど

れですか？　数字を読みあげて下さい.

1　あなた（あなたの世帯）の釣り，ボート遊びまたは水泳のための淡水の利用

2　あなた（あなたの世帯）のピクニック，バードウォッチング，休暇用コテージの滞在のための淡水の周辺領域の利用

3　あなた（あなたの世帯）の，他の人々が淡水を利用し楽しめると知ることによる満足

4　あなた（あなたの世帯）の，国内の水が以前よりも清潔であることを知ることによる満足

5　ない/水質の価値を重く見ない

6　わからない

7　無回答

セクション D：水質評価

　質問表の次のセクションでは，国の3つの異なる水質目標に到達することが，あなたにとってどの程度の価値があるかを実際の金額で質問します．これは通常は考えないことですので，あなたの世帯のような平均的な世帯が，他のタイプの公共プログラムのために税金や高い料金として支払っている金額を知ることが役立つかもしれません．そのために小冊子の次のカード5を見ていただき，1982年のあなた（あなたの世帯）のあらゆる収入源からの課税徴収前の年間総所得が含まれるカテゴリーの文字を教えて下さい．もう一度，このインタビューは完全に秘密であり，あなたの名前があなたの回答に結びつけられることは決してないということを確認しておきます（**選択した支払カードの文字を丸で囲む**）.

	支払カードの色
1 A　$10 000 未満	白
2 B　$10 000～$19 999	黄
3 C　$20 000～$29 999	青
4 D　$30 000～$49 999	緑
5 E　$49 000 以上	ピンク
6 F　無回答　→	回答者に青の支払カードを渡し，次のようにいう：この支払カードの色は，合衆国における中程度の範囲の所得を表わします.

回答者に，その所得範囲に相当する支払カードを渡す.

　お渡しした支払カードには，多数の異なる金額がリストしてあります．それにはあなたの所得範囲の世帯が1982年に税金として支払った金額と，宇宙計画，警察と消防，道路とハイウェイ，公共教育，国防計画のようなプログラムの金銭評価も記してあります.

　ご存じのように，大気汚染と水質汚濁を管理するための計画も，私たち全員が支払いを行っているものです．水質汚濁管理には，次のカード6に記してある二通りの方法で支払いを行っています.

　一つめは下水処理工場の建設，水質汚濁の研究の実施，水質汚濁法の執行に用いられる，連邦税および州税として支払う金額の一部です．しばしば水道料金の一部になっている地方税と下水料金は，これらの設備の維持管理費用を捻出することとなります.

　2つめの方法は，私たちが購入するものの価格にかかわっています．多くの製品に支払っている金額の

ごく一部が，政府が企業に設置を要求する水質汚濁管理設備になります．設備費用を捻出するために，企業は消費者に売る製品のコストをいくらか引き上げています．

回答者にワークシートと鉛筆を渡す．回答者は色のついた支払いカードも持っていなければならない．読みながらワークシートを参照する．

　これらが（ワークシート上のレベルを示しながら）国の水質汚濁の３つの目標です．最も低いものは，今日のすべての淡水域の99パーセント以上を，少なくともボートの航行が可能なレベル，多くはさらに高い水質のレベルとする目標Cです．

　目標Bは，最低レベルを淡水域の99パーセント以上を少なくともバスのような釣りの対象となる魚が棲める釣りの可能なレベルに引き上げるものです．

　目標Aは，最低レベルを淡水域の99パーセント以上を水泳の可能なレベルにさらに引き上げるものです．

　これらの３つの目標のそれぞれに到達するために，（あなたは/あなたの世帯は）毎年いくら支払う意志があるかをお尋ねします．これを行うにあたって，次のことに注意して下さい：

・まず，支払う意志のある金額が，税金やそのための高い価格として現在支払っているものよりも高い場合には，あなたの税金がその費用を償うために引き上げられると考えて下さい．もちろん，支払う意志のある金額が低ければ，払い戻しを受けることになります．このように，あなたの世帯を含む国内の全世帯に，水質汚濁管理にいくら支払う意志があるかを表明する機会が与えられます．

・次に，水質汚濁管理にいくら支払うかにかかわらず，あなたは大気汚染のような国の他の環境計画に対する支払いも続け，大気の質は現在のレベルに留まるか，わずかに改善されます．

質問がありますか？

　（回答者が現在いくら支払っているかを質問した場合）：インタビューのこの時点で，その情報をお渡しすることはできません．なぜなら，現在いくら支払っているかに関係なく，あなたにとって水質汚濁管理にどの程度の価値があるかを知る必要があるからです．しかしながら，政府が提供するものに対してすでにいくら支払っているかを理解するために，支払カードに他のタイプの政府プログラムに支払っている金額についての情報が記してあります．インタビューの最後には，水質汚濁管理のためのあなたの実際の支払いに関する情報をお教えします．

24. まず，目標Cです．あなた（あなたの世帯）は，国内の淡水域が現在の船遊びが可能なレベルよりも下がることを防ぐために，支払カード上の金額またその間の金額のいずれかを，税金およびより高い価格として毎年支払う意志がありますか？　いいかえるなら，あなた（あなたの世帯）が目標Cのために毎年支払う意志がある，あなた（あなたの世帯のすべてのメンバー）にとっての，本当の価値以上を費やしていると感じない最高の金額はいくらですか？

　　──　ドル単位の金額を，こことフラップ（折り返し）およびワークシートに入れる

　　000　ゼロまたは『支払う意志がない』

　　998　わからない

　　999　無回答

25. 淡水域の 99 パーセント以上が，バスのような釣りの対象となる魚が棲める程度に清潔であるという目標 B を達成することは，あなた（あなたの世帯）にとって（さらに）なんらかの価値がありますか？

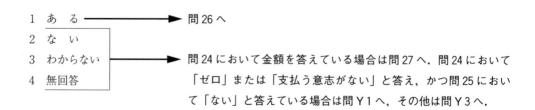

1　あ　る　━━━━━━━▶　問 26 へ

2　な　い

3　わからない　━━━━━━▶　問 24 において金額を答えている場合は問 27 へ．問 24 において「ゼロ」または「支払う意志がない」と答え，かつ問 25 において「ない」と答えている場合は問 Y 1 へ，その他は問 Y 3 へ．

4　無回答

問 24 に対して『ゼロ』または『支払う意志がない』かつ問 25 に対して『ない』と答えている場合には，問 Y 1 を質問する．

Y1.　$0 または支払う意志がないと答える理由はさまざまです．人によっては，水質汚濁管理にはそれだけの価値しかないということです．そのような人たちは，税金や価格として現在そのために支払っているものをまったく支払い続けたくないと考えています．他の人々は，そう答える別の理由をあげます．あなたが$0 といったのは，それがあなた（あなたの世帯）にとっての水質の価値だから，あるいは他の理由によるものですか？

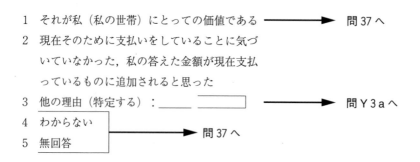

1　それが私（私の世帯）にとっての価値である　━━━━━▶　問 37 へ

2　現在そのために支払いをしていることに気づいていなかった，私の答えた金額が現在支払っているものに追加されると思った

3　他の理由（特定する）：＿＿＿＿　＿＿＿＿＿　━━━━━▶　問 Y 3 a へ

4　わからない

5　無回答　━━━━━━▶　問 37 へ

問 Y 1 が『2』の場合には，次を質問する：

Y2.　あなたは，すでに税金や価格として水質汚濁管理のためにいくらかの金額を支払っています．あなた自身に選択の機会が与えられた場合に，水質目標を達成するためにどのような価値を与えるかを知ることが，私たちにとっては非常に重要です．税金や価格として現在いくら支払っているかをあとで教えて回答を変更する機会を差し上げるなら，これらの質問に答えていただけますか？

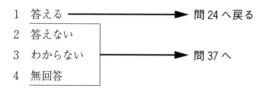

1　答える　━━━━━━▶　問 24 へ戻る

2　答えない

3　わからない　━━━━━▶　問 37 へ

4　無回答

問 24 に対して『わからない』，または『無回答』かつ問 25 に対して『わからない』，または『無回答』と答えている場合には，問 Y 3 を質問する．

Y3.　わからない，あるいはこれらの質問に答えられないと答える理由はさまざまです．いくつかの理由

を読みあげます．それがこの質問についてのあなたの考えを表わしているかどうかを教えて下さい．

Y3a. あなたは（あなたの世帯は）すでに税金として支払いすぎであり，これ以上支払いたくないのでこう答えましたか？

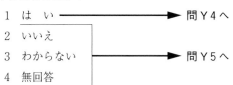

1　は　い　　　　　　　　　　　　→　問Ｙ４へ
2　いいえ
3　わからない　　　　　　　　　　→　問Ｙ５へ
4　無回答

問Ｙ３ａが『はい』の場合には，次を質問する：

Y4. あなた（あなたの世帯）は，すでに税金や価格として水質汚濁管理のためにいくらかの金額を支払っていることに注意して下さい．あなた自身に選択の機会が与えられた場合に，水質目標を達成するためにどのような価値を与えるかを知ることが，私たちにとっては非常に重要です．あなた（あなたの世帯）が税金や価格として現在いくら支払っているかをあとで教えて回答を変更する機会を差しあげるなら，これらの質問に答えていただけますか？

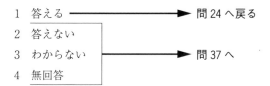

1　答える　　　　　　　　　　　　→　問24へ戻る
2　答えない
3　わからない　　　　　　　　　　→　問37へ
4　無回答

問Ｙ３ａに対して『いいえ』，『わからない』または『無回答』と答えている場合には，次を質問する．

Y5. あなたがこう答えたのは，政府は手持ちの資金でこの目標を達成すべきだと考えるから，あるいは政府は金を浪費しすぎだと考えるからですか？（あてはまるものすべてを丸で囲む）

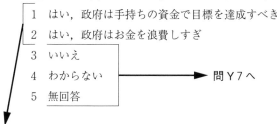

1　はい，政府は手持ちの資金で目標を達成すべき
2　はい，政府はお金を浪費しすぎ
3　いいえ
4　わからない　　　　　　　　　　→　問Ｙ７へ
5　無回答

Ｙ５に対して，１または２の『はい』と答えている場合には，次を質問する：

Y6. あなた自身に選択の機会が与えられた場合に，あなた（あなたの世帯）が水質目標を達成するためにどのような価値を与えるかを知ることが，私たちにとっては非常に重要です．この価値は，それぞれの水質目標に到達するための効果的，かつ費用に値するプログラムのためにあなた（あなたの世帯）が支払う意志のある最高の金額です．あなたが答える金額を水質汚濁プログラムが効果的，かつ適切に実施されるという仮定にもとづくものとすれば，これらの質問に答えていただけますか？

1　答える　　　　　　　　　　　　→　問24へ戻る

2 答えない
3 わからない
4 無回答   ➡ 問 37 へ

問 Y 5 に対して『いいえ』,『わからない』,『無回答』と答えている場合には,次を質問する.

Y7. あなたがこう答えたのは,水質汚濁管理に現在いくら支払っているかを知らなくては答えることが難しいからですか?

1 は い
2 いいえ
3 わからない
4 無回答   ➡ 問 Y 9 へ

問 Y 7 に対して『はい』と答えている場合には,次の質問を行う:

Y8. あなたが（あなたの世帯が）そのためにすでに支払っている金額に影響されずに,水質目標にどのような価値を与えるかを知ることが,私たちにとっては非常に重要です.しかしながら,税金や価格として現在いくら支払っているかをあとで教えて回答を変更する機会を差しあげるなら,これらの質問に答えていただけますか?

1 答える   ➡ 問 24 へ戻る
2 答えない
3 わからない   ➡ 問 37 へ
4 無回答

問 Y 7 に対して『答えない』,『わからない』,『無回答』と答えている場合には,次を質問する.

Y9. あなたがこう答えたのは,企業が費用を支払うべきだからですか?

1 は い
2 いいえ
3 わからない
4 無回答 →   ➡ 問 Y 11 へ

問 Y 9 に対して『はい』と答えている場合には,次の質問を行う:

Y10. あなた（あなたの世帯）と他の人々が,水質目標にどのような価値を与えるかを知ることが,私たちにとっては非常に重要です.なぜならこの情報をあなたに直接求めることが,この目標の達成による便益を評価する最善の方法の一つだからです.企業がその割当を支払うべきだというあなたの意見を書き留めておけば,これらの質問に答えていただけますか?

1 答える   ➡ 問 24 へ戻る

```
        2   答えない
        3   わからない ───────────▶  問 37 へ
        4   無回答
```

問Ｙ９に対して『答えない』，『わからない』，『無回答』と答えている場合には，次を質問する.

Y11. 私が読みあげたもの以外に，こう答えた（問 24 および問 25 の回答）理由がありますか？

```
        1   はい
        2   いいえ
        3   わからない ───────────▶  問 37 へ
        4   無回答
```

問Ｙ11 に対して『はい』と答えている場合には，次を質問する：

Y12.　理由を述べて下さい.

_____   ☐

_____   ☐

_____

```
        ┌──────────────────────────┐
        │          問 37 へ         │
        └──────────────────────────┘
```

問 25 に対して『はい』と答えている場合には，次を質問する：

26. （問 24 の金額を読む）に加えて，あなた（あなたの世帯）が目標 B を達成するために毎年支払う意志のある最高の金額はいくらですか？

　_____　ドル単位の金額をこことフラップ，ワークシートに入れる
　000　ゼロまたは『支払う意志がない』
　998　わからない
　999　無回答

27. 最後に，国内の淡水域の 99 パーセント以上が水泳が可能な程度に清潔であるという目標 A の達成は，（あなた/あなたの世帯）にとってさらにいくらかの価値がありますか？

```
        1   はい
        2   いいえ
        3   わからない ───────────▶  問 29 へ
        4   無回答
```

問 27 に対して『はい』と答えている場合には，次を質問する：

28. （問 24 および問 26 の金額を読む）に加えて，あなた（あなたの世帯）が目標 A を達成するために，毎年支払う意志のある最高の金額はいくらですか？

_____ ドル単位の金額をここことフラップ，ワークシートに入れる

000 ゼロまたは『支払う意志がない』

998 わからない

999 無回答

面接者：回答者がこれまでの任意の時点で回答を変更したいと望むなら，戻ってそのようにする．回答を質問表，フラップおよびワークシート上において，確実に変更する．

29. 回答者が問24，問26，問28に対して答えた金額を合計し，その金額をフラップとワークシートに記入する．

　　ここであなたの答えを見直し，修正と変更を行う機会を差しあげたいと思います．これらの質問をする場合に，すべての質問が終わるまで3つの異なる目標について尋ねようとしていることに気づかない人がよくいます．ワークシートを見ると，あなたは目標Cのために $ ____，目標Bのためにさらに $ ____，目標Aのためにさらに $ ____ 支払う意志があると答えています．これは国の水質目標に到達するために（あなた/あなたの世帯）が年間総額として最高計 $ ____ を支払う意志があるということになります．何か変更があれば，どうぞなさって下さい．私たちは，これらの目標のそれぞれがあなたの世帯にとってどの程度の価値があるかについての，あなたの最善の判断を得たいと思っています．正しい答えも間違った答えもありません．金額を変更する，あるいは総額を上下させますか？

　　1　はい，変更する ━━━━━━▶ 回答者が質問表とワークシートの合計を含む金額を変更するのを手伝う．新たな金額をフラップの問29の見出しの欄に記録する．

　　2　いいえ

　　3　わからない

　　4　無回答

バージョンA

インタビュアーの注意点：問30，問31，問32に記入する金額は，この時点までに回答者が示した最終的な金額である．したがって回答者が問29で金額を変更したならば，問30，問31，問32の質問の際にはそれらの数字を使用する．

30. あなたは，釣りが可能なレベルの水質の目標を達成するために（ワークシートの問24と問26の合計金額を読みあげる）を，さらに水泳が可能なレベルへの改善のために（ワークシートの問28の金額を読みあげる）を支払う意志があると答えました．

　　もし，釣りが可能なレベルと水泳が可能なレベルとの中間までしか最低値を上げることができなくても，（問28の金額を読みあげる）を支払う意志がありますか？（ワークシート上でレベルBとレベルAの中間を指す）中間では，多くの水系が釣りが可能なレベル以上に改善され，すべてではないものの一部の水系は水泳が可能なレベルまで改善されます．

1　は　い　——————————▶　問 32 へ
2　いいえ
3　わからない　————————————▶　問 32 へ
4　無回答

問 30 に対して『いいえ』と答えている場合には，次を質問する：

31. （ワークシートの問 24 と問 26 の合計金額を読みあげる）に加えて，釣りが可能なものと水泳が可能なものとの中間まで最低値を上げるために，あなた（あなたの世帯）が毎年支払う意志のある最高の金額はいくらですか？
　　 _____ ドル単位の金額を記入
　　 000　ゼロまたは『支払う意志がない』
　　 998　わからない
　　 999　無回答

問 24，問 26 または問 28 にドル単位の金額が与えられている場合には，次を質問する：

32. あなた（あなたの世帯）は，国の水質目標に到達するために（ワークシートの問 24，問 26，問 28 の合計金額を読みあげる）を支払う意志があると答えました．他州の人々も公平に資金を分配すると仮定して，水質改善のためにこの金額のうちのいくら，あるいは何パーセントを（この州）に，いくらまたは何パーセントを国内の他地域に提供しますか？

			わからない	無回答
この州	$ _____	_____ %	9998	9999
他　州	$ _____	_____ %	9998	9999

バージョンB

インタビュアーの注意点：問 30，問 31，問 32 に記入する金額は，この時点までに回答者が示した最終的な金額である．したがって回答者が問 29 で金額を変更したならば，問 30，問 31，問 32 の質問の際にはそれらの数字を使用する．

30. ここで，少し異なる状況について質問します．カード 6 a を見て下さい．あなたは，国内の水の 99％または実質的にすべてが少なくとも釣りが可能なレベルになるという目標を達成するために，（ワークシートの問 24 と問 26 の合計金額を読みあげる）を支払う意志があると答えました．それが不可能な場合でも，国の水系の 5 パーセントを船遊び可能なレベルに，一方で他の 95％を釣りが可能なレベルに改善するために（ワークシートの問 28 の金額を読みあげる）を支払う意志がありますか？（段階図上の 99％ を消して 95％ に書きかえてある位置を指す）この 5 パーセントを構成する湖，河川，小川は，すべて高度に工業化された，あるいは多くの人が住む都会にあるものとします．
　　 1　はい，同じ金額だけの価値がある　——————▶　問 32 へ
　　 2　いいえ，価値は低くなる

3	わからない	
4	無回答	➡ 問 32 へ

問 30 に対して『いいえ』と答えている場合には，次を質問する：

31. （あなた/あなたの世帯）にとっての価値は，1 年あたりでどの程度低くなりますか？

_____ ドル単位の金額を記入

998 わからない

999 無回答

問 24，問 26 または問 28 にいくらかの金額が与えられている場合には，次を質問する：

32. あなた（あなたの世帯）は，国の水質目標に到達するために（ワークシートの問 24，問 26，問 28 の合計金額を読みあげる）を支払う意志があると答えました．他州の人々も公平に資金を分配すると仮定して，水質改善のためにこの金額のうちのいくら，あるいは何パーセントを（この州）に，いくらまたは何パーセントを国内の他地域に提供しますか？

			わからない	無回答
この州	$ _____	_____ %	9998	9999
他 州	$ _____	_____ %	9998	9999

バージョン A

もう一度，水質段階を見て下さい（カード 3）．この調査の主な目的は，国の 3 つの水質汚濁目標に到達することに対して国民が認めている価値を知ることです．これらの目標にどの程度の価値があるかを答えることは多くの人にとって難しいため，水質汚濁管理に現在いくら支払っているかを尋ねられることがあります．このような情報に影響されず，その人にとっての目標に実際どの程度の価値があるかを考えてもらいたいために，インタビューの最初ではこの情報を提供しませんでした．

あなたはこのことを考える機会をすでに持たれたので，あなたの所得区分の世帯が水質汚濁管理に支払っている金額の範囲をお教えし，なんらかの理由でそうしたいと望まれるなら，水質汚濁のための金額を変更する機会を提供します．

これを行う前に，あなたは 2 つのことを知っていなければなりません．一つ目は，実際に支払う金額は世帯の人数その他の要因によって異なるということです．

2 つ目は，船遊びができるよりも高い目標に到達するために，この金額を毎年支払うことが十分な資金を提供することになるかどうかは，はっきりしないということです．

回答者に，所得に相当するカード A 9 を渡す．

昨年，あなたのような世帯は国の水質汚濁管理プログラムのために（回答者の所得グループに対する範囲を下記から読みあげる）を支払いました．

所得グループ	色カード	水質汚濁の金額
$10 000 未満	白	$10～$100
$10 000～$19 999	黄	$70～$150
$20 000～$29 999	青	$175～$300
$30 000～$49 999	緑	$400～$600
$50 000 以上	ピンク	$1 200～$1 500

ワークシートを指す.

33. これが，あなたが3つの目標のために支払う意志があると答えた金額です．これらの金額を，上下いずれに変更して下さってもかまいません．私たちが欲しいのは，その金額を現在支払っているか否かにかかわらず，あなたにとってこれらの目標のそれぞれが値する最高金額の現実的な評価であることを覚えていて下さい．変更しますか？（待つ．回答者がためらっているようであれば，関連する質問の部分を繰り返して回答者を促す）

1 はい
2 いいえ
3 わからない ———▶ 問35へ
4 無回答

問33に対して『はい』と答えている場合には，次を質問する：

34. 新しい金額はいくらですか？（回答者が合計を含むワークシート上の金額を変更するのを手伝う．新たな金額をフラップに記録する）

バージョンB

　もう一度，水質段階を見て下さい（カード3）．この調査の主な目的は，国の3つの水質汚濁目標に到達することに対して国民が認めている価値を知ることです．これらの目標にどの程度の価値があるかを答えることは多くの人にとって難しいため，水質汚濁管理に現在いくら支払っているかを尋ねられることがあります．このような情報に影響されず，その人にとっての目標に実際どの程度の価値があるかを考えてもらいたいために，インタビューの最初ではこの情報を提示しませんでした．

　あなたはこのことを考える機会をすでに持たれたので，あなたの所得区分の世帯が水質汚濁管理に支払っている金額の範囲をお教えし，なんらかの理由でそうしたいと望まれるなら，水質汚濁のための金額を変更する機会を提供します．

　これを行う前に，あなたは2つのことを知っていなければなりません．一つ目は，実際に支払う金額は世帯の人数その他の要因によって異なるということです．

　2つ目は，この金額を毎年支払うことがボートの航行が可能なものよりも高い目標に到達するために，十分な資金を提供することになるかどうかは，はっきりしないということです．

　回答者に，所得に相当するカードB9を渡す．

　昨年，あなたのような世帯は国の水質汚濁管理プログラムのために（<u>回答者の所得グループに対する範囲を下記から読みあげる</u>）を支払いました．さらに，昨年あなたはこの州を含む全国の大気汚染管理プログラムのために，高い価格および税金として（<u>回答者の所得グループに対する範囲を下記から読みあげる</u>）の間の金額を支払いました．この金額は現在の国内の大気の質を維持し，おそらくはやや改善するのに十分なものです．

所得グループ	色カード	水質汚濁		大気汚染
$ 10 000 未満	白	$ 10～$ 100	+	$ 15～$ 150
$ 10 000～$ 19 999	黄	$ 70～$ 150	+	$ 100～$ 195
$ 20 000～$ 29 999	青	$ 175～$ 300	+	$ 265～$ 420
$ 30 000～$ 49 999	緑	$ 400～$ 600	+	$ 650～$ 850
$ 50 000 以上	ピンク	$ 1 200～$ 1 500	+	$ 1 775～$ 2 200

ワークシートを示す．

33. これが，あなたが3つの目標のために支払う意志があると答えた金額です．3つの水質目標について答えたこれらの金額を，上下いずれに変更して下さってもかまいません．私たちが欲しいのは，その金額を現在支払っているか否かにかかわらず，あなたにとってこれらの目標のそれぞれが値する最高金額の現実的な評価であることを覚えていて下さい．変更しますか？（待つ．回答者がためらっているようであれば，関連する質問の部分を繰り返して回答者を促す）

1　は　い
2　いいえ
3　わからない　　　　　　　　　　➡ 問 35 へ
4　無回答

問 33 に対して『はい』と答えている場合には，次を質問する：

34. 新しい金額はいくらですか？（回答者が合計を含むワークシート上の金額を変更するのを手伝う．新たな金額をフラップに記録する）

全員に質問する：

35. ワークシート上に記入した金額についての最後の質問です．ここで答えた金額が，現在の船遊びが可能なレベルにあたる目標Cを含めて，3つの目標のいずれに到達するのにも十分ではなかった場合にはどうしますか？　あなた（あなたの世帯）は，これらの目標のいずれか，あるいはすべてに到達しようと試みるために，もっと支払う意志がありますか，あるいはこれらの金額がそれぞれの目標に到達するために，あなた（あなたの世帯）が現実的に提供できる最高金額ですか？（待つ．回答者がためらっているようであれば，関連する質問の部分を繰り返して回答者を促す）

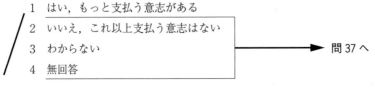

1　はい，もっと支払う意志がある
2　いいえ，これ以上支払う意志はない
3　わからない　　　　　　　　　　➡ 問 37 へ
4　無回答

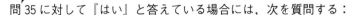

問 35 に対して『はい』と答えている場合には，次を質問する：

36. 目標 C, B, A のそれぞれに到達するために，あなた（あなたの世帯のすべての構成員）にとっての本当の価値以上を費やしていると感じない，あなた（あなたの世帯）が毎年支払う最高の金額はいくらですか？（回答者が合計を含むワークシート上の金額を変更するのを手伝う．新たな金額をフラップに記録する）

セクション E：背景情報

この最後のセクションでは，あなたについていくつかの質問をします．

37. あなたが終了した正規教育の最後の学年は？　秘書学校，美術学校，職業学校のような専門学校は含めないで下さい．

   1　小学校以下（0〜8）
   2　高校中退（9〜11）
   3　高校卒業（12）
   4　大学中退または二年制大学
   5　大学卒業（4 年制または 5 年制）
   6　大学院在籍または学位取得
   7　わからない
   8　無回答

38. この州に住んで何年になりますか？（よく考えてもらう：なるべく正確な評価がよい．1 年未満の場合には 1 と記入）

   ＿＿　年　数
   98　わからない
   99　無回答

39. **明白ではない場合にだけ質問する**：あなたの人種的あるいは民族的な背景はどのようなものですか？　選択肢を読みあげる．

   1　白　人　　　　　　　　　　　　　　　**インタビュアーの注意点：**
   2　黒　人　　　　　　　　　　　　　　　白人と黒人＝黒人
   3　ヒスパニック　　　　　　　　　　　　白人とヒスパニック＝ヒスパニック
   4　アジア人または太平洋信託統治諸島人　黒人とヒスパニック＝ヒスパニック
   5　その他の人種（**特定する**）
   6　わからない
   7　無回答

40. 冊子の最後のカード，カード 7 へ進んで下さい．分類のために，あなた（およびあなたの世帯の他のすべての構成員）の<u>1982 年の課税徴収前の</u>所得がどのカテゴリーに最もよくあてはまるかを教えて下さい．各構成員の賃金および給与，あらゆるビジネスによる実質収入，年金，配当，利子，祝儀その他の収入を必ず含めて下さい．あなたの世帯の収入が最もよくあてはまる番号を教えて下さい．

    A   1   ＄5 000 未満
    B   2   ＄5 000 以上＄10 000 未満
    C   3   ＄10 000 以上＄15 000 未満
    D   4   ＄15 000 以上＄20 000 未満
    E   5   ＄20 000 以上＄25 000 未満
    F   6   ＄25 000 以上＄30 000 未満
    G   7   ＄30 000 以上＄35 000 未満
    H   8   ＄35 000 以上＄40 000 未満
    I   9   ＄40 000 以上＄45 000 未満
    J   10   ＄45 000 以上＄50 000 未満
    K   11   ＄50 000 以上＄100 000 未満
    L   12   ＄100 000 以上
           13   わからない
           14   無回答

回答者のみの世帯である場合には Q 42 へ

41. この世帯合計所得のうち，どの程度があなた自身の所得ですか？　あなたの割合は世帯合計所得の 75 パーセント以下ですか，あるいはあなたの割合は世帯合計所得の 75 パーセントよりも多いですか？
    1   75 パーセント（4 分の 3）以下
    2   75 パーセントよりも多い
    3   わからない
    4   無回答

全員に質問する：

42. あなたの世帯が，3 つの水質目標 C, B, A のそれぞれに到達するために支払う意志のある金額についてお尋ねした質問を思い出して下さい．人によっては，目標 C, B, A について答えた金額に他の人よりも自信を持っています．あなたはいかがですか？　これらの目標について答えた金額に非常に自信がある，やや自信がある，あまり自信はない，あるいは非常に自信がないですか？

    1   非常に自信がある
    2   やや自信がある

　　3　あまり自信はない
　　4　非常に自信がない
　　5　わからない
　　6　無回答

<u>結び：お時間とご協力をありがとうございました．</u>

セクションＦ：面接者の評価

面接者：インタビュー後なるべく早く，これらの質問に記入する．

　これらの２つの質問は，回答者に３つの水質レベルの価値を評価させた問24〜29に回答者がどのように答えたかに関するものです．

43. 回答者が問24〜29に答えたか否かにかかわらず，これらの質問で行うようにいわれたことを，あなたの意見では回答者はどの程度よく理解していましたか？

　　1　完全に理解していた
　　2　かなりよく理解していた
　　3　ほぼ理解していた
　　4　少し理解していた
　　5　あまりよく理解していなかった
　　6　まったく理解していなかった
　　7　その他（**特定する**）：

　　_____

　　_____

　　_____

44. ３つの水質レベルの価値の評価に到達するために，回答者が行った努力の程度を最もよく説明しているのは，次のどの説明ですか？

　　1　なるべくよい価値評価を行うために，質問について長時間考えた
　　2　質問について注意深く考えたが，長時間ではなかった
　　3　質問についていくらか考えた
　　4　質問についてほとんど考えなかった
　　5　その他（**特定する**）：

　　_____

　　_____

　　_____

〔水便益調査で示す小冊子〕

〔カード1〕

汚染管理に関する記事

1- 環境保護は非常に重要であり，汚染管理の要求や基準はきびしすぎるということはなく，費用をいとわずに持続的な改善を行わねばならない，

あるいは

2- われわれは環境の浄化について十分な進歩を達成しており，いまやさらにきびしい管理を要求するよりも費用の削減に専念すべきである，

あるいは

3- 汚染管理の要求や基準はゆきすぎであり，すでにそれに値する以上の費用がかけられている．

〔カード2〕

水質汚濁源

1 農業からの流出水
2 都市からの下水
3 鉱山からの排水
4 道路とハイウェイからの流出水
5 ごみ捨て場からの漏出
6 工場廃棄物の水系への投棄

〔カード3〕

水　質　段　階

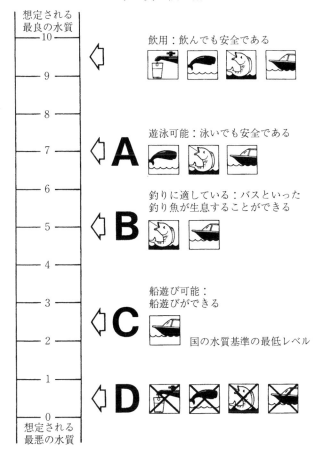

想定される
最良の水質

飲用：飲んでも安全である

遊泳可能：泳いでも安全である

釣りに適している：バスといった
釣り魚が生息することができる

船遊び可能：
船遊びができる

国の水質基準の最低レベル

想定される
最悪の水質

〔カード4〕

なぜ私の世帯は国の淡水水質を評価するのか

1. 私（私の世帯）は，淡水を以下の目的のために使用している：
   - 魚釣り
   - 船遊び
   - 水　泳
2. 私（私の世帯）は，淡水の周辺地域を以下の目的のために使用している：
   - ピクニック
   - バードウォッチング
   - 休暇用コテージでの滞在
3. 私（私の世帯）は，他の人々が淡水を使用し楽しんでいることを知って満足している．
4. 私（私の世帯）は，国内の水が以前よりも清潔になることを知って満足している．

〔カード 5〕

1982 年の課税徴収前の世帯所得

A $ 10 000 未満

B $ 10 000 ― $ 19 999

C $ 20 000 ― $ 29 999

D $ 30 000 ― $ 49 999

E $ 50 000 以上

〔カード 6〕

誰もが以下のものを通じて水質汚濁制御に対して支払いを行っている：

1　あなたの次の税金の一部 　　地方自治体の上下水道 　　州 　　連邦	コミュニティーの下水処分場の建設・保守管理・運営，調査の実施，水質汚濁法の執行などを行うことを目的としている
2　あなたの支払う次の価格の一部 　　会社によって消費者に対して販売される製品にかかる価格	水質汚濁基準を満たすために，政府が産業に対してその設置を求めている排水処理施設の建設・保守管理・運営を行うことを目的としている

〔カード6A〕

水 質 段 階

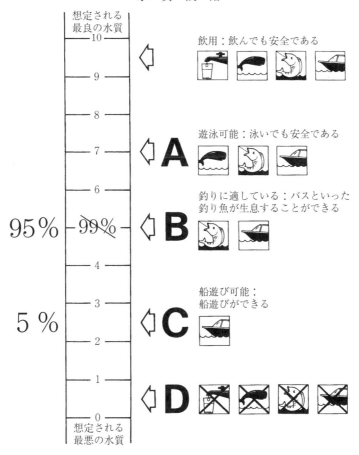

想定される
最良の水質

飲用：飲んでも安全である

遊泳可能：泳いでも安全である

釣りに適している：バスといった
釣り魚が生息することができる

船遊び可能：
船遊びができる

想定される
最悪の水質

〔支払いカード〕

課税徴収前の年間世帯所得 $10 000 未満			
(なんらかの公共プログラムに対して支払われた，1982 年の税金と価格の年間平均総額)			
$ 0	$ 45 —警察および消防	$ 120	$ 270
1	50	130	280
2	55	140	290
3	60	150	300
4	65	160	320
5	70	170	340
10 —宇宙プログラム	75	180	360
15	80	190	380
20	85	200	400 —国防プログラム
25	90	220	420
30	95	240 —公教育	440
35	100 —道路およびハイ	250	460
40	110　ウェイ	260	480

〔支払いカード〕

課税徴収前の年間世帯所得 $10 000～$19 999			
(なんらかの公共プログラムに対して支払われた，1982 年の税金と価格の年間平均総額)			
$ 0	$ 90 —警察および消防	$ 295	$ 550
5	100	310	565
10	110	325	580
15	120	340	595
20	130	355	615
25 —宇宙プログラム	140	370	635
30	150	385	655
35	160	400	675
40	170	415	695
45	180 —道路および	430	715
50	190　ハイウェイ	445	735
55	205	460	755
60	220	475	775
65	235	490 —公教育	795
70	250	505	815 —国防プログラム
75	265	520	835
80	280	535	855

〔支払いカード〕

課税徴収前の年間世帯所得			
$20 000～$29 999			
（なんらかの公共プログラムに対して支払われた，1982 年の税金と価格の年間平均総額）			
$0	$190—警察および	$620	$1140
10	210　消防	650	1180
20	230	680	1220
30	250	710	1260
40	270	740	1300
50—宇宙プログラム	290	770	1340
60	310	800	1380
70	330	830	1420
80	350—道路および	860	1460
90	380　ハイウェイ	890—公教育	1500
100	410	920	1540
110	440	950	1580
120	470	980	1620
130	500	1010	1660
140	530	1040	1700
150	560	1070	1740—国防
170	590	1100	1780　プログラム

〔支払いカード〕

課税徴収前の年間世帯所得			
$30 000～$49 999			
（なんらかの公共プログラムに対して支払われた，1982 年の税金と価格の年間平均総額）			
$0	$450—警察および	$1445	$2720
15	480　消防	1520	2805
30	510	1595	2890
45	540	1670	2975
60	570	1745	3060
90—宇宙プログラム	600	1820	3145
120	630	1895	3230
150	695—道路および	1970	3315
180	770　ハイウェイ	2045	3400
210	845	2120	3485
240	920	2195	3570
270	995	2270	3655
300	1070	2345	3740
330	1145	2420—公教育	3825
360	1220	2495	3910
390	1295	2570	3995
420	1370	2645	4080—国防
			プログラム

〔支払いカード〕

課税徴収前の年間世帯所得 $50 000 以上			
(なんらかの公共プログラムに対して支払われた，1982 年の税金と価格の年間平均総額)			
$0	$1150	$3860	$7410
25	1250—警察および	4060	7660
50	1350 消防	4260	7910
72	1450	4460	8160
100	1550	4660	8410
150	1660	4860	8660
200	1760—道路および	5060	8910
250	1860 ハイウェイ	5260	9160
300—宇宙プログラム	2060	5460	9410
450	2260	5660	9660
450	2460	5860	9910
550	2660	6060	10160
650	2860	6260	10410
750	3060	6460—公教育	10660
850	3260	6660	10910—国防
950	3460	6910	11160 プログラム
1050	3660	7160	11410

〔カード A 9〕

課税徴収前の年間世帯所得
$10 000 未満

1982 年に水質プログラムに実際に支払われた総額

　1982 年に，あなたの所得グループに所属する世帯は，次のものに対して，地元の自治体・州・連邦の税金や上乗せ価格という形で以下の総額を支払っている：

すべての水質汚濁制御プログラム　　　$10 から $100 の間

　年間におけるこの水準の支払いで，釣りや遊泳可能な水質目標を達成するのに十分であるかどうかはたしかではない．

〔カード A 9〕

課税徴収前の年間世帯所得
$10 000～$19 999

1982年に水質プログラムに実際に支払われた総額

1982年に，あなたの所得グループに所属する世帯は，次のものに対して，地元の自治体・州・連邦の税金や上乗せ価格という形で以下の総額を支払っている：

すべての水質汚濁制御プログラム　　　$70から$150の間

年間におけるこの水準の支払いで，釣りや遊泳可能な水質目標を達成するのに十分であるかどうかはたしかではない．

〔カードA9〕

課税徴収前の年間世帯所得
$20 000～$29 999

1982年に水質プログラムに実際に支払われた総額

1982年に，あなたの所得グループに所属する世帯は，次のものに対して，地元の自治体・州・連邦の税金や上乗せ価格という形で以下の総額を支払っている：

すべての水質汚濁制御プログラム　　　$175から$300の間

年間におけるこの水準の支払いで，釣りや遊泳可能な水質目標を達成するのに十分であるかどうかはたしかではない．

〔カードA9〕

課税徴収前の年間世帯所得
$30 000－$49 999

1982年に水質プログラムに実際に支払われた総額

1982年に，あなたの所得グループに所属する世帯は，次のものに対して，地元の自治体・州・連邦の税金や上乗せ価格という形で以下の総額を支払っている：

すべての水質汚濁制御プログラム　　　$400から$600の間

年間におけるこの水準の支払いで，釣りや遊泳可能な水質目標を達成するのに十分であるかどうかはたしかではない．

〔カード A 9〕

課税徴収前の年間世帯所得
$ 50 000 以上

1982 年に水質プログラムに実際に支払われた総額

1982 年に，あなたの所得グループに所属する世帯は，次のものに対して，地元の自治体・州・連邦の税金や上乗せ価格という形で以下の総額を支払っている：

すべての水質汚濁制御プログラム　　　$ 1 200 から $ 1 500 の間

年間におけるこの水準の支払いで，釣りや遊泳可能な水質目標を達成するのに十分であるかどうかはたしかではない．

所在地　#ーーーーーーーーー

ライン　#ーーーーーーーーー

フラップ

総　額	問24-問28	問29 変更	問34 助成	問36 最大
	$ _____ .00	$ _____ .00	$ _____ .00	$ _____ .00
目標C 船遊びができる 問24	$ _____ .00	$ _____ .00	$ _____ .00	$ _____ .00
目標B 釣りができる 問26	$ _____ .00	$ _____ .00	$ _____ .00	$ _____ .00
目標A 遊泳ができる 問28	$ _____ .00	$ _____ .00	$ _____ .00	$ _____ .00

インタビュアー：このフラップは，各アンケートの前面に添付しなくてはならない！

CV 調査における
仮説検定と実験設計

序　文

　これまでに，CV調査のさまざまな特色が，調査結果にどのような影響を与えるのかを見るために数多くの実験が実施されてきた[1]．こうした実験では，一般に，回答者の等質なサンプルグループに対するシナリオの構成要素を変えて，その違いによる回答者の集計されたWTPの違いを評価することになる[2]．実験関連の文献の中で検討された要素の中には，次のようなものがあげられる：すなわち，異なる種類のWTP導出方法（たとえば，付け値ゲームと支払いカード）・付け値ゲームの異なる開始金額・支払いカードにおける金額の変化のさせ方・異なる種類の支払手段・WTPとWTA・異なる予算上の制約・調査の中で応答者に提供される情報の変化である．こうしたことに比べると頻繁ではないが，離散選択形式で，異なるWTPを持つ回答者の占める割合の比較や，あるいは，開始額の関数としてのWTPの期待値について関心を抱いているCV研究者も見られる[3]．

　この付録は，回答者の行動に関して検定できそうなものを提示している第11章を拡大したものと見なすことができる．

　ここではまず，文献の中で報告されている多くのCV実験は，これらが取り扱っているサンプル数が小さいために，対象としているものの影響がないという帰無仮説を却下するのには十分ではないという理由から，不備であるということを示す．サンプルの規模が非常に小さい場合には，統計学的に有意とされるような違いは，非常に大きいものであるはずであるから，違いの見られない調査結果—こうしたCV実験で最もよく見られる調査結果である—は比較的無意味であるとされる[4]．特定の過去，あるいは提案されている実験の検定力を評価したいと望んでいる者を支援するために，サンプルの規模の大きさと，特定のレベルの検出力および有意性のもとで検知される違いの大きさとの関係を，便利な形で利用できるように要約した表を示した．次に，CV実験の設計と分析に改良を加える方法についての考察を加えている．他の事柄を変えずに，サンプルの規模を「十分に大きく」するだけで，意義のある実験に対して必要とされる統計学的な検定力が提供されるのは明らかである．さらに，補足的なインタビューを行うのには費用がかかるので，研究者が特定の水準で違いを検知するために必要とされるケース数を最小限に抑えるのに，使用することのできる特色を明らかにするためにサンプルの規模とは関係なく実験の検定力に影響をもたらす要因についての調査を行っている．このとき特別な注意が払われたのは，CV実験の設計における偏差の係数をあら

1) 調査内の実験は，調査研究者によってしばしば用いられている．たとえば，Schuman and Presser(1981)．Fienberg and Tanur（1985）は，実験設計と調査サンプリングの理論の類似性について調査している．偶発事態評価調査のコンテキストの中で実施されている実験の例としては，以下のものが含まれている：すなわち，Randall, Ives and Eastman（1974），Brookshire, Ives and Schulze（1976），Bishop and Heberlein（1979），Rowe, d'Arge and Brookshire（1980），Brookshire, Randall and Stoll（1980），Brookshireら（1981），Greenly, Walsh and Young（1981），Mitchell and Carson（1981），Randall, Hoehn and Tolley（1981），Thayer（1981），Schulze and Brookshire（1983），Desvousges, Smith and McGivney（1983），Smith, Desvousges and Freeman（1985），Boyle, Bishop and Welsh（1985），Robert, Thompson and Pawlyk（1985），Carson and Mitchell（1986）である．最近の概観については，Schulze, d'Arge and Brookshire（1981），Rowe and Chestnut（1983），Cummingsら（1986），そして本書を参照されたい．
2) われわれは，この付録を通して，個体は異なる取扱いに無作為に割り当てられるものと想定することになる．これはこれまでにいくつかのCV実験の中でも行われているために重要であり，看過されるべきではない．
3) 時折，実験に対する仮説として，たとえば異なる取扱いのもとでの反応の違いといったように，回答者の実際に支払う意志以外のCV調査の観点に関連づけている事例が見られる．
4) このことは次のことを暗示している：すなわち，帰無仮説が受容されるような小規模なサンプルにもとづいた実験に多大な信用をおいてはならない．とくに，対立仮説が真である場合でも，帰無仮説に対する棄却はありそうにないという理由から，帰無仮説が棄却されるような実験に対しては注意を払う必要がある．

かじめ予測することが果たす役割についてである[5]. 調査の結果判明した重要な事実に，WTP の平均値よりもむしろ中央値を利用することによって，さらに検定力の大きな統計学的な検定を行うことができるということがあげられる．また，さらに複合的な設計を利用することの利点があるかどうかについて議論し，離散的な選択の枠組みの中で CV に関する質問を行なうという特別な事例について考察を行った．われわれは，最後に CV 実験の設計に対して提言を行った．

試験の検定力，および 4 つの簡単な例

4 つの典型的な CV 実験をとおして，競合する仮説を区別する能力について調べることから始める．使用される例として，Thayer（1981），Desvousges, Smith and McGivney（1983），Brookshire ら（1981），Schulze ら（1983）を用いた．考察の対象とされる最初の 2 つの実験は，導出方法として反復的な付け値ゲームが使用される場合の開始地点の役割について試験している．3 番目の実験は，財が利用できる状態になる期日が変化すると，この財（空気の質）に対して支払う意志に変化が生じるかどうかが試験されている．4 番目の実験は，WTP を引き出すのに郵便による調査方法を用いたときに，個人面談による導出と比べて異なる平均推定値が得られるかどうかが調査されている．最初の 2 つの事例の場合，相違を検知するデータ能力と矛盾していない結論に達しているのは明らかである．これに対して後者の 2 つの事例では，到達された結論は，データと大きく食い違っているように見受けられる．これら 4 つの例に共通していえるのは，帰無仮説を棄却する統計学的な検定力に欠けているということが，主要な問題点であるということである．

日帰り旅行を行う人々の 2 つのサンプルを用いながら，Thayer（1981）は，ニュー・メキシコ州のヘメス・マウンテンのレクリエーション地域に対して，人々の支払う意志の平均について比較を行っている．一つは，開始地点を＄ 1 に設定し，もう一つは開始地点を＄10 に設定している．＄ 1 を開始地点に設定した場合の（レクリエーション地域を保護するための）WTP の平均値 X_1，標準偏差 S_1，および観測された数 N_1 は，それぞれ＄2.63，＄3.27，49 であった．これに対して，＄10 を開始地点に設定した場合には，等価な数字は，X_{10}＝＄2.44，S_{10}＝＄1.85，N_{10}＝25 であった．対立仮説 $H_1：X_1 \neq X_{10}$ に対して帰無仮説 $H_0：X_1 = X_{10}$ を比較する Thayer の両側 t−検定を算定するための公式（Larson, 1982）は，次の式によって与えられる：

$$T = (X_1 - X_{10})/(S_p \sqrt{1/N_1 + 1/N_{10}}), \qquad (C-1)$$

ここで，$S_p^2 = [(N_1-1)S_1^2 + (N_{10}-1)S_{10}^2]/[N_1+N_{10}-2]$ である．この計算を行うと，$T = .269$ になる．各 2 つのサンプルにおける付け値が，等しい分散を伴う独立した通常の確率変数であるとすると，T は，$N_1 + N_{10} - 2$ の自由度を伴うスチューデントの t 分布である[6]．Thayer の実験から得られた t−値（.269）は些細なものであり，t−検定でこれ以上の数値が観察される確率である p は，0.8 である．ほとんどどのような基準から見ても，Thayer の結果は，この CV 調査において開始地点の偏りがないことが示唆されており，こうした偏りがないことに対する彼の検定は，文献の中でも最も説得力があるものと考えられる．

H_1 が受容されるまで，どのくらい大きな違いがなくてはならないかについて問うときに問題が

5）CV 研究における実験設計に対する変動係数の重要性について，最初に認識を示したのは，Desvousges, Smith and McGivney（1983）であった．この問題点に対する彼等の取扱い方は正しかったにもかかわらず，彼らは表 A—2 において，これまでの CV 研究を対象にして変動係数を算定する際に（彼らが公式によって正しく同定している標準偏差というよりは），平均値の標準誤差を不注意に使用している．これによって，彼らは過去の CV に関する実験の有用性について，われわれが行っているよりもかなり楽観的な結果を導き出している．

生じる．この問題に答える一つの方法で，CV 調査報告書のほとんどの読者にとって最良の方法は，2 つの平均値の違いの t−検定に対する信頼区間を算定することである．ほとんどの CV 研究において，典型的に見られるように，有意性が 5 パーセントの水準であるときには，2 つの平均の差の 95 パーセントの信頼区間は，次の式によって与えられる：

下限　$[X_1 - X_{10} - t_{(.25, Np-2)} S_p \sqrt{1/N_1 + 1/N_{10}}]$

上限　$[X_1 - X_{10} + t_{(.25, Np-2)} S_p \sqrt{1/N_1 + 1/N_{10}}]$　　　　　　　　　　(C-2)

ここで，$N_p = N_1 + N_{10}$．Thayer の研究に対してこの数量を算定すると，（−1.19，1.57）の区間が得られる[7]．この数値はいくぶん当惑させられる数値である．というのは，H_0 が棄却されるまでに，2 つの平均値の間には 50 パーセント以上の違い—もちろん大きい違いなのだが—がなくてはならないことを示唆しているからである[8]．

Desvousges, Smith and McGivney（DSM）は，開始地点を＄25 と＄125 にそれぞれ設定した 2 つのサンプルを対象にして WTP の額を比較することによって，モノンガヘラ川の水質を船遊び可能なものから，釣りの可能なものにまで向上させることに対する支払う意志についての開始地点バイアスの検定を行っている（1983 年，表 4-10 と 4-11）．最初のサンプルの平均値 X_{25}，標準偏差 S_{25}，観測された数 N_{25} は，それぞれ＄15.90，＄15.50，58 である．これに対して＄125 を開始地点に設定したサンプルの場合は，$X_{125} = ＄36.90$，$S_{125} = ＄49.50$，$N_{125} = 48$ である．$H_1: X_{25} \neq X_{125}$ に対する $H_0: X_{25} = X_{125}$ の t−値は，−3.072 となり，この数値は際立った開始地点バイアスがあることを示唆している．

H_0 が棄却されるためには，どのくらいの大きさの違いが必要とされるのか？　今回も再び検定は敏感でないことが判明している．DSM のケースでは非常に大きい違いがあるときにのみ，H_0 を棄却することがわかる．等式（C-2）を用いると，DSM における 2 つの平均値の間の違いに対する 95 パーセントの信頼区間は，（−34.5，−7.5）となり，H_0 を棄却するためには，X_{125} は，X_{25} よりも，少なくとも 47 パーセント大きくなくてはならないことになる．DSM 研究においては 2 つの開始地点の距離（＄125〜＄25）は実際に大きいために，Rowe, d'Arge and Brookshire（1980）が示唆しているように，われわれは，もし応答者が自分の入札を開始地点の数パーセント増やした場合には，2 つの WTP の平均値の間の違いは大きくなるものと予想している[9]．

ここであげられている Thayer and DSM の例の中で，研究者は，小規模なサンプルを取り扱っているにもかかわらず，意義深い結果に達している．DSM がそうなっているのは，彼らの見い出した違いが非常に大きかったからであり，Thayer がそうなっているのは，彼の検定を片側検定とし

6）選択された優位性のレベルに関していうと，t−検定は，こうした仮定に対するほとんどの違反に対しては，非常に頑健であることがすでに長い間知られている（Bartlett, 1935 ; Ito, 1980），検定力に関しては非常に効率性が悪いとされている（Efron, 1969）．こうした仮定に対する著しい違反があることが明らかな場合には，研究者は，非パラメトリックなウィルコクソン検定を考慮する必要がある（Lehman, 1975）．ウィルコクソン検定は，いかなる事例においても，t−検定に対して望まれる代替方法であると考えられている．というのは，ウィルコクソン検定は，正規分布に対しては t−検定とほとんど同様の有効性を有しており，その他のさらに広範囲な分布に対しては，より大きな有効性を有しており，さらに，ウィルコクソン検定は，階層にもとづいているために，外れ値（アウトライアー）の影響を受けにくいからである．Carson and Mitchell（1986）は，t−検定の分布に関する仮定が，明らかに合っていない場合におけるウィルコクソン検定の使用例についての例を提供している．

7）Thayer は，彼の論文の中で 10 パーセントの有意性のレベルを使用している．われわれは以下において，この有意性のレベルが通例 CV 実験で採用されている 5 パーセントレベルよりもずっと妥当であり，事例によっては，これよりも高いレベルが使用されなくてはならないことを論じてゆくことになる．

8）開始地点における偏りはないという Thayer の報告による結論は，彼のデータと矛盾しない．というのは，(1) 片側検定に関連させた仮説（すなわち，開始地点を高く設定すれば，WTP に対する応答も高くなる）を定式化することは妥当（そして有効）であり，(2) 観測されている違いは，開始地点を高く設定すれば，これによって WTP に対する低い応答がもたらされるような方向性が認められるからである．

て計算し直すことができたからである[10]. しかしながら, われわれが引き合いに出している次の2つの例では, 検定力の低さとデータパターンによって, 研究者が行った結論が根拠づけできないようなものになっている.

われわれの3つ目の例は, ロサンジェルス大気盆地における見通しを向上させるためのWTPに対して, 影響を与える要因に関するBrookshireら (1981) による一連の実験から取ってきたものである. 彼らは, モンテベーロの被験もしくは回答者からなる2つの非常に小規模なサンプルのWTPの比較を行っている. 一つのグループは, 浄化作業には2年かかるといわれ, もう一つのグループは, 浄化作業には10年かかると告げられた. 最初のグループの回答者は10名で, これの平均値が$19.10, 標準偏差が$45.95である. 2番目のグループは8名で, これの平均値が$4.38, 標準偏差が$4.30である. 2つの平均値の間に見られる違いに対するt-値は.895となり, 著者らは, 両側検定で有意水準 $\alpha = .10$ を用いて, 平均値の間の違いは有意なものではないと結論づけている. さらに, 2つの平均値の違いが, $15.52 (2番目のグループの平均値の3倍以上) であり, さらに理論的に示唆された方向に違っているのにである. これは, この検定によって示されている信頼区間は非常に大きい (-$14.76, $45.80) ために, H_0 を棄却することは事実上不可能だった.

Schulzeら (1983) からのものである4つ目の例は, WTPに関する情報を得るのに個人面談を用いるのと, 郵便による調査を用いるのとを比較することに関するものである. この研究では, 37名にインタビューが実施され, その結果, $3.91の平均値と$5.65の標準偏差が得られ, さらに, 38通の調査郵便が返送され, $7.85の平均値と$17.99の標準偏差が得られている. WTPに対する応答を得るために行われた2つ方法の平均値の間の違いに対するt-検定では, -1.26が得られている. いかなる適切な有意水準においても, 2つの処理の間には統計学的に有意な違いは認められない. しかしながら, 2つの平均値の間には100パーセント以上の違いがあり[11], この場合でもまた, 平均値の間の違いに対する95パーセントの信頼区間は非常に大きい (-10.10, 2.22). この3番目と4番目の例で問題とされているのは, 小規模なサンプルの使用と, 平均値と比較したときの標準偏差の値の大きさにある.

CV 仮説検定の検定力

この問題がCV実験にとって特有なものであることを示すために, さらに将来のCV実験の設計に示唆を与えるために, 仮説検定の検定力に関するいくつかの統計学的な理論の紹介を行っておく必要がある. まず, この付録を通して適用されることになる次の3つの標準的な統計学的定義から

---

9) (そうすることが可能な場合には, 行う必要があるにもかかわらず) 全般的にいって, 開始地点の違いを増やすことが, 統計学的な検定力の不備に対する解決策にはならない. それを越えると, 抗議としてのゼロ・WTPに対する無限な応答・応答無しが許容できないほど高くなる, 開始地点の上限がある. DSM は開始地点を$125に設定することで, この種類の際立った問題に直面しており, おそらくはこうした上限近くに設定したものと考えられる.

10) Thayer の検定を片側検定による仮説 (開始地点を高く設定すれば, WTPに対する応答も高くなる) として計算をやり直すと (検定はまだ弱いものであるものの), 即座にその検定力の向上が認められた. しかしながら, さらに重要と考えられるのは, より大きく設定された開始地点が, より少ない支払いに対する意志による総額と関連づけられたために, 彼のWTPに対する応答の分散がゼロに近いにもかかわらず, 開始地点の偏りがないという帰無仮説が受け入れられたことにある. したがって Thayer の示した証拠は, 開始地点に偏りがないという帰無仮説と相反することには決してならない.

11) われわれは, 第12章において次のような指摘を行っている:すなわち, 郵便調査によって取得されたWTPの平均総量は, 上方に偏りのある可能性がある. というのは, その財に対してより関心を持っている者 (およびこれにさらに高い価値を見出している者) が, 郵送されたアンケートを返送する可能性が最も高いからである.

始めることにする：

 H_0 が真であるときに，H_0 を棄却する確率：α によって表示される第１種の誤りの確率

 H_1 が真であるときに，H_0 を受容する確率：β によって表示される第２種の誤りの確率

 H_1 が真であるときに，H_0 を受容しない確率：$1-\beta$ によって表示される検定力

CV 実験での仮説検定においてほとんどの注意は，第１種の誤りを犯す確率に集中されている．α に注意を集中している研究者は，H_0 が真であるときに，H_1 を棄却する確率は，$(1-\alpha)$ パーセントになるとしている．

CV 文献の中では，H_1 が棄却されるときに，H_0 は真であると推定されるという残念な傾向が認められる．こうした傾向は，H_1 の棄却は H_0 が真であるということを含意することにはならないという統計学者によって常時与えられている忠告にもかかわらず，あらゆる分野で認められる[12]．統計学者によるこうした忠告によらない推定を行うことは，第２種の誤りの確率が大きいときや，あるいは同様に，上記の例に見られるように検定の検定力が低いときには，とくに危険な習慣であるといえる．

仮説検定の検定力は，（もしデータがすでに収集されているときで）有意性のレベルを選択することで自動的に決められる第１種の誤りの確率よりも，決定することがずっと困難である．所定の N に対しては，α を小さくすると逆に検定の検定力 $(1-\beta)$ は減少し，N が大きくなると検定力は増加し，S_p が小さくなると増加する．もしわれわれが正規性があり分散が等しいものと仮定する場合には，一般的な２つのサンプルの平均値の差に対する検定の検定力は，次のように表現することができる：

$$1-\beta = \mathrm{Prob}\left[-t_{(a/2, Np-2)} \leqq d/(S_p N^*) \leqq t_{(a/2, Np-2)} \mid d/S_p\right] = \mathrm{cl}, \tag{C-3}$$

$$1-\beta = \mathrm{Prob}\left[\text{rejecting } H_0 \mid d/S_p\right] = \mathrm{cl},$$

ここで，前回と同様に，N_p は組み合せたサンプルの大きさ N_1+N_2 に等しく，N^* は $\sqrt{1/N_1+1/N_2}$ に等しく，d は（X_1 と X_2 の差の推定値を表わしている）あらかじめ選定された定数である．式（C-3）から見て明らかなように，検定力のレベル $(1-\beta)$ は，d の選定によって直接変化を受けることになる．d を変化させることによって，固定させたいずれかの N_p および S_p に対して検定力曲線を描くことが可能になる．Thayer の実験からの S_p および N_p を用いて，横軸に d を取り，縦軸に検定力 $(1-\beta)$ を取り，α が .05，.10，.20 のときの検定力曲線が図 C-1 である．

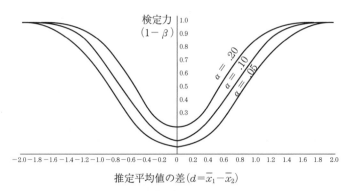

図 C-1．Thayer による開始地点に関する実験に対する検定力曲線

---

12) 薬品試験において無作為化されて実施される臨床試験で，広範に認められる統計学的な検証力の欠落についての興味深い例は，Freimann ら（1978）を参照されたい．Cohen（1962, 1977）は，心理学実験からの興味深い例について論じている．

CV 調査と変動係数

検定力のレベルを決める公式は，たいてい非心分布のパラメータ λ によって与えられる．ここで λ は：

$$\lambda = d / (S_p N^*) \tag{C-4}$$

非心分布のパラメータは，式（C-3）の 2 つの不等記号の間に挟まれた項であり，（α や β 以外にも）研究者が利用できる 2 つの選択：N^* と d を含んでいる[13]．

研究者は実験を実施する前に，S_p を知ることはできそうにないので，このパラメーターを CV 実験を計画する際に利用することは難しい．研究者が検知できるようにしたい 2 つの平均値の違いが最小となる α の選択についてもまた，研究者は，実験での設定のいずれの場合も平均値を見積る十分な事前の情報を大抵得られないために，これも困難である．

しかしながら，CV 研究者は通例，d に関して考えるのではなくて，最初の実験の平均値 X_1 と 2 番目の実験の平均値 X_2 との間の数パーセントの違いに関して考えている．X_1 に対するこの差を ΔX_1 と表示すると $\Delta X_1 = d$ なので，式（C-4）の中の d をこの項でおきかえると次のような数式で表現される：

$$\lambda = \frac{\Delta X_1}{S_p \sqrt{1/N_1 + 1/N_2}} \tag{C-5}$$

あるいは

$$\lambda = \frac{\Delta V^{-1}}{\sqrt{1/N_1 + 1/N_2}} \tag{C-6}$$

このとき V は，変動係数 S_p/X_1 である．

変動係数は，S_p の個別の推定値よりもずっと安定している傾向にある．CV 評価の文献の中で報告されているいくつかの異なる研究における V の最小値と V の最大値について，われわれが計算したものを，**表 C-1** に掲載してある．これらの研究のほとんどの場合では，変動係数は，1.0 から 3.0 の範囲内に収まっている．3.0 よりもずっと大きくなっている少数の事例は，通例研究者がデータ分析を行うに先立って外すことになる，いくつかの際立った外れ値を含んでいるか異常なケースを含んでいるか，あるいはその両者を含んでいるサンプルから算定されたものである．変動係数が 1 よりもずっと小さくなっている少数の研究は，等質な母集団からの少数のサンプルからのものである傾向が認められる[14]．

---

13) 2 つの副サンプルにおける分散がおおよそ等しく，サンプリングにかかるコストがおおよそ等しい場合には，N_p は，2 つの同じ大きさの副サンプルからなるべきである．現在行っている議論は，こうした事情にあるものと仮定している―これは，これまでの CV 実験から見たときに適切と思われる仮定である．こうした仮定が適用されない場合，異なったサンプリング計画を採用したほうが妥当と考えられる．サンプリング計画の詳細については，たとえば，Cochran（1977）などの標準的なサンプリングのテキストを参照されたい．

14) 変動係数が小さいことが本質的によいことであるとは限らない．実際に，応答者が「正しい」WTP に対する応答は何であるのかを調査の中で暗示されていることがわかってしまう場合に見られるように，WTP における変動性が欠如していることは，時として重大な問題を示していることがある．別の例を取ってみると，合衆国における世帯所得の変動係数は，0.6 から 1.0 間に分布し，収入の上限のクラスをどれだけ扱うかによっている．ある公共財に対する WTP 額が世帯所得だけに対する簡単で決定論的な一次関数であるとすると，合衆国における世帯所得に対する変動係数は，国の世帯に関するサンプルから得られた WTP に対する変動係数の下限を表わすことになる．もし研究者がこれよりもずっと低い変動係数を観測した場合には，研究者はどこかに不都合な点があると考えるべきである．

表 C-1. 選択した CV 研究からの変動係数（V）

研究	V 最小値	N	V 最大値	N
Randall, Ives and Eastman（1974）	1.16	526	1.39	526
Brookshire, Ives and Schulze（1976）	0.47	20	0.74	22
Gramlich（1977）	1.44	165	2.31	165
Cocheba and Langford（1978）	1.31	169	NA	NA
Brookshire, d'Arge and Schulze（1979）	0.60	4	4.24	9
Rowe, d'Arge and Brookshire（1980）	0.83	93	2.08	45
Brookshire, Randall and Stoll（1980）	0.59	9	1.39	10
Greenley, Walsh and Young（1981）	0.68	85	1.84	25
Mitchell and Carson（1981）	1.29	748	1.45	748
Thayer（1981）	0.59	23	1.24	49
Randall, Hoehn and Tolley（1981）	0.83	35	4.71	47
Schulze and Brookshire（1983）	0.65	60	3.41	115
Schulze ら（1983）	0.91	35	2.29	39
Brookshire, Eubanks and Randall（1983）	1.39	65	3.08	245
Desvousges, Smith and McGivney（1983）	0.61	19	2.85	32
Majid, Sinden and Randall（1983）	0.98	140	5.18	140
Blomquist（1984）	0.71	65	1.61	163
Loehman（1984）	0.61	9	2.11	83
Carson and Mitchell（1986）	1.01	130	2.16	564
Smith, Desvousges and Freeman（1985）	1.01	16	1.95	196
Roberts, Thompson and Pawlyk（1985）	0.85	33	0.98	41
Sorg ら（1985）	3.22	769	3.69	215
Donnelly ら（1985）	1.49	84	6.33	126

注記：ここに選び出されている研究は，報告結果を表わすように意図されたもので，リストは含まれていない．表中のさまざまな調査のサンプルの大きさもまた，公表されている CV 文献の中で報告されているものを表わしている．

サンプルの大きさの表

　サンプルの大きさについて示す一連の表もまた，特定の問題点に関する実験を実施するに際して，どのくらい大きな研究が必要とされるのかを立案するときに研究者にとって有用となるはずのものである[15]．表 C-2 から表 C-13 までには，変動係数 S_p/X_1 に関して，また，X_1 のパーセンテージとして次の式で表現できる X_1 と X_2 の差である $\varDelta$ に関して，異なるレベルの α と β に対して必要とされる観測数の合計が掲載されている．

$$\varDelta = \frac{X_1 - X_2}{X_1} \tag{C-7}$$

　表は，以下に掲げてある α と β の組合せを対象にした片側検定と，両側検定の両方を示している：（.05, .05），（.05, .10），（.10, .10），（.10, .20），（.20, .20），（.25, .50）．

　この表を利用するには，研究者は望ましい α および β の水準を決定し，事前に予測される適当な変動係数を決定し，特定の α および β を伴った表を見つけ出し，考えられる V の縦列を選び出し，望ましい $\varDelta$ のある行を見つけ出すことになる．表中の数値は，必要とされる実際の WTP 回答数の概数である．もし，望ましいレベルの α や β がこれらの表に含まれていないとき，あるいは，想定される V が表中の範囲外にあるときには，次の式によって適切な概算を行うことができる：

---

15) CV 実験の結果について研究している研究者にとって，こうした表は，所定の研究が取り組まれる問題点に関する情報を提供することができるのかどうかを判断する際に，有用なものとなるはずである．Cohen（1977）は，$d = (X_1 - X_2)/(S_p$ の数量に関する表を提供している．Cohen（1977）と Kramer and Thiemann（1987）は，さまざまな状況における検定力の計算についての広範な議論を行っている．

$$n = 2[Z_{(1-\alpha)} + Z_{(1-\beta)}]^2 \left(\frac{V}{\Delta}\right)^2 \tag{C-8}$$

このとき，$Z_\bullet$は，標準基準変量である．Hodges and Lehman（1968）は，式（C-8）よりも正確に行うことのできる補間法のための方法と表を提供している．検定力とサンプルの大きさの両方の算定を行うための SAS のマクロもまた利用することができる（Bergstalh, 1984）.

表 C-2 から表 C-13 までをざっと見ると，従来どおりの $\alpha = .05$ の表に対して求められるサンプルの大きさは，ほとんどの CV 研究者にとっては取り扱うことができないほど大きいために，いくぶん大きい数値の α を選択する必要がある．β の選択は，タイプⅠの誤差に関連するタイプⅡの誤差をどのように見るかによって決められることになる．ほとんどの CV 評価の場合において，われわれの考え方によると，おそらくタイプⅡの誤差に対してはわずかに軽い重みがつけられているにもかかわらず，両方の種類の誤差ともおよそ同様にやっかいなものである．表 C-6, C-7, C-8, および表 C-9 の中にある（.10, .10）および（.10, .20）の（α, β）の組合せが，CV 研究者にとっては最も有用であると考えられる．

これらの表の中で，所定の V, α, および β に対して特定の Δ を検知するのに必要とされる観測数（N）は，「完全に記入されて利用できる」WTP の回答を対象にしたものである[16]．応答のないサンプルや項目が，本のサンプル数のうちの利用できる回答数をずっと低くすることがしばしば見られる．したがって研究者は，このことに留意して，インタビューを行う世帯数についての計画を立てる必要がある．

簡単な実験において検定力を改善する方法

表 C-2 から表 C-13 までの表によると，V が小さいかあるいは Δ が大きくない限り，実験を行うのに非常に多くの数のサンプルが必要とされることになる．簡単な実験における検定力の特性を改善するか，あるいは簡単な実験で必要とされる副サンプルを削減する方法がいくつかある．

最初のものは，（通例使用されている両側検定のかわりに）片側仮説検定に関する仮説を定式化することである．たとえば高い開始地点，高い支払いカード・アンカー，あるいは大きな予算上の制約を使用したときの影響の検定といった多くの CV 実験にとって，片側検定は意義のあることである．財の異なる説明が与える影響といった，CV に関連するその他の特色についての検定の場合，両側検定の利用が求められるが，この場合でも理論あるいはこれまでの研究によって，実験の特定の影響の方向性が示唆されている場合もある．

両側検定を片側検定にかえることで節約される調査の例として，$\alpha = .10$, $\beta = .20$, $V = 1.5$, われわれが検知したいパーセンテージの違いが .2 であるとする．表 C-8 および表 C-9 を用いると，両側 t-検定の場合のサンプルの大きさは 964 となるのに対して，片側 t-検定の場合で必要とされるのは，508 サンプルである．こうしたインタビューにあっては見積り額であるが，インタビューに一人当り $50 かかるとすると，片側検定を利用すると，$20\,000 以上の節約となる．

研究者の関心が，政策目的のために実際の便益の推定を行うというよりも，主として実験結果にある場合には，収入・年齢・環境に対する態度に関して等質な母集団を対象にした実験を選択することによって V を削減することが可能である．しかしながら，なお，被験者の無作為な割り当て

---

16) 2 つの副サンプルのそれぞれは，（同じ大きさの副サンプルが望ましいとされる場合に）表の中で与えられた N の半数でなくてはならない．

表 C-2. $\alpha=.05$ および $\beta=.05$ に対して Δ および V の関数として表示される，両側 t-検定に必要とされる観測総数

	変動係数（V）								
Δ	.1	.25	.50	.75	1.00	1.25	1.50	1.75	2.00
.10	32	194	770	1,730	3,076	4,804	6,918	9,416	12,296
.20	8	50	194	434	770	1,202	1,730	2,354	3,706
.30	4	22	86	194	342	534	770	1,048	1,368
.40	2	14	50	110	194	302	434	590	770
.50	2	8	32	70	124	194	278	378	492
.75	2	4	14	32	56	86	124	168	220
1.00	2	2	8	18	32	50	70	96	124

a）表 C-2 から表 C-3 までにおいて，Δ は，タイプⅠの誤差確率 α とタイプⅡの誤差確率 β によって検知できる x に対して，パーセンテージ（p）として表現される平均値 x と y の差として定義される．

表 C-3. $\alpha=.05$ および $\beta=.05$ に対して Δ および V の関数として表示される，片側 t-検定に必要とされる観測総数

	変動係数（V）								
Δ	.1	.25	.50	.75	1.00	1.25	1.50	1.75	2.00
.10	22	136	542	1,220	2,166	3,384	4,874	6,632	8,662
.20	6	34	136	306	542	846	1,220	1,658	2,166
.30	4	16	62	136	242	376	542	738	964
.40	2	10	34	78	136	212	306	416	542
.50	2	6	22	50	88	136	196	266	348
.75	2	4	10	22	40	62	88	118	154
1.00	2	2	6	14	22	34	50	68	88

が行われなくてはならないという課題がある[17]．

　われわれの3番目の提言は，外れ値（アウトライアー）の処理手続きに関連するものである．

　少数の外れ値は容易に S_p を増加させるか，$\overline{X}_1$ をゆがめるか，あるいはその両方を生じさせ，これによって，2つの実験上の手続き条件が異なった影響を与えるかどうかについて決定しようとするすべての望みを絶ってしまうために，外れ値を除去するか，あるいは外れ値に対して，敏感でない統計学的な手法を選択することが重要である（Barnett and Lewis, 1984）．外れ値を除去する場合には，実験が完了する前に除去手続を決めておき，その正当性の根拠を示さなくてはならず，両方の副サンプルに対して同一の手続が使用されなくてはならない．このとき研究者は，外れ値除去の判断基準の記述と並んで，研究者の技術報告書の補遺の中で落した外れ値の一覧を含めなくてはならない．その影響が2つの副サンプルにおける平均 WTP に，必ずしも明らかになるとは限らないために，各副サンプルから削除された外れ値のパーセンテージが，2つの条件による異なる影響に関する証拠を提供することもあるということを，認識しておくことが重要である[18]．

　研究者が，なんらかの判断基準に準じて外れ値を削除しないことを選択する場合には，副サンプ

17）母集団が特殊化することと，実験結果の他の母集団に対する一般化を行う可能性が少なくなることはトレードオフの関係にある．

18）これに対する例としては，Desvousges, Smith and McGivney（1983）（DSM）が開始地点を $125 に設定したときに，$25 の実験時に見い出した数と比較して，多数の外れ値が見つけられたことがあげられる．開始地点を $125 に設定することで，より大きな WTP の応答をもたらす傾向が見られた一方で，このことは，多数の無意味な WTP の応答をもまた促進させたようである（DSM は，Belsly, Kuh and Welsch によって提言されている手続を利用している）．

表 C-4. $\alpha=.05$ および $\beta=.10$ に対して Δ および V の関数として表示される，両側 t-検定に必要とされる観測総数

Δ	変動係数（V）								
	.1	.25	.50	.75	1.00	1.25	1.50	1.75	2.00
.10	28	164	652	1,464	2,602	4,062	5,852	7,962	10,402
.20	8	42	164	366	652	1,016	1,464	1,992	2,602
.30	4	20	74	164	290	452	652	886	1,156
.40	2	12	42	92	164	254	366	498	652
.50	2	8	28	60	106	164	236	320	418
.75	2	4	12	28	48	74	106	142	186
1.00	2	2	8	16	28	42	60	80	106

表 C-5. $\alpha=.05$ および $\beta=.10$ に対して Δ および V の関数として表示される，片側 t-検定に必要とされる観測総数

Δ	変動係数（V）								
	.1	.25	.50	.75	1.00	1.25	1.50	1.75	2.00
.10	18	108	430	964	1,714	2,678	3,856	5,248	6,854
.20	6	28	108	242	430	670	964	1,312	1,714
.30	2	12	48	108	192	298	430	584	762
.40	2	8	28	62	108	168	242	328	430
.50	2	6	18	40	70	108	156	210	276
.75	2	2	8	18	32	48	70	94	122
1.00	2	2	6	10	18	28	40	54	70

表 C-6. $\alpha=.10$ および $\beta=.10$ に対して Δ および V の関数として表示される，両側 t-検定に必要とされる観測総数

Δ	変動係数（V）								
	.1	.25	.50	.75	1.00	1.25	1.50	1.75	2.00
.10	22	136	542	1,220	2,166	3,384	4,874	6,632	8,862
.20	6	34	136	306	542	846	1,220	1,658	2,166
.30	2	16	62	136	242	376	542	738	964
.40	2	10	34	78	136	212	306	416	542
.50	2	6	22	50	88	136	196	266	348
.75	2	2	10	22	40	62	88	118	154
1.00	2	2	6	14	22	34	50	68	88

表 C-7. $\alpha=.10$ および $\beta=.10$ に対して Δ および V の関数として表示される，片側 t-検定に必要とされる観測総数

Δ	変動係数（V）								
	.1	.25	.50	.75	1.00	1.25	1.50	1.75	2.00
.10	14	84	330	740	1,316	2,054	2,958	4,026	5,258
.20	4	22	84	186	330	514	740	1,008	1,316
.30	2	10	38	84	146	230	330	448	586
.40	2	6	22	48	84	130	186	252	330
.50	2	4	14	30	54	84	120	162	212
.75	2	2	6	14	24	37	54	72	94
1.00	2	2	4	8	14	21	30	42	54

表 C-8. $\alpha=.10$ および $\beta=.20$ に対して Δ および V の関数として表示される，両側 t-検定に必要とされる観測総数

Δ	変動係数 (V)								
	.1	.25	.50	.75	1.00	1.25	1.50	1.75	2.00
.10	18	108	430	964	1,714	2,678	3,856	5,248	6,854
.20	6	28	108	242	430	670	964	1,312	1,714
.30	2	12	48	108	192	298	430	584	762
.40	2	8	28	62	108	168	242	328	430
.50	2	6	18	40	70	108	156	210	276
.75	2	2	8	18	32	48	70	94	122
1.00	2	2	6	10	18	28	49	54	70

表 C-9. $\alpha=.10$ および $\beta=.20$ に対して Δ および V の関数として表示される，片側 t-検定に必要とされる観測総数

Δ	変動係数 (V)								
	.1	.25	.50	.75	1.00	1.25	1.50	1.75	2.00
.10	10	58	226	508	902	1,410	2,030	2,762	3,606
.20	4	16	58	128	226	354	508	692	902
.30	2	8	26	58	102	158	226	308	402
.40	2	4	16	32	58	90	128	174	226
.50	2	4	10	21	38	58	82	112	146
.75	2	2	6	10	18	26	38	50	66
1.00	2	2	4	6	10	16	22	28	38

表 C-10. $\alpha=.20$ および $\beta=.20$ に対して Δ および V の関数として表示される，両側 t-検定に必要とされる観測総数

Δ	変動係数 (V)								
	.1	.25	.50	.75	1.00	1.25	1.50	1.75	2.00
.10	14	84	330	740	1,316	2,054	2,958	4,026	5,258
.20	4	22	84	186	330	514	740	1,008	1,316
.30	2	10	38	84	148	230	330	448	586
.40	2	6	22	48	84	130	186	252	330
.50	2	4	14	30	54	84	120	162	212
.75	2	2	6	14	24	38	54	72	94
1.00	2	2	4	8	14	22	30	42	54

表 C-11. $\alpha=.20$ および $\beta=.20$ に対して Δ および V の関数として表示される，片側 t-検定に必要とされる観測総数

Δ	変動係数 (V)								
	.1	.25	.50	.75	1.00	1.25	1.50	1.75	2.00
.10	6	36	142	320	568	886	1,276	1,736	2,266
.20	2	10	36	80	142	222	320	434	568
.30	2	4	16	36	64	100	142	194	252
.40	2	4	10	20	36	56	80	110	142
.50	2	2	6	14	24	36	52	70	92
.75	2	2	4	6	12	16	24	32	42
1.00	2	2	2	4	6	10	14	18	24

表 C-12. $\alpha = .25$ および $\beta = .50$ に対して Δ および V の関数として表示される，両側 t-検定に必要とされる観測総数

	変動係数 (V)								
Δ	.1	.25	.50	.75	1.00	1.25	1.50	1.75	2.00
.10	8	42	166	396	666	1,042	1,500	2,040	2,664
.20	2	12	42	94	168	262	376	510	666
.30	2	6	20	42	74	116	168	228	296
.40	2	4	12	24	42	66	94	128	168
.50	2	2	8	16	28	42	60	82	108
.75	2	2	4	8	12	20	28	38	48
1.00	2	2	2	4	8	12	16	22	28

表 C-13. $\alpha = .25$ および $\beta = .50$ に対して Δ および V の関数として表示される，片側 t-検定に必要とされる観測総数

	変動係数 (V)								
Δ	.1	.25	.50	.75	1.00	1.25	1.50	1.75	2.00
.10	2	6	23	52	92	144	206	280	364
.20	2	2	6	14	24	36	52	70	92
.30	2	2	4	6	12	16	24	32	42
.40	2	2	2	4	6	10	14	18	24
.50	2	2	2	4	4	6	10	12	16
.75	2	2	2	2	2	4	4	6	8
1.00	2	2	2	2	2	2	4	4	4

ルの間に見られる違いに対する頑健性の（ロバスト）検定の結果を報告することが勧められる（Huber, 1981）．t-検定に類似するものとして，ロバスト M 推定量のいずれかにもとづくか，たとえば切り捨て平均といったロバスト L 推定値にもとづくことが考えられる．通例の t-検定による結果が，相応するロバスト法によって得られた結果と類似した結論を示唆しているときに限って，通例の t-検定にもとづいた推論を行わなくてはならない．CV 実験では，回答者の中に，ゲームを理解していない者や，意図的に変な回答をする者からの「悪い」回答が不可避的に含まれることになり，たった一つの大きな外れ値によって，相当数の観測を有する実験結果に影響を与えたり，少数あるいは中程度の数の観測を有する実験結果を完全に駄目にすることがあり得る．

　所定の研究における検定力特性を改善させるためのわれわれの最後の提言は，処理平均値を対象にするよりも，処理された中央値の間に見られる違いについて検定することである．こうした検定は，とくに，WTP 応答の分布が右側に長い分布のすそを持つ左側にひずんでいる場合で，対数正規分布に類似しているときに有利である[19]．

　$X = \ln(Y)$ を平均値 ξ および標準偏差 θ で正規分布させたときに，確率変数 Y は，以下のパラメータを持つ対数正規分布に従うといわれている：

平均値

$$\mu = \mathrm{EXP}[\xi + \theta^2/2], \tag{C-9}$$

および標準偏差

$$\sigma = \mathrm{EXP}[\xi + \theta^2/2]\mathrm{EXP}[\theta^2 - 1]^{1/2} \tag{C-10}$$

---

19) WTP の回答は，当然負でないことが制約づけられている．

X に対する変動係数は

$$V_x = \theta / \xi \tag{C-11}$$

で与えられ，Y に対する変動係数は

$$V_Y = \mathrm{EXP}[\theta^2 - 1]^{1/2} \tag{C-12}$$

によって与えられる．

$$E(Y) \neq E(\mathrm{EXP}[X]) \tag{C-13}$$

が示される．その一方で，以下のように示される．

$$E(Y) = \mathrm{EXP}[E(X) + \mathrm{VAR}(X)/2] = \mathrm{EXP}[\xi + \theta^2/2] \tag{C-14}$$

しかしながら，正規分布が対称性である結果，以下が成り立つことになる．

$$M(Y) = M(\mathrm{EXP}[X]) = \mathrm{EXP}[E(Y)] = \mathrm{EXP}[\xi] \tag{C-15}$$

このとき $M_{\bullet}$ は中央値の操作である．このように X の平均値に関する検定は，Y の中央値に関する検定と等価になる[20]．

平均値というよりも，むしろ実験の中央値の間に見られる違いに対する検定を行ったほうが有利であるようにするためには，少なくとも，CV 調査の中で評価された財に関連付けられる，ξ と θ に対する数値の範囲内で $V_Y > V_X$ であることが示されなくてはならない．この範囲は以下の領域となる：

$$[\mathrm{EXP}(\theta^2) - 1]^{1/2} > \theta / q \tag{C-16}$$

まず，想定される ξ と θ の範囲を限定する．θ は常に正でなくてはならないことに注意しなくてはならない．そしてわれわれは，ξ が通例実質的にそうであるとされる .5 よりも大きくないような CV 調査を観察したことがない．V_Y は，ξ に対する関数ではないために，θ が正の値を取らなくてはならないので，ξ が増加するとそれだけ不等式が成立する可能性が大きくなる．図 C-2 には，横軸に 0.0 から 2.5 までの θ が，縦軸に V_X と V_Y とが示されている．$\xi = .5$，1.0，2.0，3.0 の場合における $V_Y(\theta)$ に対する曲線が示されている[21]．

所定の検定レベルに対して，平均値よりも中央値のほうが有効性が大きいことを例示するために，Carson and Mitchell（1986）の水質に対する支払い意志の総計に関するデータを用いている．この研究では，国の水質改善に対する未調整な状態の WTP の平均値は ＄275 であり，標準偏差は ＄601 であり，そして，この変数に対する変動係数は 2.2 となる．WTP の値をよく見ると，右側に厚い分布のすそが広がり，はっきりと左側にひずんだ分布を示している[22]．この WTP 応答の対数を取ると平均値が 4.545 であり，標準偏差が 1.753 になり，変動係数は .39 になる[23]．こうしたパラメータを用いながら，$\alpha = .05$ および $\beta = .10$ のときの両側検定で，20 パーセントの違いを検知するのに必要とされるサンプルの大きさを決めることにする．表 C-4 によると，2 つの異なる試行の平均値の間に見られる違いを検知するのに 2 000 件以上の観測が必要とされる．これに対して，2 つの異なる試行の中央値の間に見られる違いを検知するには，約 100 件の観測が必要とされるにすぎ

---

20) 対数を取ったあとに，オリジナルな対数正規分布の中央値についての推論を行っているという事実は，Cobb–Douglas のコンテキストの中で Goldberger（1968）によって言及されている．Stynes, Peterson and Rosenthal（1986）は，トラベルコスト分析の中で対数変換を使用することについての議論を行なっている．対数正規分布の特性については，Johnson and Kotz（1970）と Aitchinson and Brown（1957）の中で論じられている．信頼区間を含めた，正規分布および対数正規分布に対する変動係数についての精緻な議論については，Koopmans, Owens and Rosenblatt（1964）を参照されたい．

21) これによって，Y の数値は，おおよそ 1 から 25 になる．

22) この分布は，＄10，＄25 および ＄100 といった丸められた数字における一定程度のグループ化作用をとくに考慮に入れると，ゼロにおける鋭いとがり（スパイク）を除くと，非常に対数正規に似た形になっている．特定の技術が，この自己グループ化を考慮に入れる際に利用することができる（Talis and Young, 1962；Hasselblad, Stead and Galke, 1980 を参照）．

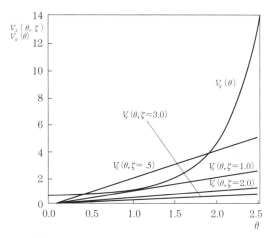

図 C-2. 位置母数 ζ と尺度母数 θ に対する関数としての変動係数

ない.

　対数変換は，分散が平均値の関数となっているときに有用であるような，分散を安定化させる数多くの変換の一つである．変換 $Z = \sigma(Y)$ は，σ_Z が μ_Z に対しておおよそ独立している一方で，σ_Y が μ_Y の関数であるときに，Y に対して分散を安定化させるといわれている．一般的には，もとの分布を正規形に変形することが望ましい．そして，使用される変形が単調であるときは，中央値の観測は両方の分布に対して同一のものになる[24].

さらに複雑な実験

　次の 2 つのさらに複雑な実験設計についても考慮する：

　（1）さらに一般的な形態の分散分析，および（2）応答曲面計画である[25].

　$t-$検定の最も簡単な拡張は，片側分散分析設計の中で同一の因子に対して 2 つより多くの試行（ケース）を含ませることである．因子を T によって，因子 k におけるレベルを $\tau_1,\ \tau_2,\ \ldots,\ \tau_k$ に

---

23) この場合，ゼロの対数は定義づけられないことと非常に小さい正数の対数を取ることによって，ひどいひずみがもたらされることがあるために，問題が生じている．オリジナルの分布からの統計に実質的な変化をもたらさない場合には，変数に対して 1 を加えるべきであるという Bartlett の提言に従っている．この事例の場合，これは適用されていない：すなわち，平均値は＄275 から＄276 に変化させられていない．このデータ・セットは，また，単一の外れ値が大きな影響を持ち得ることの例証にもなっている（この場合，そうした外れ値が，収入がきわめて大きい回答者からのものであることをわれわれは確かめている）．観測を 1 件落とすことによって，変換されていない全体の WTP の値に対する変動係数が，2.2 から 1.6 に削減されることになった．この外れ値を伴っている場合と伴っていない場合における，対数変換された場合の WTP の変動係数の変化は非常に小さく，約 .002 にすぎないことに留意する必要がある．

24) 適切であるとされるさまざまな変換と分布については，Bartlett（1947），Box, Hunter and Hunter（1978），Emerson（1983），McCullagh（1983）によって論じられている．

25) $t-$検定は，分散分析の最も簡単な方法である．処理を行うためにダミー変数を用いて行われる最も一般的な回帰推定もまた，ダミー変数が表われてさえいれば，分散分析の形態を取る．数量回帰も表われる場合に，共分散の形態の分析となる．読者が検定について十分に知ったうえで判断する際に必要とされる WTP に関する簡単で基本的な統計を提供することなく，研究者がこうした回帰方程式を報告するという困惑させられるような傾向が認められることを，われわれはここで言及しておく．報告されている係数に対する $t-$統計が有意でない場合にも，ケースの間に極端に大きな違いが認められることがしばしば見られる．Box, Hunter and Hunter（1978）は，分散分析実験に対する良質で基本的な言及を行われている．分散分析計画における検定力についての理論的な議論については，Scheffe を参照されたい．そして，想定される実験計画とこれの特性に関するさらに進んだ情報は，Cochran and Cox（1957）を参照されたい．Box, Hunter と Hunter は，また，応答曲面のモデルについても取り扱っている．最適な分散分析と応答曲面計画についてのさらに進んだ議論については，Silvey（1980）によって提供されている．

よって表示する．このとき線形モデルは，次のように書くことができる：

$$y_{ik}=\tau_1+\tau_2+\cdots\cdots+\tau_k+\varepsilon_{ik} \tag{C-17}$$

このとき y_{ik} は WTP の回答であり，$i=1, 2, \ldots, n_k$ である．特定の回答者はただ一つのケースのみを受け取るために，この回答者が受け取ったケースを除く，この回答者のすべての推定値 $\tilde{\tau}_k$ は一様にゼロとすることができる．一対以上の k と k' の組に対して帰無仮説 H_0 は通例 $\tau_k=\tau_{k'} \forall k$，$k'$ として表現され，対立仮説 H_1 は $\tau_k \neq \tau_{k'}$ として表現されている．このとき検定されるのが，グループとしての推定値 $\tilde{\tau}_j$ が有意性を持つほどゼロと異なっているかどうかについてである．分析は，t−検定のかわりに F−検定が用いられているときを除いて，また H_0 が棄却されて，どの平均値間の違いが棄却の原因になったのかについて決定するために，さらに分析を行う必要があるときを除いて，上記の分析の単純拡張になる[26]．$\mathrm{MAX}_{kk'} |\tilde{\tau}_k-\tilde{\tau}_{k'}|/\tilde{\tau}$ および検定力レベルから見たサンプルの大きさの表は，Katsenbaum, Hoel and Bowman (1970)，Harter and Owen (1975) の中に掲載されている．

全般的に不明な分散を削減させる変数の「ブロック化」を利用することが可能な場合には，さらに一般的な ANOVA の設計が望まれる．こうした変数を採用することによって，ケースの違いがさらに正確に推定されるようになり，観測される効果が単に回答のランダムな変量の結果であるという確率を減じることになる．ブロック化された変数が関連する場合（分散分析分類による二元配置），線形モデルは以下のようになる：

$$y_{ijk}=\gamma_1+\cdots\cdots+\gamma_j+\tau_1+\cdots\cdots+\tau_2+\varepsilon_{ijk} \tag{C-18}$$

このとき，ブロックは γ_j で表わされている．このモデルは通例，定数項（全体の平均値）を用いて，さらに $\Sigma_j\gamma$ と $\Sigma_k\tilde{\tau}_k$ は両方ともゼロに等しいという制限を伴う形で，パラメータ再表示され推定される．このモデルによって，予測される y_{ijk} の数値は全体の平均値にブロック効果を加え，これにさらに処理効果を加えたものであるという率直な解釈がもたらされることになる．われわれはここで，暗に処理とブロックの間に相互作用はないと想定しているが，これは必ずしも必要とされる仮定ではない．

こうした分散分析設計をどのように利用できるかを例示するために，Mitchell and Carson (1981) の支払いカードの実験からのデータを使用している．この実験で，回答者を無作為に3つの異なる支払いカードによるケースに割り当てている[27]．

対になった t−検定にもとづいた分析結果によると，支払いカードによる3つのケースは，有意性を持つほどたがいに異なっていないことが明らかにされている．**表 C-14** にある分散分析の結果でも，同様の結論が示されている．

支払いカードによる3つのケースに加えて，Mitchell と Carson は，4つの異なる収入グループに対して，支払いカードに異なるレベルのベンチマークを設定しており[28]，有効性に関していえば，

---

26) 対になった平均値の間に見られる違いの有意性について推論するのに，多重比較検定（Miller, 1981）を利用したり，同時信頼区間を開発することも可能である．Tukey による有意性の最も少ない違いに対する検定は，対の比較を行う際には実際に十分に機能するように思われる．この検定やこの他の検定については，Miller (1980) の中で論じられている．1985 年 SAS 利用者案内：統計学（SAS 研究所）の中には，さらに最近の参考文献，ならびに研究者によって容易に利用できるさまざまな検定の特性と，性能に関する簡略な記述が含まれている．

27) 各支払いカードは，＄0 からさらに高額なドル金額に至るまでの配列からなっている．ベンチマークは，たとえば警察や消防や国防といった公共の利益に対して，特定の収入レベルの世帯にいる回答者が，年間支払う金額の総額とした．最初のバージョンの支払いカード（A）は，4つのベンチマークを使用しているのだが，基本あるいは基準となるものである；2番目（B）は，基準のものよりも 20 パーセント高く設定されている支払いカードのベンチマークをつけ加える．（C）は，かなりの数の回答者がその中に入る範囲のベンチマークを加えている．3つの副サンプルはおおよそ同じ大きさとされ，魚釣りの可能な水質に対しては，WTP の全体の平均値が＄259 となり，このときの標準偏差が＄308 となっている．

表 C-14. 分散分析：処理効果のみ

分散の原因	平方の総和	df	平均値の平方	F
処 理	105,360	2	52,680	0.55
誤 差	63,635,071	670	94,978	—
修正された総計	63,740,431	672	—	—

表 C-15. 分散分析：ブロック化された変数としての収入グループを用いて

分散の原因	平方の総和	df	平均値の平方	F
ブロック（収入）	1,492,543	3	4,975,248	68.02
処 理	26,961	2	13,481	0.18
誤 差	48,788,017	667	73,145	—
修正された総計	63,740,431	672	—	—

ブロック化された変数として4つの収入グループを考慮に入れたほうが有利であると考えられる．支払いカードによる異なるケースと4つの収入カテゴリーという2つの因子を伴う形で，分散分析を再び行った結果が表 C-15 に示されている．支払いカードによる異なるケースが，いまだに小さくて目立たない効果しかもたらさない一方で，説明不可能な分散の大幅な削減が見られ，さまざまなケースの対の平均値の間に見られる違いに対する信頼区間を，さらにせまく取ることができるようになる[29]．

4つの収入カテゴリーに対する平方の総和は非常に大きいために，支払いカードによる異なる処理がもたらす効果が，4つの収入カテゴリーのそれぞれに対して同一であるのかと思うのは当然のことである．このことは，この2つの因子の間に見られる相互作用を考慮に入れることによって検定されることができる．結果は表 C-16 に示されている．ここでも，支払いカード違いが，WTPに影響がないことを結論づけている．

さらに先に進み，3対のケースの平均値の間に差に対する同時信頼区間を見ることは有用である．これについては，3つの分散分析モデルのそれぞれを対象にした，また $\alpha=.05$, $.10$, $.20$ を対象にした表 C-17 に示されている[30]．有意性のレベルを .05 から .10 にしたときの効果は，信頼区間の相当な減少となって表われている．ブロック化された変数を使用する理由は，表 C-14 と表 C-15 における分散分析に対する信頼区間を比較することによって，容易に見て取ることができる[31]．

ラテン（Latin）方格，ユーデン（Youden）方格，および釣合型不完備計画といった多数の特別な計画は，さまざまな状況において使用することができる（Cochran and Cox, 1957；Hunter and Hunter, 1978）．こうした計画の利用についての3つの警告に注意を喚起することにする：（1）各セルにおける観測数が小さくなるにつれて検定力は急速に失われてゆくため，分散のかなり大きな

---

28) 異なるレベルのベンチマークは，4つの収入グループの世帯によって，税金や価格への上乗せという形で利益に対して支払われる実際のレベルを考慮に入れるように設計されている．

29) ただ単に各ブロックの中の個体に対して2つのケースを無作為に割り当てて，2因子の分散分析を実施することで，2つのケースに対する t-検定の枠組によるブロック化の方法を利用することができる．

30) Tukey–Kramer による有意性の認められる違いが最小の検定（Kramer, 1956）では，以下の数式が成り立つときには，2つの平均値 $\tilde{y}_j$ と $\tilde{y}_i$ を有意性が認められるほどの相違性があると見なしている：

$$|\tilde{y}_i - \tilde{y}_j| / (s(1/n_i + 1/n_j)/2)^{1/2} \leq q(\alpha, k, v),$$

このとき，s は分散分析による誤差の標準偏差で，$q(\alpha, k, v)$ は，自由度が v の k 個（異なる平均値の数）の独立した通常の確率変数があるときに，これらの分布の Student 化した α レベルの臨界値を表わしている．

31) 処理（A）と（B）との間に見られる違いに対する信頼区間は，さらに片側検定を利用することによって著しく狭めることができる．

表 C-16. 分散分析：ブロックとケースの相互作用を伴うものとして

分散の原因	平方の総和	自由度	平均値の平方	F
ブロック（収入）	14,295,453	3	4,765,151	68.13
ケース	26,961	2	13,481	0.18
ブロック＊ケース	517,785	6	86,298	1.18
誤 差	48,270,232	661	73,026	—
修正された総計	63,740,431	672	—	—

表 C-17. Tukey による同時信頼区間の上限と下限

比較	SLL（.05）	SLL（.1）	SLL（.2）	実際	SUL（.2）	SUL（.1）	SUL（.05）
A–B（IIIa）	−53.62	−45.14	−35.32	14.27	68.86	73.68	82.16
A–C（IIIa）	−37.67	−29.15	−19.27	30.61	80.49	90.37	98.90
B–C（IIIa）	−85.29	−76.69	−66.70	−16.34	34.02	44.00	52.61
A–B（IIIb）	−45.31	−37.87	−29.25	14.27	57.79	66.41	73.80
A–C（IIIb）	−29.31	−21.84	−19.27	30.61	80.49	83.06	90.54
B–C（IIIb）	−76.85	−69.30	−60.54	−16.34	27.85	36.61	44.17
A–B（IIIc）	−45.26	−37.83	−29.25	14.27	57.75	66.37	73.80
A–C（IIIc）	−29.27	−21.79	−13.12	30.61	74.35	83.02	90.49
B–C（IIIc）	−76.80	−69.26	−60.50	−16.34	27.82	36.57	44.12

SLL＝同時期の下限；SUL＝同時期の上限

削減をもたらすときに限って，さらにブロック化を行うことが勧められる；（2）とくに，CV 調査が通例実施されることになる実地条件下において，ブロック化された変数の数が増えるとそれだけ無作為な処理を行うことは困難になってくる；（3）当初の計画がバランスの取れたものであっても，無回答は，結果としてほとんどすべての場合において不釣合いな計画になる．そして，簡単で不釣合いな計画を除くすべての計画は，これを作用させることが非常に困難になる．

CV 実験に対して適用することが可能なもう一つの分散分析計画は，2^n 要因計画である．この 2^n 要因実験は，n 個の異なる因子の間に見られる相互作用について，明瞭に考慮の対象とすることになる[32]．因子の数が 3 から 8 の間のときで，とくに高次の相互作用効果がゼロであると仮定されるときに，必要とされるサンプルの大きさを減少させるために，これまでいくつかの巧妙な計画が提案されてきた．しかしながら研究者は，要因計画が利用されるときには，CV 研究に典型的な大きな変動係数は，非常に大きなサンプルの大きさが求められるという点に注意を払う必要がある．それにもかかわらず，2^n 要因計画は，ブロック化された変数を使用して，ケース内の分散を減少させることが可能なときに，多数の因子について検定したいと望んでいる CV 実験者にとっては，おそらく最良の方法であると考えられる．

応答曲面計画は，たとえば付け値ゲームにおける開始地点といったように，主題に対して与えられる刺激が当然のことながら連続的な形態を取っているときに望まれる[33]．応答曲面計画を考慮するときに問われる最初の質問は，パラメータ θ のベクトル以外にも，関数の形態 $Y = f(X, \theta)$ が

---

32) 相互作用は通例，CV 実験の中に表われることになる．2 つの因子の間に相互作用が見られない場合には，一方の因子が他方の因子に及ぼす効果について分析するときに，この因子をブロックとして取り扱うこともできる．CV 実験で比較的よく行われているのは，一連の t 検定によって，多数の説明的な因子の検定を行うことであった．こうした慣行は暗黙のうちに因子間に相互作用は見られないということを仮定しており，したがって，とくに，サンプルのすべての大きさが小さいか，（利用できる応答からなる）セルの大きさが等しくないか，あるいはこの双方の場合には，危険な仮定であるということができる．

知られているかどうかということである．問われることになる次の質問は，$f(X)$ が線形であるか，あるいはパラメータを用いて線形の形で記述することができるかどうかということである．もしそうであり，しかも研究者が定値（あるいは既知）の分散関数といった補足的な仮定を設定するつもりである場合には，最適計画の文献（Silvey, 1980）からの結果がきわめて容易に利用することができる．

このことは，開始地点の偏りについて推定するか，これについて検定する場合のことを考えると理解できる．文献の中で最もよく使用されている仕様は次の数式で表わされる：

$$Y_i = \phi_0 + \phi_1 x_i + \xi_i \tag{C-19}$$

このとき x_i は，i 人目の回答者によって受容された開始地点である．これの典型的な目標は，所定の固定されたサンプルの大きさが N のときの，いわゆる行列式（D-最適性）であるベクトル Ψ の推定値の分散−共分散の行列の形態を最小化することにある．x_i の半数がゼロを取り，x_i のもう一方の半数が，想定される最大の開始地点を取るような開始地点の事例[34]で見られるように，想定される x_i の範囲が制限されている場合には一意の解がある．k 次の多項式に対する一般的な解決方法は，そのうちの2つが x_i の許容される範囲の端点となるような $k+1$ の計画ポイントを使用することである．

しかしながら，典型的な場合には，2つ以上の競合する関数形態があるか，あるいは応答関数がまったく知られていない．場合によっては，さらに一般的な形態の関数の中に，競合する形態の複数の関数を入れ子にして，これらの間で区別する必要のある観測数を削減させることも考えられる[35]．もしそうであるなら，特定の計画ポイントが2つのモデルの間で区別を設ける際に，最も検定力を発揮することができると考えられる．このテーマについては，入れ子にしない事例と同様に，Cox（1961），Box and Hill（1967），Atkinson and Cox（1974）によってその詳細が取り扱われている．研究者が，異なる大きさの x_iS の持つ含意について探求する場合には，逐次計画と実験が求められる．応答曲面に関して何も知られていない場合には，ほとんど常にある種の逐次計画が求められており，その際，研究者は少数の x_iS を選択し，応答を取得し，これらを分析し，次に情報に関する利益が最も大きいと思われる方向にある新しい組の x_iS を選択することになる．Box, Hunter and Hunter（1978）は，これを行うのに容易に追求できる指針を提供している．

応答曲面モデルの最適計画は，非線形のパラメータを有するモデルの場合には，数学的に非常に複雑になる．最適性の判断基準が異なると，まったく異なる計画がもたらされる場合も考えられる．情報行列は，ほとんど常に選択された x_i の数値に対する平均応答の関数になっているために，通例，ある種の逐次計画を使用することに対する代替手法は存在しない．したがって，簡単な線形の場合とは対照的に，分散は予測される応答から独立ではない．

質問の表現を改善するためのプレテストが行われる場合，CV 調査は，古典的なあるいは Bayes のコンテキストのいずれかにおいても，応答曲面探求を行う際の逐次的な方法に適しているといえる．刺激に対する応答曲面の推定値を獲得することは，刺激が WTP の応答に対して有意な影響を

---

33) われわれが知っている限りで，この種の計画を採用している公表されている唯一の研究は，Boyle, Bishop and Welsh（1985）による開始地点に関する実験である．この実験の中では，ウィスコンシン川を評価する際に，＄10から＄120までの数多くの開始地点が利用されている．収入保守管理と時刻電気料金の実験に関連づけた，応答曲面実験計画に関する作業も見られる．Conlisk（1973），Feber and Hirsch（1982），Hausman and Wise（1985），およびとくに Aigner と Morris によって編集され，1979年に刊行された「計量経済学ジャーナル」の特別号を参照されたい．

34) x_i の下限値は明らかにゼロである．それを越えると，x_i が付け値ゲームを始めるには，もはやもっともらしくないような数量というものが見られる．

35) 開始地点の偏りに対して想定される異なった関数形態については，Carson, Casterline and Mitchell（1985）を参照されたい．

もたらしているという簡単な調査から，さらに構造的な修正方法を開発したり，あるいは刺激がWTP の数値にどのように影響するのか，また，なぜなのかについてよりいっそう理解するために必要なステップであることに注意を払うべきである．

離散選択/量反応実験

CV 実験からの応答変数が，離散的な形態を取るときに生じるもう一つの問題がある．離散的な選択の分析は，たとえば $15 といった特定された単一の金額を回答者が支払うかどうかが問われるとき，あるいは，対象とされている変数に，回答者が有用な応答を与えるのか，無用な応答（たとえば，抗議のゼロ）を与えるのかが問われるときに使用される．研究者は，特定された金額を支払う意志がある回答者の占める割合が，あるケースのほうが他のケースよりも大きくなると裁定したり，あるいは抗議のゼロを示す割合があるケースでより大きくなると裁定することを望んでいる．たとえばこうした状況下において仮説検定を行うには，言及する価値のある特定の特性を有する，$t-$検定の変量が必要とされる．

基本となる母集団が小さくない場合に，こうした状況に対して適切である二項分布は，とりわけ作業を行うのに容易であり，n の値が大きいときには通例の概算で十分である．ケース1で特定の金額を支払う意志を持っている回答者の数を r_1 として，ケース2で同額の金額を支払う意志を持っている応答者の数を r_2 とする．このときに，最初のケース1に参加している人のサンプルの大きさを n_1，2番目のケースでのものを n_2 とする．ケース1で支払いに同意するとされるパーセンテージ―$\hat{p}_1$―は，r_1/n_1 で推定することができる一方で，$\hat{p}_2$ もこれと同様の方法で推定することができる[36]．$\hat{p}_1-\hat{p}_2$ の違いの分散は，次式よって与えられる：

$$\frac{\hat{p}_1(1-\hat{p}_1)+\hat{p}_2(1-\hat{p}_2)}{n_1} \tag{C-20}$$

このときわれわれは，便宜上 $n_1=n_2$ と仮定している．この場合，研究者は自分が検知したいと考えている違いがどのくらいの大きさであるのかについて，はっきりとした考えを持つことができ，さらに，（p_1 と p_2 の数値をあらかじめ推定できる場合には）望まれる分散と等しい等式（C-20）を立てて，求められる n_1 を解くことが容易にできる．

H_0 が $p_1=p_2$ である場合には，簡単に次のような数式を立てることができる：

$$\frac{2 p_1(1-p_1)}{\sigma^2}=n_1 \tag{C-21}$$

このとき，σ は望まれる標準偏差である．異なる α，β および p_1, p_2 に対する適切なサンプルの大きさについての広範な表は，Fleiss（1981）によって提供されている．

回答者に一定のアメニティーのために特定された金額を支払う意志があるかどうかを問いかけ，次にこのプロセスを異なる金額を用いて，異なる（等価な）グループに対して繰り返すという CV 調査に，離散的選択（それを取るか，それを取らないか）の書式を使用することに対する関心が近年高まっている（以下を参照されたい：Bishop and Heberlein, 1979；Bishop ら, 1984；Sellar, Stoll and Chavas, 1985；Bishop and Heberlein, 1986；Carson, Hanemann and Mitchell, 1986；Cummings ら, 1986；Cameron and James, 1987；Cameron, 近刊）．離散的選択による導出書式は，支払い

36）二項の事例に対する変動係数（V）は，$\sqrt{(1-\hat{p})/n\hat{p}}$ のように記述することができる．p が小さいときに，p の正確な推定値を取得するためには，非常に多くのサンプルを取ることになることに留意されたい．

カードを使用したり金額を記入する他の導出書式よりも，応答者は回答するのが容易であると考えられている．この方法はまた，郵送による調査でも簡単に利用することができる．さらに，特定の金額を支払う意志のある人の占める割合は，特定の金額に対する関数と見なされている．これは特別な種類の応答曲面回帰と考えることができ，生存分析として一般に知られている医療文献において，長い歴史を有している（Finney, 1978）．

　ここで取られる基本的な手続は，WTP を k 個選択して，n_k の回答者の k 個の無作為な異なるサンプルにその金額を支払う意志があるかについて問いかけることである．合意される割合いが k 個の WTP のそれぞれについて算定される．WTP のパーセンテージを適切に変形（通例は，ロジスティックかプロビット）させることによって，k 個の点を通る曲線を描き出し，これによって WTP の関数を得ることができる[37]．

　離散的な選択の導出書式に関して，潜在的に非常にやっかいな問題として考えられるのが，ゼロでない回答の背景の可能性である[38]．調査に協力することを本質的に拒否したり，金額がいくらであるかに関係なく WTP によって提示された WTP の金額にノーをいうことで，結果的に同様のことを行う（あるいは，WTA の場合では，いかなる額の補償もこれを受け入れることを拒否する）回答者が常に数パーセントは存在するということである．こうした回答者は，標準的な CV 調査の書式の中では，抗議のゼロを提示するか，あるいは不適切なほど大きな（しばしば無限の）金額を提示しているために，容易に同定することができる．これが，離散的な選択の書式では，こうした応答者を本当の「ノー」の回答者と区別することができなくなるのである．

　こうした回答者がもたらす影響は（変数が WTP か WTA であるかによるが），分布の裾の一つに最も明瞭に認められる．その時金額の増加するとき受容の割合が軸に対して収斂しない．研究者は最尤法（Hasselblad, Stead and Creason, 1980）か，ロバスト二択推定法の使用（Miller and Halpern, 1980）のいずれかによって，この挙動を考慮に入れることを試みることができる[39]．Hanemann（1984 c）は，平均値よりも中央値のほうがより頑健であることを示唆している結果を提供している．

　上記の議論は，これまで生存分析のアプローチを取っている．しかしながら，離散的な選択の観測を用いた効用理論アプローチを取ることもまた可能である（Hanemann, 1984 a・1984 b・1984 c）．経済理論では，多くの場合（WTP の数量に加えて）どういった種類の変数が，回答者の選択に影響を与えているかについて示唆している．このような変数を用いることは，異なるケース（すなわち，WTP の数量）のグループに対して，回答者を無作為に割り当てることによる分散を削減させるので一つのブロック化の形態であると見なすことができる．このアプローチに関して要となる問題は，間接的な有用性の特定の関数を定めることが困難であることが多いということである．Cameron and James（1987）は，Hanemann が行ったように間接的な有用性の関数を立てるというよりも，WTP の分布を仮定している．こうした特定を行うことは，経験的に検定を容易にする一

---

37) こうした手続の議論に関しては，Cox（1970），Finney（1978），McCullagh and Nelder（1983）を参照されたい．これらは概して非線形関数であるので，k 個の異なる「用量」ポイントを最適な形で常に設定できるとは限らない（Silvey, 1980）．しかしながら，もし研究者が，それぞれの金額において受容するパーセンテージについてまずまず把握している場合には，利用可能なよい概算的な解が得られる．こうした設計に関しては，Cox（1970），Cochran（1973）と Finney（1978）によって論じられている．Ford and Silvey（1980）は，ロジスティックな応答曲線を推定するのに，興味深い逐次的なアプローチについての提案を行っている．Tsutakawa（1980）は，研究者が極端な二択の端項について推定したいと考えている事例を考察している．Abdelbasit and Plackett（1981, 1983）と Whittemore（1981）についても参照されたい．

38) さらに詳細なことについては，Carson and Mitchell（1983）と Hanemann（1984 b）についても参照されたい．

39) Pregibon（1981, 1982）についても参照されたい．

方で，こうすることが，間接的効用関数の特定の関数形を示唆することが明らかにされる必要がある．

顕示選好にもとづいた効用理論の弱い仮定を，離散的な選択の CV 実験計画における有効性を向上させるために利用することができる．このアプローチでは，誰かがたとえば＄10 を支払うという意志を明らかにしたときに，この回答者が＄10 未満の金額を支払うかどうか尋ねられた際に，どうするかについての情報を研究者に提供しているという事実を活用することができる．こうした手続きの適用については，Carson, Hanemann and Mitchell（1986）によるカリフォルニアにおける水質改善に対する住民投票に関する研究を参照されたい．

結　論

この付録の中でわれわれは，CV 調査における回答の差異に対する検定を行うための実験計画に焦点を当ててきた．この目的のために CV 調査を使用することは，政策目的のために便益を推定されるのに使用するのとは性質が異なる．両方の目的とも，その一部が政策評価を行うために使用された「あとに」，調査手段の実験的な部分がくるのでなければ，通例単一の調査サンプルでは達成することができないと信じている．

研究目的に関係なく，実験が実施されるときは常に，仮説についての統計学的な推定を行うために，回答者を処理に対して無作為に割り当てる必要がある．もし研究が回答の差異を調べることのみを意図している場合には，処理に対する割り当てが無作為である限りにおいて，無作為とはいえないサンプルを使用するか，あるいは回答者の等質性を高め，その結果回答の分散を小さくするように意図的に設計されたサンプルを使用することが許容される．他方，政策目的で便益推定を行うことが主要な目的とされている場合には，要となるのは，推定を行うために適切とされる信頼区間と並んで，想定される便益の偏りのない推定を提供する良質なサンプリング計画（と無回答にならせない方法）である．

こうした 2 つの目的は，相補的であることが多い．政策的な目的のために使用される CV 調査手段は，広範な予備試験を必要としている．予備試験は，これが十分に大きなサンプルであるときには，CV シナリオのさまざまな部分を変更することによってもたらされる効果を決定するための試験を実施するのに使用することができる．

われわれが行った実験計画に関する議論では，回答の差異に関する仮説について検定したいと考えている研究者が考慮に入れるべき多くの問題点にふれられている．結論を述べるにあたって，CV 実験を計画している研究者に対する提言という形で，こうした諸要素を要約しておくことは実用的と思われる．

1. 実験を実施するに先立って，α，β および Δ の望んでいるレベルを決めて，V（あるいは，代替的に σ と d）の推定を行う．従来どおりの仮定では，V はおおよそ 2 であるとされている．CV 実験においてはいかなる場合でも，（大規模な予備試験からの情報といった）たしかな情報がないときに，V を 1 未満に仮定することがあってはならない．次に，必要とされるサンプルの大きさについての算定を行う．選択されたサンプルの大きさに対して，十分な資金が利用できないときには，研究者はその目標について再考しなくてはならない．こうしたとき多くの場合，研究者（および提案に対する検討者）は，その実験を実施しないことを勧める必要がある．検定力を持たない検定は，結果について誤った解釈をもたらす可能性があるた

めに，検定をまったく行わないよりもさらに悪い場合がしばしば見られる.

2. 実験に必要とされるサンプルの大きさを決定するときには，利用できない多数の回答を予測しておく必要がある.

3. 外れ値を除去するための規準を採用するか，あるいは，こうした観測に比較的敏感に反応しない頑健な推定技術を利用する．この本の中で詳細に記述されている理由によって，どのような CV 調査でも，ノイズと記述されることが最も適切なものが，著しく発生することになる．一般的にいって，回答者の WTP に対する平均金額がそのまま，母集団のアメニティーへの WTP の平均の良質な推定値とはならない.

4. 仮説検定に対する標準 t-検定（あるいは分散分析）の結果と並んで，信頼区間について報告すること．これはおそらく，研究者が実験の検定力のレベルを読者に伝達するための最も簡単で最も明瞭な方法である.

5. WTP の結果が明瞭に非-正規分布の形態を取っているときには，階層にもとづいて行われるノンパラメトリック検定や，データ変換にもとづいて行われる検定の適用を考慮する．データが対数正規の形態を取っているときには，平均値ではなく，ケース間の中央値の違いを検定することを考慮する．中央値の検定に必要とされるサンプルの大きさは容易に得られていても，平均値の検定に対して必要とされるサンプルの大きさが得られていない場合がある.

6. たとえば，収入カテゴリーといったブロック化された変数を使用し，ブロック内で異なるケースにランダムに割り当てることによって，調査の検定力を大幅に増加させる可能性について考慮すること.

7. 2^n またはその他の要因計画に必要とされるサンプルの大きさに関する要件，および，もしこの種類の計画を使用する場合に，分析中に相互作用の項を含める必要性についてとくに気に留めること．（われわれ自身を含めた）CV 研究者は，サンプルの大きさが保証するよりも大きな効果を予測しようとする傾向がある.

8. CV における刺激を連続的に変化させるときの応答曲面を推定するときには，一連の逐次的な実験の使用を考察すること.

9. （たとえばそれを二肢選択といった）離散的な選択の CV における枠組みが，扱いやすくいくつかの利点を有している一方で，すべてのイエスやノーが必ずしも有効というわけではないことを気に留めておくこと．調査に協力しないこうした回答は，検知・修正することが困難である.

10. 良質な CV 実験には，良質な CV 調査手段が必要とされることを常に留意する必要がある．もし回答者が質問されている内容を理解していない場合には，同一の基本的な手段の異なる形態の検定を行うことは無意味である.

参考文献

Abdelbasit, K. M., and R. L. Plackett. 1981. "Experimental Design for Categorized Data," *International Statistical Review* vol. 49, pp. 111–126.

Abdelbasit, K. M., and R. L. Plackett. 1983. "Experimental Design for Binary Data," *Journal of the American Statistical Association* vol. 78, pp. 90–98.

Abelson, Robert P., and Ariel Levi. 1985. "Decision Making and Decision Theory," in Gardner Lindzey and Elliot Aronson, eds., *The Handbook of Social Psychology,* vol. 1 (3d ed., New York, L. Erlbaum Associates).

Acton, Jan P. 1973. "Evaluating Public Programs to Save Lives: The Case of Heart Attacks," Research Report R-73-02, Rand Corporation, Santa Monica, Calif.

Adams, F. G., and L. R. Klein. 1972. "Anticipations Variables in Macro-Economic Models," in Burkhard Strumpel, James N. Morgan, and Ernest Zahn, eds., *Human Behavior in Economic Affairs: Essays in Honor of George Katona* (San Francisco, Jossey-Bass).

Adelman, Irma, and Zvi Griliches. 1961. "On an Index of Quality Change," *Journal of the American Statistical Association* vol. 56, pp. 531–548.

Aigner, Dennis J., and C. N. Morris, eds. 1979. "Experimental Design in Econometrics," *Journal of Econometrics* vol. 11, no. 1.

Aitchinson, J., and J. A. C. Brown. 1957. *The Lognormal Distribution with Special Reference to Its Uses in Economics* (London, Cambridge University Press).

Ajzen, Icek, and Martin Fishbein. 1977. "Attitude-Behavior Relations: A Theoretical Analysis and Review of Empirical Research," *Psychological Bulletin* vol. 84, no. 5, pp. 888–918.

Ajzen, Icek, and George L. Peterson. 1986. "Contingent Value Measurement: The Price of Everything and the Value of Nothing?" Paper presented at the National Workshop on Integrating Economic and Psychological Knowledge in Valuations of Public Amenity Resources, Fort Collins, Colo., May.

Akerlof, George A. 1983. "Loyalty Filters," *American Economic Review* vol. 73, pp. 54–63.

Akerlof, George A., and William T. Dickens. 1982. "The Economic Consequences of Cognitive Dissonance," *American Economic Review* vol. 72, pp. 307–319.

Akin, J., G. Fields, and W. Neenan. 1973. "A Socioeconomic Explanation for the Demand for Public Goods," *Public Finance Quarterly* vol. 1, pp. 168–189.

Alwin, Duane F. 1977. "Making Errors in Surveys, an Overview," *Sociological Methods & Research* vol. 6, no. 2, pp. 131–150.

Amemiya, Takeshi. 1973. "Regression Analysis When the Dependent Variable Is Truncated Normal," *Econometrica* vol. 41, pp. 997–1016.

Amemiya, Takeshi. 1981. "Qualitative Response Models: A Survey," *Journal of Economic Literature* vol. 19, pp. 1483–1536.

Amemiya, Takeshi. 1985. *Advanced Econometrics* (Cambridge, Mass., Harvard University Press).

American Psychological Association. 1974. *Standards for Educational and Psychological Tests* (Washington, D.C.).

Anderson, Andy B., Alexander Basilevsky, and Derek P. J. Hum. 1983. "Missing Data," in Peter H. Rossi, James D. Wright, and Andy B. Anderson, eds., *Handbook of Survey Research* (New York, Academic Press).

Anderson, Eric, and Dean Devereaux. 1986. "Testing for Two Kinds of Bias in a Contingent Valuation Survey of Anglers Using an Artificial Reef." Paper presented at the Eastern Economic Association Meeting, Philadelphia, March.

Anderson, R. J. 1981. "A Note on Option Value and the Expected Value of Consumer Surplus," *Journal of Environmental Economics and Management* vol. 8, pp. 187–191.

Anderson, Ronald, Judith Kasper, and Martin R. Frankel, eds. 1979. *Total Survey Error: Applications to Improve Health Surveys* (San Francisco, Jossey-Bass).

Anderson, R. W. 1980. "Some Theory of Inverse Demand for Applied Demand Analysis," *European Economic Review* vol. 14, pp. 281–290.

Arndt, J., and E. Crane. 1975. "Response Bias, Yea-Saying, and the Double Negative," *Journal of Marketing Research* vol. 12, pp. 218–220.

Arrow, Kenneth J. 1951. *Social Choice and Individual Values* (New York, John Wiley).

Arrow, Kenneth J. 1982. "Risk Perceptions in Psychology and Economics," *Economic Inquiry* vol. 20, pp. 1–19.

Arrow, Kenneth J. 1986. "Comments," in Ronald G. Cummings, David S. Brookshire, and William D. Schulze, eds., *Valuing Environmental Goods* (Totawa, N. J., Rowman and Allanheld).

Arrow, Kenneth J., and Anthony C. Fisher. 1974. "Environmental Preservation, Uncertainty, and Irreversibility," *Quarterly Journal of Economics* vol. 88, pp. 313–319.

Atkinson, A. C., and D. R. Cox. 1974. "Planning Experiments for Discriminating Between Models," with discussion, *Journal of the Royal Statistical Society,* series B, vol. 36, pp. 321–348.

Atkinson, Anthony B., and Joseph E. Stiglitz. 1980. *Lectures on Public Economics* (New York, McGraw-Hill).

Attiyeh, Richard, and Robert F. Engle. 1979. "Testing Some Propositions About Proposition 13," *National Tax Journal* vol. 32, no. 2, pp. 131–146.

Axelrod, Robert M. 1984. *The Evolution of Cooperation* (New York, Basic Books).

Bailar, J. C., and D. A. Bailar. 1978. "Comparison of Two Procedures for Imputing Missing Survey Values," in *Proceedings of the Section of Survey Research Methods* (Washington, D.C., American Statistical Association) pp. 462–467.

Banford, Nancy D., Jack L. Knetsch, and Gary A. Mauser. 1977. "Compensating and Equivalent Variation Measures of Consumer's Surplus: Future Survey Results," Department of Economics and Commerce, Simon Fraser University, Vancouver.

Barnett, Vic, and Toby Lewis. 1984. *Outliers in Statistical Data* (2d ed., Chichester, England, John Wiley).

Barr, James L., and Otto A. Davis. 1966. "An Elementary Political and Economic Theory of the Expenditures of Local Government," *Southern Economic Journal* vol. 33, no. 2, pp. 149–165.

Bartlett, M. S. 1935. "The Effect of Non-Normality on the t Distribution," in *Proceedings of the Cambridge Philosophical Society* vol. 31, pp. 223–231.

Bartlett, M. S. 1947. "The Use of Transformations," *Biometrics* vol. 3, pp. 39–52.

Baumol, William J. 1986. *Superfairness: Application and Theory* (Cambridge, Mass., MIT Press).

Baumol, William J., and Oates, Wallace E. 1979. *Economics, Environmental Policy, and the Quality of Life* (Englewood Cliffs, N.J., Prentice-Hall).

Beardsley, W. G. 1971. "Economic Value of Recreation Benefits Determined by Three Methods," U.S. Forest Service Research Notes, RM-176 (Colorado Springs, Rocky Mountain Experiment Station).

Becker, Gary S. 1965. "A Theory of the Allocation of Time," *Economic Journal* vol. 75, pp. 493–517.

Becker, Gary S. 1976. *The Economic Approach to Human Behavior* (Chicago, University of Chicago Press).

Becker, Gary S. 1981. *A Treatise on the Family* (Cambridge, Mass., Harvard University Press).

Beeghley, Leonard, 1986. "Social Class and Political Participation: A Review and an Explanation," *Sociological Focus* vol. 1, no. 3, pp. 496–513.

Beggs, S., S. Cardell, and Jerry A. Hausman. 1981. "Assessing the Potential Demand for Electric Cars," *Journal of Econometrics* vol. 16, pp. 1–19.

Bell, F. W., and V. R. Leaworthy. 1985. "An Economic Analysis of the Importance of Saltwater Beaches in Florida," Sea Grant Project no. R/C C-P-12, Department of Economics, Florida State University, Tallahassee.

Bell, Ralph. 1984. "Item Nonresponse in Telephone Surveys: An Analysis of Who Fails to Report Income," *Social Science Quarterly* vol. 65, no. 1, pp. 207–215.

Belsley, David A., Edwin Kuh, and Roy E. Welsch. 1980. *Regression Diagnostics: Identifying Influential Data and Sources of Collinearity* (New York, John Wiley and Sons).

Belson, W. A. 1968. "Respondent Understanding of Survey Questions," *Polls* vol. 3, pp. 1–13.

Bentkover, Judith D., Vincent T. Covello, and Jeryl Mumpower. 1985. *Benefits Assessment: The State of the Art* (Hingham, Mass., Kluwer Academic Publishers).

Berdie, Douglas R., and John F. Anderson. 1976. "Mail Questionnaire Response Rates: Updating Outmoded Thinking," *Journal of Marketing Research* vol. 40, no. 1, pp. 71–73.

Berg, George G., and H. David Maillie, eds. 1981. *Measurement of Risks* (New York, Plenum).

Berger, Gretchen J. 1984. "Application and Assessment of the Contingent Valuation Method for Federal Hazardous Waste Policy in the Washington, D.C. Area" (Ph.D. dissertation, University of New Mexico, Albuquerque).

Bergland, Olvar. 1985. "Exact Welfare Analysis with Rationing." Paper presented at the winter meeting of the Econometric Society, New York.

Bergson, Abram. 1938. "A Reformulation of Certain Aspects of Welfare Economics," *Quarterly Journal of Economics* vol. 52, pp. 310–334.

Bergstalh, E. 1984. "SAS Macros for Sample Size and Power Calculations," in *SUGI 84: Proceedings of the 9th Annual SAS Users Group International Conference* (Cary, N.C., SAS Institute) pp. 633–638.

Bergstrom, John C., B. L. Dillman, and John R. Stoll. 1985. "Public Environmental Amenity Benefits of Private Land: The Case of Prime Agricultural Land," *Southern Journal of Agricultural Economics* vol. 17, no. 1.

Bergstrom, John C., and John R. Stoll. 1985. "Cognitive Decision Process, Information, and Contingent Valuation." Paper presented at the annual summer meeting of the American Agricultural Economics Association, Ames, Iowa,

August.

Bergstrom, Theodore C., and Richard C. Cornes. 1983. "Independence of Allocation Efficiency from Distribution in the Theory of Public Goods," *Econometrica* vol. 51, pp. 1753–1765.

Bergstrom, Theodore C., and Richard P. Goodman. 1973. "Private Demands for Public Goods," *American Economic Review* vol. 63, no. 3, pp. 280–296.

Bergstrom, Theodore C., Daniel L. Rubinfeld, and Perry Shapiro. 1982. "Micro-Based Estimates of Demand Functions for Local School Expenditures," *Econometrica* vol. 50, no. 5, pp. 1183–1205.

Berry, D. 1974. "Open Space Values: A Household Survey of Two Philadelphia Parks," Discussion Paper Series no. 76, Regional Science Research Institute, Philadelphia.

Bettman, James R. 1979. *An Information Processing Theory of Consumer Choice* (Reading, Mass., Addison-Wesley).

Bickel, Peter, and Kjell Doksum. 1977. *Mathematical Statistics: Ideas and Concepts* (San Francisco, Holden-Day).

Binkley, Clark S., and W. Michael Hanemann. 1978. "The Recreation Benefits of Water Quality Improvement: Analysis of Day Trips in an Urban Setting," Report to the U.S. Environmental Protection Agency (Washington, D.C.).

Bishop, George F., 1981. "Survey Research," chap. 21 in Dan D. Nimmo and Keith R. Sanders, eds., *Handbook of Political Communication* (Beverly Hills, Calif., and London, Sage).

Bishop, George F. 1985. "Context Effects on Self-Perceptions of Interest in Government and Public Affairs," Project Report to the National Science Foundation (Cincinnati, Ohio, Behavioral Sciences Laboratory, Institute for Policy Research, University of Cincinnati).

Bishop, George F., David L. Hamilton, and John B. McConahay. 1980. "Attitudes and Nonattitudes in the Belief Systems of Mass Publics," *Journal of Social Psychology* vol. 110, pp. 53–64.

Bishop, George F., Alfred J. Tuchfarber, and Robert W. Oldendick. 1986. "Opinions on Fictitious Issues: The Pressure to Answer Survey Questions," *Public Opinion Quarterly* vol. 50, no. 2, pp. 240–250.

Bishop, John, and Charles J. Cicchetti. 1975. "Some Institutional and Conceptual Thoughts on the Measurement of Indirect and Intangible Benefits and Costs," in Henry M. Peskin and Eugene P. Seskin, eds., *Cost-Benefit Analysis and Water Pollution Policy* (Washington, D.C., Urban Institute).

Bishop, Richard C. 1982. "Option Value: An Exposition and Extension," *Land Economics* vol. 58, pp. 1–15.

Bishop, Richard C., and Kevin J. Boyle. 1985. "The Economic Value of Illinois Beach State Nature Preserve," report to the Illinois Department of Conservation (Madison, Wis., Heberlein and Baumgartner Research Services).

Bishop, Richard C., and Thomas A. Heberlein. 1979. "Measuring Values of Extra-Market Goods: Are Indirect Measures Biased?" *American Journal of Agricultural Economics* vol. 61, no. 5, pp. 926–930.

Bishop, Richard C., and Thomas A. Heberlein. 1980. "Simulated Markets, Hypothetical Markets, and Travel Cost Analysis: Alternative Methods of Estimating Outdoor Recreation Demand," Staff Paper Series no. 187, Department of Agricultural Economics, University of Wisconsin.

Bishop, Richard C., and Thomas A. Heberlein. 1984. "Contingent Valuation Methods and Ecosystem Damage from Acid Rain," Staff Paper Series no. 217, Department of Agricultural Economics, University of Wisconsin.

Bishop, Richard C., and Thomas A. Heberlein. 1985. "Progress Report of the 1984 Sandhill Study," preliminary report to the Wisconsin Department of Natural Resources.

Bishop, Richard C., and Thomas A. Heberlein. 1986. "Does Contingent Valuation Work?" in Ronald G. Cummings, David S. Brookshire, and William D. Schulze, eds., *Valuing Environmental Goods* (Totawa, N.J., Rowman and Allanheld).

Bishop, Richard C., Thomas A. Heberlein, and Mary Jo Kealy. 1983. "Hypothetical Bias in Contingent Valuation: Results from a Simulated Market," *Natural Resources Journal* vol. 23, no. 3, pp. 619–633.

Bishop, Richard C., Thomas A. Heberlein, Michael P. Welsh, and Robert A. Baumgartner. 1984. "Does Contingent Valuation Work? A Report on the Sandhill Study." Paper presented at the Joint Meeting of the Association of Environmental and Resource Economists and the American Economics Association, Cornell University, Ithaca, N.Y., August.

Black, Duncan. 1958. *The Theory of Elections and Committees* (Cambridge, Cambridge University Press).

Blackorby, Charles, Daniel Primont, and R. Robert Russell. 1978. *Duality, Separability, and Functional Structure: Theory and Economic Applications* (New York, North-Holland).

Blank, Frederick M., David S. Brookshire, Thomas D. Crocker, Ralph C. d'Arge, R. L. Horst, and Robert D. Rowe. 1978. "Valuation of Aesthetic Preferences: A Case Study of the Economic Value of Visibility," report to the Electric Power Research Institute (Resource and Environmental Economics Laboratory, University of Wyoming).

Bliss, Christopher, and Barry Nalebuff. 1984. "Dragon-Slaying and Ballroom Dancing: The Private Supply of a Public Good," *Journal of Public Economics* vol. 25, pp. 1–12.

Blomquist, Glenn C. 1982. "Estimating the Value of Life and Safety: Recent Developments," in M. W. Jones-Lee, ed., *The Value of Life and Safety* (Amsterdam, North-Holland).

Blomquist, Glenn C. 1983. "Measurement of the Benefits of Water Quality Improvements," in George S. Tolley, Dan Yaron, and Glenn C. Blomquist, eds., *Environmental Policy: Water Quality* (Cambridge, Mass., Ballinger).

Blomquist, Glenn C. 1984. "Measuring the Benefits of Public Goods Provision Using Implicit and Contingent Markets," working paper, College of Business and Economics, University of Kentucky.

Bloomgarden, Kathy. 1982. "Toward Responsible Growth: Economic and Environmental Concern in the Balance" (Stamford, Conn., The Continental Group).

Bockstael, Nancy E., and Kenneth E. McConnell. 1980a. "Calculating Equivalent and Compensating Variation for Natural Resource Facilities," *Land Economics* vol. 56, no. 1, pp. 56–62.

Bockstael, Nancy E., and Kenneth E. McConnell. 1980b. "Measuring the Worth of Natural Resource Facilities: Reply," *Land Economics* vol. 56, no. 4, pp. 487–490.

Bockstael, Nancy E., and Kenneth E. McConnell. 1983. "Welfare Measurement in the Household Production Framework," *American Economic Review* vol. 73, no. 4, pp. 806–814.

Bockstael, Nancy E., W. Michael Hanemann, and Ivar E. Strand. 1985. "Measuring the Benefits of Water Quality Improvements Using Recreation Demand Models," report to the Economic Analysis Division, U.S. Environmental Protection Agency, Washington, D.C.

Bohm, Peter. 1972. "Estimating Demand for Public Goods: An Experiment," *European Economic Review* vol. 3, pp. 111–130.

Bohm, Peter. 1975. "Option Demand and Consumer Surplus: Comment," *American Economic Review* vol. 65, pp. 733–736.

Bohm, Peter. 1977. "Estimating Access Value," in Lowdon Wingo and Alan Evans, eds., *Public Economics and the Quality of Life* (Baltimore, The Johns Hopkins University Press for Resources for the Future).

Bohm, Peter. 1979. "Estimating Willingness to Pay: Why and How?" *Scandinavian Journal of Economics* vol. 81, no. 2, pp. 142–153.

Bohm, Peter. 1984. "Revealing Demand for an Actual Public Good," *Journal of Public Economics* vol. 24, pp. 135–151.

Bohm, Peter, and Clifford S. Russell. 1985. "Comparative Analysis of Alternative Policy Instruments," in Allen V. Kneese and James L. Sweeney, eds., *Handbook of Natural Resource and Energy Economics,* vol. 1 (Amsterdam, North-Holland).

Bohrnstedt, George W. 1983. "Measurement," in Peter H. Rossi, James D. Wright, and Andy B. Anderson, eds., *Handbook of Survey Research* (New York, Academic Press).

Bok, Sissela. 1978. *Lying: Moral Choice in Public and Private Life* (New York, Random House).

Bolnick, Bruce R. 1976. "Collective Goods Provision Through Community Development," *Economic Development and Cultural Change* vol. 25, no. 1, pp. 137–150.

Borcherding, Thomas E., and Robert T. Deacon. 1972. "The Demand for the Services of Non-Federal Governments," *American Economic Review* vol. 62, no. 5, pp. 891–901.

Bowen, Howard R. 1943. "The Interpretation of Voting in the Allocation of Economic Resources," *Quarterly Journal of Economics* vol. 58, pp. 27–48.

Box, G. E. P., and W. J. Hill. 1967. "Discriminating Among Mechanistic Models," *Technometrics* vol. 9, pp. 57–71.

Box, G. E. P., William G. Hunter, and J. Stuart Hunter. 1978. *Statistics for Experimenters* (New York, John Wiley).

Boyle, Kevin J., and Richard C. Bishop. 1984a. "A Comparison of Contingent Valuation Techniques," Staff Paper Series no. 222, Department of Agricultural Economics, University of Wisconsin, Madison.

Boyle, Kevin J., and Richard C. Bishop. 1984b. "Economic Benefits Associated with Boating and Canoeing on the Lower Wisconsin River," Economic Issues no. 84, Department of Agricultural Economics, University of Wisconsin, Madison.

Boyle, Kevin J., and Richard C. Bishop. 1985. "The Total Value of Wildlife

Resources: Conceptual and Empirical Issues." Paper presented at the Association of Environmental and Resource Economics Workshop on Recreation Demand Modeling, Boulder, Colo., May.

Boyle, Kevin J., Richard C. Bishop, and Michael P. Welsh. 1985. "Starting Point Bias in Contingent Valuation Surveys," *Land Economics* vol. 61, pp. 188–194.

Bradburn, Norman M. 1982. "Question-Wording Effect in Surveys," in Robin M. Hogarth, ed., *Question Framing and Response Consistency* (San Francisco, Jossey-Bass).

Bradburn, Norman M. 1983. "Measurement: Theory and Techniques," in Peter H. Rossi, James D. Wright, and Andy B. Anderson, eds., *Handbook of Survey Research* (New York, Academic Press).

Bradburn, Norman M., and S. Sudman. 1979. *Improving Interview Method and Questionnaire Design* (San Francisco, Jossey-Bass).

Bradford, David F. 1970. "Benefit-Cost Analysis and Demand Curves for Public Goods," *Kyklos* vol. 23, pp. 775–791.

Brannon, R., G. Cyphers, S. Hess, S. Hesselbart, R. Keane, H. Schuman, T. Vaccaro, and D. Wright. 1973. "Attitude and Action: A Field Experiment Joined to a General Population Survey," *American Sociological Review* vol. 38, pp. 625–636.

Bredemeier, Harry C., and Richard M. Stephenson. 1962. *The Analysis of Social Systems* (New York, Holt, Rinehart and Winston).

Breiman, L., and D. Freeman. 1983. "How Many Variables Should Be Entered in a Regression Equation," *Journal of the American Statistical Association* vol. 78, pp. 131–136.

Breiman, L., J. H. Friedman, R. A. Olshen, and C. Stone. 1984. *Classification and Regression Trees* (Belmont, Calif., Wadsworth).

Brennan, Geoffrey, and James Buchanan. 1984. "Voter Choice," *American Behavioral Scientist* vol. 28, no. 2, pp. 185–201.

Broadway, Robin W., and Neil Bruce. 1984. *Welfare Economics* (Oxford, Basil Blackwell).

Brody, Charles J. 1986. "Things Are Rarely Black and White: Admitting Gray into the Converse Model of Attitude Stability," *American Journal of Sociology* vol. 92, no. 3, pp. 657–677.

Brookshire, David S., Don L. Coursey, and Karen M. Radosevich. 1986. "Market Methods of Benefits, Some Future Results." Paper presented at the Workshop on Integrating Psychology and Economics in Valuing Public Amenity Resources, Estes Park, Colo., May.

Brookshire, David S., Don L. Coursey, and William D. Schulze. 1986. "Experiments in the Solicitation of Public and Private Values: An Overview," in L. Green and J. Kasel, eds., *Advances in Behavioral Economics* (Greenwich, Conn., JAI Press).

Brookshire, David S., and Thomas D. Crocker. 1981. "The Advantages of Contingent Valuation Methods for Benefit-Cost Analysis," *Public Choice* vol. 36, pp. 235–252.

Brookshire, David S., Ralph C. d'Arge, and William D. Schulze. 1979. "Experiments in Valuing Non-marketed Goods: A Case Study of Alternative Benefit Measures of Air Pollution Control in the South Coast Air Basin of Southern

California," in *Methods Development for Assessing Tradeoffs in Environmental Management,* vol. 2, EPA-60076-79-0016 (Washington, D.C., NTIS).

Brookshire, David S., Ralph C. d'Arge, William D. Schulze, and Mark A. Thayer. 1981. "Experiments in Valuing Public Goods," in V. Kerry Smith, ed., *Advances in Applied Microeconomics* (Greenwich, Conn., JAI Press).

Brookshire, David S., and Larry S. Eubanks. 1978. "Contingent Valuation and Revealing Actual Demand for Public Environmental Commodities," manuscript, University of Wyoming.

Brookshire, David S., Larry S. Eubanks, and Alan Randall. 1983. "Estimating Option Price and Existence Values for Wildlife Resources," *Land Economics* vol. 59, no. 1, pp. 1–15.

Brookshire, David S., Larry S. Eubanks, and Cindy F. Sorg. 1986. "Existence Values and Normative Economics: Implications for Valuing Water Resources," *Water Resources Research* vol. 22, no. 11, pp. 1509–1518.

Brookshire, David S., Berry C. Ives, and William D. Schulze. 1976. "The Valuation of Aesthetic Preferences," *Journal of Environmental Economics and Management* vol. 3, no. 4, pp. 325–346.

Brookshire, David S., and Alan Randall. 1978. "Public Policy Alternatives, Public Goods, and Contingent Valuation Mechanisms." Paper presented at the Western Economic Association Meeting, Honolulu, Hawaii.

Brookshire, David S., Alan Randall, and John R. Stoll. 1980. "Valuing Increments and Decrements in Natural Resource Service Flows," *American Journal of Agricultural Economics* vol. 62, no. 3, pp. 478–488.

Brookshire, David S., William D. Schulze, and Mark A. Thayer. 1985. "Some Unusual Aspects of Valuing a Unique Natural Resource," manuscript, University of Wyoming.

Brookshire, David S., Mark A. Thayer, William P. Schulze, and Ralph C. d'Arge. 1982. "Valuing Public Goods: A Comparison of Survey and Hedonic Approaches," *American Economic Review* vol. 72, no. 1, pp. 165–176.

Brookshire, David S., Mark A. Thayer, John Tschirhart, and William D. Schulze. 1985. "A Test of the Expected Utility Model: Evidence from Earthquake Risks," *Journal of Political Economy* vol. 93, no. 2, pp. 369–389.

Brown, Gardner Mallard, Jr., and Henry O. Pollakowski. 1977. "Economic Valuation of a Shoreline," *Review of Economics and Statistics* vol. 59, pp. 272–278.

Brown, G., J. J. Charbonneau, and M. J. Hay. 1978. "Estimating Values of Wildlife: Analysis of the 1975 Hunting and Fishing Survey," Working Paper no. 7, U.S. Fish and Wildlife Service Division of the Program Plans (Washington, D.C.).

Brown, James N., and Harvey S. Rosen. 1982. "On the Estimation of Structural Hedonic Price Models," *Econometrica* vol. 50, no. 3, pp. 765–768.

Brown, Thomas C. 1984. "The Concept of Value in Resource Allocation," *Land Economics* vol. 60, no. 3, pp. 231–246.

Brubaker, Earl. 1975. "Free Ride, Free Revelation or Golden Rule?" *Journal of Law and Economics* vol. 18, no. 1, pp. 147–159.

Brubaker, Earl. 1982. "Sixty-Eight Percent Free Revelation and Thirty-Two Percent Free Ride? Demand Disclosures Under Varying Conditions of Exclusion," in V. L. Smith, ed., *Research in Experimental Economics,* vol. 2 (Greenwich,

Conn., JAI Press).

Buchanan, James M. 1954. "Individual Choice in Voting and the Market," *Journal of Political Economy* vol. 62, pp. 334–344.

Buchanan, James M. 1975. "Public Finance and Public Choice," *National Tax Journal* vol. 28, no. 4, pp. 383–394.

Buchanan, James M., and W. C. Stubblebine. 1962. "Externality," *Economica* vol. 29, pp. 371–384.

Burness, H. S., Ronald G. Cummings, A. F. Mehr, and M. S. Walbert. 1983. "Valuing Policies Which Reduce Environmental·Risk," *Natural Resources Journal* vol. 23, pp. 675–682.

Calabresi, Guido, and A. Douglas Melamed. 1972. "Property Rules, Liability Rules, and Inalienability: One View of the Cathedral," *Harvard Law Review* vol. 85, no. 6, pp. 1089–1128.

Callicott, J. Baird. 1986. "On the Intrinsic Value of Nonhuman Species," in Bryan G. Norton, ed., *The Preservation of Species* (Princeton, Princeton University Press).

Cameron, Trudy Ann. Forthcoming. "A New Paradigm for Valuing Non-Market Goods Using Referendum Data: Maximum Likelihood Estimation by Censored Logistic Regression," *Journal of Environmental Economics and Management*.

Cameron, Trudy Ann, and Daniel D. Huppert. 1987. "Non-Market Resource Valuation: Assessment of Value Elicitation by 'Payment Card' versus 'Referendum' Methods." Paper presented at the Western Economic Association meetings, Vancouver, July.

Cameron, Trudy Ann, and M. D. James. 1987. "Efficient Estimation Methods for Use with 'Closed-Ended' Contingent Valuation Survey Data," *Review of Economics and Statistics* vol. 69, pp. 269–276.

Canary, Daniel J., and David R. Seibold. 1983. *Attitudes and Behavior: An Annotated Bibliography* (New York, Praeger).

Cannell, C. F., S. A. Lawson, and D. L. Hausser. 1975. *A Technique for Evaluating Interviewer Performance* (Ann Arbor, Institute for Social Research, University of Michigan).

Cannell, C. F., P. V. Miller, and L. Oksenberg. 1981. "Research on Interviewing Techniques," in S. Leinhardt, ed., *Sociological Methodology, 1981* (San Francisco, Jossey-Bass).

Carmines, Edward G., and Richard A. Zeller. 1979. *Reliability and Validity Assessment* (Beverly Hills, Calif., Sage).

Carroll, James L., and James R. Nest. 1982. "Moral Development," in Benjamin B. Wolman, ed., *Handbook of Developmental Psychology* (Englewood Cliffs, N.J., Prentice-Hall).

Carson, Richard T. 1984. "Compensating for Missing and Invalid Data in Contingent Valuation Surveys," in *Proceedings of the Survey Research Section of the American Statistical Association* (Washington, D.C., American Statistical Association).

Carson, Richard T. 1986a. "Notes on Option Value and Contingent Valuation," Discussion Paper QE86-03, Resources for the Future, Washington, D.C.

Carson, Richard T. 1986b. "A Comparison of Methods for Imputing Missing Values in Survey Data," manuscript, University of California, San Diego.

Carson, Richard T. 1986c. "The Use of Dichotomous Choice Formats for Contingent Valuation: Current Research Issues and Concerns." Paper presented at the U.S. Department of Agriculture Conference on Research Issues in Resource Decisions Involving Marketed and Nonmarketed Goods, San Diego, February.

Carson, Richard T., Gary L. Casterline, and Robert Cameron Mitchell. 1985. "A Note on Testing and Correcting for Starting Point Bias in Contingent Valuation Surveys," Discussion Paper QE85-11, Resources for the Future, Washington, D.C.

Carson, Richard T., and W. E. Foster. 1984. "A Theory of Auctions from the Auctioneer's Perspective." Paper presented at the Econometric Society meetings, Stanford University, Palo Alto, August.

Carson, Richard T., Theodore Graham-Tomasi, Charles F. Rund, and William W. Wade. 1986. "Problems with the MPCA Contingent Valuation Survey Instrument and Survey Results: Exhibit 324," report prepared for Northern States Power by Dames and Moore, San Francisco.

Carson, Richard T., W. Michael Hanemann, and Robert Cameron Mitchell. 1986. "Determining the Demand for Public Goods by Simulating Referendums at Different Tax Prices," manuscript, University of California, San Diego.

Carson, Richard T., Mark Machina, and John Horowitz. 1987. *Discounting Mortality Risks: Final Technical Report to the U.S. Environmental Protection Agency* (La Jolla, Calif., University of California, San Diego).

Carson, Richard T., and Robert Cameron Mitchell. 1983. "A Reestimation of Bishop and Heberlein's Simulated Market-Hypothetical Markets-Travel Cost Results Under Alternative Assumptions," Discussion Paper D-107, Resources for the Future, Washington, D.C.

Carson, Richard T., and Robert Cameron Mitchell. 1986. "The Value of Clean Water: The Public's Willingness to Pay for Boatable, Fishable, and Swimmable Quality Water," Discussion Paper QE85-08, rev., Resources for the Future, Washington, D.C.

Carson, Richard T., and Robert Cameron Mitchell. 1987. "Economic Value of Reliable Water Supplies for Residential Water Users in the State Water Project Service Area," report prepared for the Metropolitan Water District of Southern California.

Cassady, R. 1967. *Auctions and Auctioneering* (Berkeley, University of California Press).

Caulkins, Peter P., Richard C. Bishop, and Nicolaas W. Bouwes, Sr. 1986. "The Travel Cost Model for Lake Recreation: A Comparison of Two Methods of Incorporating Site Quality and Substitution Effects," *American Journal of Agricultural Economics* vol. 68, no. 2, pp. 291–297.

Cesario, Frank. 1976. "Value of Time in Recreation Benefit Studies," *Land Economics* vol. 55, pp. 32–41.

Chamberlain, Gary, and Michael Rothschild. 1981. "A Note on the Probability of Casting a Decisive Vote," *Journal of Economic Theory* vol. 25, no. 1, pp. 152–162.

Charbonneau, John, and Michael J. Hay. 1978. "Determinants and Economic Values of Hunting and Fishing." Paper presented at the 43d North American Wildlife and Natural Resources Conference, Phoenix.

Chavas, Jean-Paul, Richard C. Bishop, and Kathleen Segerson. 1986. "Ex Ante Consumer Welfare Evaluation in Cost-Benefit Analysis," *Journal of Environmental Economics and Management* vol. 13, no. 3, pp. 255–268.

Christainsen, Gregory B. 1982. "Evidence for Determining the Optimal Mechanism for Providing Collective Goods," *American Economist* vol. 26, no. 1, pp. 57–61.

Cicchetti, Charles J., Anthony C. Fisher, and V. Kerry Smith. 1976. "An Econometric Evaluation of a Generalized Consumer Surplus Measure: The Mineral King Controversy," *Econometrica* vol. 44, pp. 1269–1276.

Cicchetti, Charles J., and A. Myrick Freeman III. 1971. "Option Demand and Consumer's Surplus: Further Comment," *Quarterly Journal of Economics* vol. 85, no. 3, pp. 528–539.

Cicchetti, Charles J., and V. Kerry Smith. 1973. "Congestion, Quality Deterioration, and Optimal Use: Wilderness Recreation in the Spanish Peaks Primitive Area," *Social Science Research* vol. 2, pp. 15–30.

Cicchetti, Charles J., and V. Kerry Smith. 1976a. *The Cost of Congestion* (Cambridge, Mass., Ballinger).

Cicchetti, Charles J., and V. Kerry Smith. 1976b. "The Measurement of Individual Congestion Costs: An Economic Application to a Wilderness Area," in S. A. Lin, ed., *Theory and Measurement of Externalities* (New York, Academic Press).

Ciriacy-Wantrup, S. V. 1947. "Capital Returns from Soil-Conservation Practices," *Journal of Farm Economics* vol. 29, pp. 1181–1196.

Ciriacy-Wantrup, S. V. 1952. *Resource Conservation: Economics and Policies* (Berkeley, University of California Press).

Citrin, Jack. 1979. "Do People Want Something for Nothing: Public Opinion on Taxes and Government Spending," *National Tax Journal* vol. 32, no. 2, pp. 113–129.

Clarke, Edward H. 1971. "Multipart Pricing of Public Goods," *Public Choice* vol. 11, pp. 19–33.

Clarke, Edward H. 1975. "Experimenting with Public Goods Pricing: A Comment," *Public Choice* vol. 23, pp. 49–53.

Clarke, Edward H. 1980. *Demand Revelation and the Provision of Public Goods* (Cambridge, Mass., Ballinger).

Clawson, Marion. 1959. "Methods of Measuring the Demand for and the Value of Outdoor Recreation," Reprint no. 10, Resources for the Future, Washington, D.C.

Clawson, Marion, and Jack Knetsch. 1966. *Economics of Outdoor Recreation* (Baltimore, The Johns Hopkins University Press for Resources for the Future).

Coase, Ronald H. 1960. "The Problem of Social Cost," *Journal of Law and Economics* vol. 3, pp. 1–44.

Coase, Ronald H. 1974. "The Lighthouse in Economics," *Journal of Law and Economics* vol. 17, pp. 357–376.

Cocheba, D. J., and W. A. Langford. 1978. "Wildlife Valuation: The Collective Good Aspect of Hunting," *Land Economics* vol. 54, pp. 490–504.

Cochran, William G. 1973. "Experiments for Nonlinear Functions," *Journal of the American Statistical Association* vol. 68, no. 344, pp. 771–781.

Cochran, William G. 1977. *Sampling Techniques* (3d ed., New York, Wiley).

Cochran, William G., and G. M. Cox. 1957. *Experimental Designs* (2d ed., New York, Wiley).

Cohen, Jacob. 1962. "The Statistical Power of Abnormal-Social Psychological Research," *Journal of Abnormal and Social Psychology* vol. 65, pp. 145–153.

Cohen, Jacob. 1977. *Statistical Power Analysis for the Behavioral Sciences* (rev. ed., New York, Academic Press).

Coleman, James S. "Social Theory, Social Research, and a Theory of Action," *American Journal of Sociology* vol. 91, pp. 1309–1335.

Conlisk, John. 1973. "Choice of Response Function in Designing Subsidy Experiments," *Econometrica* vol. 41, pp. 643–656.

Conrad, Jon M. 1980. "Quasi-Option Value and the Expected Value of Information," *Quarterly Journal of Economics* vol. 85, pp. 813–820.

Conrad, Jon M., and David LeBlanc. 1979. "The Supply of Development Rights: Results from a Survey in Hadley, Massachusetts," *Land Economics* vol. 55, no. 2, pp. 269–276.

Converse, Jean M., and Stanley Presser. 1986. *Survey Questions: Handcrafting the Standardized Questionnaire* (Beverly Hills, Calif., Sage).

Converse, Philip E. 1964. "The Nature of Belief Systems in Mass Publics," in David E. Apter, ed., *Ideology and Discontent* (New York, Free Press) pp. 206–261.

Converse, Philip E. 1970. "Attitudes and Non-Attitudes: Continuation of a Dialogue," in E. R. Tufte, ed., *The Quantitative Analysis of Social Problems* (Reading, Mass., Addison-Wesley).

Converse, Philip E. 1974. "Comment: The Status of Nonattitudes," *American Political Science Review* vol. 68, no. 2. pp. 650–660.

Conway, James M., and Richard T. Carson. 1984. "The Demand for State-Level Assistance: An Examination of a 1980 California Referendum," manuscript, University of California, Berkeley.

Coppinger, V. M., V. L. Smith, and J. A. Titus. 1980. "Incentives and Behavior in English, Dutch, and Sealed Bid Auctions," *Economic Inquiry* vol. 18, pp. 1–22.

Cornes, Richard, and Todd Sandler. 1984. "Easy Riders, Joint Production, and Public Goods," *Economic Journal* vol. 94. pp. 580–598.

Cornes, Richard, and Todd Sandler. 1986. *The Theory of Externalities, Public Goods, and Club Goods* (New York, Cambridge University Press).

Cottrell, Leonard S., Jr., and Sylvia Eberhart. 1948. *American Opinion on World Affairs in the Atomic Age* (Princeton, Princeton University Press).

Couch, A., and K. Keniston. 1960. "Yeasayers and Naysayers: Agreeing Response Set as a Personality Variable," *Journal of Abnormal and Social Psychology* vol. 60, pp. 151–174.

Coursey, Don L., John Hovis, and William D. Schulze. 1987. "The Disparity Between Willingness to Accept and Willingness to Pay Measures of Value," *Quarterly Journal of Economics* vol. 102, pp. 679–690.

Coursey, Don L., and William D. Schulze. 1986. "The Application of Laboratory Experimental Economics to the Contingent Valuation of Public Goods," *Public Choice* vol. 49, no. 1, pp. 47–68.

Covello, Vincent, W. Gary Flamm, Joseph V. Rodricks, and Robert G. Tardiff, eds. 1983. *The Analysis of Actual Versus Perceived Risks* (New York, Plenum).

Cox, D. R. 1961. "Test of Separate Families of Hypotheses," in *Proceedings of the Fourth Berkeley Symposium on Mathematical Statistics and Probability,* vol. 1 (Berkeley, University of California Press) pp. 105–123.

Cox, D. R. 1970. *Analysis of Binary Data* (London, Methuen).

Craig, C. Samuel, and John M. McCann. 1978. "Item Nonresponse in Mail Surveys: Extent and Correlates," *Journal of Marketing Research* vol. 15, pp. 285–289.

Cramer, J. S. 1964. "Efficient Grouping, Regression, and Correlation in Engel Curve Analysis," *Journal of the American Statistical Association* vol. 59, pp. 233–250.

Cramer, J. S. 1987. "Mean and Variance of R^2 in Small and Moderate Samples," *Journal of Econometrics* vol. 35, pp 253–266.

Crenson, Matthew A. 1971. *The Un-politics of Air Pollution: A Study of Non-decisonmaking in the Cities* (Baltimore, The Johns Hopkins University Press).

Crespi, I. 1971. "What Kinds of Attitude Measures Are Predictive of Behavior?" *Public Opinion Quarterly* vol. 35, pp. 327–334.

Crocker, T. D. 1984. "On the Value of the Condition of a Forest Stock," manuscript, Department of Economics, University of Wyoming.

Cronin, Francis J. 1982. "Valuing Nonmarket Goods Through Contingent Markets," report to the U.S. Environmental Protection Agency (Richland, Wash., Pacific Northwest Laboratory and Battelle Memorial Institute).

Cullis, John, and Alan Lewis. 1985. "Some Hypotheses and Evidence on Tax Knowledge and Preferences," *Journal of Economic Psychology* vol. 6, pp. 271–287.

Cummings, Ronald G., David S. Brookshire, and William D. Schulze, eds. 1986. *Valuing Environmental Goods: A State of the Arts Assessment of the Contingent Method* (Totowa, N.J., Rowman and Allanheld).

Cummings, Ronald G., Louis Anthony Cox, Jr., and A. Myrick Freeman III. 1984. "General Methods for Benefits Assessment," in Arthur D. Little Co., comp., *Evaluation of the State-of-the-Art in Benefits Assessment Methods for Public Policy Purposes,* report to the Division of Policy Research and Analysis, National Science Foundation (Cambridge, Mass.)

Cummings, Ronald G., William D. Schulze, Shelby D. Gerking, and David S. Brookshire. 1986. "Measuring the Elasticity of Substitution of Wages for Municipal Infrastructure: A Comparison of the Survey and Wage Hedonic Approaches," *Journal of Environmental Economics and Management* vol. 13, no. 3, pp. 269–276.

Curtin, Richard T. 1982. "Indicators of Consumer Behavior: The University of Michigan Surveys of Consumers," *Public Opinion Quarterly* vol. 46, no. 3, pp. 340–352.

Curtis, T. D., and E. W. Shows. 1982. "Economic and Social Benefits of Artificial Beach Nourishment Civil Works at Delray Beach," report to the Department of Natural Resources, Division of Beaches and Shores, STAR Grant no. 81-046, Department of Economics, University of South Florida.

Curtis, T. D., and E. W. Shows. 1984. "A Comparative Study of Social Economic Benefits of Artificial Beach Nourishment Civil Works in Northeast Florida," report to the Department of Natural Resources, Division of Beaches and Shores, STAR Grant, Department of Economics, University of South Florida.

d'Arge, Ralph C. 1985. "Water Quality Benefits: Analysis of the Lakes at Okoboji, Iowa," draft report for the U.S. Environmental Protection Agency.

d'Arge, Ralph C., William D. Schulze, and David S. Brookshire. 1980. "Benefit-Cost Valuation of Long Term Future Effects: The Case of CO_2." Paper presented at the Resources for the Future/National Climate Program Office Workshop, Fort Lauderdale, Fla.

Darling, Arthur H. 1973. "Measuring Benefits Generated by Urban Water Parks," *Land Economics* vol. 49, no. 1, pp. 22–34.

Daubert, John T., and Robert A. Young. 1981. "Recreational Demands for Maintaining Instream Flows: A Contingent Valuation Approach," *American Journal of Agricultural Economics* vol. 63, no. 4, pp. 666–676.

David, Martin, Roderick J. A. Little, Michael E. Samuhel, and Robert K. Triest. 1986. "Alternative Methods for CPS Income Imputation," *Journal of the American Statistical Association* vol. 81, no. 393, pp. 29–41.

Davidson, Andrew R., and Diane M. Morrison. 1982. "Social Psychological Models of Decision Making," in *Choice Models for Buyer Behavior,* Supplement 1 to *Research in Marketing,* pp. 91–112.

Davis, Robert K. 1963a. "Recreation Planning as an Economic Problem," *Natural Resources Journal* vol. 3, no. 2, pp. 239–249.

Davis, Robert K. 1963b. "The Value of Outdoor Recreation: An Economic Study of the Maine Woods" (Ph.D. dissertation, Harvard University).

Davis, Robert K. 1964. "The Value of Big Game Hunting in a Private Forest," in *Transactions of the 29th North American Wildlife and Natural Resources Conference* (Washington, D.C., Wildlife Management Institute).

Davis, Robert K. 1980. "Analysis of the Survey to Determine the Effects of Water Quality on Participation in Recreation." Davis to John Parsons, National Park Service, July 28, 1980.

Deacon, Robert, and P. Shapiro. 1975. "Private Preference for Collective Goods Revealed Through Voting on Referenda," *American Economic Review* vol. 65, no. 5, pp. 943–955.

Deaton, Angus, and John Muellbauer. 1980. *Economics and Consumer Behavior* (New York, Cambridge University Press).

Deaton, Brady J., Larry C. Morgan, and Kurt R. Anschel. 1982. "The Influence of Psychic Costs on Rural-Urban Migration," *American Journal of Agricultural Economics* vol. 64, pp. 177–187.

Debreu, G. 1959. *Theory of Value* (New York, Wiley).

DeMaio, Theresa J. 1984. "Social Desirability and Survey Measurement: A Review," in Charles F. Turner and Elizabeth Martin, eds., *Surveying Subjective Phenomena,* vol. 2 (New York, Russell Sage Foundation).

Dempster, A. P., N. M. Laird, and D. B. Rubin. 1977. "Maximum Likelihood from Incomplete Data Via the EM Algorithm," *Journal of the Royal Statistical Society* vol. 39, pp. 1–38.

Dennis, Steve, and R. W. Hodgson. 1984. "Starting Point Bias in Contingent Valuation Methods: An Experiment." Paper presented at the U.S. Department of Agriculture W-133 Annual Meeting, Las Vegas, February.

Denzau, Arthur T., and Robert P. Parks. 1983. "Existence of Voting-Market Equilibria," *Journal of Economic Theory* vol. 30, pp. 243–265.

Department of the Interior. 1985. "Proposed Rule for Natural Resource Damage

Assessments under the Comprehensive Environmental Response, Compensation, and Liability Act of 1980" (CERCLA), *Federal Register* vol. 50, no. 245 (December 20).

Department of the Interior. 1986. "Final Rule for Natural Resource Damage Assessments under the Comprehensive Environmental Response, Compensation, and Liability Act of 1980" (CERCLA), *Federal Register* vol. 51, no. 148 (August 1) pp. 27674–27753.

Desvousges, William H., V. Kerry Smith, Diane H. Brown, and D. Kirk Pate. 1984. "The Role of Focus Groups in Designing a Contingent Valuation Survey to Measure the Benefits of Hazardous Waste Management Regulations," draft report for the U.S. Environmental Protection Agency (Research Triangle Park, N.C., Research Triangle Institute).

Desvousges, William H., V. Kerry Smith, and Matthew P. McGivney. 1983. "A Comparison of Alternative Approaches for Estimating Recreation and Related Benefits of Water Quality Improvements," EPA-230-05-83-001 (Washington, D.C., Office of Policy Analysis, U.S. Environmental Protection Agency).

Devine, D. Grant, and Bruce W. Marion. 1979. "The Influence of Consumer Price Information on Retail Pricing and Consumer Behavior," *American Journal of Agricultural Economics* vol. 61, pp. 228–237.

Deyak, Timothy A., and V. Kerry Smith. 1978. "Congestion and Participation in Outdoor Recreation: A Household Production Function Approach," *Journal of Environmental Economics and Management* vol. 5, no. 1, pp. 63–80.

Dickie, Mark, Ann Fisher, and Shelby Gerking. 1987. "Market Transactions and Hypothetical Demand Data: A Comparative Study," *Journal of the American Statistical Association* vol. 82, no. 397, pp. 69–75.

Dijkstra, Wil, and Johannes van der Zouwen. 1982. Introduction, in Wil Dijkstra and Johannes van der Zouwen, eds., *Response Behavior in the Survey-Interview* (New York, Academic Press).

Dillman, Don A. 1978. *Mail and Telephone Surveys—The Total Design Method* (New York, Wiley).

Dillman, Don A. 1983. "Mail and Other Self-Administered Questionnaires," in Peter H. Rossi, James D. Wright, and Andy B. Anderson, eds., *Handbook of Survey Research* (New York, Academic Press).

Donnelly, Dennis M., John B. Loomis, Cindy F. Sorg, and Louis J. Nelson. 1985. "Net Economic Value of Recreational Steelhead Fishing in Idaho," Resource Bulletin RM-9, Rocky Mountain Forest and Range Experiment Station, U.S. Forest Service, Fort Collins, Colo.

Dorfman, Robert. 1977. "Incidence of the Benefits and Costs of Environmental Programs," *American Economic Review Papers and Proceedings* vol. 67, pp. 333–340.

Downs, A. 1957. *An Economic Theory of Democracy* (New York, Harper and Row).

Dreze, J., and D. De la Vallee Poussin. 1971. "A Tatonnement Process for Public Goods," *Review of Economic Studies* vol. 38, pp. 133–150.

Driver, Beverly L., Thomas L. Brown, and William R. Burch, Jr. 1986. "Toward More Comprehensive and Integrated Valuations of Public Amenity Goods and Services." Paper presented at the Workshop on Integrating Psychology and Economics in Valuation of Amenity Resources, Estes Park, Colo., May.

Duffield, J. 1984. "Travel Cost and Contingent Valuation: A Comparative Analysis," in V. Kerry Smith, ed., *Advances in Applied Microeconomics,* vol. 3 (Greenwich, Conn., JAI Press) pp. 67–87.

DuMouchel, William H., and Greg J. Duncan. 1983. "Using Sample Survey Weights in Multiple Regression Analysis of Stratified Samples," *Journal of the American Statistical Association* vol. 78, no. 383, pp. 535–543.

Dwyer, John F., John R. Kelly, and Michael D. Bowes. 1977. *Improved Procedures for Valuation of the Contribution of Recreation to National Economic Development* (Urbana-Champaign, Ill., Water Resources Center, University of Illinois).

Eagleton Institute of Politics. 1984. "Toxic Wastes: Panic Lessens but Problem Remains a Major Concern," press release dated 11 March, issued at Rutgers University, New Brunswick, N.J.

Eastman, Clyde, Alan Randall, and Peggy L. Hoffer. 1974. "How Much to Abate Pollution," *Public Opinion Quarterly* vol. 38, pp. 575–584.

Eastman, Clyde, Alan Randall, and Peggy L. Hoffer. 1978. "A Socioeconomic Analysis of Environmental Concern: Case of the Four Corners Electric Power Complex," Bulletin 626, Agricultural Experiment Station, University of New Mexico, Albuquerque.

Economic Analysis, Inc. and Applied Science Associates. 1986. "Measuring Damages to Coastal and Marine Natural Resources: Concepts and Data Relevant for CERCLA Type A Damage Assessments," 2 vols., prepared for the CERCLA 301 Project, U.S. Department of the Interior, Washington, D.C.

ECO Northwest. 1984. "Economic Valuation of Potential Loss of Fish Populations in the Swan River Drainage," report prepared for the Montana Department of Fish, Wildlife, and Parks.

Edwards, Steven F. 1984. "An Analysis of the Non-Marketed Benefits of Protecting the Salt Water Pond Quality in Southern Rhode Island: An Application of the Hedonic Price and Contingent Valuation Techniques" (Ph.D. dissertation, University of Rhode Island).

Edwards, Steven F. 1985. "Genuine Altruism and Intrinsic Value: Implications for Contingent Valuation Research on Existence Values," manuscript, Woods Hole (Mass.) Oceanographic Institution.

Edwards, Steven F., and Glen D. Anderson. 1987. "Overlooked Biases in Contingent Valuation Surveys: Some Considerations," *Land Economics* vol. 62, no. 2, pp. 168–178.

Efron, Brad. 1969. "Student's t-Test Under Symmetry Conditions," *Journal of the American Statistical Association* vol. 64, pp. 1278–1303.

Emerson, John D. 1983. "Mathematical Aspects of Transformation," in David C. Goaglin, Frederick Mosteller, and John W. Tukey, eds., *Understanding Robust and Exploratory Data Analysis* (New York, Wiley).

Enelow, James M., and Melvin J. Hinich. 1984. *The Spatial Theory of Voting: An Introduction* (Cambridge, Cambridge University Press).

Environmental Defense Fund. 1984. *The Tuolumne River: Preservation or Development? An Economic Assessment* (Berkeley, Calif., Environmental Defense Fund).

Erskine, Hazel. 1971. "The Polls: Pollution and Its Costs," *Public Opinion Quarterly* vol. 35, pp. 120–135.

Etzioni, Amitai. 1968. *The Active Society* (New York, Free Press).

Etzioni, Amitai. 1985. "Opening the Preferences: A Socio-Economic Research Agenda," *Journal of Behavioral Economics* vol. 14, pp. 183–205.

Evans, John S. 1984. "Theoretically Optimal Metrics and Their Surrogates," *Journal of Environmental Economics and Management* vol. 10, pp. 1–10.

Evans, Roy C., and Frederick H. DeB. Harris. 1982. "A Bayesian Analysis of the Free Rider Meta Game," *Southern Economic Journal* vol. 49, pp. 137–149.

Fazio, Russell H., Jeaw-mei Chen, Elizabeth C. McDonel, and Steven J. Sherman. 1982. "Attitude Accessibility, Attitude-Behavior Consistency, and the Strength of the Object-Evaluation Association," *Journal of Experimental Social Psychology* vol. 18, pp. 339–357.

Fazio, Russell H., and Mark P. Zanna. 1981. "Direct Experience and Attitude-Behavior Consistency," in Leonard Berkowitz, ed., *Advances in Experimental Social Psychology,* vol. 14 (New York, Academic Press).

Federal Energy Administration. 1977. "The Surveys of Public Attitudes and Response to Federal Energy Policy," data prepared by Opinion Research Corp. (Ann Arbor, Inter-University Consortium for Political and Social Research).

Fee, J. 1979. "Symbols and Attitudes: How People Think About Politics" (Ph.D. dissertation, University of Chicago).

Feenberg, Daniel, and Edwin S. Mills. 1980. *Measuring the Benefits of Water Pollution Abatement* (New York, Academic Press).

Ferber, Robert, and Werner Z. Hirsch. 1982. *Social Experimentation and Economic Policy* (New York, Cambridge University Press).

Ferris, James M. 1983. "Demand for Public Spending: An Attitudinal Approach," *Public Choice* vol. 40, no. 2, pp. 135–154.

Fields, James M., and Howard Schuman. 1976. "Public Beliefs About the Beliefs of the Public," *Public Opinion Quarterly* vol. 40, pp. 427–449.

Fienberg, Stephen E., and Judith M. Tanur. 1985. "A Long and Honorable Tradition: Intertwining Concepts and Constructs in Experimental Design and Sample Surveys." Paper presented at the International Statistical Institute Meeting, Amsterdam.

Findlater, P. A., and J. A. Sinden. 1982. "Estimation of Recreation Benefits from Measured Utility Functions," *American Journal of Agricultural Economics* vol. 64, pp. 102–109.

Finney, David. 1978. *Statistical Methods in Biological Assay* (3d ed., New York, Macmillan).

Fischel, William A. 1979. "Determinants of Voting on Environmental Quality: A Study of a New Hampshire Pulp Mill Referendum," *Journal of Environmental Economics and Management* vol. 6, pp. 107–118.

Fischer, David Hackett. 1970. *Historians' Fallacies* (New York, Harper and Row).

Fischhoff, Baruch, Paul Slovic, and Sarah Lichtenstein. 1980. "Knowing What You Want: Measuring Labile Values," in Thomas S. Wallsten, ed., *Cognitive Processes in Choice and Decision Behavior* (Hillsdale, N.J., Lawrence Erlbaum Associates).

Fishbein, Martin, and Icek Ajzen. 1975. *Belief, Attitude, Intention and Behavior: An Introduction to Theory and Research* (Reading, Mass., Addison-Wesley).

Fisher, Ann, Gary H. McClelland, and William D. Schulze. 1986. "Measures of Willingness to Pay versus Willingness to Accept: Evidence, Explanations, and Potential Reconciliation." Paper presented at the Workshop on Integrating Psychology and Economics in Valuation of Amenity Resources, Estes Park, Colo., May.

Fisher, Ann, and Robert Raucher. 1984. "Intrinsic Benefits of Improved Water Quality: Conceptual and Empirical Perspectives," in V. Kerry Smith, ed., *Advances in Applied Economics* (Greenwich, Conn., JAI Press).

Fisher, Anthony C. 1981. *Resources and Environmental Economics* (New York, Cambridge University Press).

Fisher, Anthony C., and W. Michael Hanemann. 1985a. "Endangered Species and the Economics of Irreversible Damage," in D. O. Hall, N. Myers, and N. S. Margaris, eds., *Economics of Ecosystem Management* (Dordrecht, Netherlands, Kluwer Academic Publishers Group).

Fisher, Anthony C., and W. Michael Hanemann. 1985b. "Valuing Pollution Controls: The Hysteresis Phenomenon in Aquatic Ecosystems," Giannini Foundation Working Paper no. 361, University of California, Berkeley.

Fisher, Anthony C., and W. Michael Hanemann. 1986. "Option Value and the Extinction of Species," in V. Kerry Smith, ed., *Advances in Applied Microeconomics,* vol. 4 (Greenwich, Conn., JAI Press).

Fisher, Anthony C., and W. Michael Hanemann. 1987. "Quasi-Option Value: Some Misconceptions Dispelled," *Journal of Environmental Economics and Management* vol. 14, pp. 183–190.

Fleiss, Joseph L. 1981. *Statistical Methods for Rates and Proportions* (2d ed., New York, Wiley).

Ford, I., and S. D. Silvey. 1980. "A Sequentially Constructed Design for Estimating a Non-Linear Parametric Function," *Biometrika* vol. 67, pp. 381–388.

Fort, Rodney, and Jon B. Christianson. 1981. "Determinants of Public Services Provision in Rural Communities: Evidence from Voting on Hospital Referenda," *American Journal of Agricultural Economics* vol. 63, no. 2, pp. 228–236.

Foster, John, J. Halstead, and T. H. Stevens. 1982. "Measuring the Non-Market Value of Agricultural Land: A Case Study," Research Bulletin no. 672, Massachusetts Agricultural Experiment Station, College of Food and Natural Resources, University of Massachusetts, Amherst.

Foxall, Gordon. 1984. "Evidence for Attitudinal-Behavioral Consistency: Implications for Consumer Research Paradigms," *Journal of Economic Psychology* vol. 5, pp. 71–92.

Frankel, M. 1979. "Opportunity and the Valuation of Life," preliminary report for the Department of Economics, University of Illinois, Urbana-Champaign.

Frankel, Martin. 1983. "Sampling Theory," in Peter H. Rossi, James D. Wright, and Andy B. Anderson, eds., *Handbook of Survey Research* (New York, Academic Press).

Frankena, William K. 1973. *Ethics* (2d ed., Englewood Cliffs, N.J., Prentice-Hall).

Freeman, A. Myrick III. 1979a. "The Benefits of Air and Water Pollution

Control: A Review and Synthesis of Recent Estimates," report to the Council on Environmental Quality (Washington, D.C., Council on Environmental Quality).

Freeman, A. Myrick III. 1979b. *The Benefits of Environmental Improvement: Theory and Practice* (Baltimore, The Johns Hopkins University Press for Resources for the Future).

Freeman, A. Myrick III. 1979c. "Hedonic Prices, Property Values and Measuring Environmental Benefits: A Survey of the Issues," *Scandinavian Journal of Economics* vol. 81, pp. 154–173.

Freeman, A. Myrick III. 1981. "Notes on Defining and Measuring Existence Values," manuscript, Department of Economics, Bowdoin College.

Freeman, A. Myrick III. 1982. *Air and Water Pollution Control: A Benefit Cost Assessment* (New York, Wiley).

Freeman, A. Myrick III. 1984a. "The Quasi-Option Value of Irreversible Development," *Journal of Environmental Economics* vol. 11, pp. 292–295.

Freeman, A. Myrick III. 1984b. "The Size and Sign of Option Value," *Land Economics* vol. 60, pp. 1–13.

Freeman, A. Myrick III. 1986. "On Assessing the State of the Arts of the Contingent Valuation Method of Valuing Environmental Changes," in Ronald G. Cummings, David S. Brookshire, and William D. Schulze, eds., *Valuing Environmental Goods* (Totawa, N. J., Rowman and Allanheld).

Freiman, Jennie A., Thomas C. Chalmers, Harry Smith, Jr., and Roy R. Kuebler. 1978. "The Importance of Beta, the Type II Error and Sample Size in the Design and Interpretation of the Randomized Control Trial," *New England Journal of Medicine* vol. 299, pp. 690–694.

Freudenburg, William R., and Rodney K. Baxter. 1985. "Nuclear Reactions: Public Attitudes and Policies Toward Nuclear Power," *Policy Studies Review* vol. 5, no. 1, pp. 96–110.

Frey, James H. 1983. *Survey Research by Telephone* (Beverly Hills, Calif., Sage).

Friedman, Lee S. 1984. *Microeconomic Policy Analysis* (New York, McGraw-Hill).

Fromm, Gary. 1968. "Comment on T. C. Schelling's Paper, 'The Life You Save May Be Your Own,'" in S. B. Chape, ed., *Problems in Public Expenditure Analysis* (Washington, D.C., Brookings Institution).

Furubotn, Eirik, and Svetozar Pejorvich. 1972. "Property Rights and Economic Theory: A Survey of Recent Literature," *Journal of Economic Literature* vol. 10, no. 4, pp. 1137–1162.

Gallagher, David R., and V. Kerry Smith. 1985. "Measuring Values for Environmental Resources Under Uncertainty," *Journal of Environmental Economics and Management* vol. 12, pp. 132–143.

Garbacz, Christopher, and Mark A. Thayer. 1983. "An Experiment in Valuing Senior Companion Program Services," *Journal of Human Resources* vol. 18, pp. 147–153.

Georgescu-Roegen, N. 1958. "Threshhold in Choice and the Theory of Demand," *Econometrica* vol. 26, pp. 157–168.

Gibbard, A. 1973. "Manipulation of Voting Schemes: A General Result," *Econometrica* vol. 41, pp. 587–601.

Gibson, Betty Blecha. 1980. "Estimating Demand Elasticities for Public Goods from Survey Data," *American Economic Review* vol. 70, no. 5, pp. 1069–1076.

Gillroy, John M., and Robert Y. Shapiro. 1986. "The Polls: Environmental Protection," *Public Opinion Quarterly* vol. 50, no. 2, pp. 270–279.

Goldberger, Arthur S. 1968. "The Interpretation and Estimation of Cobb-Douglas Functions," *Econometrica* vol. 35, pp. 464–472.

Goldman, Steven. 1978. "Gift Equilibria and Pareto Optimality," *Journal of Economic Theory* vol. 18, pp. 368–370.

Goldsmith, Barbara J., and Company. 1986. "Comments in Response to Proposed Rule on Natural Resource Damage Assessments," report to the U.S. Department of the Interior, submitted by Allied-Signal, CIBA-Geigy, and the General Electric Company.

Golob, Thomas F., Abraham D. Horowitz, and Martin Wachs. 1979. "Attitude-Behavior Relationships in Travel-Demand Modelling," in David A. Heusher and Peter R. Stolpfer, eds., *Behavioral Travel Modelling* (London, Croom Helm).

Gordon, Irene M., and Jack L. Knetsch. 1979. "Consumer's Surplus Measures and the Evaluation of Resources," *Land Economics* vol. 55, pp. 1–10.

Gove, Walter R. 1982. "Systematic Response Bias and Characteristics of the Respondent," in Wil Dijkstra and Johannes van der Zouwen, eds., *Response Behavior in the Survey-Interview* (New York, Academic Press).

Graham, Daniel A. 1981. "Cost-Benefit Analysis Under Uncertainty," *American Economic Review* vol. 71, pp. 715–725.

Graham-Tomasi, Theodore. 1986. "Irreversibility and Uncertainty in State-Level Acid Deposition Policy Formulation," manuscript, School of Natural Resources, University of Michigan.

Graham-Tomasi, Theodore, and Frank Wen. 1987. "Option Value and the Bias for Ignoring Uncertainty," manuscript, School of Natural Resources, University of Michigan.

Gramlich, Edward, and Daniel Rubinfeld. 1982. "Using Micro Data to Estimate Public Spending Demand Functions and Test the Tiebout and Median Voter Hypotheses," *Journal of Political Economy* vol. 90, pp. 336–360.

Gramlich, Frederick W. 1975. "Estimating the Net Benefits of Improvements in Charles River Quality" (Ph.D. dissertation, Harvard University).

Gramlich, Frederick W. 1977. "The Demand for Clean Water: The Case of the Charles River," *National Tax Journal* vol. 30, no. 2, pp. 183–194.

Green, Jerry R., and Jean-Jacques Laffont. 1978. "A Sampling Approach to the Free Rider Problem," in Agnar Sandmo, ed., *Essays in Public Economics* (Lexington, Mass., Lexington Books).

Green, Jerry R., and Jean-Jacques Laffont. 1979. *Incentives in Public Decision Making* (Amsterdam, North-Holland).

Green, P. E., and V. Srinivasan. 1978. "Conjoint Analysis in Consumer Research: Issues and Outlook," *Journal of Consumer Research* vol. 3, pp. 103–123.

Greenley, Douglas A., Richard G. Walsh, and Robert A. Young. 1981. "Option Value: Empirical Evidence from a Case Study of Recreation and Water Quality," *Quarterly Journal of Economics* vol. 96. no. 4, pp. 657–672.

Greenley, Douglas A., Richard G. Walsh, and Robert A. Young. 1982. *Economic Benefits of Improved Water Quality: Public Perceptions of Option and Pres-*

ervation Values (Boulder, Colo., Westview Press).

Greenley, Douglas A., Richard G. Walsh, and Robert A. Young. 1985. "Option Value: Empirical Evidence from a Case Study of Recreation and Water Quality: Reply," *Quarterly Journal of Economics* vol. 100, no. 1, pp. 294–299.

Gregory Research. 1982. "The Economic Value of the British Columbia Provincial Museum," report to the Friends of the British Columbia Provincial Museum, Vancouver.

Gregory, Robin. 1982. *Valuing Non-Market Goods: An Analysis of Alternative Approaches* (Ph.D. dissertation, University of British Columbia).

Gregory, Robin. 1986. "Interpreting Measures of Economic Loss: Evidence from Contingent Valuation and Experimental Studies," *Journal of Environmental Economics and Management* vol. 13, pp. 325–337.

Gregory, Robin, and Richard C. Bishop. 1986. "Willingness to Pay or Compensation Demanded." Paper presented at the Workshop on Integrating Psychology and Economics in Valuing Public Amenity Resources, Estes Park, Colo., May.

Gregory, Robin, and Lita Furby. 1985. "Auctions, Experiments, and Contingent Valuation," draft manuscript, Decision Research, Eugene, Ore.

Grether, D. M., and C. R. Plott. 1979. "Economic Theory of Choice and the Preference Reversal Phenomenon," *American Economic Review* vol. 69, no. 4, pp. 623–638.

Griliches, Zvi, ed. 1971. *Price Indexes and Quality Change* (Cambridge, Mass., Harvard University Press).

Groves, Robert M., and R. Kahn. 1979. *Comparing Telephone and Personal Interview Surveys* (New York, Academic Press).

Groves, Robert M., and Lou J. Magilavy. 1986. "Measuring and Explaining Interviewer Effects in Centralized Telephone Surveys," *Public Opinion Quarterly* vol. 50, no. 2, pp. 251–266.

Groves, Theodore. 1973. "Incentive in Teams," *Econometrica* vol. 41, pp. 617–631.

Groves, Theodore, and John O. Ledyard. 1977. "Optimal Allocation of Public Goods: A Solution to the Free Rider Problem," *Econometrica* vol. 45, no. 4, pp. 783–809.

Groves, Theodore, and John O. Ledyard. 1987. "Incentive Compatibility since 1972," in T. Groves, R. Radner, and S. Reiter, eds., *Information, Incentives, and Economic Mechanisms* (Minneapolis, University of Minnesota Press).

Groves, Theodore, and Martin Loeb. 1975. "Incentives and Public Inputs," *Journal of Public Economics* vol. 4, pp. 211–226.

Gruson, Lindsey. 1986. "Widespread Illiteracy Burdens the Nation," *New York Times,* 22 July.

Guttman, J. 1978. "Understanding Collective Action: Matching Behavior," *American Economic Review Papers and Proceedings* vol. 68, pp. 251–255.

Hageman, Rhonda. 1985. "Valuing Marine Mammal Populations: Benefit Valuations in a Multi-Species Ecosystem," administrative report no. LJ-85-22, Southwest Fisheries Center, National Marine Fisheries Service, La Jolla, Calif.

Halstead, John M. 1984. "Measuring the Nonmarket Value of Massachusetts Agricultural Land: A Case Study," *Northeastern Journal of Agriculture and Resource Economics* vol. 14, pp. 12–19.

Halvorsen, Robert, and Henry O. Pollakowski. 1981. "Choice of Functional Form for Hedonic Price Functions," *Journal of Urban Economics* vol. 10, no. 1, pp. 37–49.

Hammack, Judd, and Gardner Mallard Brown, Jr. 1974. *Waterfowl and Wetlands: Toward Bioeconomic Analysis* (Baltimore, The Johns Hopkins University Press for Resources for the Future).

Hammerton, M., M. W. Jones-Lee, and V. Abbott, 1982. "The Consistency and Coherence of Attitudes to Physical Risk. Some Empirical Evidence," *Journal of Transport Economics and Policy,* May, pp. 181–199.

Hammitt, James K. 1986. "Estimating Consumer Willingness to Pay to Reduce Food-Borne Risks," R-3447-EPA, report to the U.S. Environmental Protection Agency (Santa Monica, Calif., Rand Corp.).

Hanemann, W. Michael. 1978. "A Methodological and Empirical Study of the Recreation Benefits from Water Quality Improvement" (Ph.D. dissertation, Harvard University).

Hanemann, W. Michael. 1980. "Measuring the Worth of Natural Resource Facilities: Comment," *Land Economics* vol. 56, no. 4, pp. 482–486.

Hanemann, W. Michael. 1981. "Some Further Results on Exact Consumer Surplus," Giannini Foundation Working Paper no. 190, University of California, Berkeley.

Hanemann, W. Michael. 1982. "Quality and Demand Analysis," in Gordon C. Rausser, ed., *New Directions in Econometric Modeling and Forecasting in U.S. Agriculture* (New York, North-Holland).

Hanemann, W. Michael. 1983a. "Marginal Welfare Measures for Discrete Choice Models," *Economics Letters* vol. 13, pp. 129–136.

Hanemann, W. Michael. 1983b. "Welfare Evaluation with Simulated and Hypothetical Market Data: Bishop and Heberlein Revisited," Giannini Foundation Working Paper no. 276, University of California, Berkeley.

Hanemann, W. Michael. 1984a. "Discrete/Continuous Models of Consumer Demand," *Econometrica* vol. 52, no. 3, pp. 541–561.

Hanemann, W. Michael. 1984b. "Statistical Issues in the Discrete-Response Contingent Valuation Studies," *Northeastern Journal of Agriculture and Resource Economics* vol. 14, pp. 5–12.

Hanemann, W. Michael. 1984c. "Welfare Evaluations in Contingent Valuation Experiments with Discrete Responses," *American Journal of Agricultural Economics* vol. 66, pp. 332–341.

Hanemann, W. Michael. 1984d. "On Reconciling Two Concepts of Option Value," Giannini Foundation Working Paper no. 295, University of California, Berkeley.

Hanemann, W. Michael. 1986a. "Willingness to Pay and Willingness to Accept: How Much Can They Differ?" draft manuscript, Department of Agricultural and Resource Economics, University of California, Berkeley.

Hanemann, W. Michael. 1986b. "Implications from Biometrics for the Design of Dichotomous Choice Contingent Valuation Markets." Paper presented at the U.S. Department of Agriculture Conference of Research Issues in Resource Decisions Involving Marketed and Nonmarketed Goods, San Diego, February.

Hanemann, W. Michael. 1986c. "Weak Complementarity Revisited." Working paper, University of California, Berkeley.

Hanemann, W. Michael. Forthcoming. "Information and the Concept of Option Value," *Journal of Environmental Economics and Management.*

Hansen, Christopher. 1977. "A Report on the Value of Wildlife," Intermountain Regional Office, U.S. Forest Service, Ogden, Utah.

Hansen, Morris A., William G. Madow, and Benjamin J. Tepping. 1983. "An Evaluation of Model-Dependent and Probability-Sampling Inference in Sample Surveys," with discussion, *Journal of the American Statistical Association* vol. 78, pp. 776–807.

Hansen, William J., and Allan S. Mills. 1983. "Different Results with Two Contingent Valuation Measures." Paper presented to the Research Methodology and Statistics Session of the National Recreation and Parks Association Research Symposium, Kansas City, October.

Hardie, Ian, and Ivar E. Strand. 1979. "Measurement of Economic Benefits for Potential Public Goods," *American Journal of Agricultural Economics* vol. 61, no. 2, pp. 311–317.

Hardin, Russell. 1982. *Collective Action* (Baltimore, The Johns Hopkins University Press for Resources for the Future).

Hargreaves, George, John D. Claxton, and Frederick H. Siller. 1976. "New Product Evaluation: Electric Vehicles for Commercial Applications," *Journal of Marketing* vol. 40, no. 1, pp. 74–77.

Harris, B. S. 1984. "Contingent Valuation of Water Pollution Control," *Journal of Environmental Management* vol. 19, pp. 199–208.

Harris, B. S., and A. D. Meister. 1981. "A Report on the Use of a Travel Cost Demand Model for Recreation Analysis in New Zealand: An Evaluation of Lake Tutira," Discussion Paper in Natural Resource Economics no. 4, Department of Agricultural Economics and Farm Management, Massey University, Palmerston North, New Zealand.

Harris, Charles C., B. L. Driver, and W. J. McLaughlin. c. 1985. "Assessing Contingent Valuation Methods from a Psychological Perspective," draft manuscript, Department of Wildland Recreation Management, University of Idaho, Moscow.

Harris, Charles C., Howard E. A. Tinsley, and Dennis M. Donnelly. 1986. "Research Methods for Amenity Resource Valuation: Issues and Recommendations." Paper presented at the Workshop on Integrating Psychology and Economics in Valuation of Amenity Resources, Estes Park, Colo., May.

Harris, Louis, and Associates. 1969. "Study Number 1939," done for the National Wildlife Federation. Louis Harris Data Center, University of North Carolina, Chapel Hill.

Harrison, David, and Daniel L. Rubinfeld. 1978. "The Distribution of Benefits from Improvements in Urban Air Quality," *Journal of Environmental Economics and Management* vol. 5, pp. 313–332.

Harsanyi, John C. 1978. "Bayesian Decision Theory and Utilitarian Ethics," *American Economic Review* vol. 68, no. 2, pp. 223–228, 231–232.

Harstad, Ronald M., and Michael Marrese. 1982. "Behavioral Explanations of Efficient Public Good Allocations," *Journal of Public Economics* vol. 19, pp. 367–383.

Harter, H. L. and D. B. Owen, eds. 1975. *Selected Tables in Mathematical Statistics,* vol. 3 (Providence, R. I., American Mathematical Society).

Hasselblad, Victor, Andrew G. Stead, and J. P. Creason. 1980. "Multiple Probit with Non-Zero Background," *Biometrics* vol. 36, pp. 659–663.

Hasselblad, Victor, Andrew G. Stead, and Warren Galke. 1980. "Analysis of Coarsely Grouped Data from the Lognormal Distribution," *Journal of the American Statistical Association* vol. 75, no. 272, pp. 771–778.

Hausman, Jerry A. 1979. "Individual Discount Rates and the Purchase and Utilization of Energy-Using Durables," *Bell Journal of Economics* vol. 10, pp. 33–54.

Hausman, Jerry A. 1981. "Exact Consumer Surplus and Dead Weight Loss," *American Economic Review* vol. 71, pp. 662–676.

Hausman, Jerry A., and David Wise, eds. 1985. *Social Experimentation* (Chicago, University of Chicago Press for the National Bureau of Economic Research).

Haveman, Robert H., and Burton Weisbrod. 1975. "The Concept of Benefits in Cost-Benefit Analysis: With Emphasis on Water Pollution Control Activities," in Henry M. Peskin and Eugene P. Seskin, eds., *Cost-Benefit Analysis and Water Pollution Policy* (Washington, D.C., Urban Institute).

Hay, Michael J., and Kenneth E. McConnell. 1979. "An Analysis of Participation in Nonconsumptive Wildlife Recreation," *Land Economics* vol. 55, pp. 460–471.

Hayes, Michael T. 1981. *Lobbyists and Legislators: A Theory of Political Markets* (New Brunswick, N. J., Rutgers University Press).

Heberlein, Thomas A. 1986. "Measuring Resource Values: The Reliability and Validity of Dichotomous Contingent Valuation Measures." Paper presented at the American Sociological Association Meeting, New York, August.

Heberlein, Thomas A., and Robert Baumgartner. 1978. "Factors Affecting Response Rates to Mailed Questionnaires: A Quantitative Analysis of the Published Literature," *American Sociological Review* vol. 43, no. 4, pp. 447–462.

Heberlein, Thomas A., and Richard C. Bishop. 1986. "Assessing the Validity of Contingent Valuation: Three Field Experiments," *Science of the Total Environment* vol. 56, pp. 99–107.

Heberlein, Thomas A., and J. S. Black. 1976. "Attitudinal Specificity and the Prediction of Behavior in a Field Setting," *Journal of Personality and Social Psychology* vol. 33, pp. 434–479.

Heckman, J. J. 1976. "The Common Structure of Statistical Models of Truncation, Sample Selection, and Limited Dependent Variables and a Simple Estimation for Such Models," *Annals of Economic and Social Measurement* vol. 5, pp. 475–492.

Heckman, J. J. 1979. "Sample Selection Bias as a Specification Error," *Econometrica* vol. 47, pp. 153–161.

Hedlund, Ronald D., and H. Paul Friesema. 1972. "Representatives' Perceptions of Constituency Opinion," *Journal of Politics* vol. 34, pp. 730–752.

Heintz, H. T., A. Hershaft, and G. C. Horak. 1976. *National Damages of Air and Water Pollution* (Rockville, Md., Enviro Control Inc.).

Henry, Elaude. 1974. "Option Values in the Economics of Irreplaceable Assets," *Review of Economic Studies* vol. 64, pp. 89–104.

Hensher, D. A., J. K. Stanley, and P. McLeod. 1975. "Usefulness of Attitudinal Measures in Investigating the Choice of Travel Mode," *International Journal of Transport Economics* vol. 2, pp. 51–75.

Hicks, John R. 1939. "The Foundations of Welfare Economics," *Economic Journal* vol. 49, pp. 696–700, 711–712.

Hicks, John R. 1941. "The Rehabilitation of Consumer's Surplus," *Review of Economics Studies* vol. 8, pp. 108–116.

Hicks, John R. 1943. "The Four Consumer Surpluses," *Review of Economic Studies* vol. 11, pp. 31–41.

Hicks, John R. 1956. *A Revision of Demand Theory* (Oxford, Clarendon Press).

Hill, Richard J. 1981. "Attitudes and Behavior," in Morris Rosenberg and Ralph H. Turner, eds., *Social Psychology: Sociological Perspectives* (New York, Basic Books).

Hirsch, Werner Z. 1979. *Law and Economics: An Introductory Analysis* (New York, Academic Press).

Hockley, G. C., and G. Harbour. 1983. "Revealed Preference Between Public Expenditures and Taxation Cuts: Public Section Choice," *Journal of Public Economics* vol. 22, no. 3, pp. 387–391.

Hodges, J. L., and E. L. Lehmann. 1968. "A Compact Table for the Power of the t-Test," *Annals of Mathematical Statistics* vol. 39, pp. 1629–1637.

Hoehn, John P. 1983. "The Benefits-Costs Evaluation of Multi-Part Public Policy: A Theoretical Framework and Critique of Estimation Methods" (Ph.D. dissertation, University of Kentucky).

Hoehn, John P., and Alan Randall. 1982. "Aggregation and Disaggregation of Program Benefits in a Complex Policy Environment: A Theoretical Framework and Critique of Estimation Methods." Paper presented at the American Agricultural Economics Association summer meetings, Logan, Utah.

Hoehn, John P., and Alan Randall. 1983. "Incentives and Performance in Contingent Policy Valuation." Paper presented at the American Agricultural Economics Association summer meetings, Purdue University.

Hoehn, John P., and Alan Randall. 1985a. "A Satisfactory Benefit Cost Indicator from Contingent Valuation," Staff Paper 85-4, Department of Agricultural Economics, Michigan State University.

Hoehn, John P., and Alan Randall. 1985b. "Demand Based and Contingent Valuation: An Empirical Comparison." Paper presented at the Annual American Agricultural Economics Association meeting, Ames, Iowa, August.

Hoehn, John P., and Alan Randall. 1986. "Too Many Proposals Pass the Benefit-Cost Test," Staff Paper no. 86-22, Department of Agricultural Economics, Michigan State University.

Hoehn, John P., and Alan Randall. 1987. "A Satisfactory Benefit Cost Indicator from Contingent Valuation," *Journal of Environmental Economics and Management* vol. 14, no. 3, pp. 226–247.

Hoehn, John P., and Cindy F. Sorg. 1986. "Toward a Satisfactory Model of Contingent Valuation Behavior." Paper presented at the Workshop on Integrating Economic and Psychological Knowledge in Valuations of Public Amenity Resources, Estes Park, Colo., May.

Holloway, Robert T. 1967. "An Experiment on Consumer Dissonance," *Journal of Marketing* vol. 31, pp. 39–43.

Hori, H. 1975. "Revealed Preference for Public Goods," *American Economic Review* vol. 65, pp. 978–991.

Horvarth, J. C. 1974. "Detailed Analysis: Survey of Wildlife Recreation," manuscript, Georgia State University.

Houthakker, Henry, and L. D. Taylor. 1970. *Consumer Demand in the United States 1929–1970* (2d ed., Cambridge, Mass., Harvard University Press).

Hovis, John, Don C. Coursey, and William D. Schulze, 1983. "A Comparison of Alternative Valuation Mechanisms for Non-Marketed Commodities," manuscript, Department of Economics, University of Wyoming, Laramie.

Huber, Peter J. 1981. *Robust Statistics* (New York, Wiley).

Hurwicz, L. 1972. "On Informationally Decentralized Systems," in R. Radner and C. B. McGuire, eds., *Decisions and Organization* (Amsterdam, North-Holland).

Isaac, R. Mark, Kenneth F. McCue, and Charles R. Plott. 1985. "Public Goods Provision in an Experimental Environment," *Journal of Public Economics* vol. 26, no. 1, pp. 51–74.

Isaac, R. Mark, James H. Walker, and Susan H. Thomas. 1984. "Divergent Evidence on Free Riding: An Experimental Examination of Possible Explanations," *Public Choice* vol. 43, pp. 113–149.

Ito, P. K. 1980. "Robustness of ANOVA and MANOVA Test Procedures," in P. R. Krishnaiah, ed., *Handbook of Statistics,* vol. 1 (Amsterdam: North-Holland).

Jabine, Thomas B., Miron L. Straf, Judith M. Tanur, and Roger Tourangeau, eds. 1984. *Cognitive Aspects of Survey Methodology: Building a Bridge Between Disciplines* (Washington, D.C., National Research Council/National Academy Press).

Jackman, M. R. 1973. "Education and Prejudice or Education and Response-set?" *American Sociological Review* vol. 38, pp. 327–339.

Jackson, John E. 1983. "Measuring the Demand for Environmental Quality with Survey Data," *Journal of Politics* vol. 45, pp. 335–350.

Johansen, L. 1963. "Some Notes on the Lindahl Theory of Determination of Public Expenditures," *International Economic Review* vol. 4, pp. 346–358.

Johansen, L. 1977. "The Theory of Public Goods: Misplaced Emphasis," *Journal of Public Economics* vol. 7, pp. 147–152.

Johansen, L. 1982. "On the Status of the Nash Type of Noncooperative Equilibrium Theory," *Scandinavian Journal of Economics* vol. 84, pp. 421–441.

Johnson, Norman L., and Samuel Kotz. 1970. *Continuous Univariate Distributions,* vol. 1 (New York: Wiley).

Johnson, Rebecca, Bo Shelby, and Neil Bregenzer. 1986. "Comparison of Contingent Valuation Method Results: Dichotomous Choice versus Open-Ended Response," manuscript, Oregon State University.

Jones, Frank D. 1975. "A Survey Technique to Measure Demand Under Various Pricing Strategies," *Journal of Marketing* vol. 39, no. 3, pp. 75–77.

Jones-Lee, M. W. 1976. *The Value of Life: An Economic Analysis* (Chicago, University of Chicago Press).

Jones-Lee, M. W., M. Hammerton, and R. R. Phillips. 1985. "The Value of Safety: Results from a National Survey," *Economic Journal* vol. 95, pp. 49–72.

Judd, Charles M., and J. A. Krosnick. 1981. "Attitude Centrality, Organization, and Measurement," *Journal of Personality and Social Psychology* vol. 42, pp. 436–447.

Judd, Charles M., and Michael A. Milburn. 1980. "The Structure of Attitude

Systems in the General Public: Comparisons of a Structural Equation Model," *American Sociological Review* vol. 45, pp. 627–643.

Judge, George G., William E. Griffiths, R. Carter Hill, and Tsoung-Chao Lee. 1980. *The Theory and Practice of Econometrics* (New York, Wiley).

Just, Richard E., Darrell L. Hueth, and Andrew Schmitz. 1982. *Applied Welfare Economics and Public Policy* (Englewood Cliffs, N.J., Prentice-Hall).

Juster, F. Thomas. 1966. "Consumer Buying and Purchase Probability. An Experiment in Survey Design," *American Statistical Association Journal* vol. 61, pp. 658–696.

Juster, F. Thomas. 1969. "Consumer Anticipations and Models of Durable Goods Demand," in Jacob Mincer, ed., *Economic Forecasts and Expectations* (New York, National Bureau of Economic Research).

Kahneman, Daniel. 1986. "Comments," in Ronald G. Cummings, David S. Brookshire, and William D. Schulze, eds., *Valuing Environmental Goods* (Totawa, N.J., Rowman and Allanheld).

Kahneman, Daniel, Jack L. Knetsch, and Richard Thaler. 1986. "Fairness as a Constraint on Profit Seeking: Entitlements in the Market," *American Economic Review* vol. 76, no. 4, pp. 728–741.

Kahneman, Daniel, Paul Slovic, and Amos Tversky, eds. 1982. *Judgement Under Uncertainty: Heurestics and Biases* (New York, Cambridge University Press).

Kahneman, Daniel, and Amos Tversky. 1979. "Prospect Theory: An Analysis of Decisions Under Risk," *Econometrica* vol. 47, no. 2, pp. 263–291.

Kahneman, Daniel, and Amos Tversky. 1982. "The Psychology of Preferences," *Scientific American* vol. 246, no. 1, pp. 160–173.

Kaldor, N. 1939. "Welfare Propositions of Economics and Interpersonal Comparisons of Utility," *Economic Journal* vol. 49, pp. 549–551.

Kalton, Graham. 1983. *Compensating for Missing Survey Data* (Ann Arbor, Survey Research Center, University of Michigan).

Kalton, Graham, and Howard Schuman. 1982. "The Effect of the Question on Survey Responses: A Review," *Journal of the Royal Statistical Society,* series A, vol. 145, pp. 42–73.

Kamieniecki, Sheldon. 1980. *Public Representation in Environmental Policymaking: The Case of Water Quality Management* (Boulder, Colo., Westview Press).

Kanuk, Leslie, and Conrad Berenson. 1975. "Mail Surveys and Response Rates: A Literature Review," *Journal of Marketing Research* vol. 12, pp. 440–453.

Katona, George. 1975. *Psychological Economics* (New York, Elsevier).

Katsenbaum, M. A., D. G. Hoel, and K. O. Bowman. 1970. "Sample Size Requirements for One-Way Analysis of Variance," *Biometrika* vol. 57, pp. 421–430.

Kealy, Mary Jo, John F. Dovidio, and Mark L. Rockel. 1986. "On Assessing the Magnitude of Bias in Contingent Values." Paper, Department of Economics, Colgate University.

Keene, Karlyn. 1984. "What Do We Know About the Public's Attitude on Progressivity?" *National Tax Journal* vol. 36, pp. 371–376.

Keeney, Ralph L., and Howard Raiffa. 1976. *Decisions with Multiple Objectives: Preferences and Value Tradeoffs* (New York, Wiley).

Kelly, S., and T. W. Mirer. 1974. "The Simple Act of Voting," *American Political*

Science Review vol. 68, pp. 572–591.

Kelman, Steven. 1981. *What Price Incentives—Economists and the Environment* (Boston, Auburn House).

Kendall, M. G., and A. Stuart. 1973. *The Advanced Theory of Statistics,* vol. 2 (New York, Hafner).

Kim, Oliver, and Mark Walker. 1984. "The Free Rider Problem: Experimental Evidence," *Public Choice* vol. 43, pp. 3–24.

Kinder, Donald R., and David O. Sears. 1985. "Public Opinion and Political Action," in Gardner Lindzey and Elliot Aronson, eds., *Handbook of Social Psychology,* vol. 2 (New York, Random House).

Kirsch, Irwin S., and Ann Jungeblut. 1986. *Literacy: Profiles of America's Young Adults,* National Assessment of Education Progress Report no. 16-Pl-02 (Princeton, Educational Testing Service).

Kish, L. 1965. *Survey Sampling* (New York, Wiley).

Kleindorfer, Paul, and Howard Kunreuther. 1986. "Ex Ante and Ex Post Problems: Economic and Psychological Considerations." Paper presented at the Workshop on Integrating Economic and Psychological Knowledge in Valuations of Public Amenity Resources, Estes Park, Colo., May.

Kneese, Allen V. 1984. *Measuring the Benefits of Clean Air and Water* (Washington, D.C., Resources for the Future).

Kneese, Allen V., and William D. Schulze. 1985. "Ethics and Environmental Economics," in Allen V. Kneese and James L. Sweeney, eds., *Handbook of Natural Resource and Energy Economics,* vol. 1 (Amsterdam, North-Holland).

Knetsch, Jack L. 1983. *Property Rights and Compensation: Compulsory Acquisition and Other Losses* (Toronto, Butterworth).

Knetsch, Jack L. 1985. "Values, Biases and Entitlements," *Annals of Regional Science* vol. 19, pp. 1–9.

Knetsch, Jack L., and Robert K. Davis. 1966. "Comparisons of Methods for Recreation Evaluation," in Allen V. Kneese and Stephen C. Smith, eds., *Water Research* (Baltimore, The Johns Hopkins University Press for Resources for the Future).

Knetsch, Jack L., and J. A. Sinden. 1984. "Willing to Pay and Compensation Demanded: Experimental Evidence of an Unexpected Disparity in Measures of Value," *Quarterly Journal of Economics* vol. 94, no. 3, pp. 507–521.

Kohut, Andrew. 1983. "Illinois Politics Confound the Polls," *Public Opinion* vol. 5, no. 6, pp. 42–43.

Koopmans, L. H., D. B. Owens, and J. I. Rosenblatt. 1964. "Confidence Intervals for the Coefficient of Variation for the Normal and Log Normal Distributions," *Biometrika* vol. 51, pp. 25–32.

Kopp, Raymond J., and Paul R. Portney. 1985. "Valuing the Outputs of Environmental Programs: A Scoping Study," report prepared for the Electric Power Research Institute (Washington, D.C., Resources for the Future).

Kraemer, Helena, and Sue Thiemann. 1987. *How Many Subjects: Statistical Power Analysis in Research* (Beverly Hills, Calif., Sage).

Kragt, Alphons van de, John M. Orbell, and Robyn M. Daubes. 1982. "The Minimal Contribution Set as a Solution to Public Goods," *American Political Science Review* vol. 77, pp. 112–122.

Kramer, C. Y. 1956. "Extensions of Multiple Range Test to Group Means with Unequal Numbers of Replications," *Biometrics* vol. 12, pp. 307–310.

Krasker, William S., Edwin Kuh, and Roy E. Welsch. 1983. "Estimation for Dirty Data and Flawed Models," in Zvi Griliches and Michael D. Intrilligator, eds., *Handbook of Econometrics,* vol. 1 (Amsterdam, North-Holland).

Krebs, D. 1970. "Altruism: An Examination of the Concept and a Review of the Literature," *Psychological Bulletin* vol. 73, pp. 258–302.

Kreps, D. M., P. Milgram, J. Roberts, and R. Wilson. 1982. "Rational Cooperation in Finitely Repeated Prisoner's Dilemma," *Journal of Economic Theory* vol. 27, no. 2, pp. 245–252.

Krutilla, John V. 1960. *Sequencing and Timing in River Basin Development* (Washington, D.C., Resources for the Future).

Krutilla, John V. 1967. "Conservation Reconsidered," *American Economic Review* vol. 57, pp. 787–796.

Krutilla, John V., Charles J. Cicchetti, A. Myrick Freeman, III, and Clifford S. Russell. 1972. "Observations on the Economics of Irreplaceable Assets," in Allen V. Kneese and Blair T. Bower, eds., *Environmental Quality Analysis: Theory and Method in the Social Sciences* (Baltimore, The Johns Hopkins University Press for Resources for the Future).

Krutilla, John V., and Anthony C. Fisher. 1975. *The Economics of Natural Environments: Studies in the Valuation of Commodity and Amenity Resources* (Baltimore, The Johns Hopkins University Press for Resources for the Future).

Kunreuther, Howard. 1976. "Limited Knowledge and Insurance Protection," *Public Policy* vol. 24, pp. 227–261.

Kurz, Mordecai. 1974. "Experimental Approach to the Determination of the Demand for Public Goods," *Journal of Public Economics* vol. 3, pp. 329–348.

Kurz, Mordecai. 1978. "Altruism as an Outcome of Social Interaction," *American Economic Review* vol. 68, no. 2, pp. 216–222.

Ladd, Everett C., and G. Donald Ferree. 1981. "Were the Pollsters Really Wrong?" *Public Opinion* vol. 3, no. 6, pp. 13–20.

Laffont, Jean-Jacques. 1979. *Aggregation and Revelation of Preferences* (Amsterdam, North-Holland).

Lah, David. 1985. "Work Valuation of the California Conservation Corps," manuscript, U.S. Department of Labor, Washington, D.C.

Lancaster, K. 1966. "A New Approach to Consumer Theory," *Journal of Political Economy* vol. 74, pp. 132–157.

Lane, Robert E. 1986. "Market Justice, Political Justice," *American Political Science Review* vol. 80, pp. 383–402.

Langkford, R. Hamilton. 1983. "Exact Consumer's Surplus for Changes in Imposed Quantities," working paper, Department of Economics, State University of New York, Albany.

Langkford, R. Hamilton. 1985. "Preferences of Citizens for Public Expenditures on Elementary and Secondary Education," *Journal of Econometrics* vol. 27, pp. 1–20.

Lansing, John B., and James B. Morgan. 1971. *Economic Survey Methods* (Ann Arbor, Institute for Social Research, University of Michigan).

LaPage, W. F. 1968. "The Role of Fees in Camper's Decisions," USDA Forest Service Research Paper no. 188, Northeastern Forest Experiment Station, Upper Darby, Pa.

La Palombara, Joseph G. 1950. *The Initiative and Referendum in Oregon: 1938–1948* (Corvallis, Oregon State College Press).

LaPiere, R. T. 1934. "Attitudes vs. Actions," *Social Forces* vol. 13, pp. 230–237.

Lareau, Thomas J., and Douglas A. Rae. 1985. "Valuing Diesel Odor Reductions: Results from a Philadelphia Survey," draft manuscript, U.S. Environmental Protection Agency, Washington, D.C.

Larson, Harold J. 1982. *Introduction to Probability Theory and Statistical Inference* (3d ed., New York, Wiley).

Lazarsfeld, P. F., B. Berelson, and H. Gaudet. 1948. *The People's Choice* (New York, Columbia University Press).

Lehmann, E. L. 1975. *Non-Parametrics: Statistical Methods Based on Ranks* (San Francisco, Holden-Day).

Lemert, James B. 1986. "Picking the Winners: Politician vs. Voter Predictions of Two Controversial Ballot Measures," *Public Opinion Quarterly* vol. 50, pp. 208–221.

Lessler, Judith T. 1984. "Measurement Error in Surveys," in Charles F. Turner and Elizabeth Martin, eds., *Surveying Subjective Phenomena*, vol. 2 (New York, Russell Sage Foundation).

Lichtenstein, Sarah, and Paul Slovic. 1973. "Response-Induced Reversals of Preference in Gambling: An Extended Replication in Las Vegas," *Journal of Experimental Psychology* vol. 101, pp. 16–20.

Likert, Rensis. 1951. "The Sample Interview Survey as a Tool of Research and Policy Formation," in D. Lerner and D. Laswell, eds., *The Policy Sciences* (Stanford, Stanford University Press).

Lillard, Lee, James P. Smith, and Finis Welch. 1986. "What Do We Really Know About Wages? The Importance of Nonreporting and Census Imputation," *Journal of Political Economy* vol. 94, pp. 489–506.

Lind, Robert, ed. 1982. *Discounting for Time and Risk in Energy Policy* (Baltimore, The Johns Hopkins University Press for Resources for the Future).

Lindblom, Charles E. 1977. *Politics and Markets: The World's Political Economic Systems* (New York, Basic Books).

Linden, Fabian. 1982. "The Consumer as Forecaster," *Public Opinion Quarterly* vol. 46, no. 3, pp. 353–360.

Arthur D. Little Company. 1984. *Evaluation of the State-of-the-Art in Benefits Assessment Methods for Public Policy Purposes,* report to the Division of Policy Research and Analysis, National Science Foundation (Cambridge, Mass.).

Little, Roderick J. A. 1985. "A Note About Models for Selectivity Bias," *Econometrica* vol. 53, no. 6, pp. 1469–1474.

Loehman, Edna T. 1984. "Willingness to Pay for Air Quality: A Comparison of Two Methods," Staff Paper 84-18, Department of Agricultural Economics, Purdue University.

Loehman, Edna T., S. Berg, A. Arroyo, R. Hedinger, J. Schwartz, M. Shaw, R. Fahien, V. De, D. Rio, W. Rossley, and A. Green. 1979. "Distributional Analysis of Regional Benefits and Cost of Air Quality Control," *Journal of*

Environmental Economics and Management vol. 6, pp. 222–243.

Loehman, Edna T., David Boldt, and Kathleen Chaikin. 1981. "Measuring the Benefits of Air Quality Improvements in the San Francisco Bay Area," final report (Menlo Park, Calif., SRI International).

Loehman, Edna T., and Vo Hu De. 1982. "Application of Stochastic Choice Modeling to Policy Analysis of Public Goods: A Case Study of Air Quality Improvements," *Review of Economics and Statistics* vol. 64, no. 3, pp. 474–480.

Loomis, John B. 1987a. "An Economic Evaluation of the Public Trust Resources of Mono Lake," Institute of Ecology Report no. 30, College of Agriculture and Environmental Sciences, University of California, Davis.

Loomis, John B. 1987b. "Test-Retest Reliability of the Contingent Valuation Method," manuscript, Department of Agricultural Economics, University of California, Davis.

Lucas, Robert E. B. 1977. "Hedonic Wage Equations and Psychic Wages in the Returns to Schooling," *American Economic Review* vol. 67, no. 4, pp. 549–558.

Luce, R. D. 1956. "Semiorder and a Theory of Utility Discrimination," *Econometrica* vol. 24, pp. 178–191.

Luce, R. D., and H. Raiffa. 1957. *Games and Decisions* (New York, Wiley).

Lynn, Frances M. 1986. "The Interplay of Science and Values in Assessing and Regulating Environmental Risks," *Science, Technology, and Human Values* vol. 11, no. 2, pp. 40–50.

Machina, Mark. 1982. "Expected Utility Analysis Without the Interdependence Axiom," *Econometrica* vol. 50, no. 2, pp. 277–323.

Machina, Mark. 1983. "The Economic Theory of Individual Behavior Toward Risk: Theory, Evidence, and New Directions," Technical Report no. 433, Institute for Mathematical Studies in the Social Sciences, Stanford University.

Machina, Mark. 1984. "Temporal Risk and the Nature of Induced Preferences," *Journal of Economic Theory* vol. 31, pp. 199–231.

Madariaga, Bruce, and Kenneth E. McConnell. 1985. "Some Implications of Existence Value." Paper presented at the Association of Environmental and Resource Economics Workshop on Recreation Demand Modeling, Boulder, Colo., May.

Maddala, G. S. 1983. *Limited Dependent Variables and Qualitative Variables in Econometrics* (New York, Cambridge University Press).

Maddox, James G. 1960. "Private and Social Cost of Moving People Out of Agriculture," *American Economic Review* vol. 50, pp. 392–412.

Madow, W. G., H. Nisselson, and I. Olkin. 1983. See Panel on Incomplete Data, 1983.

Magleby, David B. 1984. *Direct Legislation: Voting on Ballot Propositions in the United States* (Baltimore, The Johns Hopkins University Press).

Majid, I., J. A. Sinden, and Alan Randall. 1983. "Benefit Evaluation of Increments to Existing Systems of Public Facilities," *Land Economics* vol. 59, pp. 377–392.

Maler, Karl-Goran. 1974. *Environmental Economics: A Theoretical Inquiry* (Baltimore, The Johns Hopkins University Press for Resources for the Future).

Maler, Karl-Goran. 1985. "Welfare Economics and the Environment," in Allen V.

Kneese and James L. Sweeney, eds., *Handbook of Natural Resource and Energy Economics,* vol. 1 (Amsterdam, North-Holland).

Maler, Karl-Goran. n.d. "Some Thoughts on the Distinction Between User and Non-User Values of an Environmental Resource," manuscript, Stockholm School of Economics.

Malinvaud, E. 1971. "A Planning Approach to the Public Goods Production," *Swedish Journal of Economics* vol. 73, pp. 96–112.

Malinvaud, E. 1972. *Lectures on Microeconomic Theory* (Amsterdam, North-Holland).

Margolis, Howard. 1982. *Selfishness, Altruism, and Rationality: A Theory of Social Choice* (New York, Cambridge University Press).

Martin, Elizabeth. 1983. "Surveys as Social Indicators: Problems in Monitoring Trends," in Peter H. Rossi, James D. Wright, and Andy B. Anderson, eds., *Handbook of Survey Research* (New York, Academic Press).

Martinez-Vazquez, J. 1981. "Selfishness Versus Public 'Regardingness' in Voting Behavior," *Journal of Public Economics* vol. 15, pp. 349–361.

Marwell, Gerald, and Ruth E. Ames. 1981. "Economists Free Ride, Does Anyone Else? Experiments on the Provision of Public Goods," pt. 4, *Journal of Public Economics* vol. 15, pp. 295–310.

Mathews, S. B., and Gardner Mallard Brown, Jr. 1970. "Economic Evaluation of the 1967 Sport Salmon Fisheries of Washington," Washington Department of Fisheries Technical Report no. 2, Olympia, Washington.

McCloskey, Donald N. 1983. "The Rhetoric of Economics," *Journal of Economic Literature* vol. 21, no. 2, pp. 481–517.

McConnell, Kenneth E. 1977. "Congestion and Willingness to Pay: A Study of Beach Use," *Land Economics* vol. 53, no. 2, pp. 185–195.

McConnell, Kenneth E. 1983. "Existence and Bequest Value," in Robert P. Rowe and Lauraine G. Chestnut, eds., *Managing Air Quality and Scenic Resources at National Parks and Wilderness Areas* (Boulder, Colo., Westview Press).

McConnell, Kenneth E. 1985. "The Economics of Outdoor Recreation," in Allen V. Kneese and James L. Sweeney, eds., *Handbook of Natural Resource and Energy Economics,* vol. 2 (Amsterdam, North-Holland).

McConnell, Kenneth E., and Ivan E. Strand. 1981. "Measuring the Cost of Time in Recreation Demand Analysis: An Application to Sport Fishing," *American Journal of Agricultural Economics* vol. 63, pp. 153–156.

McCullagh, P., and J. Nelder. 1983. *Generalized Linear Models* (London, Chapman and Hall).

McFadden, Daniel. 1974. "Conditional Logit Analysis of Qualitative Choice Behavior," in P. Zarembka, ed., *Frontiers in Econometrics* (New York, Academic Press).

McKean, John R., and Robert R. Keller. 1982. "The Shaping of Tastes, Pareto Efficiency and Economic Policy," *Journal of Behavioral Economics* vol. 12, no. 1, pp. 23–41.

McKenzie, G. W. 1983. *Measuring Economic Welfare: New Methods* (Cambridge, Cambridge University Press).

McMillan, John. 1979a. "The Free-Rider Problem: A Survey," *Economic Record* vol. 55, pp. 95–107.

McMillan, John. 1979b. "Individual Incentives in the Supply of Public Inputs," *Journal of Public Economics* vol. 12, pp. 87–98.

Mead, R., and R. N. Curnow. 1983. *Statistical Methods in Agriculture and Experimental Biology* (London, Chapman and Hall).

Mendelsohn, Robert. 1986. "Damage Assessments Under Proposed CERCLA Regulations: A Critical Analysis," appendix to Barbara J. Goldsmith and Company, "Comments in Response to Proposed Rule on Natural Resource Damage Assessments," report to the U.S. Department of the Interior submitted by Allied-Signal, CIBA-Geigy, and the General Electric Co.

Mendelsohn, Robert, and Gardner Mallard Brown, Jr. 1983. "Revealed Preference Approaches to Valuing Outdoor Recreation," *Natural Resources Journal* vol. 23, no. 3, pp. 607–618.

Mendelsohn, Robert, and William J. Strang. 1984. "Cost-Benefit Analysis Under Uncertainty: Comment," *American Economic Review* vol. 74, no. 5, pp. 1096–1099.

Meyer, Phillip A. 1974a. "Recreation and Preservation Values Associated with Salmon of the Fraser River," Information Report series no. PAC/IN-74-1, Environmental Canada Fisheries and Marine Service, Southern Operations Branch, Vancouver.

Meyer, Phillip A. 1974b. "A Comparison of Direct Questioning Methods for Obtaining Dollar Values for Public Recreation and Preservation," Technical Report series 110, no. PAC 17-75-6, Environment Canada, Vancouver.

Meyer, Phillip A. 1980. "Recreational/Aesthetic Values Associated with Selected Groupings of Fish and Wildlife in California's Central Valley," report to the U. S. Fish and Wildlife Service, Sacramento, Calif.

Michalson, Edgar L., and Robert L. Smathers. 1985. "Comparative Estimates of Outdoor Recreation Benefits in the Sawtooth National Park Area, Idaho," Agricultural Economics series no. 249, University of Idaho.

Miles, George A. 1967. "Water Based Recreation in Nevada," report B-14, College of Agriculture, University of Nevada, Reno.

Milgram, Paul R., and Robert J. Weber. 1982. "A Theory of Auctions and Competitive Bidding," *Econometrica* vol. 50, pp. 1089–1123.

Miller, G. A. 1956. "The Magical Number Seven, Plus or Minus Two; Some Limits on our Capacity for Processing Information," *Psychology Review* vol. 53, no. 2, pp. 81–97.

Miller, J. R., and F. Lad. 1984. "Flexibility, Learning, and Irreversibility in Environmental Decisions: A Bayesian Approach," *Journal of Environmental Economics and Management* vol. 11, pp. 161–172.

Miller, Peter V., and Robert M. Groves. 1985. "Matching Survey Responses to Records: An Exploration of Validity in Victimization Reporting," *Public Opinion Quarterly* vol. 49, no. 3, pp. 366–380.

Miller, Ruppert G. 1981. *Simultaneous Statistical Inference* (2d ed., New York, Springer-Verlag).

Miller, Ruppert G., and Jerry W. Halpern. 1980. "Robust Estimators for Quantal Bioassay," *Biometrika* vol. 67, pp. 103–110.

Milleron, T. C. 1972. "Theory of Value with Public Goods: A Survey Article," *Journal of Economic Theory* vol. 5, pp. 419–477.

Mills, Allan S. 1986. "Survey Sampling Issues in Empirical Research." Paper presented at the U.S. Department of Agriculture Conference on Research Issues in Resource Decisions Involving Marketed and Nonmarketed Goods, San Diego, February.

Mills, A. S., Nick E. Mathews, and J. P. Titre. 1982. "Participants' Willingness-to-Pay and Expressed Preferences for River Floating and Camping in Texas." Paper presented at the 85th Annual Meeting of the Texas Academy of Science, San Angelo, Tex.

Milon, J. Walter. 1986. "Strategic Incentives Revisited: Valuation Contexts and Specification Comparability for Local Public Goods." Paper presented at the Annual Meeting of the Association of Environmental and Resource Economists, New Orleans.

Mirrlees, J. A. 1986. "The Theory of Optimal Taxation," in Kenneth J. Arrow and Michael D. Intrilligator, eds., *Handbook of Mathematical Economics,* vol. 3 (Amsterdam, North-Holland).

Mishan, E. J. 1971. "Evaluation of Life and Limb: A Theoretical Approach," *Journal of Political Economy* vol. 90, pp. 827–853.

Mishan, E. J. 1976. *Cost-Benefit Analysis* (2d ed., New York, Praeger).

Mitchell, Robert Cameron. 1979a. "National Environmental Lobbies and the Apparent Illogic of Collective Action," in Clifford S. Russell, ed., *Collective Decision Making* (Baltimore, The Johns Hopkins University Press for Resources for the Future).

Mitchell, Robert Cameron. 1979b. "Silent Spring/Solid Majorities," *Public Opinion* vol. 2, no. 4, pp. 16–20, 55.

Mitchell, Robert Cameron. 1980a. "Polling on Nuclear Power: A Critique of the Polls After Three Mile Island," in Albert H. Cantril, ed., *Polling on the Issues* (Washington, D.C., Seven Locks Press).

Mitchell, Robert Cameron. 1980b. *Public Opinion on Environmental Issues: Results of a National Opinion Survey* (Washington, D.C., Council on Environmental Quality).

Mitchell, Robert Cameron. 1982. "A Note on the Use of the Contingent Valuation Approach to Value Public Services in Developing Nations," report to the World Bank, Washington, D.C.

Mitchell, Robert Cameron. 1984. "Public Opinion and Environmental Politics in the 1970s and 1980s," in Norman J. Vig and Michael E. Kraft, eds., *Environmental Policy in the 1980s: The Impact of the Reagan Administration* (Washington, D.C., Congressional Quarterly Press).

Mitchell, Robert Cameron, and Richard T. Carson. 1981. "An Experiment in Determining Willingness to Pay for National Water Quality Improvements," draft report to the U.S. Environmental Protection Agency, Washington, D.C.

Mitchell, Robert Cameron, and Richard T. Carson. 1984. *A Contingent Valuation Estimate of National Freshwater Benefits: Technical Report to the U.S. Environmental Protection Agency* (Washington, D.C., Resources for the Future).

Mitchell, Robert Cameron, and Richard T. Carson. 1985. "Comment on Option Value: Empirical Evidence from a Case Study of Recreation and Water Quality," *Quarterly Journal of Economics* vol. 100, no. 1, pp. 291–294.

Mitchell, Robert Cameron, and Richard T. Carson. 1986a. "Some Comments on the State of the Arts Report," in Ronald G. Cummings, David S. Brookshire, and William D. Schulze, eds., *Valuing Environmental Goods* (Totawa, N.J., Rowman and Allanheld).

Mitchell, Robert Cameron, and Richard T. Carson. 1986b. "Property Rights, Protest, and the Siting of Hazardous Waste Facilities," *American Economic Review* vol. 76, no. 2, pp. 285–290.

Mitchell, Robert Cameron, and Richard T. Carson. 1986c. "Valuing Drinking Water Risk Reductions Using the Contingent Valuation Method: A Methodological Study of Risks from THM and Giardia," draft report to the U.S. Environmental Protection Agency, Washington, D.C.

Mitchell, Robert Cameron, and Richard T. Carson. 1987a. "Evaluating the Validity of Contingent Valuation Studies," Discussion Paper QE87-06, Quality of the Environment Division, Resources for the Future, Washington, D.C.

Mitchell, Robert Cameron, and Richard T. Carson. 1987b. "How Far Along the Learning Curve Is the Contingent Valuation Method?" Discussion Paper QE87-07, Quality of the Environment Division, Resources for the Future, Washington, D.C.

Moeller, George H., Michael A. Mescher, Thomas A. Moore, and Elwood L. Shafer. 1980. "The Informal Interview as a Technique for Recreation Research," *Journal of Leisure Research* vol. 12, no. 2, pp. 174–180.

Moore, William. C. 1982. "Concept Testing," *Journal of Business Research* vol. 10, pp. 279–294.

Morey, Edward R. 1981. "The Demand for Site-Specific Recreational Activities: A Characteristics Approach," *Journal of Environmental Economics and Management* vol. 8, no. 4, pp. 345–371.

Morey, Edward R. 1984. "Confuser Surplus," *American Economic Review* vol. 74, no. 1, pp. 163–173.

Morgan, James N. 1978. "Multiple Motives, Group Decisions, Uncertainty, Ignorance, and Confusion: A Realistic Economics of the Consumer Requires Some Psychology," *American Economic Review* vol. 68, no. 2, pp. 58–63.

Morgenstern, Otto. 1973. *On the Accuracy of Economics Observations* (2d ed., Princeton, Princeton University Press).

Morrison, Donald G. 1979. "Purchase Intentions and Purchase Behavior," *Journal of Marketing* vol. 43, pp. 65–74.

Moser, David A., and C. Mark Dunning. 1986. *A Guide for Using the Contingent Value Methodology in Recreation Studies, National Economic Development Procedures Manual—Recreation,* vol. 2, IWR report 86-R-5 (Fort Belvoir, Va., Institute for Water Resources).

Mosteller, Frederick, and John W. Tukey. 1977. *Data Analysis and Regression* (Reading, Mass., Addison-Wesley).

Mueller, Dennis C. 1979. *Public Choice* (New York, Cambridge University Press).

Mueller, Dennis C. 1986. "Rational Egoism Versus Adaptive Egoism as a Fundamental Postulate for a Descriptive Theory of Human Behavior," *Public Choice* vol. 51, no. 1, pp. 3–23.

Mueller, Eva. 1963. "Public Attitudes Toward Fiscal Programs," *Quarterly Journal of Economics* vol. 77, pp. 210–235.

Mulligan, Patricia J. 1978. "Willingness to Pay for Decreased Risk from Nuclear Plant Accidents," Working Paper no. 43, Center for the Study of Environmental Policy, Pennsylvania State University.

Munley, Vincent G., and V. Kerry Smith. 1976. "Learning-by-Doing and Experience: The Case of Whitewater Recreation," *Land Economics* vol. 52, no. 4, pp. 545–553.

Musgrave, Richard A. 1959. *The Theory of Public Finance* (New York, McGraw-Hill).

Myers, James H., and Edward Tauber. 1977. *Market Structure Analysis* (Chicago, American Marketing Association).

Nachtman, Steven C. 1983. "Valuation of the Maroon Valley Mass Transit System for Recreational Visitors" (M.A. thesis, School of Forestry and Natural Resources, Colorado State University).

Nash, Christopher A. 1983. "The Theory of Social Cost Measurement," in Robert H. Haveman and Julius Margolis, eds., *Public Expenditure and Policy Analysis* (3d ed., Boston, Houghton Mifflin).

National Opinion Research Center. 1983. *General Social Surveys, 1972–1983: Cumulative Codebook* (Storrs, Conn., The Roper Center).

Nisbett, Richard, and Lee Ross. 1980. *Human Inference: Strategies and Shortcomings of Social Judgement* (Englewood Cliffs, N.J., Prentice-Hall).

Norton, Bryan G., ed. 1986. *The Preservation of Species. The Value of Biological Diversity* (Princeton, Princeton University Press).

Ofiara, D. D., and J. R. Allison. 1985. "On Assessing the Benefits of Public Mosquito Control Practices," manuscript, Georgia Agricultural Experiment Station, University of Georgia.

Olson, Mancur. 1965. *The Logic of Collective Action* (Cambridge, Mass., Harvard University Press).

O'Neill, William B. n.d. "Estimating the Recreational Value of Maine Rivers: An Experiment with the Contingent Valuation Technique," manuscript, Colby College, Waterville, Maine.

Oppenheimer, Joe A. 1985. "Public Choice and Three Ethical Properties of Politics," *Public Choice* vol. 45, no. 3, pp. 241–255.

Orbell, John N., Peregrine Schwartz-Shea, and Randy T. Simmons. 1984. "Do Cooperators Exit More Readily Than Defectors?" *American Political Science Review* vol. 78, no. 1, pp. 147–162.

Orchard, T., and M. A. Woodbury. 1972. "A Missing Information Principle: Theory and Applications," in the *Sixth Berkeley Symposium on Mathematical Statistics and Probability,* vol. 1 (Berkeley, University of California Press).

Oster, Sharon. 1974. "The Incidence of Local Water Pollution Abatement Expenditures: A Case Study of the Merrimack River Basin" (Ph.D. dissertation, Harvard University).

Oster, Sharon. 1977. "Survey Results on the Benefits of Water Pollution Abatement in the Merrimack River Basin," *Water Resources Research* vol. 13, pp. 882–884.

Palfrey, T. R., and H. Rosenthal. 1984. "Participation and the Provision of Discrete Public Goods: A Strategic Analysis," *Journal of Public Economics* vol. 24, pp. 171–193.

Panel on Incomplete Data. 1983. *Incomplete Data in Sample Surveys,* vol. 3 (New York, Academic Press).

Panel on Survey Management of Subjective Phenomena, Committee on National Statistics. 1981. *Surveys of Subjective Phenomena: Summary Report,* prepared for the Assembly of Behavioral and Social Sciences, National Research Council (Washington, D.C., National Academy Press).

Parsons, Talcott. 1951. *The Social System* (Glencoe, Ill., Free Press).

Pauly, Mark, Howard Kunreuther, and James Vaupel. 1984. "Public Protection Against Misperceived Risks: Insights from Positive Political Economy," *Public Choice* vol. 43, no. 1, pp. 45–64.

Payne, Stanley L. 1951. *The Art of Asking Questions* (Princeton, Princeton University Press).

Pendse, Dilip, and J. B. Wyckoff. 1976. "Measurement of Environmental Trade-offs and Public Policy: A Case Study," *Water Resources Bulletin* vol. 12, no. 5, pp. 919–930.

Penz, G. Peter. 1986. *Consumer Sovereignty and Human Interests* (New York, Cambridge University Press).

Peskin, Henry M., and Eugene P. Seskin, eds. 1975. *Cost-Benefit Analysis and Water Pollution Policy* (Washington, D.C., Urban Institute).

Pessemier, E. A. 1960. "An Experimental Method for Estimating Demand," *Journal of Business* vol. 33, pp. 373–383.

Peterson, George L., Beverly L. Driver, and P. J. Brown. 1986. "Benefits of a Recreation: Dollars and Sense." Paper presented at the First Annual Symposium on Social Science and Resource Management, Corvallis, Ore., May.

Peterson, George L., Beverly L. Driver, and Robin Gregory, eds. Forthcoming. *Valuation of Public Amenity Resources and Integration of Economics and Psychology* (State College, Pa., Venture Publishers).

Peterson, George L., and Alan Randall, eds. 1984. *Valuation of Wildland Resource Benefits* (Boulder, Colo., Westview Press).

Philips, Louis. 1974. *Applied Consumption Analysis* (New York, American Elsevier).

Phillips, D. L., and K. J. Clancy. 1970. "Response Bias in Field Studies of Mental Illness," *American Sociological Review* vol. 35, pp. 503–515.

Phillips, D. L., and K. J. Clancy. 1972. "Some Effects of Social Desirability in Survey Studies," *American Journal of Sociology* vol. 77, pp. 921–940.

Pierce, John C., and Douglas D. Rose. 1974. "Nonattitudes and American Public Opinion: The Examination of a Thesis," *American Political Science Review* vol. 68, no. 2, pp. 626–649.

Pigou, A. C. 1952. *The Economics of Welfare* (4th ed., London, Macmillan).

Plott, Charles R. 1982. "Industrial Organization Theory and Experimental Economics," *Journal of Economic Literature* vol. 20, pp. 1485–1527.

Plummer, Mark L., and Richard C. Hartman. 1986. "Option Value: A General Approach," *Economic Inquiry* vol. 24, pp. 455–471.

Polemarchakis, H. M. 1983. "Expectations, Demand, and Observability," *Econometrica* vol. 51, no. 3, pp. 565–574.

Polinsky, A. Mitchell. 1979. "Controlling Externalities and Protecting Entitlements: Property Right, Liability Rule, and Tax Subsidy Approaches," *Journal of Legal Studies* vol. 8, no. 1, pp. 1–48.

Portney, Paul R. 1975. "Voting, Cost-Benefit Analysis, and Water Pollution Policy," in Henry M. Peskin and Eugene P. Seskin, eds., *Cost-Benefit Analysis and Water Pollution Policy* (Washington, D.C., Urban Institute).

Portney, Paul R. 1981. "Housing Prices, Health Effects, and Valuing Reductions of Risk of Death," *Journal of Environmental Economics and Management* vol. 8, pp. 72–78.

Portney, Paul R., and Jon C. Sonstelie. 1979. "Super-Rationality and School Tax Voting," in Clifford S. Russell, ed., *Collective Decision Making: Applications from Public Choice Theory* (Baltimore, The Johns Hopkins University Press for Resources for the Future).

Posner, Richard A. 1977. *Economic Analysis of Law* (2d ed., Boston, Little, Brown).

Praet, Peter, and J. Vuchelen. 1984. "The Contribution of EC Consumer Surveys in Forecasting Consumer Expenditures for Four Major Countries," *Journal of Economic Psychology* vol. 5, pp. 101–124.

Pregibon, D. 1981. "Logistics Regression Diagnostics," *Annals of Statistics* vol. 9, pp. 704–724.

Pregibon, D. 1982. "Resistant Fits for Some Commonly Used Logistic Models with Medical Applications," *Biometrics* vol. 38, pp. 485–495.

Presser, Stanley. 1984. "The Use of Survey Data in Basic Research in the Social Sciences," in Charles F. Turner and Elizabeth Martin, eds., *Surveying Subjective Phenomena,* vol. 2 (New York, Russell Sage Foundation).

Rae, Douglas A. 1981a. "Visibility Impairment at Mesa Verde National Park: An Analysis of Benefits and Costs of Controlling Emissions in the Four Corners Area," report to the Electric Power Research Institute by Charles River Associates, Boston.

Rae, Douglas A. 1981b. "Benefits of Improving Visibility at Great Smoky National Park," report to the Electric Power Research Institute by Charles River Associates, Boston.

Rae, Douglas A. 1982. "Benefits of Visual Air Quality in Cincinnati," report to the Electric Power Research Institute by Charles River Associates, Boston.

Rae, Douglas, A. 1983. "The Value to Visitors of Improving Visibility at Mesa Verde and Great Smoky National Parks," in Robert D. Rowe and Lauraine G. Chestnut, eds., *Managing Air Quality and Scenic Resources at National Parks and Wilderness Areas* (Boulder, Colo., Westview Press).

Rahmatian, Morteza. 1982. "Estimating the Demand for Environmental Preservation" (Ph.D. dissertation, University of Wyoming).

Randall, Alan. 1986a. "Human Preferences, Economics, and the Preservation of Species," in Bryan G. Norton, ed., *The Preservation of Species* (Princeton, Princeton University Press).

Randall, Alan. 1986b. "The Possibility of Satisfactory Benefit Estimation with Contingent Markets," in Ronald G. Cummings, David S. Brookshire, and William D. Schulze, eds., *Valuing Environmental Goods* (Totawa, N.J., Rowman and Allanheld).

Randall, Alan, Glenn C. Blomquist, John P. Hoehn, and John R. Stoll. 1985. "National Aggregate Benefits of Air and Water Pollution Control," interim report to the U.S. Environmental Protection Agency, Washington, D.C.

Randall, Alan, Orlen Grunewald, Angelos Pagoulatos, Richard Ausness, and Sue Johnson. 1978. "Reclaiming Coal Surface Mines in Central Appalachia: A Case Study of the Benefits and Costs," *Land Economics* vol. 54, no. 4, pp. 427–489.

Randall, Alan, and John P. Hoehn. Forthcoming. "Benefit Estimation for Complex

Policies," in H. Folmer and E. van Ireland, eds., *Economics and Policy-Making for Environmental Quality* (Amsterdam, North-Holland).

Randall, Alan, John P. Hoehn, and David S. Brookshire. 1983. "Contingent Valuation Surveys for Evaluating Environmental Assets," *Natural Resources Journal* vol. 23, pp. 635–648.

Randall, Alan, John P. Hoehn, and George S. Tolley. 1981. "The Structure of Contingent Markets: Some Experimental Results." Paper presented at the Annual Meeting of the American Economic Association, Washington, D.C., December.

Randall, Alan, Berry C. Ives, and Clyde Eastman. 1974. "Bidding Games for Valuation of Aesthetic Environmental Improvements," *Journal of Environmental Economics and Management* vol. 1, pp. 132–149.

Randall, Alan, and George L. Peterson. 1984. "The Value of Wildlife Benefits: An Overview," in George L. Peterson and Alan Randall, eds., *Valuation of Wildland Resource Benefits* (Boulder, Colo., Westview Press).

Randall, Alan, and John R. Stoll. 1980. "Consumer's Surplus in Commodity Space," *American Economic Review* vol. 70, no. 3, pp. 449–455.

Randall, Alan, and John R. Stoll. 1982. "Existence Value in a Total Valuation Framework," in Robert D. Rowe and Lauraine G. Chestnut, eds., *Managing Air Quality and Scenic Resources at National Parks and Wilderness Areas* (Boulder, Colo., Westview Press).

Rapoport, A. 1967. "Escape from Paradox," *Scientific American* vol. 217, pp. 50–56.

Rausser, Gordon C., and Eithan Hochman. 1979. *Dynamic Agricultural Systems: Economic Prediction and Control* (New York, North-Holland).

Ray, Anandarup. 1984. *Cost-Benefit Analysis: Issues and Methodologies* (Baltimore, The Johns Hopkins University Press/World Bank).

Reizenstein, Richard C., Gerald E. Hills, and John W. Philpot. 1974. "Willingness to Pay for Control of Air Pollution: A Demographic Analysis," in Ronald C. Curhan, ed., *American Marketing Association 1974 Combined Proceedings*, series no. 36 (Chicago, American Marketing Association).

Research Triangle Institute. 1979. *Field Interviewer's General Manual* (Research Triangle Park, N.C.).

Rhoads, Steven E. 1985. *The Economist's View of the World: Government, Markets, and Public Policy* (New York, Cambridge University Press).

Rich, C. L. 1977. "Is Random Digit Dialing Really Necessary?" *Journal of Marketing Research* vol. 14 (August) pp. 300–305.

Ridker, Ronald G. 1967. *Economic Costs of Air Pollution* (New York, Praeger).

Ridker, Ronald G., and John A. Henning. 1967. "The Determinants of Residential Property Values with Special Reference to Air Pollution," *Review of Economics and Statistics* vol. 49, pp. 246–257.

Riesman, David. 1958. "Some Observations on the Interviewing in the Teacher Apprehension Study," in Paul Lazarsfeld and Wagner Thielens, Jr., eds., *The Academic Mind: Social Scientists in a Time of Crisis* (Glencoe, Ill., Free Press).

Roberts, J. 1976. "Incentives for the Correct Revelation of Preferences and the Number of Consumers," *Journal of Public Economics* vol. 6, pp. 359–374.

Roberts, Kenneth J., Mark E. Thompson, and Perry W. Pawlyk. 1985. "Contingent Valuation of Recreational Diving at Petroleum Rigs, Gulf of Mexico,"

Transactions of the American Fisheries Society vol. 114, no. 2, pp. 214–219.

Romer, T. 1975. "Individual Welfare, Majority Voting, and the Properties of a Linear Income Tax," *Journal of Public Economics* vol. 4, pp. 163–185.

Romer, T., and H. Rosenthal. 1978. "Political Resource Allocation, Controlled Agendas, and the Status Quo," *Public Choice* vol. 33, pp. 27–44.

Romer, T., and H. Rosenthal. 1979. "The Elusive Median Voter," *Journal of Public Economics* vol. 12, pp. 143–170.

Roper, Burns, 1982. "The Predictive Value of Consumer Confidence Measures," *Public Opinion Quarterly* vol. 46, no. 3, pp. 361–367.

Roper, Burns. 1983. "The Polls Malfunction in 1982," *Public Opinion* vol. 5, no. 6, pp. 41–42.

Rosen, Sherwin. 1974. "Hedonic Prices and Implicit Markets: Product Differentiation in Pure Competition," *Journal of Political Economy* vol. 82, pp. 34–55.

Rosen, Sherwin. 1986. "Comments," in Ronald G. Cummings, David S. Brookshire, and William D. Schulze, eds., *Valuing Environmental Goods* (Totawa, N.J., Rowman and Allanheld).

Rossi, Peter H., James D. Wright, and Andy B. Anderson. 1983. "Sample Surveys: History, Current Practice, and Future Prospects," in Peter H. Rossi, James D. Wright, and Andy B. Anderson, eds., *Handbook of Survey Research* (New York, Academic Press).

Rowe, Robert D., and Lauraine G. Chestnut, 1982. *The Value of Visibility: Economic Theory and Applications for Air Pollution Control* (Cambridge, Mass., Abt Books).

Rowe, Robert D., and Lauraine G. Chestnut. 1983. "Valuing Environmental Commodities Revisited," *Land Economics* vol. 59, pp. 404–410.

Rowe, Robert D., and Lauraine G. Chestnut. 1984. "Valuing Changes in Morbidity WTP versus COI Measures" (Denver, Energy and Resource Consultants).

Rowe, Robert D., Ralph C. d'Arge, and David S. Brookshire. 1980. "An Experiment on the Economic Value of Visibility," *Journal of Environmental Economics and Management* vol. 7, pp. 1–19.

Rubinfeld, Daniel. 1977. "Voting in a Local School Election: A Micro Analysis," *Review of Economics and Statistics* vol. 59, no. 1, pp. 30–42.

Rustemeyer, A. 1977. "Measuring Interviewer Performance in Mock Interviews," *Proceedings of the American Statistical Association (Social Statistics Section)* (Washington, D.C.) pp. 341–346.

Ruud, Paul A. 1986. "Review of Visibility Survey Data Using Rank-Ordered Responses," manuscript, University of California, Berkeley.

Samples, Karl C., John A. Dixon, and Marcia M. Gower. 1985. "Information Disclosure and Endangered Species Valuation." Paper presented at the Annual Meeting of the American Agricultural Economics Association, Ames, Iowa, August.

Samuelson, Paul. 1947. *Foundations of Economic Analysis* (Cambridge, Mass., Harvard University Press).

Samuelson, Paul. 1954. "The Pure Theory of Public Expenditure," *Review of Economics and Statistics* vol. 36, pp. 387–389.

Samuelson, Paul. 1955. "Diagrammatic Exposition of a Theory of Public Expenditure," *Review of Economics and Statistics* vol. 37, pp. 350–356.

Samuelson, Paul. 1958. "Aspects of Public Expenditure Theories," *Review of*

Economics and Statistics vol. 40, pp. 332–338.

Samuelson, Paul. 1969. "Pure Theory of Public Expenditure and Taxation," in T. Margolis and H. Buitton, eds., *Public Economics* (London, Macmillan).

SAS Institute. 1985. *SAS User's Guide: Statistics Version 5* (Cary, N.C., SAS Institute).

Satterwaite, M. 1975. "Strategy-Proofness and Arrow Conditions: Existence and Correspondence Theorems for Voting Procedures and Welfare Functions," *Journal of Economic Theory* vol. 10, pp. 187–217.

Schall, L. D. 1972. "Interdependent Utilities and Pareto Optimality," *Quarterly Journal of Economics* vol. 86, pp. 19–24.

Scheffe, Henry. 1959. *The Analysis of Variance* (New York, Wiley).

Scheffe, Henry. 1973. "A Statistical Theory of Calibration," *Annals of Statistics* vol. 1, no. 1, pp. 1–37.

Schelling, Thomas C. 1968. "The Life You Save May Be Your Own," in Samuel B. Chase, ed., *Problems in Public Expenditure Analysis* (Washington, D.C., Brookings Institution).

Schelling, Thomas C. 1978. "Altruism, Meanness, and Other Potentially Strategic Behaviors," *American Economic Review* vol. 68, no. 2, pp. 229–230.

Scherr, B. A., and E. M. Babb. 1975. "Pricing Public Goods: An Experiment with Two Proposed Pricing Systems," *Public Choice* vol. 23, pp. 35–48.

Schmalensee, Richard. 1972. "Option Demand and Consumer Surplus: Valuing Price Changes Under Uncertainty," *American Economic Review* vol. 62, pp. 813–824.

Schneider, Friedrich, and Werner W. Pommerehne. 1981. "Free Riding and Collective Action: An Experiment in Public Microeconomics," *Quarterly Journal of Economics* vol. 97, pp. 689–702.

Schoemaker, Paul J. H. 1982. "The Expected Utility Model: Its Variants, Purposes, Evidence, and Limitations," *Journal of Economic Literature* vol. 20, pp. 529–563.

Schulze, William D., and David S. Brookshire. 1983. "The Economic Benefits of Preserving Visibility in the National Parklands of the Southwest," *Natural Resources Journal* vol. 23, pp. 149–173.

Schulze, William D., and Ralph C. d'Arge. 1978. "On the Valuation of Recreational Damages." Paper presented to the Association of Environmental and Resource Economists, New York, December.

Schulze, William D., Ralph C. d'Arge, and David S. Brookshire. 1981. "Valuing Environmental Commodities: Some Recent Experiments," *Land Economics* vol. 57, no. 2, pp. 151–169.

Schulze, William D., David S. Brookshire, E. G. Walther, K. Kelley, Mark A. Thayer, R. L. Whitworth, S. Ben-David, W. Malm, and J. Molenar. 1981. "The Benefits of Preserving Visibility in the National Parklands of the Southwest," vol. 8 of *Methods Development for Environmental Control Benefits Assessment,* final report to the Office of Exploratory Research, Office of Research and Development, U.S. Environmental Protection Agency, grant no. R805059010.

Schulze, William D., Ronald G. Cummings, David S. Brookshire, Mark A. Thayer, R. Whitworth, and M. Rahmatian. 1983. "Methods Development in Measuring Benefits of Environmental Improvements: Experimental Approaches for

Valuing Environmental Commodities," vol. 2, draft manuscript of a report to the Office of Policy Analysis and Resource Management, U.S. Environmental Protection Agency, Washington, D.C.

Schulze, W[illiam D.], G. McClelland, B. Hurd, and J. Smith. 1986. "A Case Study of a Hazardous Waste Site: Perspectives from Economics and Psychology," vol. 4, *Improving Accuracy and Reducing Costs of Environmental Benefit Assessments,* draft report to U.S. Environmental Protection Agency, Washington, D.C.

Schuman, Howard, and Michael P. Johnson. 1976. "Attitudes and Behavior," in Alex Inkeles, ed., *Annual Review of Sociology,* vol. 2 (Palo Alto, Annual Reviews, Inc.) pp. 161–207.

Schuman, Howard, and Graham Kalton. 1985. "Survey Methods," in Gardner Lindzey and Elliot Aronson, eds., *Handbook of Social Psychology,* vol. 1 (New York, Random House).

Schuman, Howard, and Stanley Presser. 1981. *Questions and Answers in Attitude Surveys: Experiments on Question Form, Wording, and Context* (New York, Academic Press).

Schwarz, Norbert, Hans-J. Hippler, Brigitte Deutsch, and Fritz Strack. 1985. "Response Scales: Effects of Category Range on Reported Behavior and Comparative Judgments," *Public Opinion Quarterly* vol. 49, no. 3, pp. 388–395.

Scitovsky, Tibor. 1976. *The Joyless Economy* (New York, Oxford University Press).

Scott, Anthony. 1965. "The Valuation of Game Resources: Some Theoretical Aspects," *Canadian Fisheries Report* vol. 4, pp. 27–47.

Scott, W. D., and Company. 1980. "State Pollution Control Commission: Survey of Community Attitudes of Public Willingness to Pay for Clean Air" (Sydney, Australia).

Sellar, Christine, Jean-Paul Chavas, and John R. Stoll. 1986. "Specification of the Logit Model: The Case of Valuation of Nonmarket Goods," *Journal of Environmental Economics and Management* vol. 13, pp. 382–390.

Sellar, Christine, John R. Stoll, and Jean-Paul Chavas. 1985. "Validation of Empirical Measures of Welfare Change: A Comparison of Nonmarket Techniques," *Land Economics* vol. 61, no. 2, pp. 156–175.

Sen, Amartya K. 1977. "Rational Fools: A Critique of the Behavioral Foundations of Economic Theory," *Philosophy and Public Affairs* vol. 6, pp. 317–344.

Sen, Amartya K. 1986. "Social Choice Theory," in Kenneth J. Arrow and Michael D. Intrilligator, eds., *Handbook of Mathematical Economics,* vol. 3 (Amsterdam, North-Holland).

Seneca, Joseph T., and Michael K. Taussig. 1974. *Environmental Economics* (Englewood Cliffs, N.J., Prentice-Hall).

Shanks, J. Merrill, W. Michael Denny, J. Stephen Hendricks, and Richard A. Brody. 1981. "Citizen Reasoning About Public Issues and Policy Trade-Offs: A Progress Report on Computer Assisted Political Surveys," manuscript, Survey Research Center, University of California, Berkeley.

Shapiro, H. T. 1972. "The Index of Consumer Sentiment and Economic Forecasting: A Reappraisal," in Burkhard Strumpel, James N. Morgan, and Ernest Zahn, eds., *Human Behavior in Economic Affairs: Essays in Honor of George Katona* (San Francisco, Jossey-Bass).

Sheatsley, Paul B. 1983. "Questionnaire Construction and Item Writing," in Peter H. Rossi, James D. Wright, and Andy B. Anderson, eds., *Handbook of Survey Research* (New York, Academic Press).

Shubik, Martin. 1970. "Game Theory, Behavior, and the Paradox of the Prisoner's Dilemma: Three Solutions," *Journal of Conflict Resolution* vol. 14, pp. 181–193.

Shubik, Martin. 1981. "Game Theory Models and Methods," in Kenneth J. Arrow and Michael D. Intrilligator, eds., *Handbook of Mathematical Economics,* vol. 1 (Amsterdam, North-Holland).

Shubik, Martin. 1982. *Game Theory in the Social Sciences: Concepts and Solutions* (Cambridge, Mass., MIT Press).

Shure, Gerald H., and Robert J. Meeker. 1978. "A Minicomputer System for Multi-Person Computer-Assisted Telephone Interviewing," *Behavior Research Methods and Instrumentation* vol. 10, pp. 196–202.

Siegel, Sidney. 1956. *Nonparametric Statistics for the Behavioral Sciences* (New York, McGraw-Hill).

Silk, Alvin J., and Glenn L. Urban. 1978. "Pre-test-market Evaluation of New Packaged Goods: A Model in Measurement Methodology," *Journal of Market Research* vol. 15, pp. 171–191.

Silverberg, Eugene. 1978. *The Structure of Economics: A Mathematical Analysis* (New York, McGraw-Hill).

Silvey, S. D. 1980. *Optimal Design* (London, Chapman and Hall).

Simon, Herbert A. 1957. *Models of Man: Social and Rational* (New York, Wiley).

Simon, Herbert A. 1982. *Models of Bounded Rationality* (Cambridge, Mass., MIT Press).

Sinclair, William F. 1976. "The Economic and Social Impact of the Kemano II Hydroelectric Project on British Columbia's Fisheries Resources," report to the Fisheries and Marine Service, Department of the Environment, Vancouver.

Sinden, John A. 1974. "Valuation of Recreation and Aesthetic Experiences," *American Journal of Agricultural Economics* vol. 56, pp. 64–72.

Sinden, John A., and Albert C. Worrell. 1979. *Unpriced Values: Decisions Without Market Prices* (New York, Wiley-Interscience).

Sinden, John A., and J. Wyckoff. 1976. "Indifference Mapping: An Empirical Methodology for Economic Evaluation of the Environment," *Regional Science and Urban Economics* vol. 6, pp. 81–103.

Slovic, Paul. 1969. "Differential Effects of Real versus Hypothetical Payoffs on Choices Among Gambles," *Journal of Experimental Psychology* vol. 80, no. 3, pp. 434–437.

Slovic, Paul, Baruch Fischhoff, and Sarah Lichtenstein. 1980. "Facts versus Fears: Understanding Perceived Risk," in W. A. Albers, ed., *Societal Risk Assessment: How Safe Is Enough?* (New York, Plenum).

Slovic, Paul, Baruch Fischhoff, and Sarah Lichtenstein. 1982. "Response Mode, Framing, and Information-Processing Effects in Risk Assessment," in Robin M. Hogarth, ed., *Question Framing and Response Consistency* (San Francisco, Jossey-Bass).

Slovic, Paul, and Sarah Lichtenstein. 1971. "Comparison of Bayesian and Regression Approaches to the Study of Information Processing in Judgement," *Organizational Behavior and Human Performance* vol. 6, pp. 649–744.

Smith, N. 1980. "A Comparison of the Travel Cost and Contingent Valuation Methods of Recreation Valuation at Cullaby Lake County Park" (M.A. thesis, Oregon State University).

Smith, Tom W. 1983. "The Hidden 25 Percent: An Analysis of Nonresponse on the 1980 General Social Survey," *Public Opinion Quarterly* vol. 47, no. 3, pp. 386–404.

Smith, Tom W. 1984. "Nonattitudes: A Review and Evaluation," in Charles F. Turner and Elizabeth Martin, eds., *Surveying Subjective Phenomena,* vol. 2 (New York, Russell Sage Foundation).

Smith, V. Kerry. 1983. "Option Value: A Conceptual Overview," *Southern Economic Journal* vol. 49, pp. 654–668.

Smith, V. Kerry, ed. 1984a. *Environmental Policy Under Reagan's Executive Order: The Role of Benefit-Cost Analysis* (Chapel Hill, University of North Carolina Press).

Smith, V. Kerry. 1984b. "Some Issues in Discrete Response Contingent Valuation Studies," *Northeastern Journal of Agriculture and Resource Economics* vol. 14, pp. 1–4.

Smith, V. Kerry. 1984c. "A Bound for Option Value," *Land Economics* vol. 60, no. 3, pp. 292–296.

Smith, V. Kerry, 1986a. "Intrinsic Value in Benefit Cost Analysis," draft manuscript, Department of Economics, Vanderbilt University.

Smith, V. Kerry. 1986b. "To Keep or Toss the Contingent Valuation Method," in Ronald G. Cummings, David S. Brookshire, and William D. Schulze, eds., *Valuing Environmental Goods* (Totawa, N.J., Rowman and Allanheld).

Smith, V. Kerry. 1987a. "Nonuse Values in Benefit Cost Analysis," *Southern Economic Journal* vol. 51, pp. 19–26.

Smith, V. Kerry. 1987b. "Uncertainty, Benefit-Cost Analysis, and the Treatment of Option Value," *Journal of Environmental Economics and Management* vol. 14, pp. 283–292.

Smith, V. Kerry, and William H. Desvousges. 1985. "The Generalized Travel Cost Model and Water Quality Benefits: A Reconsideration," *Southern Journal of Economics* vol. 52, pp. 371–381.

Smith, V. Kerry, and William H. Desvousges. 1986a. "The Value of Avoiding a LULU: Hazardous Waste Disposal Sites," *Review of Economics and Statistics* vol. 78, no. 2, pp. 293–299.

Smith, V. Kerry, and William H. Desvousges. 1986b. *Measuring Water Quality Benefits* (Boston, Kluwer-Nijhoff).

Smith, V. Kerry, and William H. Desvousges. 1987. "An Empirical Analysis of the Economic Value of Risk Changes," *Journal of Political Economy* vol. 95, no. 1, pp. 89–114.

Smith, V. Kerry, William H. Desvousges, and Ann Fisher. 1983. "Estimates of the Option Values for Water Quality Improvements," *Economics Letters* vol. 13, pp. 81–86.

Smith, V. Kerry, William H. Desvousges, and Ann Fisher. 1986. "A Comparison of Direct and Indirect Methods for Estimating Environmental Benefits," *American Journal of Agricultural Economics* vol. 68, no. 2, pp. 280–290.

Smith, V. Kerry, William H. Desvousges, and A. Myrick Freeman III. 1985. "Valuing Changes in Hazardous Waste Risks: A Contingent Valuation Approach," draft report to the U.S. Environmental Protection Agency, Research Triangle Institute, N.C.

Smith, V. Kerry, and John V. Krutilla. 1982. "Toward Reformulating the Role of Natural Resources in Economic Models," in V. Kerry Smith and John V. Krutilla, eds., *Explorations in Natural Resource Economics* (Baltimore, The Johns Hopkins University Press for Resources for the Future).

Smith, Vernon L. 1977. "The Principle of Unanimity and Voluntary Consent in Social Choice," *Journal of Political Economy* vol. 85, no. 6, pp. 1125–1139.

Smith, Vernon L. 1979. "Incentive Compatible Experimental Processes for the Provision of Public Goods," in Vernon L. Smith, ed., *Research in Experimental Economics,* vol. 1 (Greenwich, Conn., JAI Press).

Smith, Vernon L. 1980. "Experiments with a Decentralized Mechanism for Public Good Decisions," *American Economic Review* vol. 70, no. 4, pp. 584–599.

Smith, Vernon L. 1986. "Comments," in Ronald G. Cummings, David S. Brookshire, and William D. Schulze, eds., *Valuing Environmental Goods* (Totawa, N.J., Rowman and Allanheld).

Smith, Vernon L., Arlington W. Williams, W. Kenneth Bratton, and Michael G. Vannoni. 1982. "Competitive Market Institutions: Double Auction vs. Sealed Bid Auctions," *American Economic Review* vol. 72, pp. 58–77.

Sonquist, J. A., E. L. Baker, and J. N. Morgan. 1974. *Searching for Structure* (Ann Arbor, Institute for Social Research, University of Michigan).

Sonstelie, Jon C. 1982. "The Welfare Cost of Free Public Schools," *Journal of Political Economy* vol. 90, no. 4, pp. 795–808.

Sonstelie, Jon C., and Paul R. Portney. 1980. "Take the Money and Run: A Theory of Voting in Local Referenda," *Journal of Urban Economics* vol. 8, pp. 187–195.

Sorg, Cindy F. 1982. "Valuing Increments and Decrements of Wildlife Resources: Further Evidence" (M.A. thesis, University of Wyoming).

Sorg, Cindy F., and David S. Brookshire. 1984. "Valuing Increments and Decrements of Wildlife Resources—Further Evidence," report to the Rocky Mountain Forest and Range Experiment Station, U.S. Forest Service, Fort Collins, Colo.

Sorg, Cindy F., John B. Loomis, Dennis M. Donnelly, George L. Peterson, and Louis J. Nelson. 1985. "Net Economic Value of Cold and Warm Water Fishing in Idaho," Resources Bulletin RM-11, Rocky Mountain Forest and Range Experiment Station, U.S. Forest Service, Fort Collins, Colo.

Sorg, Cindy F., and Louis J. Nelson. 1986. "Net Economic Value of Elk Hunting in Idaho," Resource Bulletin RM-12, Rocky Mountain Forest and Range Experiment Station, U.S. Forest Service, Fort Collins, Colo.

Spaulding, Irving A. n.d. "Factors Influencing Willingness to Pay for Use of Marine Recreational Facilities: Sand Beach," Marine Technical Report no. 51, University of Rhode Island.

Spofford, Walter O., Jr. 1982. "The Development of Methods for Assigning Water Pollution Control Benefits to Individual Discharge Regulations," manuscript, Resources for the Future, Washington, D.C.

Starrett, D. A. 1972. "Fundamental Non-Convexities in the Theory of Externalities," *Journal of Economic Theory* vol. 4, pp. 180–199.

Stephens, Susan A., and John W. Hall. 1983. "Measuring Local Policy Options:

Question Order and Question Wording Effects." Paper presented at the Annual Conference of the American Association for Public Opinion Research, Buck Hill Falls, Pa., May.

Stigler, G. J. 1974. "Free Riders and Collective Action," *Bell Journal of Economics* vol. 5, pp. 359–365.

Stigler, S. M. 1977. "Do Robust Estimators Work with Real Data?" *Annals of Statistics* vol. 5, pp. 1055–1098.

Stiglitz, Joseph E. 1977. "The Theory of Local Public Goods," in Martin S. Feldstein and Robert P. Inman, eds., *The Economics of Public Services* (New York, Macmillan).

Stiglitz, Joseph E. 1986. *Economics of the Public Sector* (New York, Norton).

Stinchcombe, Arthur, Calvin Jones, and Paul B. Sheatsley. 1981. "Nonresponse Bias for Attitude Questions," *Public Opinion Quarterly* vol. 45, pp. 359–375.

Stoker, Thomas M. 1985. "Bounds on Welfare Measures," in R. L. Basmann and George F. Rhodes, Jr., eds., *Advances in Econometrics,* vol. 4 (Greenwich, Conn., JAI Press).

Stoll, John R. 1983. "Recreational Activities and Nonmarket Valuation: The Conceptualization Issue," *Southern Journal of Agricultural Economics* vol. 15, pp. 119–125.

Stoll, John R., and Lee Ann Johnson. 1985. "Concepts of Value, Nonmarket Valuation, and the Case of the Whooping Crane," Texas Agricultural Experiment Station Article no. 19360, Department of Agricultural Economics, Texas A&M University.

Stouffer, S. A., and A. A. Lumsdaine. 1949. *The American Soldier: Combat and Its Aftermath,* vol. 2 (Princeton, Princeton University Press).

Strauss, Robert P., and G. David Hughes. 1976. "A New Approach to the Demand for Public Goods," *Journal of Public Economics* vol. 6, no. 3, pp. 191–204.

Stryker, Sheldon, and Anne Statham. 1985. "Symbolic Interaction and Role Theory," in Gardner Lindzey and Elliot Aronson, eds., *Handbook of Social Psychology,* vol. 1 (New York, Random House).

Stynes, D. J., George L. Peterson, and D. H. Rosenthal. 1986. "Log Transformation Bias in Estimating Travel Cost Models," *Land Economics* vol. 62, pp. 84–103.

Subramanian, Shankar, and Richard T. Carson. 1984. "Robust Regression: A Review and Synthesis of Developments Involving Distribution Theory and Non-Spherical Errors." Paper presented at the Econometric Society Winter Meeting, Dallas.

Sudman, Seymour. 1976. *Applied Sampling* (New York, Academic Press).

Sudman, Seymour, and Norman M. Bradburn. 1982. *Asking Questions: A Practical Guide to Questionnaire Design* (San Francisco, Jossey-Bass).

Sugden, Robert T. 1982. "On the Economics of Philanthropy," *Economic Journal* vol. 92, pp. 341–350.

Sugden, Robert T. 1986. *The Economics of Rights, Co-operation, and Welfare* (Oxford, Basil Blackwell).

Sutherland, Ronald J. 1983. "The 'Cost' of Recreational Travel Time," report no. LA-UR-83-175, Los Alamos National Laboratory.

Sutherland, Ronald J., and Richard G. Walsh. 1985. "Effect of Distance on the Preservation Value of Water Quality," *Land Economics* vol. 61, no. 3, pp. 281–291.

Takayama, A. 1982. "On Consumer's Surplus," *Economics Letters* vol. 10, pp. 35–42.

Talhelm, Daniel R. 1983. "Unrevealed Extra Market Values: Values Outside the Normal Range of Consumer Choices," in Robert D. Rowe and Lauraine G. Chestnut, eds., *Managing Air Quality and Scenic Resources at National Parks and Wilderness Areas* (Boulder, Colo., Westview Press).

Tallis, G. M., and S. S. Y. Young. 1962. "Maximum Likelihood Estimation of the Parameters of Normal, Log-Normal, Truncated Normal, and Bivariate Normal Distributions from Grouped Data," *Australian Journal of Statistics* vol. 4, pp. 49–54.

Tauber, Edward M. 1973. "Reduce New Product Failures: Measure Needs as Well as Purchase Interest," *Journal of Marketing* vol. 37, pp. 61–64.

Taylor, Michael. 1976. *Anarchy and Cooperation* (New York, Wiley).

Thaler, Richard H. 1981. "Some Empirical Evidence on Dynamic Inconsistence," *Economics Letters* vol. 8, pp. 201–207.

Thaler, Richard H., and Sherwin Rosen. 1976. "The Value of Saving a Life," in Nestor E. Terleckyj, ed., *Household Production and Consumption* (New York, National Bureau of Economic Research).

Thayer, Mark A. 1981. "Contingent Valuation Techniques for Assessing Environmental Impacts: Further Evidence," *Journal of Environmental Economics and Management* vol. 8, pp. 27–44.

Theil, Henri. 1971. *Principles of Econometrics* (New York, Wiley).

Throsby, C. D. 1984. "The Measurement of Willingness-to-Pay for Mixed Goods," *Oxford Bulletin of Economics and Statistics* vol. 67, pp. 333–340.

Thurow, Lester C. 1978. "Psychic Income: Useful or Useless?" *American Economic Review* vol. 68, no.. 2, pp. 142–145.

Tideman, T. N. 1983. "An Experiment in the Demand-Revealing Process," *Public Choice* vol. 41, no. 3, pp. 387–401.

Tiebout, T. 1956. "A Pure Theory of Local Expenditures," *Journal of Political Economy* vol. 64, pp. 416–424.

Tietenberg, Tom. 1984. *Environmental and Natural Resource Economics* (Glenview, Ill., Scott, Foresman).

Tietenberg, Tom. 1985. *Emissions Trading: An Exercise in Reforming Pollution Policy* (Washington, D.C., Resources for the Future).

Tihansky, Dennis. 1975. "A Survey of Empirical Benefit Studies," in Henry M. Peskin and Eugene P. Seskin, eds., *Cost-Benefit Analysis and Water Pollution Policy* (Washington, D.C., Urban Institute).

Tolley, George S., and Lyndon Babcock. 1986. "Valuation of Reductions in Human Health Symptoms and Risks," University of Chicago, final report to the Office of Policy Analysis, U.S. Environmental Protection Agency.

Tolley, George S., and Alan Randall, with G. Blomquist, R. Fabian, G. Fishelson, A. Frankel, J. Hoehn, R. Krumm, and E. Mensah. 1983. "Establishing and Valuing the Effects of Improved Visibility in the Eastern United States," interim report to the U.S. Environmental Protection Agency.

Tolley, George S., and Alan Randall, with G. Blomquist, M. Brien, R. Fabian, M. Grenchik, G. Fishelson, A. Frankel, J. Hoehn, A. Kelly, R. Krumm, E. Mensah, and T. Smith. 1985. "Establishing and Valuing the Effects of

Improved Visibility in the Eastern United States," final report to the U.S. Environmental Protection Agency.

Toro-Vizcarrondo, Carlos, and T. D. Wallace. 1968. "A Test of the Mean Square Error Criterion for Restrictions in Linear Regression," *Journal of the American Statistical Association* vol. 63, no. 322, pp. 558–572.

Torrance, George W., Michael H. Boyle, and Sargent P. Horwood. 1982. "Application of Multi-Attribute Utility Theory to Measure Social Preferences for Health States," *Operations Research* vol. 30, no. 6, pp. 1043–1069.

Tourangeau, Roger, Kenneth A. Rasinski, Robert P. Abelson, Roy D'Andrade, and Norman Bradburn. 1985. "Cognitive Aspects of Survey Responding: Attitudes and Explanations," preliminary report on pilot studies, National Opinion Research Center, Chicago.

Tsutakawa, Robert K. 1980. "Selection of Dose Levels for Estimating a Percentage Point of a Logistic Quantal Response Curve," *Applied Statistics* vol. 29, pp. 25–33.

Tull, Donald S., and Del I. Hawkins. 1984. *Marketing Research: Measurement and Method* (3d ed., New York, Macmillan).

Turner, A. 1972. "The San Jose Methods Test of Known Crime Victims," National Criminal Justice Information and Statistical Service, Washington, D.C.

Turner, Charles F. 1984. "Why Do Surveys Disagree? Some Preliminary Hypotheses and Some Disagreeable Examples," in Charles F. Turner and Elizabeth Martin, eds., *Surveying Subjective Phenomena,* vol. 2 (New York, Russell Sage Foundation).

Turner, Charles F., and Elizabeth Martin, eds. 1984. *Surveying Subjective Phenomena,* 2 vols. (New York, Russell Sage Foundation).

Tversky, Amos, and Daniel Kahneman. 1973. "Availability: A Heuristic for Judging Frequency and Probability," *Cognitive Psychology* vol. 5, pp. 207–232.

Tversky, Amos, and Daniel Kahneman. 1974. "Judgement Under Uncertainty: Heuristics and Biases," *Science* vol. 185, pp. 1124–1131.

Tversky, Amos, and Daniel Kahneman. 1982. "The Framing of Decisions and the Psychology of Choice," in Robin M. Hogarth, ed., *Question Framing and Response Consistency* (San Francisco, Jossey-Bass).

Tyrrell, T. J. 1982. "Estimating the Demand for Public Recreation Areas: A Combined Travel Cost-Hypothetical Valuation Approach," Working Paper no. 11, Department of Resource Economics, University of Rhode Island, Kingston.

van der Zouwen, Johannes, and Wil Dijkstra. 1982. "Conclusions," in Wil Dijkstra and Johannes van der Zouwen, eds., *Response Behavior in the Survey-Interview* (New York, Academic Press).

Varian, Hal R. 1984. *Microeconomic Analysis* (2d ed., New York, Norton).

Vartia, Yrgo. 1983. "Efficient Methods of Measuring Welfare Change and Compensated Income in Terms of Ordinary Demand Functions," *Econometrica* vol. 51, pp. 79–98.

Vaughan, William J., and Clifford S. Russell. 1982. *Freshwater Recreational Fishing: The National Benefits of Water Pollution Control* (Washington, D.C., Resources for the Future).

Vaughan, William J., Clifford S. Russell, and Richard T. Carson. 1981. "A Survey of Recreation Fee Fishing Enterprises," *Farm Pond Harvest* vol. 15, no. 4.

Vaughan, William J., John Mullahy, Julie A. Hewitt, Michael Hazilla, and Clifford

S. Russell. 1985. "Aggregation Problems in Benefit Estimation: A Simulation Approach," report to the U.S. Environmental Protection Agency by Resources for the Future.

Vickrey, W. S. 1961. "Counterspeculation, Auctions, and Competitive Sealed Tenders," *Journal of Finance* vol. 16, pp. 8–37.

Viladus, Joseph. 1973. *The American People and Their Environment,* vol. 1 (Washington, D.C., U.S. Environmental Protection Agency).

Vinokur-Kaplan, Diane. 1978. "To Have—or Not to Have—Another Child: Family Planning Attitudes, Intentions, and Behavior," *Journal of Applied Social Psychology* vol. 8, no. 1, pp. 29–46.

Walbert, M. S. 1984. "Valuing Policies which Reduce Environmental Risk: An Assessment of the Contingent Valuation Method" (Ph.D. dissertation, University of New Mexico, Albuquerque).

Walsh, Richard G. 1986. "Comparison of Pine Beetle Control Values in Colorado Using the Travel Cost and Contingent Valuation Methods." Paper presented at the U.S. Department of Agriculture Conference on Research Issues in Resource Decisions Involving Marketed and Nonmarketed Goods, San Diego, February.

Walsh, Richard G., and Lynde O. Gilliam. 1982. "Benefits of Wilderness Expansion with Excess Demand for Indian Peaks," *Western Journal of Agricultural Economics* vol. 7, pp. 1–12.

Walsh, Richard G., John B. Loomis, and Richard A. Gillman. 1984. "Valuing Option, Existence, and Bequest Demands for Wilderness," *Land Economics* vol. 60, no. 1, pp. 14–29.

Walsh, Richard G., Nicole P. Miller, and Lynde O. Gilliam. 1983. "Congestion and Willingness to Pay for Expansion of Skiing Capacity," *Land Economics* vol. 59, no. 2, pp. 195–210.

Walsh, Richard G., Larry D. Sanders, and John B. Loomis. 1985. *Wild and Scenic River Economics: Recreation Use and Preservation Values,* report to the American Wilderness Alliance (Department of Agriculture and Natural Resource Economics, Colorado State University).

Walsh, Richard G., R. K. Ericson, J. R. McKean, and R. A. Young. 1978. "Recreation Benefits of Water Quality, Rocky Mountain National Park, South Platte River Basin, Colorado," Technical Report no. 12, Colorado Water Resources Research Institute, Colorado State University, Fort Collins.

Water Resources Council. 1979. "Procedures for Evaluation of National Economic Development (NED): Benefits and Costs in Water Resources Planning (Level C), Final Rule," *Federal Register* vol. 44, no. 242 (December 14), pp. 72892–977.

Water Resources Council. 1983. *Principles and Guidelines for Water and Related Land Resources Implementation Studies* (Washington, D.C.).

Wegge, Thomas C., W. Michael Hanemann, and Ivar E. Strand. 1985. "An Economic Analysis of Recreational Fishing in Southern California," report to the National Marine Fisheries Service.

Weigel, R. H., D. T. A. Vernon, and L. N. Tognacci. 1974. "The Specificity of the Attitude as a Determinant of Attitude-Behavior Congruence," *Journal of Personality and Social Psychology* vol. 30, pp. 724–728.

Weisbrod, Burton A. 1964. "Collective Consumption Services of Individual-

Consumption Goods," *Quarterly Journal of Economics* vol. 78, no. 3, pp. 471–477.

Welle, Patrick G. 1985. "Potential Economic Impacts of Acid Rain in Minnesota: The Minnesota Acid Rain Survey," paper prepared for the Minnesota Pollution Control Agency.

Wellman, J. D., E. G. Hawk, J. W. Roggenbuck, and G. J. Buhyoff. 1980. "Mailed Questionnaire Surveys and the Reluctant Respondent: An Empirical Examination of Differences Between Early and Late Respondents," *Journal of Leisure Research* vol. 12, no. 2, pp. 164–172.

Welsh, Michael P. 1986. "Exploring the Accuracy of the Contingent Valuation Method: Comparisons with Simulated Markets" (Ph.D. dissertation, University of Wisconsin, Madison).

Wen, Frank, William Easter II, and Theodore Graham-Tomasi. 1987. "External Damage Cost from Soil Erosion on the Upper-Lower Mississippi," Staff Report, Department of Agricultural and Applied Economics, University of Minnesota.

Whipple, Chris, and Vincent T. Covello, eds. 1985. *Risk Analysis in the Private Sector* (New York, Plenum).

Whittemore, Alice. 1981. "Sample Size for Logistic Regression with Small Response Probability," *Journal of the American Statistical Association* vol. 76, pp. 27–32.

Whittington, Dale, John Briscoe, Mu Shinming, William Barron, and Tom Bourgeois. 1986. "Estimating the Willingness to Pay for Water Services in Developing Countries: A Case Study of the Use of Contingent Valuation Surveys in Southern Haiti." Paper presented at the Regional Science Association Annual Meeting, Columbus, Ohio.

Wicksell, K. 1967. "A New Principle of Just Taxation," in R. A. Musgrave and A. T. Peacock, eds., *Classics in the Theory of Public Finance* (New York, St. Martin's).

Wildavsky, Aaron B. 1964. *The Politics of the Budgetary Process* (Boston, Little, Brown).

Williams, Bill. 1978. *A Sampler on Sampling* (New York, John Wiley and Sons).

Willig, Robert D. 1973. "Consumer's Surplus: A Rigorous Cookbook," Technical Report no. 98, Institute for Mathematical Studies in the Social Sciences, Stanford University.

Willig, Robert D. 1976. "Consumer's Surplus Without Apology," *American Economic Review* vol. 66, no. 4, pp. 587–597.

Willis, C., and J. Foster. 1983. "The Hedonic Approach: No Panacea for Valuing Water Quality Changes," *Journal of the Northeastern Agricultural Council* vol. 12, pp. 53–56.

Wilman, Elizabeth A. 1980. "The Value of Time in Recreation Benefit Studies," *Journal of Environmental Economics and Management* vol. 7, pp. 272–286.

Wilson, James Q., and Edward Banfield. 1964. "Public Regardingness as a Value Premise in Voting Behavior," *American Political Science Review* vol. 4, 876–887.

Wilson, James Q., and Edward Banfield. 1965. "Voting Behavior on Municipal Public Expenditures: A Study in Rationality and Self-Interest," in Julius Margolis, ed., *The Public Economy of Urban Communities* (Baltimore, The Johns

Hopkins University Press).

Wilson, L. A. 1981. "Citizen Preferences for Public Expenditures: A Survey of Opinion in Tempe, Arizona," draft manuscript, Center for Public Affairs, Arizona State University.

Winerip, Michael. 1986. " 'Mr. Garbage' and His Million-Dollar Offer," *New York Times*, May 6.

Winter, S. G. 1969. "A Simple Remark on the Second Optimality Theorem of Welfare Economics," *Journal of Economic Theory* vol. 1, pp. 99–103.

Wyckoff, J. B. 1971. "Measuring Intangible Benefits—Some Needed Research," *Water Resources Bulletin* vol. 7, no. 1, pp. 11–16.

Wyer, Robert S., Jr., and Thomas K. Srull. 1981. "Category Accessibility: Some Theoretical and Empirical Issues Concerning the Processing of Social Stimulus Information," in E. Tory Higgins, C. Peter Herman, and Mark P. Zanna, eds., *Social Cognition: The Ontario Symposium* (Hillsdale, N.J., L. Erlbaum Associates).

Yang, E. J., R. C. Dower, and M. Menefee. 1984. "The Use of Economic Analysis in Valuing Natural Resource Damages," report to the U.S. Department of Commerce by the Environmental Law Institute, Washington, D.C.

Yates, F. 1980. *Sampling Methods for Censuses and Surveys* (4th ed., London, Griffin).

Young, H. P., ed. 1985. *Cost Allocation: Methods, Principles, Applications* (Amsterdam, North-Holland).

Zeckhauser, Richard. 1973. "Voting Systems, Honest Preferences, and Pareto Optimality," *American Political Science Review* vol. 67, pp. 934–946.

Zeller, Richard A., and Edward G. Carmines. 1980. *Measurement in the Social Sciences: The Link Between Theory and Data* (New York, Cambridge University Press).

Ziemer, Rod F., Welsley N. Musser, Fred C. White, and R. Carter Hill. 1982. "Sample Selection Bias in Analysis of Consumer Choice: An Application to Warmwater Fishing Demand," *Water Resources Research* vol. 18, no. 2, pp. 215–219.

索　引

環境経済評価研究会 （2001年8月現在）

寺川　　陽（てらかわ　あきら）
　　国土交通省中部地方整備局中部技術事務所長

安田　佳哉（やすだ　よしや）
　　国土交通省国土技術政策総合研究所環境研究部河川環境研究室長

並河　良治（なみかわ　よしはる）
　　国土交通省国土技術政策総合研究所環境研究部道路環境研究室長

舟橋　弥生（ふなはし　やよい）
　　国土交通省土地・水資源局水資源部水資源計画課係長

小路　泰広（しょうじ　やすひろ）
　　国土交通省国土技術政策総合研究所総合技術政策研究センター建設経済研究室主任研究官

齋藤　博之（さいとう　ひろゆき）
　　国土交通省北陸地方整備局河川計画課長

森本　浩之（もりもと　ひろゆき）
　　㈱建設技術研究所大阪支社情報技術部次長

CVMによる環境質の経済評価—非市場財の価値計測—
Using Surveys to Value Public Goods
　　—The Contingent Valuation Method—

2001年9月25日　　初版第1刷発行　　〔定価はカバーに表示してあります〕

　　　　　　　　　　　　　著　者　Robert Cameron Mitchell
　　　　　　　　　　　　　　　　　Richard T. Carson
　　　　　　　　　　　　　訳　者　環境経済評価研究会
　　　　　　　　　　　　　発行者　海　　　野　　　巖
　　検　印　　　　　　　　印刷所　美研プリンティング㈱
　　省　略
　　　　　　　　　　　　　発行所　株式会社　山　　海　　堂
　　　　　　　　　　　　　〒113-8430　東京都文京区本郷5-5-18
　　　　　　　　　　　　　電話　東京03-3816-1617
　　　　　　　　　　　　　振替　00140-3-194982
　　　　　　　　　　　　　http://www.sankaido.co.jp/